BEATE SAUER

Am Hofe der Löwin

Y0-AGU-914

GOLDMANN
Lesen erleben

Buch

Südengland, 1127: Die Leibeigene Aline flieht vor ihrem grausamen Herrn in den Wald. Seinen Knechten gelingt es bald, sie aufzuspüren. Doch eine hochadelige Dame, die mit ihrem Gefolge auf der Jagd ist, rettet Aline. Bei der Dame handelt es sich um Matilda, verwitwete deutsche Kaiserin, ehemalige Gattin Kaiser Heinrichs V., Tochter und Thronerbin des englischen Königs Henry I.
Aline erhält einen Platz als persönliche Dienerin Matildas in deren Gefolge und gewöhnt sich schnell ein am Hofe der Löwin. Wie alle anderen Dienstboten hat auch sie unter dem Jähzorn Matildas zu leiden, doch allmählich beginnt ihre stolze Herrin sie zu schätzen. Bald wird Aline ihr zur Vertrauten, die Einzige, die um das Geheimnis von Matildas unglücklicher Liebe weiß.
Derweil lernt Aline bei einer Feierlichkeit zu Ehren Matildas den jungen Knappen Ethan kennen und lieben. Doch Ethan gehört dem Gefolge von Stephen an, Matildas Vetter und ihr Rivale um den Thron von England. Und während Aline und Ethan einander immer näher kommen, bricht zwischen Matilda und Stephen ein Bürgerkrieg aus. Die beiden Liebenden werden auseinandergerissen, denn weder Aline noch Ethan wollen ihre jeweiligen Herren verraten. Doch Aline kann ihre große Liebe nicht vergessen, und während um sie herum die Kämpfe toben, trifft sie eine gefährliche Entscheidung ...

Autorin

Beate Sauer wurde 1966 in Aschaffenburg geboren. Sie studierte Philosophie und katholische Theologie in Würzburg und Frankfurt am Main. Sie lebt und arbeitet als freie Autorin in Bonn.

Von Beate Sauer sind im Goldmann Verlag außerdem lieferbar:

Die Buchmalerin. Roman (46178)
Der Stern der Theophanu. Roman (46816)

Beate Sauer

Am Hofe der Löwin

Roman

GOLDMANN

MIX
Papier aus verantwor-
tungsvollen Quellen
FSC® C014496

Verlagsgruppe Random House FSC-DEU-0100
Das FSC®-zertifizierte Papier *München Super* für dieses Buch
liefert Arctic Paper Mochenwangen GmbH.

Kapitel 1

S ie befand sich wieder auf dem Gehöft ihrer Eltern. Kleine weiße Wolken zogen über den Sommerhimmel. Unter dem Apfelbaum summten die Bienen um ihre Körbe aus
Stroh, und der süße Geruch von Lavendel, Johanniskraut
und Eberraute, die zwischen den Gemüsebeeten wuchsen,
erfüllte die Luft. Die Fensterläden des niedrigen, gekalkten Wohnhauses standen offen. Von dort war jetzt die helle
Stimme ihres kleinen Bruders Haimo zu hören. Ihre Mutter
antwortete ihm etwas und lachte dabei.

Ein warmes Glücksgefühl breitete sich wie Sonnenstrahlen in ihr aus. Ja, sie war zu Hause. Der Weizen auf dem
Feld jenseits des Weidenzauns war goldgelb und reif. In den
nächsten Tagen würde der Vater die Ähren mit der Sichel
schneiden, und sie und ihre Mutter würden auf den stoppeligen Furchen hinter ihm her gehen und das Korn zu Garben binden.

Eine Wolke verdeckte die Sonne. Der plötzliche Schatten
ließ sie frösteln. In den Duft der Kräuter mischte sich der
Gestank von kaltem Rauch und verbranntem Kohl.

Schon während Aline aufwachte, spürte sie das Eisenband um ihren Hals. Ihr Körper schmerzte von den Schlä-
gen, die ihr der Verwalter am Vortag wegen einer Nichtig-
keit verpasst hatte. Die Erkenntnis, dass sie von dem Gehöft ihrer Eltern nur geträumt hatte, und nun das Leben als

Leibeigene des Barons de Thorigny ihre Wirklichkeit bildete, schnürte ihr die Kehle zu. Sie hielt die Augen geschlossen, wollte die Küche mit der breiten Feuerstelle und der rußigen Balkendecke, wo sie nun seit einigen Wochen auf dem Boden schlief, nicht sehen.

Doch nur zu bald scheuchte die raue Stimme der Köchin Aline und die anderen Mägde hoch. Dumpf kam sie ihren Aufgaben nach, Feuerholz und Wasser von dem Brunnen auf dem Hof zu holen. Als die Suppe fertig war, drängten die Knechte in die Küche. Aline nahm ihren Platz am unteren Ende des groben Holztischs ein. Bis sich alle der drei Dutzend Leibeigenen von der Speise genommen hatten, war die Schüssel fast leer, und Aline musste sich die Reste zusammenkratzen. Die Suppe war voller Spelzen und ohne Gewürze oder nennenswerte Mengen an Fett zubereitet, aber Aline war so hungrig, dass sie sie gierig hinunterschlang.

Niemand sprach ein Wort oder lachte gar. Verzweifelt versuchte Aline, nicht an ihren kleinen Bruder zu denken, der so stolz gewesen war, dass er schon selbst den Löffel zum Mund führen konnte, auch wenn er dabei einen Großteil des Getreidebreis um seinen Mund verschmierte. Während der Mahlzeiten hatte ihr Vater oft in seiner langsamen, geduldigen Art von der Arbeit auf den Feldern oder im Stall berichtet, oder er hatte Neuigkeiten erzählt, die er im Dorf erfahren hatte. Dann und wann hatte ihre temperamentvolle Mutter ihn unterbrochen und mit Aline und ihrem Bruder geschimpft und gescherzt.

Ein Windstoß fuhr in die Küche, als der Verwalter Fulk den Raum betrat und sich auf seinen Stuhl am Kopfende des Tischs setzte. Eilig stand die Köchin auf und brachte ihm eine Schale mit der Suppe, die eigens für ihn zubereitet wurde und wie immer reichlich Fleischstücke oder Käse enthielt. Anfangs hatte Aline darüber noch Zorn empfunden. Doch mittlerweile nahm sie dies gleichgültig hin.

Müde verfolgte sie, wie der vierschrötige, rotgesichtige Mann aß und sich schließlich an die Köchin wandte. »Guy d'Esne wird heute oder morgen auf den Hof kommen. Sieh zu, dass du was Anständiges für ihn auf den Tisch bringst.«

»Der Aufseher unseres Herrn ist lange nicht mehr hier gewesen«, murmelte die ältliche Frau und bedachte Aline mit einem merkwürdigen, ja, beinahe besorgten Blick. Diese dachte jedoch nicht weiter darüber nach, denn Fulk brachte zwischen zwei Bissen hervor: »Guy d'Esne will die neuen Besitzungen des Barons besichtigen.« Damit war, wie Aline begriff, auch das Anwesen ihrer Eltern gemeint, das zwei Tagesritte entfernt war.

Nachdem Fulk seine Schale geleert hatte, wies er den Leibeigenen ihre Arbeit zu. Aline befahl er, frisches Schilf für den Boden der Halle zu schneiden.

Als sie die Küche verließ, wehte ein kalter Wind, und graue Wolken bedeckten den Himmel. Während der letzten Tage hatte es geregnet. Pfützen standen auf den Wiesen, und der Weg zum See war schlammig. Kahl und trostlos breitete sich die hügelige Landschaft um sie aus. Am Seeufer streifte Aline ihre Holzschuhe ab und band ihren Kittel hoch. Das Wasser reichte ihr bis zu den Knien und war eiskalt. Zitternd begann sie, die Binsen zu schneiden und am Ufer aufzuschichten.

Mittlerweile muss es März sein, ging es Aline durch den Kopf. Seit zwei Monaten war sie nun gezwungen, auf dem Gut des normannischen Barons zu leben. Eine Zeitspanne, die ihr wie eine Ewigkeit erschien. Anfangs hatte sie noch gehofft, das alles sei ein Albtraum, aus dem sie irgendwann erwachen würde. Doch inzwischen wusste sie, dass dies die Wirklichkeit war und es für sie kein Entrinnen gab.

Sie erinnerte sich noch gut daran, wie ihr Vater zu Beginn der Adventszeit, an einem stürmischen, schneereichen Tag, nach Hause gekommen war und erzählt hatte, dass der alte Baron gestorben sei und die Gegend um Salisbury – dort befand sich das Gehöft ihrer Familie – einen neuen normannischen Herrn bekommen habe. Alines Mutter hatte sich Sorgen gemacht. Doch der Vater hatte erwidert, er sei, wie auch seine Vorfahren, ein freier Bauer. Sein Großvater habe für Roger of Montgomery – einen hohen Gefolgsmann König Williams – gekämpft, und dieser habe ihm dieses Recht noch einmal verbürgt.

Dann hatte er Aline die Hände auf die Schultern gelegt und ernster, als es sonst seine Art war, gesagt: »Wir zahlen unserem Grundherrn den Zehnten. Aber wir haben niemals einem anderen Menschen gehört. Das darfst du nie vergessen.«

Bald darauf hatte ein heftiges Fieber in der Gegend gewütet. Auch Aline und ihre Familie hatte es befallen. Sie hatte geglaubt zu verglühen. Wirre, schreckliche Träume hatten sie heimgesucht, in denen sie ihren Bruder Haimo jammern und ihre Eltern stöhnen hörte. Doch sie hatte ihnen nicht helfen können.

In der Scheune von Nachbarn war sie wieder zu sich gekommen. Diese hatten ihr eröffnet, dass ihre Eltern und ihr Bruder in der Zwischenzeit an dem Fieber gestorben waren. Außerdem waren Dienstleute des Barons Thorigny in das Dorf gekommen und hatten das Anwesen von Alines Familie für ihren Herrn in Besitz genommen. Auch Aline – so die Nachbarn weiter – gehöre nun dem Baron. Damals war sie viel zu mitgenommen von dem Tod der geliebten Menschen und geschwächt von dem Fieber gewesen, um wirklich zu verstehen, was das bedeutete.

Andernfalls, dachte Aline bitter, während sie frierend einen weiteren Armvoll Binsen an das Ufer schleppte, *wäre ich geflohen*. Aber so war sie nur apathisch in der Scheune liegen geblieben.

An einem Tag Mitte Januar dann – sie war gerade wieder kräftig genug gewesen, um sich auf den Beinen zu halten – war Fulk mit einem Knecht erschienen, um sie zu holen. Erst als sie den vierschrötigen Mann mit den kleinen, harten Augen und den Strick in seiner Hand gesehen hatte, hatte sie begriffen, was ihr bevorstand. Sie hatte sich gewehrt; geschrien, sie sei frei geboren, er habe kein Recht, sie zur Leibeigenen zu machen und das Anwesen für seinen Herrn zu beanspruchen. Doch Fulk hatte nur gelacht und sie mühelos überwältigt. Keiner der Dorfbewohner, die auf Alines Schreie hin zusammenströmten, war bereit gewesen, für sie einzustehen – auch nicht der Priester.

Während der ersten Zeit auf dem Gut des Barons de Thorigny hatte Aline noch versucht, sich zu widersetzen. Aber Prügel und Nahrungsentzug hatten sie schließlich gefügig gemacht. Um ihr jeden Gedanken an Flucht auszutreiben, hatte Fulk ihr gleich am ersten Tag das Eisenband um den Hals schmieden lassen, das sie als Leibeigene kennzeichnete.

Gegen Mittag hatte Aline endlich eine ausreichende Menge Binsen geschnitten. Ihre Beine waren wie taub, sie war völlig durchgefroren und hungrig. Ein leichter Sprühregen fiel, der die Gegend noch unwirtlicher erscheinen ließ. Ein Gefühl abgrundtiefer Hoffnungslosigkeit erfasste sie. Würde sie nun Jahr um Jahr so weiterleben müssen? Der Willkür anderer Menschen ausgeliefert, bis sie schließlich an Entkräftung oder einer Krankheit sterben würde?

Aline wusste, dass sie so schnell wie möglich zum Gutshaus zurückkehren musste, um eine weitere Arbeit zu übernehmen. Doch plötzlich glaubte sie, die Gegenwart der anderen Leibeigenen, die ihr Schicksal einfach ergeben hinnahmen, nicht mehr ertragen zu können.

In einem Stall auf einer der Weiden ganz in der Nähe stand seit einigen Tagen ein junges Pferd, das sich mit der restlichen Herde nicht vertrug. Fulk hatte ihr ein paarmal aufgetragen, dem Tier Futter zu bringen. Das Pferd hatte sie gleich an das Maultier ihrer Familie erinnert. Voller Heimweh rannte Aline über die nasse Wiese zu dem Stall.

Der kleine Braune empfing sie mit einem zutraulichen Schnauben. Zärtlich streichelte Aline ihn zwischen den Nüstern, hielt aber gleich darauf erschrocken inne. Die Nasenlöcher des Tiers fühlten sich trocken an, und seine Augen blickten stumpf. Nun sah sie, dass sich an seinem rechten Vorderlauf eine Schwellung gebildet hatte. Eine schmierige Paste bedeckte die kranke Stelle. Sie roch daran. Bei der Schmiere handelte es sich um Gänseschmalz. Völlig nutzlos!

Ihre Mutter war heilkundig gewesen. Schon als kleines Kind hatte Aline ihr häufig gelauscht, wenn sie die Dörfler oder deren Tiere behandelt hatte, und als sie älter geworden war, hatte die Mutter sie dann und wann Wunden untersuchen lassen. Vorsichtig berührte sie die kranke Stelle. Die Schwellung rührte nicht von Eiter, sondern von einer Entzündung her.

Hastig lief Aline nach draußen auf die Wiese. Sie musste nicht lange nach Breitwegerichblättern suchen und pflückte eine große Handvoll davon. Wieder in dem Stall, zerrieb sie das Kraut zwischen ihren Fingern zu einer Paste, die sie anschließend behutsam in den kranken Lauf massierte. Sie war so auf das Pferd konzentriert, dass sie die Schritte auf der Weide nicht hörte. Erst als die Tür geöffnet wurde, schreckte sie auf. O Gott, wenn Fulk sie bei dem Tier ertappte ...

Aber nicht der Verwalter stand vor ihr, sondern ein großer, kahlköpfiger Mann in den Dreißigern, der ein aufgedunsenes, teigiges Gesicht hatte. Sein blauer Mantel war nass vom Regen und bestand aus einem teuren Stoff. *Dies muss Guy d'Esne sein,* schoss es Aline durch den Kopf.

»Ich ...«, stammelte sie, während sie sich ängstlich erhob und vor ihm zurückwich. »Verzeiht ...«

»Also hatte ich doch Recht, als ich jemanden in den Stall schlüpfen sah.« Er musterte sie von oben bis unten. Aline schämte sich, dass sie so schmutzig war. Seit Tagen hatte sie sich nicht mehr waschen können. Auch ihr Kittel war von Lehmspritzern und Grasflecken übersät. »Was treibst du hier?«

»Ich ...« Sie schluckte. »Ich habe den kranken Vorderlauf des Pferdes versorgt.«

»Du lügst.« Die Stimme des Aufsehers klang kalt. »Ich kann mir nicht vorstellen, dass Fulk dich damit beauftragt hat.«

»Das hat er auch nicht. Aber ich habe bemerkt, dass das Pferd falsch behandelt wurde. Deshalb habe ich sein Bein mit zerriebenen Breitwegerichblättern bestrichen.«

»Du behauptest also, dich mit Pferden besser auszukennen als der Verwalter.« Er stieß ein meckerndes Lachen aus.

Alines Mund war ganz trocken. »Ich habe von meiner Mutter viel über Heilkunde gelernt«, flüsterte sie.

»Sieh an, du bist also das widerspenstige Ding von dem Gut bei Salisbury.« Wieder musterte er sie abschätzend. »Wie alt bist du?«

»Fast zwölf, Herr.« Sein Blick war ihr unangenehm. Sie sah zu Boden.

Guy d'Esne fasste sie unter dem Kinn und hob ihren Kopf hoch, sodass sie ihn anschauen musste. »Wenn man sich den Schmutz wegdenkt, bist du recht hübsch mit deinem blonden Haar, den braunen Augen und dem herzförmigen Gesichtchen. Obwohl du ein bisschen mager bist. Ich werde Fulk befehlen, dass er dir mehr zu essen gibt.« Seine Finger wanderten über ihre Wange, dann zu ihren Lippen. Aline begann zu zittern. Was wollte er von ihr?

»Genau genommen bist du die hübscheste Leibeigene, die mir seit langem auf Thorignys Gütern begegnet ist.« Ein Glitzern trat in seine Augen, das Aline noch mehr erschreckte. Sein nach Most und Zwiebeln stinkender Atem ging schneller.

Ehe sie reagieren konnte, versetzte er ihr einen Schubs, der sie rücklings in das Stroh fallen ließ. Im nächsten Moment kniete er auf ihr und machte sich an seiner Hose zu schaffen. Ihr wurde übel, als sie begriff, was er vorhatte. »Nein«, flehte sie. »Bitte nicht … Lasst mich gehen.«

Er lachte nur, spreizte grob ihre Beine und zerrte ihren Kittel hoch. »Bitte …«, wimmerte sie wieder.

»Stell dich nicht so an.« Das Messer, mit dem sie die Binsen geschnitten hatte, lag bei dem unruhig schnaubenden Braunen. Weit außerhalb ihrer Reichweite … Verzweifelt bäumte sie sich auf und fuhr Guy d'Esne mit den gekrümmten Fingern ins Gesicht. Ihre Nägel hinterließen rote Kratzer auf seiner Wange.

»Verdammte Katze!« Er versetzte ihr eine brutale Ohrfeige. Sein Gewicht raubte ihr fast den Atem. Nein ... Aus den Augenwinkeln sah Aline den Griff einer Waffe, die in seinem Gürtel steckte. Ihre Hand schloss sich um den Schaft. In dem Moment, als Guy d'Esne in sie eindringen wollte, rammte sie den Dolch tief in seinen Oberschenkel.

Er brüllte auf und krümmte sich. Es gelang ihr, sich unter ihm hervorzuwinden. Mit einem Aufschrei fasste er nach ihr und bekam sie am Ärmel ihres Kittels zu fassen.

»Verfluchte Hexe, das wirst du mir büßen!« Sein teigiges Gesicht war wutverzerrt. Schluchzend riss sie sich los. Er versuchte, aufzustehen und ihr nachzusetzen. Das verletzte Bein gab jedoch unter ihm nach, und er stolperte. Ehe er noch einmal nach ihr greifen konnte, hatte sie die Stalltür hinter sich zugeschlagen und den Riegel vorgeschoben.

Während sie weinend davonrannte, hörte sie Guy gegen die Bretter hämmern und wüste Verwünschungen ausstoßen.

*

Aline war etwa drei Meilen weit gekommen, als sie hinter sich das Bellen eines Hundes hörte. Anfangs hoffte sie noch auf einen Zufall, doch dann stimmten andere Tiere in das Gekläff ein. Eine Meute hatte ihre Spur aufgenommen und jagte sie. Sie würde ihren Verfolgern nicht entkommen können. *Vater ...*, dachte sie. *Mutter ...* Sie stolperte durch das Unterholz, riss sich von Zweigen und Ranken los. Eine Wurzel ließ sie stürzen. Das Gebell ertönte nun ganz in der Nähe. Eine Männerstimme rief etwas.

Mit letzter Willensanstrengung raffte sie sich auf und torkelte weiter. Die Bäume und das Strauchwerk standen nun weniger dicht, und sie kam leichter voran. Dann tat sich eine Lichtung vor ihr auf. Aline hatte den Saum des Waldes gerade hinter sich gelassen, als sie vor sich ebenfalls Hundebellen und Stimmen hörte. Ihre Häscher hatten sie eingekreist. All ihre Kraft verließ sie, und sie brach zusammen.

Hufgetrappel erklang auf dem durchweichten Grasboden. Der heiße Atem eines Hundes strich über ihre Wange. Schützend vergrub Aline den Kopf zwischen ihren Armen. Sie befand sich weit weg im Garten ihrer Eltern …

Eine spröde Frauenstimme rief: »Tinker, komm sofort her. Bei Gott, Simon, Eure Hunde sind wirklich schlecht erzogen.« Die Antwort des Mannes ging in erneutem Gebell unter. Aline riss die Augen auf. Ein feinknochiger Schimmel tänzelte auf sie zu. Im Sattel saß eine adelige Dame, deren Alter sich schwer schätzen ließ. Sie war kostbar gekleidet und hatte ein schmales und auf eine hochmütige Weise schönes Gesicht.

Während Aline mühsam auf die Füße kam, nahm sie wie durch einen Schleier hinter der Dame weitere Reiter wahr. »Herrin, bitte …« Aline ließ sich neben dem Schimmel in die Knie sinken und ergriff den Mantelsaum der vornehmen Frau.

»Mädchen, was soll das! Lass sofort los«, herrschte diese sie an.

Hinter ihr brach nun die Meute zwischen den Stämmen hervor und stürmte auf sie zu. Aline krallte ihre Finger noch fester in den weichen, dicken Stoff. Ein scharfer Luftzug wehte an ihr vorbei. Ein mehrmaliges Klatschen ertönte. Hunde jaulten auf. Als Aline ängstlich den Kopf hob, sah sie, wie die Dame eine Peitsche schwang. Die Meute wich knurrend und mit eingezogenen Schwänzen zurück.

»Simon, haltet Eure Tiere im Zaum«, rief die Adelige. »Würde mir gefälligst jemand erklären, was dieser Irrsinn zu bedeuten hat?«

Der Hundemeute folgten nun Reiter. Unter ihnen Guy d'Esne und Fulk.

»Verzeiht, edle Frau, dass wir Euch bei Eurem Ausritt gestört haben«, der Aufseher neigte höflich den Kopf, »aber wir haben nach diesem Mädchen gesucht. Sie ist eine Leibeigene und von einem Gut meines Herrn, des Barons Reginald de Thorigny, geflohen. Erlaubt, dass wir Euch von diesem ungehorsamen Geschöpf befreien.« Er bedeutete Fulk, abzusitzen.

Verzweifelt blickte Aline zu der Dame auf. »Ich bin keine Leibeigene«, schluchzte sie. »Mein Vater war ein freier Bauer. Er besaß ein Gut in der Gegend von Salisbury, bei dem Dorf Whaddon. Nach seinem Tod hat der Baron das Anwesen einfach für sich in Besitz genommen.«

»Das Mädchen lügt«, erklärte Guy d'Esne. »König Henry selbst hat meinem Herrn das ganze Gebiet dort übertragen.«

Das blasse Gesicht der Frau und ihre merkwürdig hellen, meergrünen Augen blieben unbewegt. »Ja, ich weiß, dass es König Henry mit den Rechten der alteingesessenen, angelsächsischen Landbewohner oft nicht sehr genau nimmt«, sagte sie schließlich leichthin. »Jedenfalls wird der König dafür seine Gründe haben. Allerdings spricht es nicht gerade für einen Grundherrn, wenn die Leibeigenen von seinen Gütern fliehen.«

»Das Mädchen ist widerborstig und verstockt, was Euch Fulk, der sich seit zwei Monaten täglich mit ihm herumplagen muss, gerne bestätigen wird.« Der Aufseher seufzte. »Da alle Nachsicht nichts genutzt hat, werden wir nun leider härter mit ihm umspringen müssen.«

»Bitte, habt Erbarmen! Lasst nicht zu, dass sie mich wegschleppen.« Ein Schluchzen schüttelte Aline. »Dieser

Mann ... Er ... Er hat versucht, mir Gewalt anzutun. Deshalb bin ich geflohen.«

Der Blick der Dame wanderte zu den Kratzern auf Guy d'Esnes Wange. Ein leichtes Kräuseln ihrer Oberlippe war ihre einzige Reaktion.

»Das Mädchen lügt schon wieder«, behauptete Guy d'Esne entrüstet. Er trieb sein Pferd näher an Aline heran.

»Ihr habt Euch am Bein verletzt?« Die Stimme der Dame klang höflich, aber unbeteiligt. Erst jetzt bemerkte Aline den Blutfleck, der sich über der Stelle, wo sie ihn mit dem Messer getroffen hatte, auf seiner Hose gebildet hatte.

»Ein Jagdunfall. Nichts Schlimmes.« Guy d'Esne wandte sich wieder an Fulk. »Fessle das Mädchen, damit wir endlich aufbrechen können.«

So oft sie auch die Wahrheit wiederholen würde, niemand würde ihr glauben. Aline ließ ihre Hände sinken. Dumpf wartete sie darauf, dass der Verwalter sie packen und mit sich fortzerren würde.

Wieder klatschte die Peitsche. Fulk stieß einen überraschten und zornigen Schrei aus. Als Aline zitternd den Kopf hob, rannen Blutstropfen über die Wange des Verwalters.

»Ich habe weder diesem Mann erlaubt, das Mädchen zu ergreifen, noch Euch und Euren Leuten gestattet, Euch aus meiner Gegenwart zu entfernen.« Die Stimme der Dame klang kühl und scharf.

»Was fällt Euch ein!« Guy d'Esne plusterte sich empört auf und fasste an den Griff seines Schwertes. »Dieses Mädchen gehört meinem Herrn. Falls Ihr es nicht mit uns gehen lasst, werden wir uns unser Recht gewaltsam nehmen.« Er wies auf die acht Bewaffneten, die hinter ihm und Fulk auf ihren Pferden saßen.

16

Auch die Ritter der Dame griffen nach ihren Waffen. Mit einer herrischen Handbewegung gebot sie ihnen Einhalt. Ihre Augen blitzten vor Wut. »Was mir einfällt?! Du elender Wicht!« Wieder ließ sie die Peitsche vorschnellen. Dieses Mal trafen die Schnüre Guy d'Esne mit voller Wucht ins Gesicht. Er brüllte auf und bedeckte seine Augen mit den Händen. »Wag es ja nicht noch einmal, so mit mir zu reden. Du hast es mit Matilda zu tun. Der Witwe des deutschen Kaisers und Tochter König Henrys.«

Benommen und ungläubig verfolgte Aline, wie die Dame ihren Reithandschuh abstreifte, einen Ring von einem ihrer Finger zog und ihn vor Guy d'Esne ins Gras warf. »Das kannst du deinem Herrn als Entgelt für das Mädchen geben.«

Ohne den Aufseher, den Verwalter und deren Bewaffnete noch eines Blickes zu würdigen, winkte sie einen schwarzhaarigen Mann mit rundem, gutmütigem Gesicht zu sich. »Simon, lasst das Mädchen auf Eurem Hengst mitreiten.«

Aline wurde von starken Armen ergriffen und auf einen Pferderücken gezogen. Dann stieß die Dame ihrem Schimmel die Fersen in die Flanken, und auch ihr Gefolge setzte sich in Bewegung.

*

Erschöpft, wie Aline war, dämmerte sie immer wieder kurz ein. Der Weg führte durch eine sanfte Hügellandschaft, über der sich der Himmel langsam eindunkelte. Dann und wann ging ein Sprühregen nieder. Die Reise endete in einer Burg, die auf der Kuppe eines flachen Berges stand. Die hohen, weiß gekalkten Mauern hoben sich hell von den tiefgrauen Wolken ab.

In dem Hof hinter dem Tor brannten Fackeln. Ihr Widerschein glitzerte auf den feuchten Wänden einiger großer Steingebäude. Eine Gruppe von Bediensteten umschwirrte die ankommenden Reiter. Aus ihnen löste sich eine alte Frau und eilte auf die vornehme Dame zu. »Hoheit«, sagte sie vorwurfsvoll. »Wie konntet Ihr bei diesem Wetter nur so lange ausreiten? Kommt schnell ins Warme, und legt Euren nassen Mantel ab.«

»Ach, Bess«, die Dame lachte und sprang von ihrem Pferd. »Du weißt doch, dass ich es hasse, tagelang eingesperrt zu sein.« Unvermittelt drehte sie sich zu Aline um und musterte sie mit einem leichten Naserümpfen. »Dieses Mädchen ist uns über den Weg gestolpert. Ich habe es Reginald de Thorigny gewissermaßen abgekauft. Sieh zu, dass du das dreckige Ding einigermaßen sauber bekommst und irgendeine Verwendung für es findest.«

Aline errötete, während die Dienerin ihr das faltige Gesicht zuwandte. Doch ihre haselnussbraunen Augen blickten sie freundlich an. »Sir Simon«, in Bess' Stimme schwang der weiche, vertraute Dialekt der Landbevölkerung mit, was Aline beruhigte, »die Kleine kann sich ja kaum noch wach halten. Wäret Ihr wohl so freundlich, sie in meine Kammer zu tragen?«

Aline wurde von dem Pferderücken gehoben. Im Halbschlaf zogen weitläufige Gänge an ihr vorbei, an deren Wänden ebenfalls Fackeln brannten.

»So, Sir Simon, wenn Ihr das Mädchen bitte auf diesen Stuhl setzen würdet«, hörte sie Bess schließlich sagen. Und dann: »Mein Kind, ich bin gleich wieder bei dir.«

Aline spürte noch eine hohe Lehne in ihrem Rücken, dann war sie auch schon eingeschlafen. Sie erwachte erst wieder, als die Dienerin zurückkehrte. Einige Mägde waren bei ihr, die einen Holzbottich mit dampfendem Wasser und ein Becken voller glühender Kohlen trugen. Bess krempelte die Ärmel ihres Wollkleides hoch. »Komm Kind, zieh deinen schmutzigen Kittel aus.«

Sie tat, wie ihr geheißen. Schwankend vor Müdigkeit kauerte sie sich in das heiße Wasser. Bess half ihr sich zu waschen. Als die Dienerin mit einem Tuch unter das Eisenband um Alines Hals fuhr, schauderte das Mädchen. Würde sie dieses Ding nun immer tragen müssen?

Als hätte Bess ihre Angst gespürt, sagte sie: »Morgen gehen wir gleich zum Schmied, damit er dir das Band abnimmt.«

»Die vornehme Dame ...«, flüsterte Aline, »... sie hat gesagt, dass sie die Tochter des Königs sei.«

»Ja, das ist sie wirklich«, Bess lachte, »und seine einzige Erbin obendrein. Bei Gott, ich kenne meine Herrin schon, seit sie kaum laufen konnte.«

»Sie hat auch gesagt, sie sei die Witwe eines Kaisers.« Aline fasste endgültig Vertrauen zu ihr. »Was ist das, ein Kaiser?«, wagte sie schläfrig zu fragen.

»So etwas wie ein König. Er herrscht über ein Gebiet, das von der Nordsee bis nach Italien reicht. Falls du weißt, wo Italien liegt ...«

»Ja, das weiß ich.« In Alines Dorf waren einige Male Händler gekommen, die Waren aus diesem Land verkauft hatten. »Und Eure Herrin war mit diesem Kaiser verheiratet?«

»Elf Jahre lang«, Bess nickte. »Ich war all die Zeit bei ihr und habe sie sogar bis nach Rom begleitet, wo sie selbst zur Kaiserin gekrönt wurde.«

»Doch der Gatte Eurer Herrin ist tot ...«

Bess bedachte Aline mit einem Lächeln. »Du hast einen klugen Kopf und willst wissen, was um dich herum vor sich geht, hm? Ja, Kaiser Heinrich starb vorletztes Jahr. Deshalb kehrte meine Herrin im vergangenen Herbst nach England zurück. Denn leider war ihre Ehe nicht mit einem Erben gesegnet.« Sie seufzte und beantwortete so Alines unausgesprochene Frage.

»Eure Herrin wird einmal Königin über England sein?«

»Wahrscheinlich«, wieder seufzte Bess. »Ihr Bruder William starb vor sieben Jahren bei einem Schiffsunglück. Ich nehme an, du hast davon gehört?«

»Ja, das habe ich«, murmelte Aline. In der Dorfkirche waren Totenmessen für den Königssohn gelesen worden, und die Katastrophe hatte wochenlang die Gespräche beherrscht: Der Thronfolger war beim Untergang des »Weißen Schiffes« vor Barfleur ertrunken, zusammen mit fast dreihundert anderen Menschen, darunter viele normannische Adelige. Nur ein einziger Mann hatte das Unglück überlebt.

Bess reichte ihr ein weiches Tuch und – nachdem Aline sich damit abgetrocknet hatte – einen Wollkittel. Er war ihr ein wenig zu groß, doch der Stoff fühlte sich sehr zart an. Das Brot, das ihr die Dienerin gleich darauf mit einem Becher heißer Milch zu essen gab, hatte den hellsten Teig, den Aline je gesehen hatte. Während sie kaute und trank, fielen ihr immer wieder die Augen zu.

»Du kannst heute bei mir schlafen.« Bess führte sie zu einem Lager aus Decken in einer Ecke der Kammer. Als Aline ihren Kopf in dem Kissen vergrub, spürte sie noch einmal das Eisenband um ihren Hals. Mit dem Gedanken, dass sie bald von dem Zeichen ihrer Knechtschaft befreit sein würde, schlief sie ein.

*

Hatte sie nicht vielleicht doch nur geträumt, dass sie vom Gut des Barons de Thorigny geflohen war und die Königstochter sie gerettet hatte? Aber nein, kein Geruch von kaltem Rauch und angebranntem Kohl stieg in ihre Nase. Und sie lag auch nicht auf einem harten Boden, sondern auf etwas Weichem. Trotzdem wagte es Aline kaum, die Augen zu öffnen. Zu sehr fürchtete sie, doch wieder auf dem verhassten Anwesen zu erwachen. Vorsichtig blinzelte sie.

Kerzenschein füllte eine schmale Kammer. Bess stand vor einem Bett und band sich die grauen Haare zu einem Zopf. »Oh, du bist aufgewacht.« Die alte Dienerin bedachte sie mit ihrem freundlichen Lächeln. »Willst du etwas essen, oder sollen wir lieber gleich in die Schmiede gehen, damit Alwin dir den Halsreif abnimmt?«

Aline hatte das Gefühl, dass ihr der eiserne Reif die Kehle zudrückte. »Bitte, lasst uns zuerst in die Schmiede gehen«, flüsterte sie.

»Gut«, Bess nickte, »dann zieh dich an.« So schnell sie konnte, kam Aline der Aufforderung nach.

Als sie das Fachwerkhaus verließen, hatte es aufgehört zu regnen, aber die Luft war feucht und kalt. Ein heller Streifen am östlichen Himmelsrand kündigte die Morgendämmerung an. Mit großen Augen folgte Aline Bess durch mehrere Höfe. Ihre Schläfrigkeit war wie weggewischt. Einige Gebäude erstreckten sich über drei Stockwerke. An einem besonders großen, aus Stein erbauten, öffnete ein Knecht gerade die hölzernen Läden. Fackelschein spiegelte sich in den Scheiben dahinter. Noch nie zuvor hatte sie Glasfenster gesehen. Zwei andere Knechte, die Körbe voller Feuerholz trugen, nickten Bess grüßend zu.

Die Schmiede befand sich ganz in der Nähe des Burgtors. Vor der Esse stand ein mittelgroßer Mann, der ein breites

Kreuz und Arme, dick wie junge Baumstämme, hatte und entfachte die Glut mit Hilfe eines Blasebalgs.

»Alwin, würdet Ihr dem Mädchen bitte den Halsreif abnehmen?«, wandte sich Bess an ihn.

»Das ist also die kleine Leibeigene, die unsere Herrin gestern von der Jagd mitgebracht hat.« Der Schmied trat zu Aline und ließ seine wulstigen, rußgeschwärzten Finger prüfend über das Eisen gleiten. Unwillkürlich zuckte Aline zusammen. Plötzlich war ihr wieder gegenwärtig, wie Fulk und einer seiner Knechte sie festgehalten hatten, während ihr das Band umgeschmiedet worden war. Sie hatte sich so entsetzlich ohnmächtig gefühlt.

Mit einer Kopfbewegung deutete der Schmied zu dem Amboss. »Knie dich davor, und leg deinen Kopf darauf.« Zitternd tat Aline, wie ihr geheißen. Alwin hatte eben ein Tuch zwischen den Reif und ihren Hals geschoben, als eine junge, vornehm gekleidete Frau in die Schmiede hastete.

»Oh, Bess, endlich finde ich dich«, seufzte sie erleichtert. »Unsere Herrin verlangt nach dir. Sie fühlt sich nicht wohl und ist sehr schlecht gelaunt.«

»Wahrscheinlich hätte sie gestern doch nicht ausreiten sollen«, murmelte Bess, während sie Aline kurz beruhigend die Hand auf die Schulter legte. »Geh schon einmal in die Küche, wenn Alwin seine Arbeit getan hat, und warte dort auf mich.« Die beiden Frauen eilten davon.

»So, halte schön still.« Der Schmied setzte eine Zange an das Eisen. Während er die Metallbacken zusammendrückte, schnürte es Aline die Luft ab. Dann ein Klappern, und sie konnte wieder frei atmen. Der auseinandergesprengte Reif lag auf dem gestampften Lehmboden vor dem Amboss.

»Siehst du, es ist schon vorbei.« Alwin betrachtete sie mit einem Kopfschütteln und murmelte mehr zu sich selbst als zu ihr: »Man kann ja über unsere Herrin allerlei sagen, aber sie würde ihren Leibeigenen niemals so etwas umlegen lassen.«

»Danke …«, stammelte Aline.

Der Schmied half ihr auf die Füße. »Du wirkst, als ob du etwas Warmes in deinem Magen vertragen könntest. Komm, ich bringe dich zur Küche.«

Auf dem Weg dorthin, in einem der Höfe, führten schwatzende und lachende Knappen Pferde zur Tränke. Das erste Tageslicht mischte sich mit dem Fackelschein. Die Burg war endgültig zum Leben erwacht. Wie wird es mir hier wohl ergehen?, fragte sich Aline voller Angst, während sie Alwin durch einen weiteren Hof folgte, wo Hühner um einen Misthaufen herumpickten, und das laute Muhen von Kühen, die gemolken werden wollten, aus einem der Ställe drang.

An den Wirtschaftshof grenzte das Küchengebäude. Als sie mit dem Schmied durch die breite Tür getreten war, sah Aline sich staunend um. Schon die Küche auf dem Landgut des Barons de Thorigny war ihr groß erschienen – in ihrem Elternhaus hatte die Feuerstelle nur eine Ecke des Wohn- und Schlafraums eingenommen –, doch diese Küche hier hatte die Ausmaße eines Saals. Lange, mit Holzschalen gedeckte Tische standen darin, die sicher über hundert Menschen Platz boten. Fünf Feuerstellen gab es. In zweien hingen mächtige Bronzekessel über den Flammen. Vor der am weitesten entfernten kniete ein Junge und schob Holz nach. Prasselnd schossen die Flammen hoch.

»He, habe ich dir nicht gesagt, du sollst beim Nachlegen vorsichtig sein?« Ein bulliger Mann, der an einem Hackklotz eine Schweinehälfte zerteilte, ließ sein Beil sinken. Blitzschnell war er bei dem Jungen, packte ihn bei den Ohren und zerrte ihn von dem Feuer weg.

»Ronald, sei doch nicht so streng mit dem Burschen«, rief ihm Alwin zu. »Bess hat gesagt, das Mädchen soll hier auf sie warten. Kümmere dich darum, dass es etwas zu essen bekommt.«

Der Mann namens Ronald knuffte den Jungen noch einmal derb in den Rücken. »Alwin, erspare mir deine Kommentare. Meine Speisen benötigen eine gleichmäßige, wohl temperierte Hitze und nicht eine Glut wie in deinem Schmiedefeuer«, knurrte er. Dann drehte er sich zu Aline um. »Du kannst dich schon einmal an einen der Tische setzen«, beschied er ihr mürrisch. Schüchtern nahm das Mädchen auf einer der Bänke am unteren Tischende Platz.

Während Alwin und Ronald, der allem Anschein nach über die Küche zu befehlen hatte, sich gegenseitig aufzogen, schaute sich Aline weiter um. Vielerlei Gerätschaften – bronzene Töpfe, Pfannen und Siebe sowie alle möglichen Arten von Körben, Löffeln und Kellen – hingen von Haken an der niedrigen Balkendecke herab. Die mittlere Feuerstelle war so groß, dass ein ausgewachsener Ochse auf den Spieß darin passen mochte.

In dem Rauch und dem Dunst des köchelnden Getreides, der den Kesseln entstieg, vermeinte sie, nun noch andere Gerüche wahrnehmen zu können, fremdartig und doch ganz entfernt vertraut. Zuerst konnte Aline sie nicht bestimmen. Doch dann begriff sie, dass diese Düfte von Gewürzen aus fernen Ländern herrührten. Auch manche der Händler, die gelegentlich in Alines Dorf gekommen waren, hatten Gewürze feilgeboten. Wenige Unzen davon kosteten so viel wie ein Schwein oder ein Lamm, und keiner der Dörfler konnte sich die Spezereien leisten. In dieser Küche hingegen schienen sie sogar an einem ganz normalen Wochentag verwendet zu werden.

Sicher, schon am Vortag hatte sie erfahren, dass ihre neue Herrin die Tochter des Königs war. Aber erst jetzt erkannte Aline wirklich, was es bedeutete, an deren Hof zu leben. Und fühlte sich auf einmal sehr klein und unbedeutend.

Eine Gruppe von Knechten und Mägden betrat nun die Küche. Neugierige Blicke trafen Aline, und sie senkte den Kopf. Um sie herum ertönte Stimmengewirr. Rasch füllte das Gesinde die Bänke, und Tonschüsseln voller Getreidebrei und Suppe wurden auf die Tische gestellt. Ein älterer Knecht, der neben Aline saß, schöpfte ihr von dem Brei in eine der Holzschalen. Zuerst glaubte sie nichts hinunterbringen zu können, doch schon nach dem ersten Löffel spürte sie, wie hungrig sie war. Der Brei war mit Milch gekocht, schmeckte ein wenig süß und war sehr gut.

Wahrscheinlich, dachte Aline, während sie weiter den Kopf gesenkt hielt und ihren Brei löffelte, *werde ich am Hof der Königstochter eine Wäsche- oder Küchenmagd werden.* Aber immerhin sprachen die Bediensteten hier miteinander und schwiegen nicht furchtsam wie die Knechte und Mägde Reginald de Thorignys.

»So, Schluss jetzt mit dem Müßiggang! Macht euch wieder an die Arbeit«, hörte Aline Ronald rufen. Alle erhoben sich. Die Mägde sammelten die Schalen und Schüsseln ein, um sie zur Spülküche zu bringen. Einige Küchenjungen folgten ihnen mit den schmutzigen Bronzekesseln. Der Koch erteilte noch ein paar Männern Anweisungen, dann blieb Aline allein mit ihm zurück.

Ronald wandte sich wieder der Schweinehälfte auf dem Hackklotz zu und bearbeitete sie mit dem Beil. Da es ihr wohl ohnehin bestimmt sein würde, eine Küchenmagd zu sein, konnte sie sich auch gleich nützlich machen, anstatt herumzusitzen. Aline raffte ihren ganzen Mut zusammen und ging zu dem Koch. »Habt Ihr eine Arbeit für mich?«, fragte sie unsicher.

»Du könntest Lauch und Zwiebeln klein schneiden.« Er wies auf ein Regal, wo das Gemüse in runden Körben lagerte, und reichte ihr ein Hackbrett sowie ein Messer. »Merk dir: Den Lauch will ich in gleichmäßigen, fingerbreiten Ringen und die Zwiebeln in schönen kleinen Stückchen haben.«

Aline wusch den Lauch in einem Wasserbottich und setzte sich wieder an einen der Tische. Die vertraute Tätigkeit tat ihr gut, und allmählich entspannte sie sich ein wenig. Sie war so vertieft in das Schnipseln, dass sie Bess erst bemerkte, als diese neben ihr stand und der Koch sagte: »Das Mädchen stellt sich recht geschickt an – ich könnte eine gute Küchenmagd gebrauchen.«

»Da muss ich Euch enttäuschen.« Bess schüttelte den Kopf. »Unsere Herrin hat eben beschlossen, dass Aline zu ihrer persönlichen Dienerin ausgebildet werden soll.« Sie bedeutete ihr, sich zu erheben. »Beeil dich. Matilda erwartet uns.«

»Aber … Warum hat sie denn ausgerechnet mich dazu bestimmt?«, fragte Aline erschrocken. Gewiss, Matilda hatte ihr das Leben gerettet. Trotzdem fürchtete sie sich vor ihr.

»Sie ist der Ansicht, dass ich allmählich alt werde und Hilfe gebrauchen könnte – womit sie nicht ganz Unrecht hat.« Bess lächelte. »Ronald, ist die Morgenmahlzeit für meine Herrin fertig?«

»Natürlich«, erwiderte der Koch entrüstet und wies auf ein Tablett, das auf einem der Tische bereitstand. Einige versilberte, mit Deckeln versehene Schüsseln und ein kleiner Korb standen darauf.

»Nimm du das Tablett«, wies Bess Aline an. »Und nun komm.«

*

Als Aline kurz darauf zusammen mit Bess Matildas Gemächer betrat, ruhte diese, in helle Wolldecken gehüllt, in einem Lehnstuhl. Ihre Augen glänzten fiebrig, und sie wirkte gereizt. Aline wusste nicht, was sie sagen oder wie sie sich sonst verhalten sollte. Bess versetzte ihr einen kleinen Schubs in den Rücken und deutete mit dem Kopf auf den mit Schnitzereien verzierten Tisch in der Zimmermitte.

»Herrin …«, stammelte Aline. Sie ging einige Schritte vorwärts und setzte das Tablett mit einem lauten Klappern auf dem Tisch ab, ehe sie sich linkisch vor Matilda verbeugte.

Diese bedachte sie mit einem ungnädigen Blick, ehe sie an Bess gewandt sagte: »Ich fürchte, es wird dich viel Mühe kosten, aus diesem kleinen Bauerntrampel eine einigermaßen brauchbare Dienerin zu formen.«

»Ich bin überzeugt, dass Aline Eure Erwartungen erfüllen wird«, sagte Bess freundlich. Trotzdem sank Aline das Herz, und sie wünschte sich sehnlichst zurück in die Küche.

*

Nachdenklich folgte Aline einer verwinkelten Gasse. Da und dort ragten Äste, an denen zartgrüne Blätter wuchsen, über die Mauern. Seit über zwei Monaten gehörte sie nun schon zum Gefolge Matildas – der Kaiserin, wie sie respektvoll genannt wurde.

Manchmal erschien Aline das Leben am Hof der Königstochter immer noch völlig unwirklich. Noch nie zuvor hatte sie unter so vielen Menschen gelebt, und häufig schwirrte ihr der Kopf von all den neuen Eindrücken. Von den fremden Sprachen wie Latein und Französisch, die in Matildas Umgebung geredet wurden, den kostbaren Gewändern, Waffen und Möbeln. So viele höfische Regeln mussten im Umgang mit ihrer Herrin und deren adeligen Gefolgsleuten beachtet werden. Auch neue Orte hatte sie kennen gelernt. So waren Matilda und ihr Hof vor wenigen Tagen von Devizes, wo die Königstochter damals im März Quartier genommen hatte, nach Oxford gezogen. Ein richtiges Pferd zu beherrschen war immer noch ungewohnt für Aline, denn ihre Eltern hatten nur ein Maultier besessen. Doch sie liebte es zu reiten und machte rasche Fortschritte.

Ja, ihr Leben hatte seit jenem regnerischen Märztag eine ganz entscheidende Wende zum Besseren genommen. Und doch fühlte Aline wieder tiefes Heimweh nach ihrer Familie und dem Gut, auf dem sie aufgewachsen war. Jetzt, im Mai, blühten der Apfel- und der Quittenbaum an der Südwand des Hauses. Sie würde ihrer Mutter dabei helfen, die Räume zu lüften und auszukehren, und ihrem Vater, die Löcher in den Weidenzäunen zu flicken. Ihr Bruder Haimo hätte seit dem Winter sicher viele neue Worte gelernt und würde die Arbeiten plappernd kommentieren. Vor allem aber sehnte sie sich nach der Liebe ihrer Eltern und ihres kleinen Bruders.

Auch der Dienst für Matilda kam sie oft hart an, und schon oft hatte sie sich gewünscht, nur eine einfache Küchenmagd zu sein. Ihre Schulter schmerzte immer noch von der Bürste, die ihre Herrin vorhin nach ihr geworfen hatte – weil sie nach deren Meinung unachtsam mit einem ihrer Seidengewänder umgegangen war. Aline hatte in ihrem früheren Leben niemals Seide berührt, und der ungewohnt glatte Stoff war ihr aus den Händen gerutscht. Ihr einziger Trost war, dass Bess ihr half, wo sie nur konnte, und sie die alte Frau sehr mochte.

Aline hatte nun einen kleinen Platz erreicht, der von schmalen Fachwerkhäusern umgeben war, und blickte sich suchend um. Zu ihrer Rechten befand sich ein steinerner Torbogen. Dahinter musste die Gasse liegen, die zum Haus des Medicus Gawain führte. Bess hatte ihr aufgetragen, dorthin zu gehen. Matilda litt seit dem Morgen unter starken Kopfschmerzen, und bei einem früheren Aufenthalt in der Burg hatte der Medicus ihr mit einem Heilmittel helfen können.

Jedenfalls, dachte Aline, während sie unter dem schattigen Torbogen hindurchging, *ist die schlechte Laune meiner Herrin nicht mit den Kopfschmerzen zu erklären, denn meine Herrin ist häufig schlechter Stimmung.* Sie würde immer in Matildas Schuld stehen, da diese sie vor dem Tod oder zumindest grausamen Misshandlungen bewahrt hatte. Doch wenn sie ehrlich sich selbst gegenüber war, musste sie sich eingestehen, dass sie ihre Retterin eigentlich nicht besonders leiden konnte. Matilda war jähzornig, unbeherrscht und hochfahrend. Wobei sie allerdings die Adeligen in ihrem Gefolge genauso schlecht behandelte wie die einfachen Diener. Auch ihre Hofdamen waren nicht vor ihren Wutanfällen sicher. Ohnehin umgab sie sich selten mit diesen, denn Matilda pflegte zu sagen, dass sie »alberne, um ihre Gunst buhlende Weiber« nicht mochte.

Wahrscheinlich, überlegte Aline bitter, hätte Matilda sie ungerührt ihrem Schicksal überlassen, wenn Guy d'Esne nicht den Fehler begangen hätte, sich ihr gegenüber respektlos zu verhalten. Nein, das Einzige, was sie an Matilda wirklich mochte, war, dass diese gern las – eine Fähigkeit, um die Aline sie glühend beneidete – und dass sie Bess sehr zugetan war. Der alten Dienerin gegenüber wurde sie nie ausfällig.

Nach einer weiteren Biegung der Gasse entdeckte Aline endlich das Fachwerkhaus, in dessen steinernen Türsturz, so hatte Bess es ihr beschrieben, ein filigranes Flechtwerk gehauen war.

Von dem schattigen Flur zweigten einige Türen ab. Eine war nur angelehnt. Angelockt von dem intensiven Kräuterduft, der aus dem Spalt zu ihr drang, zog Aline die Tür ganz auf. Auch dieser Raum war schattig, denn die hölzernen Läden vor den Fensteröffnungen waren halb geschlossen und dämpften das Sonnenlicht. Viele Kräuterbüschel hingen von den niedrigen Deckenbalken. Hohe Regale waren mit Tongefäßen unterschiedlichster Form und Größe angefüllt.

Aline wollte das Zimmer schon wieder verlassen, um nach dem Medicus oder einem Bediensteten zu suchen. Da ließ sie ein großes Buch, das aufgeschlagen auf einem Tisch lag, innehalten. Die rechte Seite war mit Worten beschrieben. Die linke hingegen zeigte das Bild eines blühenden Fenchels. Noch nie hatte sie eine gemalte Pflanze gesehen. Fasziniert trat Aline an den Tisch und blätterte die schweren Pergamentseiten um. Sie sah Lavendel, dann Schlafmohn, Andorn und schließlich einen Johanniskrautstock, an dem kleine gelbe Blüten wuchsen. Plötzlich erinnerte sie sich, wie ihre Mutter im letzten Sommer die Zweige abgeschnitten und sie in ein bauchiges, mit Öl gefülltes Gefäß gelegt hatte. Die Tränen schossen ihr in die Augen.

»Die Bilder in meinem Buch gefallen dir?«, hörte sie jemanden fragen. Erschrocken fuhr sie herum. Ein großer hagerer Mann Ende dreißig stand vor ihr. Seine braunen, mit einem Netz von Fältchen umzogenen Augen ruhten belustigt auf ihr.

»Ja …«, stotterte Aline, während sie rasch die Tränen wegblinzelte. Sie wollte vor diesem Fremden nicht weinen. Trotzdem zitterte ihre Stimme. »Bess, die Dienerin der Kaiserin, schickt mich. Sie sagt, Ihr hättet für meine Herrin schon einmal ein Mittel gegen Kopfschmerzen zubereitet, und bittet Euch noch einmal darum.«

»Dann scheint das Mittel deiner Herrin ja geholfen zu haben.« Gawain lächelte. »Du kannst dich gern setzen, während ich die Tinktur und den Tee zusammenstelle.«

Aline ließ sich auf einem Schemel nieder und verfolgte, wie der Medicus eine klare Flüssigkeit aus einer Kalebasse in ein kleines Tongefäß goss und noch einige Tropfen eines gelblichen, herb riechenden Elixiers hinzufügte. Danach wog er getrocknete Lavendelblüten und Weidenrinde auf einer Waage ab. Allmählich gewann sie ihre Fassung zurück. Nachdem er die Kräuter in ein weiteres Tongefäß gefüllt und dieses mit einem Korken verschlossen hatte, fragte sie: »Ihr benutzt keine Ackerminze gegen Kopfschmerzen?«

»Du kennst dich mit Kräutern aus?« Seine sichelförmigen Augenbrauen hoben sich überrascht.

»Meine Mutter war heilkundig. Von ihr habe ich viel über Pflanzen und deren Wirkstoffe gelernt …« Wieder wurde ihr die Kehle eng.

»Du hast schon Recht«, Gawain nickte, »Ackerminze ist ein gutes Mittel gegen Kopfschmerzen. Aber nicht bei den speziellen Symptomen, unter denen deine Herrin leidet.« Er musterte sie aufmerksam. »Du beschäftigst dich gern mit Kräutern, nicht wahr?«, meinte er schließlich sanft.

Aline schluckte. »Früher einmal, ja …« Ihre Mutter hatte ihr oft gesagt, dass sie, wie ihre Großmutter und auch sie selbst, die Gabe zu heilen besäße.

»Wenn du möchtest, könnte ich dir noch einige Dinge beibringen.«

»Das ist sehr freundlich von Euch. Aber meine Herrin wird das niemals gestatten.« Aline schüttelte den Kopf.

»Nun, wenn sie es dir doch erlauben sollte …« Gawain reichte ihr die Tongefäße. »Ich gehe zwar manchmal auf Wanderschaft, aber während der nächsten Monate findest du mich hier.«

In der Küche der Burg wurde Aline schon ungeduldig von Bess erwartet. »Dem Himmel sei Dank, dass du endlich kommst«, seufzte sie. »Unserer Herrin geht es sehr schlecht.« Rasch gab sie zwei Löffel von der Heilpflanzenmischung in einen kleinen, mit Wasser gefüllten Bronzetopf, der auf einem der Herde stand. Während sie die Kräuter umrührte, bedachte sie Aline mit einem prüfenden Blick. »Du wirkst traurig«, stellte sie fest.

Konnte denn heute jeder ihre Gedanken lesen? »Ach, es ist nichts«, wehrte Aline hastig ab, die sich vor neuen Tränen fürchtete. »Der Medicus war sehr freundlich zu mir. Er hat mir sogar angeboten, mich in der Heilkunde zu unterrichten. Aber das ist natürlich unmöglich.«

Das Wasser schäumte auf. Bess goss die Flüssigkeit durch ein Sieb in einen Krug und eilte dann davon.

Aline hatte die kurze Unterhaltung völlig vergessen, als sie einige Tage später abends zu ihrer Herrin gerufen wurde. In dem Gang vor ihren Räumen kam ihr eine junge Hofdame schluchzend entgegen, was Aline mit dem Schlimmsten rechnen ließ. Matilda trug ihr Nachtgewand und darüber einen leichten Umhang. Ihr lockiges, rotblondes Haar hing ihr weit auf den Rücken hinab. Gereizt nickte sie Aline zu. »Dieser Trampel von Hofdame hat mir beim Kämmen fast die Haare ausgerissen. Sei du gefälligst vorsichtiger.«

»Ich werde mich bemühen, Madam«, murmelte Aline, während sie nach der Bürste griff. Sehr behutsam zog sie die Borsten durch das volle, glänzende Haar. Zu ihrer Erleichterung entspannten sich Matildas Schultern.

»Bess hat mir mitgeteilt, der Medicus würde dich unterrichten wollen«, sagte Matilda nach einer Weile unvermittelt. »Er ist ein fähiger Mann. Was hat ihn dazu bewogen?«

»Ich habe mit ihm über Kräuter gesprochen und ihm gesagt, dass meine Mutter mich manches über Pflanzen gelehrt hat.«

»Und ... Möchtest du deine Kenntnisse vertiefen?«

»Ja, sehr gern ...«, erwiderte Aline verblüfft.

»Dann soll dir Bess jede Woche ein paar Stunden frei geben.«

Aline glaubte, sich verhört zu haben. Erst jetzt begriff sie, wie sehr sie sich gewünscht hatte, wieder mit Heilpflanzen arbeiten zu können. »Herrin, das ist zu gütig ...«, stammelte sie.

»Es kann nicht schaden, eine kräuterkundige Magd zu haben.« Matilda winkte ungeduldig ab. »Und jetzt schlaf nicht ein, sondern kämm endlich weiter.«

*

Sorgfältig rührte Aline eine Salbei-Thymian-Tinktur in den Honigsud, der auf einem Dreifuß zwischen den glimmenden Kohlen stand. In dem Kräuterraum war es still, bis auf das leise schabende Geräusch, mit dem Gawain getrocknete Kräuter in einem Mörser zerrieb. Matilda hatte tatsächlich Wort gehalten. Einmal in der Woche durfte Aline den Medicus aufsuchen. Stunden, die ihr immer eine tiefe Zufriedenheit schenkten und ihr halfen, das Leben am Hofe der Königstochter zu ertragen.

Ich hätte mir keinen besseren Lehrer als Gawain wünschen können, dachte Aline voller Dankbarkeit. Er verstand es, Dinge genau und anschaulich zu erklären, und wenn sie etwas nicht gleich begriff oder sich einmal ungeschickt anstellte, verlor er nie die Geduld. Auch jetzt, da er die Kräuter von dem Mörser in eine Tonschale leerte, einige Tropfen scharf gebrannten Alkohol dazugab und diese mit einem Spatel unter die Pflanzenteilchen arbeitete, strahlte er eine gelassene Konzentration aus.

Er fing Alines Blick auf und fragte: »Du bist mit dem Sud fertig?«

Sie nickte. »Ich denke schon.«

Gawain strich den Spatel am Rand der Schale ab, bedeckte das Gefäß und trat zu ihr. Vorsichtig berührte er den Tontopf auf dem Dreifuß. »Die Glut hat genau die richtige Wärme«, sagte er dann anerkennend.

»Ihr habt mir ja erklärt, dass der Sud nicht köcheln darf.« Unwillkürlich errötete Aline über das Lob.

»Du bist eine gelehrige Schülerin.« Gawain besann sich einen Moment, ehe er sagte: »Ich denke, es ist an der Zeit, dass du nun auch etwas über Pflanzen lernst, die nur mit größter Vorsicht anzuwenden sind. Pflanzen, die Menschen heilen, die ihnen aber auch schweren Schaden zufügen oder sie sogar töten können.« Rasch nahm er ein kleines Tongefäß aus einem der Regale. Er öffnete den Korken und schüttete einige schwarz verfärbte Körner auf die grobe Tischplatte. »Weißt du, was das ist?« Aufmerksam sah er Aline an.

»Das sind Roggenkörner, die von einem Pilz befallen wurden. Man nennt sie Mutterkorn. Meine Mutter sagte mir, wenn zu viele davon in einer Ernte vorkämen, könnte dies ganze Landstriche in den Wahnsinn treiben. Deshalb hat sie das Getreide, bevor es gemahlen wurde, immer sorgfältig durchgesehen.«

»Deine Mutter war eine kluge Frau.« Gawain lächelte. »Nur wenige wissen über die verheerende Wirkung des Mutterkorns Bescheid. In sehr geringen Dosen angewendet, kann es jedoch blutstillend wirken. Außerdem kann es dazu benutzt werden, schwache Wehen zu verstärken. Allerdings ist es sehr schwierig zu dosieren. Denn häufig weisen die einzelnen Körner eine unterschiedliche Konzentration der Stoffe auf. Leichter gelingt dies bei den Blüten des Fingerhuts oder der Herbstzeitlosen, die, in sehr geringen Mengen verabreicht, das Herz kräftigen können.«

Gawain begann, Dosierungsmengen für die jeweiligen Krankheitsbilder aufzusagen, jeweils bezogen auf die Körpergröße und das Gewicht der Patienten. Aline wiederholte alles, bis ihr Lehrer mit ihr zufrieden war.

»Gefährlich ist auch der Gebrauch von …«, setzte er nun an. Das Klappern von Holzsohlen auf dem Flur vor dem Kräuterraum ließ ihn abbrechen. »Gawain!« Eine aufgeregte Frauenstimme rief seinen Namen. Aline hatte es schon einige Male erlebt, dass der Medicus zu einem Schwerkranken gerufen wurde. Er eilte zur Tür.

Die rundliche Frau mittleren Alters, die vor ihm auf der Schwelle stand, wirkte völlig aufgelöst. »Meine Schwester liegt seit gestern Morgen in den Wehen. Sie kann ihr Kind nicht gebären«, schluchzte sie. »Bitte, Ihr müsst mich zu ihr begleiten.«

»Die Wehen sind stark?«, fragte Gawain rasch.

»Ja, die Schmerzen bringen meine Schwester fast um den Verstand.«

Gawain griff nach seiner Ledertasche, die immer neben der Tür bereitstand, und blickte Aline an. »Glaubst du, dass

Matilda dich noch eine Weile entbehren kann? Vielleicht benötige ich deine Hilfe.«

»Ich denke schon.« Aline nickte, während sie dem Medicus folgte. Und falls Matilda doch ungehalten reagieren sollte, würde sie den Zornausbruch ihrer Herrin schon irgendwie überstehen.

*

Das Haus der Wöchnerin war nur wenige Straßenzüge entfernt. Auf dem Weg dorthin stellte Gawain ihrer Schwester – sie hieß Edith – rasch weitere Fragen: wann genau die Wehen eingesetzt hatten, und in welchem Zeitabstand die Kontraktionen erfolgten. Als sie das Haus erreicht hatten, drangen die Schreie der Gebärenden bis hinaus auf die schmale Gasse. Alines Magen verkrampfte sich.

Edith geleitete sie in einen niedrigen Flur und von dort aus in ein dämmriges Zimmer. Die Läden der beiden Fenster waren geschlossen. In dem Raum war es warm, und die Luft stank nach Schweiß und Urin. Die Flamme eines Talglichts beschien eine junge Frau, die sich auf einem Lager aus Strohsäcken hin und her warf. Ihr sommersprossiges Gesicht war schmerzverzerrt, und ihre rotblonden Haare hingen verklebt um ihren Kopf. Neben dem Bett kniete eine weitere Frau, fast noch ein Kind, der Ähnlichkeit des runden Antlitzes nach zu schließen war auch sie eine enge Verwandte. Ihre Hände umklammerten ein feuchtes Tuch, als wollte sie sich daran festhalten.

»Wie ist der Name Eurer Schwester?«, wandte sich Gawain leise an Edith.

»Ann ...«

Gawain beugte sich über die Wöchnerin, deren Wehen kurz nachgelassen hatten und die nun leise vor sich hin wimmerte. »Ann, Eure Schwester hat mich zu Euch gebracht. Ich bin ein Medicus und werde Euch jetzt gleich untersuchen. Könnt Ihr mich verstehen?« Die Gebärende nickte kaum merklich.

Gawain blickte Edith an. »Ich benötige mehr Licht. Bringt mir Kerzen. Außerdem saubere Tücher und heißes Wasser.« Edith und die andere Frau eilten aus dem Zimmer.

»Soll ich die Läden öffnen?«, erbot sich Aline.

»Nur einen Spaltbreit, nicht dass sich Ann, verschwitzt, wie sie ist, noch ein Fieber holt.« Während sich der Leib der jungen Frau gleich darauf wieder unter einer Wehe krümmte, tastete er ihn schnell und geschickt ab. Er seufzte. »Es ist, wie ich vermutet habe«, sagte er schließlich zu Aline. »Das Kind liegt falsch.«

»Werdet Ihr versuchen, es in ihrem Leib zu drehen? Meine Mutter hat mir einmal erzählt, dass sie dies bei einer Gebärenden getan hat.«

Gawain nickte, während er weiter den hoch gewölbten Leib abtastete. »Du hast schon einmal eine Geburt miterlebt?«

»Ja, zwei- oder dreimal, als Nachbarinnen in den Wehen lagen. Und ich war natürlich dabei, als meine Mutter meinen Bruder Haimo zur Welt brachte.« Die Erinnerung schnürte Aline die Kehle zu.

Die beiden Frauen kehrten mit den von Gawain gewünschten Dingen zurück. Energisch schluckte Aline ihre Tränen hinunter. Sie half ihnen, die Kerzen zu entzünden und die Gebärende auf die frischen Laken zu heben.

Mittlerweile hatte Gawain seine Hände gründlich in dem heißen Wasser gesäubert und anschließend mit einer öligen Flüssigkeit eingerieben. Nun wandte er sich erneut der Wöchnerin zu. »Ann«, sagte er sanft, »ich werde Euch jetzt für kurze Zeit schlimme Schmerzen zufügen müssen. Aber wenn es mir gelingt, das Kind in Eurem Leib zu drehen, werdet Ihr – das verspreche ich Euch – bald von Eurer Qual erlöst sein.«

Vorsichtig spreizte er ihre Oberschenkel. »Aline, knie dich auf das Bett, und halte Anns Arme so fest du kannst. Und Ihr«, er nickte den zwei Frauen zu, »klammert Euch an ihre Beine. Ann darf sich möglichst nicht bewegen.« Als Aline und die beiden Verwandten der Wöchnerin seinem Befehl gefolgt waren, befühlte er Anns Scheide, ehe er seine rechte Hand mit einer schnellen Drehung in ihre Vagina stieß.

Ann schrie gellend auf. Aline benötigte ihre ganze Kraft, um ihre Arme auf den Strohsack zu drücken. Sie glaubte schon, die Schreie keinen Augenblick länger ertragen zu können, als Gawain seine blutige Hand wieder aus Anns Leib zog. Eine neue Wehe setzte ein. Dann, während Ann wieder einen markerschütternden Schrei ausstieß, wurde ein Haarschopf zwischen ihren Schenkeln sichtbar. Gawain legte seine Hände auf den Bauch der Schwangeren und unterstützte so die nächste Kontraktion. In einem Schwall aus Fruchtwasser glitt ein Säugling auf die Laken.

Schwer atmend richtete sich Gawain auf. »Schneide die Nabelschnur durch.« Er reichte Aline ein scharfes Messer.

Auch bei der Geburt ihres Bruders hatte sie dies getan … Die pulsierende Nabelschnur und der Säugling verschwammen vor Alines Augen. Aufschluchzend ließ sie das Messer fallen und rannte aus dem Raum. Durch ihren Tränenschleier erkannte sie eine offen stehende Tür am anderen Ende des Flurs. Sie stürzte hindurch und in einen kleinen Garten. Weinend ließ sie sich auf eine niedrige Mauer sinken. Aus dem Haus ertönte nun der erste Schrei des Neugeborenen. Kurz darauf kam Gawain in den Garten und setzte sich neben sie.

»Ann hat einer gesunden Tochter das Leben geschenkt«, sagte er ruhig.

»Bitte verzeiht«, schluchzte Aline. »Ich wollte das Messer nicht fallen lassen …«

»Das weiß ich.« Gawain lächelte ein wenig. »Ich nehme doch an, dass dich nicht die Geburt so aufgewühlt hat?«

»Nein, ich musste daran denken, wie meine Mutter meinen kleinen Bruder zur Welt gebracht hat. Und nun sind sie und Haimo tot und mein Vater ebenfalls.«

Gawain legte ihr den Arm um die Schultern und ließ sie eine Weile weinen, ehe er leise sagte: »Meine Frau und meine beiden Töchter starben vor zehn Jahren an den Pocken. Ich befand mich in der Normandie, als mich die Nachricht erreichte. Bis ich nach Oxford zurückkehrte, waren sie alle drei schon begraben. Ihr Verlust wird mich immer schmerzen. Wie dich wohl auch der Verlust deiner Eltern und deines Bruders. Aber glaub mir, im Laufe der Jahre wird der Schmerz erträglicher, und es wird Tage geben – erst nur wenige, aber nach und nach immer mehr –, an denen du dich einfach freuen wirst, am Leben zu sein.«

»Ich will Haimo und meine Eltern nicht vergessen«, flüsterte Aline.

»Das wirst du nicht.« Gawain schüttelte den Kopf. »Auch wenn du fröhlich bist, wird deine Familie dir nahe sein. Aber jetzt solltest du, glaube ich, besser gehen. Sonst wirst du doch noch Ärger mit deiner Herrin bekommen.«

Gehorsam stand Aline auf. Während sie zur Burg rannte, versiegten ihre Tränen, und ihr wurde wieder leichter ums Herz.

*

Der Samen des Bilsenkrauts wirkt stärker als die Blätter, muss aber mit großer Vorsicht benutzt werden, memorierte Aline in Gedanken eine Woche später, während sie in Richtung des Stadttores ging. Heute hatte der Medicus seinen unterbrochenen Unterricht über die Giftpflanzen fortgesetzt. Ihr Gespräch in Anns Garten hatten sie beide nicht mehr erwähnt. Aber das war auch gar nicht nötig gewesen. Aline hatte sich auch so von Gawain verstanden gewusst.

Hinter dem Stadttor schlug sie einen Weg durch die Flussauen ein. Das Wasser der Themse war braun, und Zweige und Unrat trieben darin, denn während der letzten Tage hatte es heftig geregnet. Erst an diesem Morgen war endlich wieder die Sonne hervorgekommen, und nun dampften die feuchten Wiesen in der Wärme.

Hoffentlich bleibt das Wetter so schön, dachte Aline, während sie vorsichtig über eine Reihe von Steinen in einer tiefen Pfütze balancierte. In vier Tagen würde in der Burg von Oxford ein großes Fest stattfinden. Im Verlauf der Feierlichkeiten würden die Lords und Fürsten Matilda die Gefolgschaft schwören. Damit wollte der König seine Nachfolge regeln und sicherstellen, dass die Herrschaft nach seinem Tod an seine Tochter überging.

Die ersten Teilnehmer des Festes waren schon eingetroffen. Die Burg selbst und die Adelssitze im Umkreis der Stadt würden bald bis auf den letzten Platz besetzt sein, und für alle würde das Leben dann einfacher sein, wenn die Gewänder nicht feucht und klamm und die Böden der Hallen und Gänge nicht von Schlamm verschmiert waren.

Auch der König logierte bereits in der Burg – ein strenger und bitterer Mann in den späten Fünfzigern, der ebenso jähzornig wie seine Tochter sein konnte. Vater und Tochter verband alles andere als ein herzliches Verhältnis, sie gingen sehr kühl miteinander um. Wobei sich Aline ohnehin nicht vorstellen konnte, dass ihre Herrin imstande war, einen Menschen innig zu lieben.

Hufgetrappel ließ Aline den Kopf wenden. Über eine der Wiesen am Fluss galoppierte ein Trupp Reiter. Ihre Seidengewänder leuchteten farbenfroh im Sonnenlicht. An der Spitze erkannte Aline jetzt ihre Herrin und deren Halbbruder Robert, den Earl of Gloucester. Auch er war schon am Vortag in der Burg eingetroffen. Er war ein gut aussehender Mann Ende zwanzig und besaß die gleiche leicht gebogene Nase und hohe Stirn wie Matilda. Doch er war dunkelhaarig und nicht rotblond wie sie, und anders als seine Halbschwester besaß er ein umgängliches und liebenswürdiges Wesen. Auch wenn sich dahinter – so hatte Aline die Dienerschaft tratschen hören – ein starker Charakter verbarg, und der König seinen illegitimen Sohn als Ratgeber schätzte.

Die Reiter näherten sich nun einem Bach. Matilda spornte ihr Pferd noch mehr an. Sie erreichte den Wasserlauf als Erste und setzte in hohem Bogen darüber. Lachend wandte sie sich zu ihrem Halbbruder um. Ihr Schleier war verrutscht, ihre Haare kringelten sich ihr wild ums Gesicht, und ihre Augen sprühten vor Lebenslust.

So gelöst und glücklich habe ich meine Herrin noch nie erlebt, ging es Aline durch den Kopf. Gewiss hing ihre gute Laune mit dem Fest zusammen, das ihren Herrschaftsanspruch sichern würde. Wahrscheinlich gab es nichts, das sich Matilda mehr wünschte, als Königin zu sein und eine

41

möglichst große Zahl von Menschen dominieren zu können.

Nachdem Aline ein Wäldchen durchquert hatte, erreichte sie den königlichen Gutshof, wo die Hemden ihrer Herrin gewaschen und gestärkt worden waren. Matilda behauptete, dass das Wasser aus dem dortigen Brunnen den Stoff besonders weich machte. Einen schweren Wäschekorb auf die Hüfte gestützt, trat Aline wenig später den Rückweg an.

Sie hatte das Wäldchen etwa zur Hälfte durchquert und näherte sich einer Gabelung, als plötzlich ein Reiter aus dem Querweg preschte und mit seinem Pferd direkt auf sie zu hielt. Hastig wich Aline zur Seite. Doch in dem Morast verloren ihre Füße den Halt. Sie stolperte und fiel auf den Weg. Während der Korb ihren Händen entglitt, sah sie ein blasses, von flammend rotem Haar umrahmtes Gesicht und ein dunkelbraunes Pferd. Eine Stimme fluchte. Das Pferd wieherte schrill. Über ihr schlugen Hufe wild durch die Luft. Dann kam das Tier dicht vor ihr zum Stehen.

Der Reiter war, dies bemerkte Aline jetzt, ein Junge, der nicht viel älter war als sie selbst. Sein kantiges Gesicht wäre nicht unhübsch gewesen, wenn er sie nicht so wütend aus seinen graublauen Augen angefunkelt hätte. »Du dummes Ding. Kannst du nicht aufpassen? Mein Pferd hätte dich fast niedergetreten.«

Aline sprang auf die Füße. »*Ich* soll aufpassen?«, fauchte sie den Jungen an. »Wenn du nicht wie ein Wilder um die Wegbiegung galoppiert wärst, wäre ich nicht ausgerutscht.«

»Du hattest genug Zeit zum Ausweichen. Schließlich hast du doch wohl das Hufgetrappel gehört. Immerhin bist du ja nicht taub.«

»Ach ja? Zum einen dämpft der durchweichte Boden das Geräusch der Hufe. Was sogar dir klar sein könnte. Und zum anderen habe ich auf andere Dinge zu achten als auf einen unfähigen und rücksichtslosen Reiter.«

»Wirklich?« Der breite Mund des Jungen verzog sich verächtlich. »Ich kann mir nicht vorstellen, dass du wichtigere Dinge im Kopf hast als etwa, wie viele Strümpfe zu stopfen oder Hemden zu flicken sind. Komm, Sandor, wir müssen weiter.« Mit einem Schnalzen der Zügel galoppierte er los.

Die Hemden meiner Herrin!, durchfuhr es Aline. Entsetzt stellte sie fest, dass ein großer Teil der Wäsche sich auf den schlammigen Weg ergossen hatte. Sicher würde Matilda sie für dieses Missgeschick heftig ausschelten oder sogar ohrfeigen.

Voller Zorn auf den fremden, überheblichen Jungen begann Aline die schmutztriefenden Hemden einzusammeln.

*

Notgedrungen brachte Aline die Wäsche wieder zurück zu dem Gehöft. Als sie danach verspätet die Burg erreichte, drängten sich Reiter und Karren in dem Hof hinter dem Tor. Bedienstete eilten hin und her und entluden die Wagen. Knappen halfen ihnen und kümmerten sich um die Pferde.

Während Aline sich ihren Weg durch das Getümmel bahnte, entdeckte sie den Jungen, der sie zum Stolpern gebracht hatte. Er führte einen starkknochigen grauen Hengst zu den Stallungen. Allem Anschein nach gehörte er zu dem Gefolge des eben angekommenen Herrn. Bei diesem handelte es sich vermutlich um jenen stattlichen Mann Anfang dreißig, der lässig im hinteren Teil des Hofes stand und mit einigen Rittern plauderte. Er hatte weizenblondes

Haar. Seine blauen, verträumt wirkenden Augen und sein weicher, sinnlicher Mund bildeten einen eigentümlichen Kontrast zu seiner markanten Kinnpartie.

»Wer ist denn dieser Herr?«, fragte sie Sir Simon schüchtern, der zur Halle lief. Sie mochte den gutmütigen Mann, der sie damals auf seinem Pferd zur Burg von Devizes gebracht hatte.

»Du kennst diesen Mann nicht?« Sir Simon lachte. »Das ist Stephen, der Neffe des Königs und Vetter unserer Herrin.«

Also stand der eingebildete Junge im Dienst jenes Mannes, der in der Thronfolge den Platz direkt hinter Matilda einnahm. Nun, nach dem Fest würden Stephen und sein Gefolge die Burg sicher bald verlassen, und sie würde den Jungen hoffentlich nicht mehr allzu oft wiedersehen.

Wieder ärgerte sie sich über ihn. *Am besten*, dachte Aline resigniert, *ich entschuldige mich gleich wegen der verschmutzten Wäsche. Dann habe ich es hinter mir.*

Sie fand ihre Herrin in deren Gemächern. Matilda trug noch ihr Reitkleid, und ihre Wangen waren gerötet. Vor ihr, auf einem dunklen Samttuch, waren Schmuckstücke ausgebreitet. Matilda griff nach einer Kette aus schwerem, gehämmertem Silber und hielt sie sich vor die Brust. Prüfend betrachtete sie sich in dem Bronzespiegel, den Bess ihr vorhielt.

»Du bringst die Hemden?«, fragte sie Aline über die Schulter.

»Madam, verzeiht …« Aline verneigte sich und berichtete von dem Missgeschick.

»Hoheit, ich bin überzeugt, dass das Mädchen die Wahrheit sagt«, ergriff Bess für sie Partei.

»Ein Reiter hat dich also stolpern lassen, soso …« Matilda ließ die ovalen Silberglieder durch ihre Finger gleiten. »Hast du den Mann erkannt?«

Aline registrierte erleichtert, dass Matilda geneigt war, ihr Glauben zu schenken. Kurz rang sie mit sich. Doch obwohl sie immer noch zornig auf den Jungen war, erschien es ihr schäbig, ihn anzuschwärzen. Sie schüttelte den Kopf. »Nein, Madam, leider habe ich ihn nicht genau gesehen. Er ist sofort weitergeritten.«

»Nun gut, ich habe auch noch andere Hemden.« Matilda legte das Schmuckstück auf den Tisch. Dann griff sie nach einer Goldkette, die mit grünen Edelsteinen besetzt war, und legte sie sich um den Hals. »Bess, wie sehe ich aus?«

Die alte Dienerin lächelte. »Wunderschön, meine Herrin.«

Aline musste ihr Recht geben. Das Grün der Steine brachte die Augen ihrer Herrin zum Strahlen. Ja, ihr ganzes Antlitz schien von innen heraus zu leuchten. Für einen Moment, zum ersten Mal, seit sie ihr begegnet war, mochte Aline Matilda uneingeschränkt.

*

Am Rand eines Waldes pflückte Aline eine weitere Handvoll Mädesüßblüten und legte sie in den fast vollen Korb. Jetzt, um die Mittagszeit, war es heiß. Die Luft war schwer vom honigartigen Duft des Krauts, dessen Dolden die Wiese wie mit Schaumkronen überzog. Bess hatte Aline dazu abgeordnet, in der Küche zu helfen. Mit Milch, Honig und Mandeln zu einem süßen Brei gekocht würde das Mädesüß einen der Nachtische bei dem morgigen Festmahl bilden.

Der Korb war nun bis an den Rand gefüllt, und Aline machte sich auf den Rückweg, als drei Jungen aus dem Wald schlenderten – die Knappen eines vornehmen Herrn, wie

Aline auf Grund ihrer Gewänder aus feiner Wolle, den aufwändig verzierten Gürteln und ihrer selbstsicheren Art vermutete. Vor allem einer von ihnen, ein Junge mit schwarzem, lockigem Haar und einem Mund wie eine reife Frucht, bewegte sich, als ob die Welt ihm gehörte. Er war wohl der Anführer der drei. Aline empfand eine jähe, heftige Abneigung gegen ihn. Seine beiden Begleiter, ein rundlicher Blonder mit einem Mondgesicht und ein braunhaariger Schlacks, konnten ihm sicher nicht das Wasser reichen.

Aline wollte an den Jungen vorbeigehen, doch der Schwarzhaarige versperrte ihr den Weg. Ehe sie reagieren konnte, hatte er in den Korb gegriffen und eine der Blütendolden zerdrückt. »Mhmm …, riecht lecker«, sagte er genießerisch und grinste anzüglich.

»Das Kraut ist für die Burg bestimmt«, fauchte sie.

»Ach wirklich? Das trifft sich gut. Denn wir drei sind dort zu Gast.« Er machte wieder Anstalten, in den Korb zu greifen, doch Aline zog ihn rasch weg.

»Lass sofort deine Finger von dem Mädesüß!«

Die dunklen Augen des Jungen verengten sich, und er packte sie grob am Arm. »He, rede gefälligst respektvoll mit mir, wie das deinem niederen Stand entspricht.«

»Wenn du Respekt willst, solltest du dich auch entsprechend verhalten«, fuhr sie ihn an.

»Tja, Thorigny, deine Manieren gegenüber den Damen lassen aber manchmal auch sehr zu wünschen übrig«, bemerkte der Blonde tadelnd. Der Schlacks kicherte.

Aline sah die zerdrückten Mädesüßblüten auf den Fingern des schwarzhaarigen Jungen. Thorigny … Das war der Name des Barons, der ihr das Anwesen weggenommen und sie zur Leibeigenen gemacht hatte … Hass und Zorn loderten in ihr auf und ließen sie jede Vorsicht vergessen.

Voller Wucht schlug sie dem Jungen ins Gesicht. Überrumpelt lockerte er seinen Griff und glotzte sie einen Moment verdutzt an. Aline riss sich los und rannte weg. Doch noch ehe sie den Waldrand erreicht hatte, hatten die drei Jungen sie eingeholt und bei einer einzeln stehenden Eiche eingekreist.

»Du Hexe, das wirst du mir büßen!«, knirschte Thorigny.

Aline presste ihren Rücken gegen den Baumstamm und zog ihr Messer aus ihrem Gürtel. »Verschwindet!«, rief sie in dem verzweifelten Versuch, mutig und entschlossen zu wirken.

Die drei Jungen blieben stehen und betrachteten sie lauernd. »Oh, die Kleine will sich tatsächlich wehren!«, höhnte Thorigny und zückte ebenfalls sein Messer. Lässig warf er es von einer Hand in die andere.

»Hugo, gegen ein Mädchen zu kämpfen verstößt aber wirklich gegen die ritterlichen Regeln.« Der Schlaksige wieherte.

»Ich will nicht gegen sie kämpfen! Ich will dem frechen Ding eine Lektion erteilen, die es nicht so schnell vergisst.« Hugos Lächeln drehte Aline den Magen um. Auf gar keinen Fall würde sie sich gegen die drei behaupten können. Bei der Erinnerung daran, wie Guy d'Esne sich auf sie geworfen hatte, durchlief sie ein krampfartiges Zittern.

»Oh, die Kleine fürchtet sich also doch.« Hugo lachte verächtlich. »Wenn du dich vor mich hinkniest und mich unterwürfig um Verzeihung bittest, bin ich ja vielleicht bereit, noch einmal gnädig zu sein.«

Aline biss die Zähne zusammen. Nein, was auch immer sie mit ihr anstellen würden, vor einem Angehörigen der Familie de Thorigny würde sie sich nicht demütigen!

»Gut, wie du willst.« Hugo zuckte die Schultern. Er und seine beiden Begleiter kamen betont langsam auf sie zu – wie Katzen, die mit einer Maus spielten. Aline umklammerte ihr Messer fester. Sie würde sich ganz sicher nicht ohne Gegenwehr überwältigen lassen.

Die drei hatten sie fast erreicht, als sie ein Rascheln zwischen den nahen Bäumen hörte. Aline lugte zu dem Waldrand. Würde ihr jemand zu Hilfe kommen? Ihr Herz sank, als der rothaarige Junge, vor dessen Pferd sie gestürzt war, zwischen den Stämmen hervortrat. Gewiss stand er auf Thorignys Seite. Er blickte von ihr zu dem Adeligen. Wie um ihre Vermutung zu bestätigen, huschte ein spöttischer Ausdruck über sein Gesicht.

Doch zu ihrer Überraschung wandte er sich verächtlich an Hugo. »Sieh an, Thorigny, hast du etwa auf einmal Angst vor Jungen und suchst dir deine Gegner unter den Mädchen?«

»Kümmere dich um deine eigenen Angelegenheiten Ethan ohne Land, und verschwinde auf der Stelle. Sonst bekommst du es mit mir zu tun!«, fuhr Hugo ihn an.

»Und auch mit uns.« Der Blonde und der Schlaksige rückten enger an seine Seite.

»Oh, ich zittere ja schon vor Furcht«, spottete Ethan. »Verständlich, dass eine Memme wie du, Hugo, zwei Beschützer braucht.«

»Keine Sorge, mit dir werde ich auch allein fertig.« Der Schwarzhaarige bedeutete seinen Gefährten, sich ein Stück zurückzuziehen. Einen Augenblick lang achtete niemand auf Aline. Sollte sie davonlaufen? Nein, denn so wenig sie den Rothaarigen auch mochte – er hatte sich für sie eingesetzt. Sie konnte nicht fliehen, während er für sie kämpfte.

Ethan und Hugo begannen, sich wie zwei wütende junge

Hunde zu umkreisen, bereit, jeden Augenblick an die Kehle des anderen zu fahren. Thorigny war größer als Ethan, aber dieser war breiter in den Schultern. Beide Jungen bewegten sich langsam und geschmeidig und waren, glaubte Aline zu erkennen, ebenbürtige Gegner.

Sie war so auf die zwei konzentriert, dass sie übersah, wie sich jemand der Eiche näherte. Sie bemerkte den Jungen mit den mausbraunen Haaren und den gutmütigen dunklen Knopfaugen erst, als der Blonde einen Warnruf ausstieß. Ethan und Hugo fuhren herum.

»Oh, Nicolas, dein treuer Schatten eilt dir zu Hilfe«, höhnte Hugo. Er winkte seinen Gefährten zu. »Könntet ihr euch um den da kümmern?«

Nicolas deutete eine spöttische Verbeugung an. »Ich würde mich liebend gern mit dir und diesen Dummköpfen schlagen. Aber dazu ist gerade nicht der rechte Zeitpunkt. Der Zeremonienmeister von Lady Matilda wünscht alle Knappen sofort zu sehen. Er will uns mitteilen, was jeder von uns bei dem Festmahl zu tun hat.« Sein Blick wanderte zu Aline, dann zu Thorigny. »Hugo, wenn du dir nicht einen riesengroßen Ärger einhandeln willst, solltest du dieses Mädchen wirklich in Ruhe lassen. Sie ist eine persönliche Dienerin der Lady Matilda.«

Hugo ignorierte Aline und wandte sich an Ethan. »Wir sind noch nicht fertig miteinander.«

»Nein, das sind wir allerdings nicht.« Ethans Stimme klang gelangweilt. Doch ehe Aline davonrannte, konnte sie noch die tiefe Abneigung gegen Hugo in seinen Augen aufblitzen sehen.

*

Zusammen mit Bess schlüpfte Aline auf die Galerie und verbarg sich in einem Winkel. Aufgeregt spähte sie über die hölzerne Balustrade. Unter ihnen erstreckte sich die von Fackeln erhellte Halle der Burg.

»Nun, hast du schon jemals etwas so Prächtiges gesehen?«, fragte Bess lächelnd.

Eine goldgelbe Rauchwolke, verursacht von Hunderten von Kerzenflammen, lag über den langen Tafeln. Es roch nach brennendem Bienenwachs, Wein, Speisen und Gewürzen. Flöten- und Harfenmusik mischte sich in das Stimmengewirr der Gäste. Die Adeligen hatten ihre erlesensten Gewänder angelegt. Viele der leuchtend bunten Samt- und Seidenstoffe waren mit Gold- und Silberfäden, Perlen oder Edelsteinen bestickt. Diese funkelten mit dem Juwelen- und Diamantenschmuck der Vornehmen um die Wette. Tücher aus feinstem Leinen bedeckten die Tafeln, das Geschirr bestand aus Gold oder Silber und war teilweise ebenfalls mit Edelsteinen besetzt.

»Nein, so etwas Schönes habe ich wirklich noch nie gesehen«, flüsterte Aline überwältigt. »Es ist sehr freundlich von Euch, dass Ihr mir wieder erlaubt habt hierherzukommen.« Ein warmes Gefühl der Dankbarkeit stieg in ihr auf. Auch am Nachmittag, als die Fürsten und Lords Matilda die Treue geschworen hatten, hatte Bess ihr gestattet, sich für einige Zeit auf der Galerie zu verbergen und das Geschehen von dort zu verfolgen.

Matilda hatte sehr aufrecht und stolz, aber auch gesammelt und würdevoll auf ihrem kostbar verzierten Stuhl gethront. Ein roter, pelzbesetzter Samtmantel hing um ihre Schultern, und ein mit Edelsteinen verzierter goldener Stirnreif schmückte ihre Stirn. Ja, sie hatte die Ausstrahlung einer Königin besessen, als die Männer einer nach dem anderen vor ihr niederknieten, ihr die gefalteten Hände entgegenstreckten und ihr gelobten, sie nach dem Tod des Königs als ihre Königin und wahre Herrscherin anzuerkennen und ihr die Gefolgschaft zu leisten. Indem Matilda ihre Hände um die der Adeligen legte, akzeptierte sie deren Schwur. In diesen Momenten war Aline sehr stolz auf ihre Herrin gewesen. Nein, keiner dieser mächtigen Männer würde es so leicht mit ihr aufnehmen können!

»Mein Mädchen …«, murmelte Bess gerührt. Mit feuchten Augen betrachtete sie Matilda, die nun rechts neben ihrem Vater an der Tafel auf der Stirnseite der Halle saß. Sie trug die mit grünen Edelsteinen besetzte Kette, die sie vier Abende zuvor in der Gegenwart Alines und Bess' umgelegt hatte. Dazu ein mit Goldfäden durchwirktes Seidenkleid in einem passenden Grünton und schwere, ebenfalls goldene Armreife und Ringe. Jetzt neigte sie sich zu ihrem Halbbruder Robert und wechselte einige Worte mit ihm. Ihr Gesicht strahlte vor Glück.

Ihr Vater wirkte dagegen ernst und in sich gekehrt, und noch nicht einmal an diesem Abend schien er seine Bitterkeit ablegen zu können. Als hätte Bess Alines Gedanken erraten, seufzte sie: »Wahrscheinlich denkt der alte König an seinen toten Sohn William.«

»Ob er sich wünscht, Englands mächtige Herren hätten William und nicht Matilda die Treue geschworen?«, platzte Aline heraus.

»Das vermute ich.« Bess' Stimme klang traurig. »Aber ganz bestimmt möchte Henry niemals den da auf seinem Thron sehen.« Die alte Dienerin nickte in Richtung Stephen, der zur Linken des Königs saß. Dieser plauderte gut gelaunt mit seinen Tischnachbarn – nicht ohne seinen Blick währenddessen immer wieder zu zwei hübschen jungen

Hofdamen unten in der Halle schweifen zu lassen. »Vor Stephen ist wirklich keine Frau sicher«, meinte Bess kopfschüttelnd. »Seine arme Gattin Maude.«

»Warum hat sie Stephen denn nicht begleitet?«, fragte Aline neugierig.

»Sie hält sich zurzeit auf ihren Besitzungen bei Boulogne auf. Wahrscheinlich ist sie ganz froh, diesen Schürzenjäger eine Weile los zu sein.«

Aline lächelte. Stephens Liebschaften bildeten einen ständigen Gesprächsstoff unter der Dienerschaft. Es hatte auch Gerede gegeben, er habe es dem König übelgenommen, dass dieser seine Tochter statt ihn als Thronerben ausersehen hatte. Doch falls dies tatsächlich zutraf, ließ Stephen sich nichts anmerken.

Alines Blick wanderte weiter die Tafel entlang. Einige Plätze von Stephen entfernt saß ein Mann, der das gleiche blonde Haar und den gleichen weichen Mund wie dieser hatte, ansonsten aber keine große Ähnlichkeit mit ihm besaß. Seine Tonsur wies ihn als Kleriker aus. Dies war Bischof Henry of Winchester, Stephens jüngerer Bruder. Ein geschmeidiger Mann, wie Aline am Vortag Sir Simon zu einer der Hofdamen hatte sagen hören, der es im kirchlichen Dienst noch weit bringen würde.

Die Musik verklang. Eine Gruppe von Gauklern sprang in die Halle. Fasziniert beobachtete Aline, wie sie Rad schlugen, hoch in die Luft sprangen und Saltos drehten und rasend schnell mit einer Vielzahl von Bällen jonglierten. Während die Gäste höflichen Applaus spendeten, eilten die Knappen in die Halle, um Wein und Wasser nachzuschenken.

Unwillkürlich hielt Aline nach Ethan Ausschau. Doch an Stelle seiner entdeckte sie Hugo de Thorigny. Ein schwarzhaariger, ebenso gut aussehender Mann, der am vorderen Ende der mittleren Tafel saß, war ihm wie aus dem Gesicht geschnitten.

»Der Mann dort …« Sie wies auf den Dunkelhaarigen und schluckte. »Ist das etwa Hugo de Thorignys Vater?«

»Ja, das ist Reginald de Thorigny.« Bess nickte.

Der Baron nippte gelangweilt an seinem Weinkelch und schob sich dann eine kandierte Frucht in den Mund. Wieder empfand Aline Hass und ohnmächtige Wut.

Nun beugte sich an derselben Tafel ein anderer Mann vor und lenkte sie von dem Baron ab. Anders als die übrigen Gäste trug er kein farbenfrohes, sondern ein dunkles Gewand. Sein kantiges Gesicht mit der Hakennase war auf eine düstere Weise kraftvoll und beeindruckend. *Das ist sicher kein Mensch, mit dem leicht auszukommen ist*, ging es Aline durch den Kopf. Zuerst hielt sie den Mann für einen Geistlichen, doch in sein dichtes, eisgraues Haar war keine Tonsur geschnitten. Etwas an ihm kam ihr bekannt vor, doch sie wusste nicht, was.

Ein roter Haarschopf schien zwischen den Tischreihen auf. Ethan … Nachdem er einige Gäste bedient hatte, trat er zu dem düsteren Mann. Dieser blickte auf, als der Junge seinen Becher füllte. Sein Antlitz verfinsterte sich. Kaum merklich rückte er von Ethan ab, als wollte er unter allen Umständen vermeiden, von ihm berührt zu werden. Erst als Ethan schon weitergegangen war, begriff Aline, dass er es war, an den der finstere Mann sie erinnert hatte.

Ob er mit ihm verwandt war? Sie wollte Bess danach fragen. Doch nun sirrte ein hoher Ton durch die Halle und ließ die Gespräche verstummten. Stephen war aufgestanden und hob seinen Kelch. »Auf unsere zukünftige Königin!«, rief er laut und verbeugte sich vor Matilda.

»Ja, auf unsere zukünftige Königin!« Auch die anderen Gäste erhoben sich und tranken auf Matildas Wohl.

Diese nahm die Huldigung lächelnd entgegen. Als sich alle wieder gesetzt hatten, schob sie ihren Sessel zurück. »Auf meinen Vater den König, auf dass er noch lange leben möge!« Sie verneigte sich vor Henry. »Und auf meine zukünftigen Untertanen, auf dass wir gut miteinander auskommen werden.« Gelächter brandete auf.

Bess berührte Aline am Arm. »Lass uns gehen. Unsere Herrin soll heute Abend ihre Räume so vorfinden, wie sie einer künftigen Königin würdig sind.«

✻

Sie schmückten Matildas Gemächer mit Girlanden aus Birkenzweigen und streuten frische Rosenblätter über die Teppiche und das breite Bett. Nachdem sie auf sämtlichen Leuchtern dicke Bienenwachskerzen entzündet und überall duftende Essenzen versprüht hatten, ließ sich Bess auf einen Schemel sinken. Versonnen blickte sie sich in den strahlend hellen Räumen um.

Ein Lächeln huschte über ihr Gesicht. »Ich kann es immer noch nicht wirklich fassen. Ich habe Matilda auf den Armen getragen und ihre Hand gehalten, als sie laufen lernte …« – Aline konnte sich ihre Herrin beim besten Willen nicht als tapsiges Kleinkind vorstellen –, »… ich durfte es erleben, wie sie in Rom zur Kaiserin gekrönt wurde. Und nun wird sie einmal als Königin über England herrschen.«

»Erzählt mir von der Krönung«, bat Aline und hockte sich zu ihren Füßen.

»Mein Mädchen wurde nicht von Papst Paschalis gekrönt, sondern von dem Erzbischof von Braga, seinem Legaten.« Wieder lächelte Bess. »Auch wenn meine Herrin die Menschen gern glauben lässt, der Papst habe sie zur Kaiserin gemacht. Ihr Gemahl Heinrich und Paschalis hatten sich aus verschiedenen Gründen überworfen. Der Papst war zum Beispiel der Ansicht, Heinrich führte sich in Italien zu sehr als Eroberer auf. Nun, der verstorbene Gatte meiner Herrin war ein harter Mann. Aber wie auch immer … Matilda und er zogen in einer feierlichen Prozession durch Rom. Die Glocken aller Kirchen läuteten, und die Straßen waren voller Menschen. Die Römer mochten Heinrich nicht besonders, aber Matilda jubelten sie zu.«

Bess schwieg einen Moment, und ihr faltiges Gesicht wurde ganz weich. »Ich sehe sie noch genau vor mir: Sie ritt auf einem Schimmel und trug ein Gewand aus hellrotem Samt. Ihr Schleier war mit Goldfäden und Perlen durchwirkt. Er umgab sie wie ein Heiligenschein. Und danach in der Peterskirche … Meine Herrin wirkte viel majestätischer als ihr Gemahl …«

Nachdem sie Matilda eben in der Halle erlebt hatte, konnte Aline sich dies sehr gut vorstellen. Die Ehe zwischen ihrer Herrin und dem Kaiser war wohl nicht sehr glücklich gewesen – das hatte sie schon öfter aus Andeutungen entnommen –, doch sie wagte es nicht, die alte Dienerin darüber auszufragen. Stattdessen sprach sie aus, was sie schon seit einer ganzen Weile beschäftigte: »Bess, mir ist vorhin bei dem Festmahl ein Mann aufgefallen, der dunkel gekleidet war und sehr finster wirkte. Einer von Stephens Knappen namens Ethan sieht ihm sehr ähnlich. Könnt Ihr mir vielleicht sagen, wer dieser Mann ist?«

»Ich vermute, du meinst Lord Latimer.« Bess nickte.

»Sind Ethan und Lord Latimer denn verwandt? Mir kam es vor, als ob sie sich nicht mögen würden.« Aline bemühte sich, ihre Stimme gleichgültig klingen zu lassen.

»Der Lord ist Ethans Vater. Auch wenn er den Jungen offiziell nicht als seinen Sohn anerkennt.«

»Aber Ethan ist doch Stephens Knappe«, meinte Aline verblüfft. »Wie kann er das sein, wenn sein Vater ihn nicht als Sohn akzeptiert?«

»Ach, dahinter steckt eine traurige Geschichte. Zumindest, wenn man den Gerüchten Glauben schenkt.« Bess schüttelte nachdenklich den Kopf. »Manche Leute sagen, der Lord habe an einer lebensbedrohlichen Krankheit gelitten. Deshalb habe er gelobt, fortan keine Frau mehr anzurühren und wie ein Mönch zu leben, wenn Gott ihn genesen lasse. Seine Gattin war zu dieser Zeit schon tot ... Lord Latimer wurde wieder gesund und verliebte sich leidenschaftlich in eine Frau niederer Herkunft. Angeblich eine Magd von einem seiner Güter. Ich weiß es nicht genau ... Er brach sein Gelübde und zeugte mit ihr einen Sohn. Ethan ... Es heißt, der Lord könne es sich nicht verzeihen, dass er schwach geworden sei.«

Ja, er wirkt tatsächlich, als sei er sehr streng gegen sich und andere, ging es Aline durch den Kopf.

»Ich habe aber auch sagen hören, der junge Ethan sei dabei gewesen, als der älteste Sohn und Erbe der Familie beim Spielen in einem Fluss ertrank«, plauderte Bess weiter. »Und sein Vater gebe ihm die Schuld an dem Unglück.«

»Ethan und der legitime Erbe spielten miteinander?«, fragte sie überrascht.

»Es heißt, Ethans Mutter starb bei oder kurz nach seiner Geburt und der Lord habe den Jungen auf einem seiner Güter aufwachsen lassen. Er und der andere Sohn sollen sich zufällig getroffen und dann miteinander angefreundet haben – wie Kinder nun einmal so sind.« Bess zuckte die Schultern. »Vielleicht stimmt keines von diesen Gerüchten. Vielleicht steckt aber auch in beiden ein wahrer Kern. Der Lord kommt jedoch immerhin für Ethans Unterhalt als Knappe auf und hat ihm auch sonst eine gute Ausbildung angedeihen lassen. Aber er will keinerlei Kontakt zu dem Jungen.«

Bess bedachte Aline mit einem durchdringenden Blick. »Weshalb interessierst du dich eigentlich so sehr für diesen Ethan?«

»Ach, er ist mir wegen seiner roten Haare aufgefallen«, schwindelte Aline hastig. Es musste sehr hart sein, von dem eigenen Vater für den Tod des Halbbruders verantwortlich gemacht zu werden. Tiefes Mitgefühl stieg in ihr auf.

»So, so, der Junge ist dir also wegen seiner roten Haare aufgefallen ...« Um Bess' Mund zuckte es.

»Ja, und aus keinem anderen Grund«, erklärte Aline entschieden.

※

In einem mit kostbaren Wandgemälden geschmückten Raum in einem Seitentrakt der Burg ging Henry of Winchester ungeduldig auf und ab. Als endlich die Tür aufgestoßen wurde, fuhr er gereizt herum. Stephens Zustand – das Haar zerzaust, das Gesicht gerötet – besserte seine Laune keineswegs. »Du hast mich lange warten lassen!«, fuhr er seinen Bruder an.

Stephen ließ sich in einen Stuhl fallen und goss sich Wein in einen versilberten Becher. »Ich wurde aufgehalten.« Gleichmütig zuckte er die Schultern.

»Von einer Frau, vermute ich?«

»Einige von Matildas Hofdamen sind wirklich bezaubernd.« Stephen trank genießerisch einen Schluck Wein. »Meine Base weiß überhaupt nicht, was sie an ihnen hat.«

»Wann begreifst du endlich einmal, dass es Wichtigeres

gibt als deine ewigen Frauengeschichten!«, fuhr der Bischof ihn an. »Wir müssen dringend miteinander reden.«

»Das tun wir doch gerade, oder?« Stephen ließ sich nicht aus der Ruhe bringen.

Henry of Winchester setzte sich ihm gegenüber. »Dein Toast auf Matilda war wirklich sehr bewegend«, bemerkte er sarkastisch. »Aber ich hätte nicht damit gerechnet, dass ausgerechnet du ihn ausbringen würdest. Und ich bin überzeugt, dass viele der Lords und Fürsten in der Halle darüber ebenso verwundert waren wie ich.«

»Darf ich dich an etwas erinnern: All diese Männer haben ihr die Treue geschworen.« Stephen hob die Augenbrauen. »Genauso wie du, mein geliebter Bruder.«

»Schwüre sind dazu da, gebrochen zu werden!«

»Das sagst ausgerechnet du, ein Kirchenmann …« Stephen lachte leise.

»Bei Gott, Stephen, lass doch diese Spielchen!« Der Bischof hieb mit der flachen Hand auf den Tisch. »Könntest du dich endlich klar äußern: Hast du nun vor, nach Henrys Tod nach der Krone zu greifen, oder willst du dann der Untertan unserer Base sein?«

»Ich nehme an, du hast schon Erkundigungen angestellt, wer von den Lords und Fürsten auf meiner Seite stehen würde?«

»Vorsichtige, ja …« Henry of Winchester nickte etwas besänftigt. »Eine beträchtliche Zahl ist nicht bereit, einer Frau die Gefolgschaft zu leisten. Andere sind unentschieden. Aber ich bin fest davon überzeugt: Sobald du dich endlich entscheidest, die Herrschaft über England zu erringen, werden auch diese Männer in dein Lager wechseln.«

»Nenn mir Namen!« Stephen drehte lässig seinen Weinkelch in den Händen.

»Nun, zum Beispiel William of Roumere und sein Halbbruder Robert of Chester, Robert of Ferrers, Gilbert of Clare, Waleran of Meulan und Erzbischof Thurstan of York und Reginald de Thorigny. Bei Gott, nach Henrys Tod musst du nur die Hand nach der Herrschaft ausstrecken, und sie wird dir zufallen wie eine reife Frucht.«

»Dabei vergisst du nur eines: nämlich unsere Base«, erwiderte Stephen kühl.

»Fürchtest du dich etwa vor Matilda? Sie ist doch nur eine Frau!«

»Ich hege viele Gefühle für die Damen, aber ganz gewiss keine Furcht«, Stephen grinste. »Ich schätze unsere Base nur realistisch ein. Glaub mir, von Frauen verstehe ich mehr als du.«

»Jetzt sag endlich, wie du dich entscheiden wirst!«, forderte der Bischof aufgebracht.

»Mein lieber Bruder, dafür, dass du der Jüngere von uns beiden bist, verhältst du dich manchmal sehr anmaßend.«

»Noch lebt Henry. Und indem ich versuche, Allianzen für dich zu bilden, gehe ich ein hohes Risiko ein!«

»Ach, komm schon. In erster Linie geht es dir bei diesen Bündnissen doch um deine eigene Macht.«

»Wie kannst du es wagen …« Wütend sprang der Bischof auf.

»Setz dich wieder.« Stephen hob den Kelch. »Ich möchte einen neuen Toast ausbringen. Auf unseren Onkel Henry … Und auf den zukünftigen König.«

Henry of Winchester ließ sich langsam auf seinen Stuhl zurücksinken. Dann begriff er und erwiderte das Lächeln seines Bruders. »Ja, auf den zukünftigen König!«

*

Aline schlug mit einem flachen Stein kräftig auf das nasse, mit Pottasche eingeriebene Leinentuch. Hinter ihr, in den Themsewiesen, lachten und schwatzten die anderen Mägde, die dort die sauberen Tücher zum Trocknen auf dem Gras ausbreiteten. Die Frauen begegneten ihr – der Dienerin Matildas – mit einer gewissen Scheu. Dennoch genoss Aline es geradezu, an einem warmen Sommertag wie diesem auf dem Holzsteg am Fluss zu knien und bei der Wäsche auszuhelfen.

Als das Tischtuch ausreichend durchgewalkt war, tauchte sie es in das kühle, grünliche Wasser und schwenkte es mehrmals. Einige Momente ließ sie es mit der Strömung treiben und beobachtete eine Libelle, die über einem Sonnenfleck auf der Wasseroberfläche tanzte. Wieder musste Aline an das denken, was ihr Bess am vorigen Abend über Ethan erzählt hatte. Auch wenn nur ein Teil der Gerüchte zutraf, war sein bisheriges Leben alles andere als leicht gewesen. Und sie hatte ihm noch nicht einmal dafür gedankt, dass er sie vor Hugo de Thorigny gerettet hatte!

Nachdem Aline ihre Arbeit beendet hatte, lief sie zu einem nahen Feld, wo sie in einer Flussbiegung einige Tage zuvor einen Heckenrosenstrauch voller praller Knospen entdeckt hatte. Inzwischen hatten sich die Blätter entfaltet. Sie wählte einen Zweig, an dem besonders schöne rosafarbene Blüten hingen, und schnitt ihn ab.

Auf dem Weg zur Burg und im Inneren der Anlage hielt sie Ausschau nach Hugo de Thorigny und seinen beiden Freunden. Seit ihrer Auseinandersetzung hatte sie die drei einige Male aus der Ferne gesehen. Sie hatten Aline in Ruhe gelassen – anscheinend legten sie keinen Wert darauf, Matildas Zorn zu spüren zu bekommen. Doch Aline wollte ihnen trotzdem lieber nicht begegnen.

Bei den Stallungen entdeckte sie den Jungen mit den mausbraunen Haaren. Er führte ein Pferd zu einer Tränke. Rasch lief sie auf ihn zu. »Bitte, kannst du mir sagen, wo ich Ethan finde?«

»Dort drinnen.« Der Junge wies mit einem Kopfnicken auf ein Fachwerkgebäude und verzog sein Gesicht zu einem freundlichen Grinsen. »Allerdings muss ich dich warnen. Ethan hat miserable Laune.«

Aline lächelte dem Knappen zu. »Keine Sorge, ich möchte nur kurz mit ihm reden.«

Sie fand Ethan in einem Pferch am Ende eines langen Stallganges, wo er einen kleinen, dunkelbraunen Hengst striegelte. Im Sonnenlicht, das durch eine Luke fiel, leuchtete sein Haar flammend rot. Es bildete einen seltsamen Kontrast zu seinem bleichen, verkniffenen Gesicht. Sollte sie vielleicht doch besser bei einer anderen Gelegenheit mit ihm sprechen? Aber dann fiel ihr ein, dass Stephen nicht mehr lange auf der Burg bleiben wollte.

»Ethan …«, rief Aline ihm leise zu. Er merkte auf. »Was willst du?«, fuhr er sie an. Seine Stimme war ebenso gereizt wie sein Blick.

»Ich möchte dir dafür danken, dass du mir gegen Hugo de Thorigny beigestanden hast«, sagte sie unsicher und reichte ihm den Heckenrosenzweig. »Ich … Ich weiß nicht, was geschehen wäre, wenn du nicht für mich eingetreten wärst.«

Für einen Moment glaubte sie, ein kurzes Aufleuchten in Ethans Augen wahrzunehmen. Doch sofort wurde seine Miene wieder ablehnend, und der Zweig baumelte achtlos in seiner Hand.

»Oh, ich habe das nicht für dich getan, ich kann Hugo de Thorigny einfach nicht leiden«, erklärte er mit einem Schulterzucken und wandte sich wieder dem Pferd zu.

Aline begann sich wieder über ihn zu ärgern. »Trotzdem danke«, meinte sie steif. Nach einigen Schritten drehte sie sich noch einmal um. Der Heckenrosenzweig lag weggeworfen in dem schmutzigen Stroh bei der Pferchtür. Die besudelten Blüten zu sehen, die eben noch so vollkommen gewesen waren, versetzte ihr einen Stich. Ihre Dankbarkeit war wie weggeblasen. Sie war nur noch zornig.

»Hast du eigentlich überhaupt kein Benehmen?«, fuhr sie Ethan an.

Er ließ die Bürste sinken. Sein Blick wanderte zu dem Zweig, und er errötete. »Hast du etwa erwartet, dass ich deine Blume an meinem Gewand tragen würde?«, versetzte er spöttisch.

»Nein, das habe ich nicht!« Aline trat auf ihn zu. »Aber ich habe auch nicht erwartet, dass du den Zweig wegwerfen würdest. Ich wollte dir einfach eine Freude machen. Hättest du den Zweig wenigstens dem Pferd zu fressen gegeben! Der Braune hätte ihn wahrscheinlich zu schätzen gewusst.«

Ethan musterte sie hochmütig. »Ich muss mir von einer Dienerin wirklich nicht sagen lassen, wie ich mich zu benehmen habe.«

»Ach, nein?« Aline warf den Kopf in den Nacken. »Ich glaube doch, dass du von den meisten Dienern in Bezug auf gute Manieren noch einiges lernen könntest. Ganz davon zu schweigen, dass du ja selbst von solch hoher Herkunft bist. Mit deiner Mutter, der Magd …« Erschrocken biss sie sich auf die Lippen. Sie hatte das nicht sagen wollen …

Ethans Augen wurden hart. Wieder bearbeitete er die Flanke des Pferdes mit der Bürste. Das Tier stieß ein unruhiges Wiehern aus. Aline wandte sich zum Gehen.

»Deine Herrin sollte dir unbedingt Gehorsam beibringen«, hörte sie Ethan mit kalter Stimme sagen. »Du verdienst Prügel.« Es waren nicht so sehr seine Worte, die Aline trafen, sondern sein verächtlicher Tonfall. Nein, auch Ethan war nicht besser als die de Thorignys. Und sie konnte das nicht einfach auf sich sitzen lassen.

»Ist dir eigentlich klar, was für ein eingebildeter Widerling du bist?«, schrie sie ihn an. »Ich kann wirklich gut verstehen, warum dein Vater nichts mit dir zu tun haben will.«

Sie nahm noch wahr, wie jeder Rest von Farbe aus Ethans Gesicht wich, dann stürmte sie aus dem Stall.

Anfangs erfüllte Aline es mit wilder Befriedigung, dass sie Ethan getroffen hatte. Doch als ihr Zorn nachließ, schämte sie sich. Gewiss, der Junge hatte sich unerträglich hochmütig verhalten. Aber er hatte sie vor Hugo de Thorigny und dessen Freunden gerettet. Außerdem war es einfach schäbig von ihr gewesen, dass sie ihm das schlechte Verhältnis zu seinem Vater vorgeworfen hatte. Ihre Eltern, davon war sie überzeugt, hätten ihr Verhalten niemals gutgeheißen.

Mit sich uneins verbrachte Aline die nächsten Tage. Sie überlegte, ob sie sich bei Ethan entschuldigen sollte, entschied sich dann jedoch dagegen, da dies sicher nur wieder zu einem neuen Streit führen würde. Schließlich, vier Tage nach dem Fest, verließ Stephen mit seinem Gefolge die Burg. Aline stand bei Matildas Dienern, als sich ihre Herrin am Burgtor mit einer herzlichen Umarmung von ihrem Vetter verabschiedete. Unter den Knappen sah sie Ethans roten Haarschopf aufleuchten, doch sie blickte schnell zur Seite.

In den darauf folgenden Tagen zogen auch König Henry, der Earl of Gloucester und all die anderen vornehmen Gäste ihrer Wege – wobei der Abschied zwischen Matilda und ihrem Vater sehr förmlich ausfiel. Aline rechnete damit, dass ihre Herrin nun, da all die Feierlichkeiten vorbei waren, in ihre übliche gereizte Stimmung verfallen würde, doch sie täuschte sich. Matildas Stimmung blieb heiter.

Ende Juli – zwei Wochen nach dem großen Fest – verkündete Matilda, dass sie beabsichtigte, auf die Jagd zu gehen. Bess und eine kleine Gruppe von Knechten sollten sie begleiten. Am Vorabend des Ausflugs half Aline der alten Dienerin beim Packen. Bess hatte sich während der letzten Zeit oft nicht recht wohl gefühlt und immer wieder über Schwindel und Gliederschmerzen geklagt. Aber die Salben und Tees, die Aline unter Aufsicht Gawains zubereitet hatte, schienen ihr gutgetan zu haben. An diesem Tag ging es ihr endlich wieder besser.

Aline hatte eben ein Gewand aus feiner grüner Wolle in einer Truhe verstaut, als sie hinter sich ein Klappern hörte und Bess stöhnend aufkeuchte. Alarmiert drehte sie sich um. Die alte Dienerin schwankte. Ein Holzkästchen war ihr aus den Händen geglitten und auf den Steinboden gefallen. Aline stürzte zu Bess und führte sie zu einem Stuhl. Erschrocken stellte sie fest, dass ihr Gesicht totenbleich war, und kalter Schweiß ihre Stirn bedeckte. »Bess, um Gottes willen …«, sagte sie verstört.

»Ach, meine Kleine, es ist nichts«, wehrte diese murmelnd ab.

»Könnte mir gefälligst jemand erklären, warum mein Schmuck über den Boden zerstreut ist?«, Matildas drohende Stimme ließ Aline den Kopf heben. »Und ich kann euch beiden sagen, ich erwarte eine sehr gute Erklärung.« Ihre Herrin hatte das Gemach betreten und deutete mit einer Miene wie ein Gewittertag auf ihre Ringe und Armreifen, die aus dem Kästchen gekullert waren.

»Madam, Bess …«, setzte Aline flehend an. »Sie ist krank.« Matildas Gesichtsausdruck wurde sofort milder.

Sie kauerte sich neben Aline auf die Fliesen und streichelte die Hände der alten Frau. »Bess, was machst du denn für Sachen? Du gehörst ins Bett.«

»Herrin, mir ist nur kurz schwindelig geworden.« Die Dienerin richtete sich auf. »Natürlich werde ich Euch morgen begleiten.«

»Nein, auf gar keinen Fall. Du musst dich auskurieren.« Matildas Stimme klang sanft, aber entschieden.

»Aber ich kann Euch nicht alleine auf die Jagd gehen lassen.« Ein ängstlicher Ausdruck trat in Bess' Augen. »Ihr braucht mich doch.«

Matilda wandte sich zu Aline um. Sie musterte sie prüfend, schien zu überlegen. »Ich werde das Mädchen mitnehmen«, verkündete sie dann. »Du hast sie erzogen. Deshalb wird sie sich gut um mich kümmern.«

»Aber …«, protestierte Bess wieder. Ein stummes Zwiegespräch schien zwischen den beiden Frauen stattzufinden, das Aline nicht verstand. Endlich nickte Bess zögernd. »Ja, ich glaube auch, dass Ihr Euch auf das Kind verlassen könnt.« Sie fasste nach Alines Hand. »Versprich mir, dass meine Herrin auf dich bauen kann.«

»Natürlich verspreche ich das«, erwiderte Aline verwundert.

»Da hörst du es. Du musst dir keine Sorgen machen.« Matilda lächelte Bess an. »Ich lasse sofort nach dem Medicus schicken. Er wird sich während der kommenden Tage deiner annehmen.«

*

Früh am nächsten Morgen, bevor die Jagdgesellschaft aufbrach, besuchte Aline Bess in deren Kammer. Die Dienerin schlief. Noch immer war ihre Gesichtsfarbe kalkig, und ihr

Atem ging unruhig. Gawain saß auf einem Schemel neben ihrem Bett.

»Geht es ihr noch nicht besser?«, fragte Aline beklommen.

»Sie ist in einem Alter, in dem jede Krankheit schnell lebensbedrohlich werden kann«, erwiderte der Medicus leise. »Aber ich bin zuversichtlich, dass sie dieses Mal wieder gesund werden wird.« Seine Worte waren aufmunternd gemeint, doch sie trösteten Aline nur wenig. Bess war ihr stets so voller Energie und Tatkraft erschienen, dass sie sich nie Gedanken über ihr Alter gemacht hatte. Erst jetzt registrierte sie, wie zerbrechlich ihr Körper unter der Wolldecke wirkte.

Die alte Frau hatte ihr geholfen, sich an Matildas Hof einzuleben, und sie hatte Aline mit ihrer herzlichen Art auch den Verlust von Familie und Heimat leichter gemacht. Wie würde es sein, wenn sie eines Tages starb?

Aline beugte sich vor und küsste Bess' Wange. »Gott behüte Euch«, flüsterte sie.

*

Der Ritt durch die sommerliche Landschaft linderte ihr Verlassenheitsgefühl ein wenig. Matilda ließ die Jagdgesellschaft – außer Aline begleiteten sie einige Knechte und Jäger sowie ein Koch – die meiste Zeit im Galopp reiten, und Aline genoss es, durch hohes Gras und über steinige Wege zu preschen. Ein kräftiger Wind fegte den Himmel blank, schüttelte die Baumwipfel und peitschte das bald reife Korn auf den Feldern, sodass es sich wie in Wellen hob und senkte.

Gegen Mittag erreichten sie das Jagdhaus. Es stand, umgeben von einer hohen Hainbuchenhecke, auf einer Lichtung. Ein viereckiger Turm bildete das Haupthaus, in dessen Obergeschoss sich ein Wohn- und ein Schlafraum befanden. Darum gruppierten sich ein Stall, ein kleines steinernes Küchenhaus sowie ein Fachwerkbau für die Bediensteten. Während Matilda nach einer kurzen Rast mit den Jägern und den Knechten weiterritt, bereitete Aline die Gemächer in dem Wohnturm für ihre Herrin vor.

Erst als die Sonne schon tief im Westen stand, kehrte die Jagdgesellschaft zurück. Aline eilte ihrer Herrin entgegen. Auf einer aus Zweigen geflochtenen Trage zogen zwei Pferde eine erlegte Hirschkuh hinter sich her.

»Ich bin wirklich mit mir zufrieden«, erklärte Matilda lachend, während sie von ihrer Stute sprang. »Sir Simon wird vor Neid erblassen, wenn er erfährt, dass ich das Wild mit einem einzigen Pfeilschuss erlegt habe.« Ihre Wangen waren gerötet, und ihre Augen hatten einen hellen Glanz.

Aline begleitete sie in ihre Räume, wo sie ihr half, die staubigen Gewänder abzulegen und ein Bad zu nehmen. Anschließend holte sie ihr gebratenes Fleisch, Brot und Gemüse aus dem Küchenhaus. Während Matilda aß, zog sich Aline mit einer Näharbeit in einen Winkel des Gemachs zurück. Ihre Herrin verzehrte die Mahlzeit schweigend und in sich gekehrt, und doch schien sie von einer unterschwelligen Energie zu vibrieren.

Als Aline das Geschirr wegbringen wollte, bedeutete ihr Matilda mit einer gebieterischen Geste zu bleiben. Sie nahm Alines Gesicht in beide Hände und betrachtete sie lange und prüfend, als beabsichtige sie, die Seele des Mädchens bis in den letzten Winkel auszuloten. Schließlich sagte sie: »Ich erwarte heute Nacht Besuch. Schwöre mir, dass du über alles, was du hier sehen und hören wirst, Stillschweigen bewahrst.«

Aline begriff. Darum war Bess also so besorgt gewesen, dass sie Matilda nicht begleiten konnte. »Ich schwöre, ich werde schweigen«, stammelte sie.

»Gut«, Matildas hellgrüne Augen wurden hart. »Ich garantiere dir: Falls du dein Schweigen, gegenüber wem auch immer, brechen solltest, wird dir deine Zeit als Leibeigene Reginald de Thorignys wie das Paradies erscheinen. Und nun bring mir mein Nachthemd.«

Nachdem Aline Matilda geholfen hatte, sich für die Nacht zurechtzumachen, und die Kerzen an einem sechsarmigen Leuchter entzündet hatte, wies diese sie an, sich in eine kleine Kammer zurückzuziehen, die an den Schlafraum grenzte. Dort legte sich Aline auf einen Strohsack. Unter dem Samtvorhang, der die Türöffnung verschloss, schimmerte ein wenig Licht hindurch. Wen ihre Herrin wohl erwarten mochte? Über diesem Gedanken schlief sie ein.

Sie erwachte davon, dass ein Windstoß ihre Wange streifte. Der Vorhang bauschte sich und rutschte am Rand der Türöffnung etwas zurück. Schlaftrunken erhob sich Aline, um ihn wieder ganz zu schließen. Als sie nach dem Stoff griff, fiel ihr Blick durch den schmalen Spalt. Matilda ging auf einen Mann zu, der eben ihr Gemach betreten hatte. Sie flüsterte einen Namen, den Aline nicht verstehen konnte, aber das Glück in ihrer Stimme war unüberhörbar.

Nun fiel der Schein der Kerzen auf Matilda und ihren Besucher. In dem weichen, gelben Licht wirkten ihre Gesichter wie zwei Spiegelbilder. Aline hielt den Atem an. Das war unmöglich … Und doch … Ihre Herrin und der Mann klammerten sich aneinander wie zwei Ertrinkende, während sie sich leidenschaftlich zu küssen begannen. Dann streifte der Earl of Gloucester seiner Halbschwester das Hemd ab und verbarg seinen Kopf zwischen ihren Brüsten. Matilda stöhnte auf und drückte sich eng an ihn, während sie ihn zu dem Bett zog.

Aline wich hastig zurück und kauerte sich auf den Boden der Kammer. Sie wagte nicht, den Vorhang zu bewegen. Leises Lachen, Keuchen und geflüsterte Zärtlichkeiten drangen an ihr Ohr. Das Bett knarrte. Irgendwann stieß Matilda einen lang gezogenen, stöhnenden Schrei aus. Gleich darauf schrie auch Robert of Gloucester auf. Ruhe senkte sich über das Zimmer, und Aline fiel in einen unruhigen Schlaf.

»Du Hure! Nein, du bist viel schlimmer als eine Hure – du bist ein Monstrum!« Zuerst glaubte Aline, die sich überschlagende Stimme sei Teil eines wirren Traums. Doch als sie sich benommen aufrichtete, um zu dem Strohsack zu tappen, hörte sie einen anderen Mann antworten. Gepresst und mit einem durchaus schuldbewussten Unterton in seiner Stimme, aber entschieden: »Sir, bei allem Respekt – lasst Euren Zorn an mir aus und nicht an Eurer Tochter!«

»Du Bastard! Auch du bist ein ekelhaftes Monstrum – genau wie dieses gottlose Weib. Verschwinde, sonst bringe ich dich auf der Stelle um!«

»Ich lasse Matilda nicht mit Euch allein.«

»Robert, ich bitte dich, geh!«, hörte Aline nun ihre Herrin voller Angst flehen.

»Ich bleibe bei dir.«

Ein metallisches Geräusch ertönte, als ob eine Waffe aus einer Scheide gerissen würde. »Nein, nicht«, rief Matilda. »Robert tu, was unser Vater sagt. Er wird mich schon nicht töten.«

»Nein, das werde ich nicht. Auch wenn ich es noch so gern täte.« Die Stimme des Königs klang, als ob er vor seiner Tochter ausspuckte.

»Robert, mein Geliebter, bitte geh …« Niemals hätte Aline geglaubt, dass ihre Herrin so verzweifelt klingen könnte.

Stoff raschelte, dann ein Laut, als ob ein Ledergurt zugeschnallt würde. Füße bewegten sich über den Steinboden. Eine Tür wurde aufgezogen und fiel ins Schloss. In der nun folgenden Stille fragte sich Aline, ob sie nicht vielleicht doch einem Albtraum aufgesessen war. Doch der Wutschrei des Königs und das Klatschen von Hieben belehrten sie sofort eines Besseren. Was geschah mit ihrer Herrin? Zitternd kroch Aline auf den Spalt zwischen der Wand und dem Vorhang zu.

Matilda kauerte auf dem Boden und hielt die Unterarme schützend vor das Gesicht, während ihr Vater mit geballten Fäusten auf sie einprügelte. Kein Ton, nicht einmal ein leises Jammern, drang über ihre Lippen.

Aline fürchtete schon, dass der König seine Tochter doch umbringen würde, als sich Matilda plötzlich erhob und überraschend schnell zu dem Tisch zurückwich. Ehe ihr Vater reagieren konnte, hatte sie den schweren Bronzeleuchter ergriffen und hielt ihn wie eine Waffe vor sich. »Das genügt jetzt!«, erklärte sie kalt. »Ihr habt Eure Wut austoben können. Wenn Ihr noch einmal versucht, mich zu schlagen, gehe ich mit dem Leuchter auf Euch los.« Ihr rotblondes Haar hing zerzaust um ihren Kopf, ihr Hemd war zerrissen und eines ihrer Augen begann zuzuschwellen. Aber, hoch aufgerichtet, wie sie dastand, den Kopf in den Nacken geworfen, waren ihre Worte unverkennbar keine leere Drohung.

»Du Miststück, du Abschaum!«, spie ihr Vater aus. »Ich wünschte, du hättest niemals das Licht der Welt erblickt.«

»Hört auf zu schreien, sonst weckt Ihr noch meine Diener! Außerdem ... Macht Euch doch nichts vor. Wenn es mich nicht gäbe, hättet Ihr keinen legitimen Nachfolger von Eurem eigenen Fleisch und Blut.«

»Stephen ...«

»Ihr erwartet doch wohl nicht, dass ich diese Drohung ernst nehme?« Matilda lachte höhnisch. »Wir wissen doch beide, dass Ihr niemals den Sohn Eures verhassten Schwagers auf Eurem Thron dulden würdet. Ihr braucht mich – worüber Ihr Euch auch völlig im Klaren seid. Andernfalls hättet Ihr mich angesichts dieser Blutschande – oder wie auch immer Ihr meine Liebe zu Robert nennen mögt – schon längst mit Eurem Schwert durchbohrt.«

»Du undankbares, unverschämtes Ding.« Henry knirschte mit den Zähnen.

Hart setzte Matilda den Leuchter wieder auf dem Tisch ab, blieb jedoch so stehen, dass sie ihn schnell greifen konnte. »Ich habe es satt, Eure Schachfigur zu sein, die Ihr nach Belieben für Eure Machtspiele einsetzt. Als Ihr mich mit dem deutschen Kaiser verheiratet habt, war ich noch ein Kind und konnte mich nicht wehren. Ja, ich habe eingewilligt, nach Eurem Tod über England zu herrschen. Aber nur, weil dies meinen eigenen Plänen entspricht und nicht aus Gehorsam Euch gegenüber.«

»Wie kannst du es wagen, dich über die Heirat mit Heinrich zu beschweren?« Der König schnaubte. »Wo du doch keine Gelegenheit auslässt, dich aller Welt stolz als Kaiserin zu präsentieren.« Wie sie sich über den Kerzenleuchter hinweg voller Verachtung anstarrten, sahen sich Vater und Tochter plötzlich sehr ähnlich.

»Wollt Ihr mir etwa zum Vorwurf machen, dass ich auf diesen Titel stolz bin?«, gab Matilda wütend zurück. »Schließlich war die Kaiserinnen-Krone das Einzige, was mir die Ehe mit diesem groben, ungebildeten Klotz einigermaßen erträglich machte.«

»Ein grober Klotz … Als ob er dich jemals geschlagen hätte!«

»Das hätte ich ihm auch nicht geraten!« Matildas Augen funkelten gefährlich. »Außerdem steht es Euch wirklich nicht an, Euch über mich zu empören. Bei all den unehelichen Kindern, die Ihr gezeugt habt.«

Henry starrte sie einen Moment sprachlos an. »Du bist wahnsinnig … Du verdrehst die Ordnung der Dinge.«

»Ach ja? Weil ich mir nehme, was ich haben will, wie es sonst nur Ihr Männer tut?«

»Robert ist dein Halbbruder … Ihr begeht eine Todsünde …«

»Wir lieben uns. Es ist völlig zufällig und nebensächlich, dass wir Euch als gemeinsamen Vater haben.« Matildas Stimme klang fest und doch so weich und zärtlich, dass Aline davon berührt wurde. »Und überhaupt … Zu anderen Zeiten, in anderen Kulturen, haben Geschwister von königlichem Blut einander geheiratet.«

»Was redest du da für Unsinn?«, schrie ihr Vater sie an.

»Immerhin hatte ich in Deutschland gute Lehrer«, fauchte Matilda zurück. »Römische Schriftsteller, die die Patres mich haben lesen lassen, haben darüber geschrieben. In Ägypten herrschte dieser Brauch.«

»Das waren Heiden …«, stöhnte Henry.

»Und wenn schon … Auch William, Euer Vater und mein Großvater, hat sich nicht um die Grenzen geschert, die ihm auferlegt waren. Er, der Bastard eines Fürsten und einer Dienerin, hat die Tochter des Herzogs der Normandie geheiratet. Er hat England erobert und wurde zum König. Anders als Ihr hatte er wirklich Mut.«

Der König fuhr sich über die Stirn, als versuchte er, klar zu denken. Als er seine Tochter wieder anschaute, lag ein erbarmungsloser Zug um seinen Mund. »Diese Sache mit Robert hört auf, sofort. Fulk, der Graf von Anjou, hat bei mir um deine Hand für seinen Sohn Geoffrey angehalten. Ich wollte ihm dies zuerst abschlagen, da mir ein Graf als Gatte für eine künftige Königin zu gering erschien. Aber ich habe es mir anders überlegt. In den nächsten Wochen wirst du Geoffrey heiraten und England verlassen.«

»Ich denke überhaupt nicht daran, das zu tun! Ich habe Euch gerade schon einmal gesagt: Ich lasse mich von Euch zu nichts mehr zwingen.«

»Du wirst Geoffrey heiraten«, Henry ignorierte den höhnischen Aufschrei Matildas und sprach langsam und bedächtig weiter, als wollte er sichergehen, dass sie ihn auch wirklich verstand; seine plötzliche Ruhe stand in scharfem Kontrast zu dem Zorn seiner Tochter. »Denn falls du nicht in diese Hochzeit einwilligst, werde ich Robert eigenhändig töten.«

Aline zweifelte nicht an seinen Worten, und auch Matilda, aus deren Gesicht jede Farbe wich, schien ihm zu glauben. »Robert ist Euer Sohn … Euer Kind«, stammelte sie schließlich.

»Das ist mir gleichgültig«, entgegnete Henry hart. »Ich dulde keine Blutschande in meiner Sippe.« Er bedachte Matilda mit einem kalten Blick. »Ich sage es nur noch einmal: Entweder du willigst in diese Heirat ein, oder Robert wird sterben.«

»Was seid Ihr nur für ein Mensch!«

»Sicher kein schlechterer als du. In drei Tagen will ich in Oxford deine Antwort.« Wie erstarrt sah Matilda ihrem Vater nach, als dieser sich umwandte und das Gemach verließ. Dann ließ sie sich auf den Boden sinken und verbarg ihr Gesicht in den Händen.

»Herrin … O Herrin …« Aline wagte sich aus der Kammer und lief weinend zu ihr. Als sie nicht reagierte, berührte Aline sie vorsichtig an der Schulter. Doch Matilda stieß nur einen leisen Jammerlaut aus wie ein tödlich verwundetes Tier und begann ihren Körper vor und zurück zu wiegen.

»Herrin …«, flehte Aline verzweifelt. Als all ihr Zureden und Bitten nichts nutzten, hockte sie sich schließlich erschöpft neben Matilda auf den Boden.

*

Müde hob Aline den Kopf. Fahles Morgenlicht füllte den Raum. Warum hockte sie hier, statt in der Kammer auf dem Strohsack zu liegen? Dann sah sie Matilda neben sich, und ihre Erinnerung kehrte zurück.

»Herrin …«, rief sie leise. Matilda verharrte reglos in ihrer Haltung, den Kopf auf die Knie gelegt. Ihr Körper wirkte wie eine Hülle, aus der sich die Seele verabschiedet hatte. Panik erfasste Aline. Sie schluchzte auf. Was sollte sie nur tun? Wenn doch nur Bess oder Gawain bei ihr wären. Einige Momente weinte sie hilflos vor sich hin. Doch dann wischte sie sich über die Augen und ballte die Hände zu Fäusten. Sie war kein kleines Kind mehr. Auch wenn sie auf sich selbst gestellt war, musste sie mit dieser Situation fertigwerden. Matilda hatte sie vor Guy d'Esne gerettet. Also würde sie jetzt für ihre Herrin sorgen.

Matilda konnte nicht auf dem Boden sitzen bleiben. Als sie wieder nicht auf Alines Zureden reagierte, nahm diese ihren ganzen Mut zusammen und fasste sie an den Händen.

»Madam, bitte …« Sie zog und zerrte. Schließlich kam Matilda taumelnd auf die Füße. Sie ließ sich von Aline zu dem Bett führen und mit sanfter Gewalt auf die Matratze drücken. Gut, eine Schwierigkeit war bewältigt …

Nachdem Aline eine Seidendecke über Matilda gebreitet hatte, eilte sie in das Küchenhaus. Dort teilte sie dem Koch und den Bediensteten, die beim Frühstück saßen, mit, dass Matilda über Nacht heftig zu fiebern angefangen habe und sie einige Tage ruhen müsse. Mit ein paar Scheiben hellen Brots und einem Krug warmer Milch kehrte sie wieder in den Wohnturm zurück. Matilda hatte die Augen geschlossen und die Knie bis an die Brust hochgezogen.

»Herrin, Ihr müsst etwas essen.« Vergebens redete sie auf Matilda ein. Schließlich gab Aline auf. Sie musste eine andere Möglichkeit finden, ihre Herrin ins Leben zurückzuholen. Kurz überlegte sie, ob sie einen Diener nach Oxford schicken sollte, um Gawain zu rufen, entschied sich dann jedoch dagegen. Sie konnte dem Medicus unmöglich anvertrauen, was die Ursache dieser seelischen Starre war. Dies musste für immer ein Geheimnis zwischen ihr und Matilda bleiben.

Ein Gedanke regte sich in Aline, und sie runzelte die Stirn. Vor einigen Wochen hatte Gawain mit ihr über seelische Krankheiten gesprochen. Er hatte ihr erklärt, dass manche Kräuter und Gewürze nicht nur körperliche Schmerzen, sondern auch Verfinsterungen der Seele lindern könnten. Hastig rief sich Aline ins Gedächtnis, welche Mittel der Medicus aufgezählt hatte, und rannte wieder in die Küche.

»Ich benötige Zimt, Koriander, Nelken und Anis«, forderte sie von dem Koch. Der dickliche Mann, der gerade einen Brotteig knetete, blickte sie entrüstet an. »Da könnte ich dir ja gleich einen ganzen Beutel voller Münzen in die

Hände drücken. Würdest du mich gefälligst darüber aufklären, wofür du die Gewürze benötigst?«

»Um sie in einem Feuer zu verbrennen«, erklärte Aline ungeduldig und fügte hinzu, ehe der Koch in einen lautstarken Prostest ausbrechen konnte: »Ich benötige sie für unsere Herrin. Als Heilmittel gegen das Fieber. Ihr müsst mir die Gewürze sofort geben – oder soll ich Matilda berichten, dass Ihr Euch geweigert habt, zu ihrer Genesung beizutragen?«

Die Drohung wirkte augenblicklich. Der Koch händigte Aline die gewünschten Spezereien und außerdem ein Bronzebecken voller glühender Kohlen aus. Hastig dachte Aline nach. Der Rauch der brennenden Gewürze war zum Einatmen bestimmt. Aber so schlimm wie der Zustand ihrer Herrin war, wäre es sicher gut, wenn sie noch andere Heilmittel benutzen würde. Tees schieden aus. Matilda würde sie sicher nicht trinken. Aber vielleicht würde eine Art Salbe helfen …

In dem von Unkraut überwucherten Garten hinter der Küche fand Aline Melisse, Rosmarin, Lavendel und Johanniskraut. Sie pflückte einige Zweige von jedem sowie eine Hand voll Kamilleblüten. Nachdem sie von den Kamilleblüten in der Küche schnell einen Sud zubereitet hatte, kehrte sie wieder zu ihrer Herrin zurück.

Sie hatte gehofft, dass sich Matildas Zustand mittlerweile doch etwas gebessert hätte. Doch als sie den Schlafraum betrat, lag ihre Herrin immer noch in der säuglingshaften Haltung auf der Seite. Aline streute die Gewürze auf die glimmenden Kohlen. Ein intensiver Duft stieg von dem Bronzebecken auf und vermischte sich mit dem Geruch der Kräuter, die sie nun in dem Mörser verrieb. Die Paste strich sie auf Matildas Handgelenke. Danach betupfte sie ihr geschwollenes Auge mit der Kamilletinktur. Nichts von all dem schien ihre Herrin wahrzunehmen.

Nun hatte sie fürs Erste alles in ihrer Macht Stehende getan. Aline setzte sich mit ihrer Näharbeit in einen Zimmerwinkel. Während sie die feine Spitze an dem Hemd ausbesserte, wanderten ihre Gedanken zu der vergangenen Nacht. Wahrscheinlich hatten sich ihre Herrin und der Earl of Gloucester nicht zum ersten Mal als Liebespaar getroffen. Sicher, nach allem, was Aline wusste, war die Beziehung dieser beiden Menschen eine Todsünde. Aber Matilda schien ihren Halbbruder wirklich innig zu lieben. Niemals hätte sie ihrer völlig selbstbezogenen Herrin zugetraut, dass diese so tief für einen anderen Menschen empfinden könnte – auch wenn es ihr ähnlich sah, dass sie sich ausgerechnet für eine Liebe entschieden hatte, die für ihre Umgebung eine einzige Provokation darstellte. Bange fragte sich Aline, wie dies alles enden würde.

Der Tag verging damit, dass sie immer wieder Gewürze auf die glühenden Kohlen streute, die Handgelenke ihrer Herrin mit der Paste einrieb und versuchte, die Schwellung an deren Auge zu lindern. Gegen Abend bereitete Aline in der Küche eine Brühe zu, doch all ihre Bitten, Matilda solle doch davon essen, prallten an dieser ab.

Nach einer Weile begann Aline aus Hilflosigkeit leise vor sich hin zu singen, so wie es ihre Mutter immer getan hatte, wenn sie krank gewesen war. Ab und zu döste sie ein. Sobald sie aus dem Schlaf schreckte, begann sie wieder zu singen. Am Morgen erwachte sie mit völlig steifen Gliedern. Die Kohlen waren heruntergebrannt, und ihr Vorrat an Gewürzen aufgebraucht. Auf dem Weg zu dem Küchenhaus wurde Aline wieder von Panik erfasst. Hätte sie nicht doch besser Gawain um Hilfe rufen sollen? Der König hatte angedroht, den Earl of Gloucester zu töten, wenn Matilda nicht bald in die Hochzeit mit dem Grafen von Anjou einwilligte. Am Abend des nächsten Tages würde diese Frist verstrichen sein.

Mutlos und wieder dem Weinen nahe öffnete sie schließlich die Tür des Schlafgemachs. Sie hatte kaum die Schwelle überschritten, als eine vertraute, herrische Stimme sie anfuhr: »Mädchen, wo treibst du dich herum? Ich bin am Verhungern, und ein Bad benötige ich außerdem.«

Aline zwinkerte. Nein, sie war keiner Täuschung erlegen. Matilda hatte das Bett verlassen und saß in einem Lehnstuhl. Ihr Gesicht war sehr bleich und ihr Auge immer noch etwas geschwollen. Aber dies war alles, was an die furchtbare Nacht erinnerte.

Matilda bedachte sie mit einem gereizten Blick. »Was stehst du da herum wie eine Statue? Los, tu, was ich dir aufgetragen habe!«

»Sicher, Madam, verzeiht«, stotterte Aline und verließ hastig den Raum. Draußen schluchzte sie vor Erleichterung kurz auf, während sich gleichzeitig ein zaghaftes Lächeln auf ihrem Gesicht ausbreitete. Sie hätte nicht gedacht, dass sie sich jemals darüber freuen würde, von ihrer Herrin gescholten zu werden.

Matilda aß etwas Brot und Brühe. Nachdem Aline ihr beim Baden und Ankleiden geholfen hatte, nahm ihre Herrin wieder in dem Lehnstuhl Platz und starrte einige Momente vor sich hin. Währenddessen machte sich Aline leise in dem Raum zu schaffen. Schließlich sah Matilda auf und sagte hart: »Geh und benachrichtige die Diener. Wir müssen sofort aufbrechen.«

»Ihr reitet zu Eurem Vater?«, rutschte es Aline heraus, was sie sofort bereute.

Der Kopf ihrer Herrin fuhr zu ihr herum, und Matilda durchbohrte sie mit ihrem Blick. »Der Hochsommer mit seinen langen Tagen und kurzen Nächten ist eine Zeit, in der wir Menschen häufig schlecht träumen. Ich vermute, du hast kürzlich an einem heftigen Albtraum gelitten?«

»Ja, Madam, ich hatte einen bösen Traum«, flüsterte Aline.

Matilda nickte langsam. »Am besten ist es, solche Nachtmahre schnell und auf immer zu vergessen.«

»Das werde ich …«

»Im Hochsommer werden die Menschen auch oft plötzlich von Krankheiten überfallen.«

»Ich habe den Bediensteten gesagt, dass Ihr an einem Fieber leidet.«

»Das hast du gut gemacht.« Matildas Miene wurde etwas weicher. »Und jetzt spute dich.«

✳

Wie zwei Tage zuvor war das Wetter sonnig, und immer noch wehte ein frischer Wind, der die Hitze linderte. Doch Aline konnte sich an der sommerlich grünen Landschaft nicht mehr freuen. Zu sehr belastete sie das, was in dem Jagdhaus geschehen war. Matilda trieb ihr Pferd zu einem harten Galopp an, den sie den ganzen Weg bis nach Oxford durchhielt.

Dort preschte sie durch das Burgtor, ohne sich um die Knechte zu kümmern, die hastig zur Seite ausweichen mussten. Vor dem steinernen Wohngebäude sprang sie aus dem Sattel und eilte auf das Portal zu. Unsicher lief Aline ihr nach.

Am Fuße der breiten Steintreppe zögerte Matilda kurz, doch dann raffte sie ihr Kleid und stieg die Stufen hinauf.

Als sie den Gang erreichte, der zu den Gemächern des Königs führte, hörte Aline Schritte. Der Earl of Gloucester trat aus einem der Räume. Rasch wich Aline zurück und versuchte, sich unsichtbar zu machen. Das Gesicht ihrer Herrin zeigte tiefe Verzweiflung, und sie machte eine Bewegung, als ob sie sich in die Arme ihres Halbbruders stürzen wollte. Doch dieser schüttelte warnend den Kopf. Henry war ihm gefolgt. Finster blickte der König zwischen seinen beiden Kindern hin und her, ehe er barsch zu Matilda sagte: »Du kommst früher, als ich erwartet habe.«

»Was getan werden muss, pflege ich nicht hinauszuschieben«, antwortete sie verächtlich. Dann schritt sie an ihrem Vater vorbei in das Zimmer. Die Tür fiel zu. Robert of Gloucester wandte sich mit zu Fäusten geballten Händen zu dem Raum um, als überlege er, ob er seiner Halbschwester nachstürmen sollte. Doch schließlich wandte er sich mit einer resignierten Geste ab.

Als Aline sicher war, dem Earl nicht mehr auf der Treppe zu begegnen, schlich sie davon.

»Aline …« Draußen im Hof hörte sie eine vertraute Stimme ihren Namen rufen. Durcheinander wie sie war, benötigte sie einige Momente, ehe sie Gawain erkannte. Seine Miene war bekümmert. »Es tut mir sehr leid«, sagte er sanft. »Bess ist vor einer guten Stunde gestorben.«

»Was sagt Ihr da?« Aline konnte und wollte seinen Worten keinen Glauben schenken.

»Ich war fest überzeugt, dass Bess sich noch einmal erholen würde. Aber vor zwei Tagen – in der Nacht, nachdem deine Herrin und du die Burg verlassen hattet – hat der Schlag sie getroffen.« Gawain seufzte. »Seitdem war sie nicht mehr bei Besinnung, und vorhin ist sie dann friedlich entschlafen.«

Aline begriff. Der Schlag hatte die alte Dienerin in jener Nacht ereilt, in der Matilda von ihrem Vater mit Robert of Gloucester ertappt worden war. Bess hatte »ihr Mädchen« so sehr geliebt. Vielleicht hatte sie ja das Unglück ihrer Herrin auf irgendeine Weise gespürt.

»Euch trifft keine Schuld«, sagte sie leise zu dem Medicus.

»Lass dir meine falsche Diagnose eine Lehre sein.« Er seufzte wieder. »Kein Arzt oder Heilkundiger weiß wirklich, was im Körper eines Kranken vor sich geht. Was uns vor Hochmut bewahren sollte …«

Seine weiteren Worte gingen in einem lauten Stimmengewirr unter. Sir Simon stürmte mit vor Aufregung gerötetem Gesicht über den Hof. »Alle Bewohner der Burg sollen sich in der Halle versammeln«, rief er. »Der König hat eine Mitteilung zu machen. Ich glaube, es geht um die baldige Verlobung unserer Herrin.«

Kapitel 2

Dem Himmel sei Dank, dass wir bald wieder Land unter den Füßen haben«, hörte Aline Sir Simon stöhnen. Als sie sich zu ihm umwandte, musste sie ein Lächeln unterdrücken. Seine sonst so gesunde Gesichtsfarbe war einem fahlen Kalkton gewichen. Über der Reling konnte sie die felsige, bewaldete Küste der Normandie erkennen.

Am vergangenen Tag – gegen Mittag – hatten Matilda und ihr Vater mit ihrem Gefolge und vier Schiffen den Hafen von Dover verlassen. Noch nie zuvor war Aline auf dem Meer gewesen. Anfangs hatte sie sich ein wenig vor der unendlich weiten Wasserfläche geängstigt. Doch als sich die Segel im Wind zu blähen begannen und die Schiffe an den weißen Klippen vorbeisegelten und Kurs auf die fremde Küste nahmen, hatte sie eine pulsierende Freude in sich gespürt. Viele von Matildas Gefolge, nicht nur Sir Simon, waren seekrank geworden. Denn die beiden Apriltage waren stürmisch, mit hohem Wellengang, und Regenschauer und Sonne wechselten rasch. Doch Aline hatte dies nicht beeinträchtigt.

Ja, sie hätte die Überfahrt uneingeschränkt genossen, wenn sie sich keine Sorgen um ihre Herrin gemacht hätte. In Barfleur – wo die Schiffsflotte bald anlegen würde – würde Matilda zum ersten Mal ihren zukünftigen Gatten, Geoffrey von Anjou, treffen. Aline hoffte, dass ihre Herrin mit dem Grafen, wenn nich

dest zufrieden werden würd

miteinander, ging es ihr durc

einen Mann treffen würde,

bestimmte Sehnsucht regte

Seit der König ihre Verlo

Matilda ihrem Vater gegen

halten. Sie hatte, soviel Ali

unternommen, Robert of

Wenn sie ihm bei offiziell

niemand geahnt, dass die beiden mehr als eine geschwis-
terliche Zuneigung verband. Nach Bess' Tod hatte Matilda
Aline zu ihrer Leibdienerin ernannt. Da sie nun praktisch
ununterbrochen um sie war, konnte das Mädchen noch besser verstehen, wie viel Disziplin es ihre impulsive, jähzor-
nige Herrin kosten musste, ihre Gefühle zu verbergen. Sie
verhielt sich so – das glaubte zumindest Aline –, um Robert
nicht zu gefährden.

Was die bevorstehende Heirat betraf, hatte sich Matilda
allerdings niemals die Mühe gemacht, irgendwelche Sympathien zu heucheln. Stattdessen machte sie keinen Hehl daraus, dass sie die Ehe mit dem elf Jahre jüngeren Grafen als
weit unter ihrer Würde erachtete.

Anfangs hatte sich Aline gewundert, warum der König
nicht versuchte, sie zu einem anderen Verhalten zu zwingen. Doch dann hatte sie begriffen, dass er sie klugerweise
gewähren ließ. Andernfalls wäre es wohl um ihre Beherrschung geschehen gewesen, so wie ein Pferd durchging,
wenn es zu hart angefasst wurde. Außerdem wurden die
Ehen unter Adeligen ohnehin meist aus politischen Erwä-
gungen geschlossen, und der König hatte gute Gründe, auf
dieser Hochzeit zu bestehen. Die Grafen von Anjou waren

...d sie würden die Position Henrys in
...ken helfen. Niemand würde wegen die-
...misstrauisch werden.

...nahmen nun Kurs auf den Hafen. Auf ih-
...egeln blähte sich ein goldener Löwe – das Wap-
...rys und Matildas. Während ein Regenschauer nie-
...ng, wurde am Ufer eine große Menschenmenge sicht-
...r. Die Kaimauer war mit bunten Fahnen geschmückt.

Kurz darauf ertönte der laute Befehl, die Segel zu reffen.
Matilda und der König traten ans Deck. Ihr Gefolge reih-
te sich hinter ihnen auf. Matildas Miene wirkte gefasst, ja
hochmütig. Doch Aline war überzeugt, dass es in ihrem Inneren ganz anders aussah. Ihre Herrin winkte sie ungeduldig zu sich und bedeutete ihr, die lange Schleppe ihres pelzbesetzten Samtmantels zu ergreifen.

Das Schiff des Königs und seiner Tochter legte als Erstes
am Pier an.

»Nun denn, bringen wir es hinter uns«, hörte Aline Matilda leise und verächtlich sagen.

Matrosen sprangen an Land und vertäuten das Schiff.
Während das Reep hinabgelassen wurde, blickte Aline neugierig zu der Menschenmenge hinüber. An der Spitze der
Adeligen und hohen Geistlichen stand ein Jüngling. Sein
blasses, pickeliges Gesicht wirkte wie das eines Kloster-
schülers und wurde von dünnen blonden Haaren umrahmt.
Es bildete einen merkwürdigen Kontrast zu seiner kräftigen Statur und seinem mit Goldfäden durchwirkten blauen
Samtgewand. Ob dies etwa der Graf von Anjou war?

Alines stumme Frage erhielt sofort eine Antwort, als
Matilda ihrem Vater zuzischte: »Bei Gott, beim letzten Mal
habt Ihr mich wenigstens einem Mann zur Frau gegeben
und keinem Knaben.«

»Reiß dich zusammen«, knurrte der König.

»Oh, keine Sorge, das tue ich schließlich schon die ganze Zeit.« Langsam schritt Matilda am Arm ihres Vaters das Reep hinunter. Aline glaube ihren Widerwillen beinahe körperlich zu spüren.

»Meine teuerste, geliebte Braut.« Geoffrey von Anjou eilte Matilda entgegen und verneigte sich tief vor ihr. Seine Augen waren groß und blau wie die eines Kindes. Doch sie hatten, wie Aline nun bemerkte, einen listigen Ausdruck. »Ich habe die Tage gezählt, bis ich Euch endlich willkommen heißen durfte.« Seine Stimme klang ein wenig zu salbungsvoll.

»O mein Junge, nun übertreibt es nicht«, erwiderte Matilda spöttisch. Mit einem Ausdruck, als müsste sie ein Stück fauligen Fischs berühren, reichte sie ihm ihre Wange zum Kuss.

Nein, dachte Aline traurig, *diese Ehe wird sicher nicht glücklich werden.*

Ihre Vermutung sollte sich nur zu bald bestätigen. Matildas Abneigung gegen Geoffrey von Anjou verringerte sich überhaupt nicht. Der Graf seinerseits unternahm keinen Versuch, ihre Gunst zu gewinnen. Schon vor der Hochzeit bedachten die beiden sich mit herabsetzenden, sarkastischen Bemerkungen. Wobei Geoffrey meist in der Defensive war, sich aber trotzdem seiner Haut zu wehren wusste. Aline hatte den Eindruck, dass Henry letztlich froh war, vier Wochen nach der Vermählung nach England zurückkehren und das Paar sich selbst überlassen zu können.

Das Frühjahr ging in einen heißen, trockenen Sommer über. Matilda und Geoffrey hatten in der Burg von Argentan Quartier bezogen. An einem Tag Ende August ritt Matilda aus. Einige Leute aus ihrem und Geoffreys Gefolge begleiteten sie. Der Graf selbst befand sich seit mehreren Tagen auf der Jagd, wurde jedoch für den Abend zurückerwartet. Matildas Stimmung war in letzter Zeit ohnehin häufig gereizt, doch als sie am späten Nachmittag zur Burg zurückkehrte, verrieten ihre gefurchte Stirn und ihre zusammengepressten Lippen, dass sie dieses Mal regelrecht aufgebracht war.

Wie immer bei derartigen Gemütszuständen Matildas ging Aline sehr vorsichtig mit ihr um und versuchte, nicht ihren Unwillen zu erregen. Sie war froh, dass das Umkleiden ohne einen Wutanfall ihrer Herrin vonstatten ging. Anschließend nähte sie an einem Leinenhemd.

Matilda war unterdessen an ihren Stickrahmen getreten. Seit ihrer Ankunft in der Normandie arbeitete sie hin und wider an einem großen Bild. Es zeigte einen bunten Blumenstrauß. Die Stickerei spiegelte ihr ungestümes Temperament wider, die Stiche waren selten gleichmäßig. Auch jetzt zerrte sie so ungeduldig an dem Faden, dass Aline in ihrem Zimmerwinkel fürchtete, der Stoff könnte zerreißen.

Nach einer Weile warf Matilda Nadel und Faden in einen Korb und starrte das Bild an. »Wer zur Hölle ist nur auf die Idee verfallen, dass Handarbeiten eine angemessene Tätigkeit für Frauen ist?«, murmelte sie. Gleich darauf fuhr sie zu Aline herum und herrschte sie an: »Los, geh in die Küche, und kümmere dich um mein Abendessen. Ich wünsche in meinen Räumen zu speisen.« Hastig kam Aline dem Befehl nach.

Während Matilda lustlos in einem Hühnergericht stocherte und dann und wann an ihrem Weinkelch nippte, drangen Pferdewiehern und laute Stimmen durch die weit geöffneten Fenster. Aline erkannte die des Grafen. Wahrscheinlich, so fürchtete sie, würde es die Laune ihrer Herrin nicht verbessern, nun wieder unter einem Dach mit ihrem Gatten zu weilen.

Schließlich bedeutete Matilda ihr, dass sie ihr Mahl beendet habe. Aline räumte das Geschirr ab. Als sie zurückkehrte, hatte sich Matilda mit einem Buch niedergesetzt. Doch sie schien nicht zu lesen. Mit immer noch zornig gerunzelter Stirn blickte sie ins Leere. Später, als Aline ihr Haar gelöst und gekämmt und ihr in das Nachthemd geholfen hatte, blieb Matilda in Gedanken versunken an ihrem Frisiertisch sitzen.

Leise zog sich Aline in den angrenzenden Raum zurück und begann, das helle Samtkleid, das Matilda bei ihrem Ausritt getragen hatte, zu säubern. Sie wollte es eben in eine Truhe legen, als die Tür des anderen Zimmers geöffnet wurde und schwere Schritte auf dem Fliesenboden erklangen. Aline wandte sich um. Sie hatte die Verbindungstür ein Stück offen gelassen, damit sie ihre Herrin sofort hören würde, falls diese nach ihr rief.

Geoffrey von Anjou ging auf Matilda zu. Sein Gesicht war stark gerötet, als ob er zu viel getrunken hätte. Ihre Herrin bedachte den Grafen mit einem kalten Blick. »Mein Junge, falls Ihr gekommen sein solltet, um mit mir zu schlafen … Ihr hattet einige Male die Gelegenheit, einen Erben zu zeugen. Eure diesbezüglichen Bemühungen habe ich allerdings nicht sehr genossen. Ich hoffe, dass ich schwanger geworden bin. Bis zum Erweis des Gegenteils kommt Ihr mir jedenfalls nicht mehr in mein Bett.«

»Ihr seid mein Weib, und Ihr habt mir zu gehorchen …« Geoffrey schwankte ein wenig.

»Macht Euch nicht lächerlich!« Matilda unterbrach ihn mit blitzenden Augen. »Aber ich wollte ohnehin mit Euch reden. So lange könnt Ihr bleiben. Heute, als ich ausgeritten bin, war einer von Euren Leuten in einer sehr schwatz-haften Stimmung. Er hat mir erzählt, wie stolz Ihr darauf wäret, eines Tages zum König von England gekrönt zu werden.«

Geoffreys glasige Augen blinzelten, als hätte er Schwie-rigkeiten, ihre Worte zu begreifen. »Ich bin nun einmal Euer Gatte. Also werde ich auch König sein«, brachte er schließlich hervor.

»Da täuscht Ihr Euch gewaltig.« Matilda lachte trocken auf. »Über England werde ich herrschen. Und zwar ganz al-lein. Euch bleibt die Grafschaft Anjou. Hier könnt Ihr mei-netwegen Euren Machtwillen austoben.«

»Denkt Ihr etwa, ich hätte Euch geheiratet, wenn Ihr mir nicht eine Königskrone zu bieten hättet? Euer reizendes Wesen und Euer dürrer Körper haben mich bestimmt nicht verführt.«

»Ja, ich weiß, Ihr treibt es lieber mit drallen Frauen. Viel haben sie Euch allerdings nicht beigebracht.« Matilda ver-zog angewidert den Mund. »Es ist mir völlig gleichgültig, was Euch dazu verleitet hat, um meine Hand anzuhalten. Auch wenn es mir lieber gewesen wäre, Ihr hättet dies un-terlassen … Außerdem … Gebärdet Euch gefälligst nicht als Opfer. Darf ich Euch daran erinnern, dass Ihr von dieser Ehe viel mehr profitiert als ich?«

»O ja, Ihre erlauchte Hoheit Matilda … Die Kaiserin …« Geoffrey spuckte die Worte höhnisch aus.

»Ich kann mir auch nicht vorstellen, dass mein Vater Euch die Königskrone zugesagt hat.« Matilda ignorierte ihn. »Denn er würde nur einen Nachfolger akzeptieren, der seines Blutes ist. Aber selbst wenn er tatsächlich so dumm oder so verschlagen gewesen sein sollte, Euch dieses Ver-sprechen zu machen … Ich fühle mich daran nicht gebunden. Also schlagt Euch die englische Krone ein für alle Mal aus dem Kopf. Und jetzt verschwindet.«

»Ich denke überhaupt nicht daran. Verdammtes Weib ... Du sollst mich kennen lernen!« Geoffrey stolperte auf Matilda zu und hob den Arm zu einem Schlag. Aline ließ das Kleid fallen und wollte ihrer Herrin zu Hilfe eilen.

Doch im nächsten Moment funkelte etwas in Matildas Fingern auf. Geoffrey stieß einen Schmerzenslaut aus und wich zurück. Blut tropfte aus einem tiefen Stich an seinem rechten Handgelenk. Matilda hatte ihn mit einer ihrer Haarnadeln getroffen.

Ungläubig betrachtete der Graf die Wunde. »Ihr ... Ihr habt mich tatsächlich verletzt«, stammelte er dann wehleidig.

»Ja, und ich werde Euch noch viel schwerer verletzen, wenn Ihr nicht augenblicklich meine Räume verlasst«, fuhr Matilda ihn an. »Kein Mann soll es wagen, die Hand gegen mich zu erheben.«

»Ihr seid kein Weib ... Ihr seid ein Ungeheuer ...«

»Das könnt Ihr sehen, wie Ihr mögt. Falls Ihr Euch beim Papst um die Annullierung unserer Ehe bemühen wollt, werde ich Euch ganz gewiss keine Steine in den Weg legen«, erwiderte Matilda verächtlich.

Verwünschungen vor sich hin nuschelnd, stolperte Geoffrey von Anjou aus dem Zimmer. Matilda ließ sich in einen Stuhl fallen und verbarg ihr Gesicht in den Händen. Scheu näherte sich Aline ihrer Herrin. Sie wagte es jedoch nicht, sie anzusprechen oder gar zu berühren.

»Ich habe meinen Teil der Abmachung erfüllt«, hörte sie ihre Herrin nach einer Weile murmeln. »Es wird Zeit, dass diese elende Farce ein Ende hat.« Sie hob den Kopf und sah Aline an. »Fang sofort an, meine Sachen zu packen.

Und zwar alles. Außerdem benachrichtigst du meine Leute. Auch sie sollen sich zur Abreise bereitmachen.«

»Gewiss, Herrin …«, stammelte Aline.

Ein kühles Lächeln spielte um Matildas Lippen. »Morgen treten wir die Reise nach England an.«

*

Aline trug ein dickes Bündel getrockneten Grases zu einer sonnigen Stelle. Dann hockte sie sich vor die geöffnete Luke in der Giebelwand des Heubodens und zog einen Apfel und einen Brotkanten aus ihrer Kitteltasche. Vor einer Weile hatte Matilda die Burg von Wallingford mit einigen ihrer Leute verlassen, um auf der Themse eine Bootsfahrt zu unternehmen. Während ihres Ausfluges hatte sie Aline frei gegeben.

Träge und genüsslich kaute Aline an dem Apfel. Sicher, sie hätte noch manches zu erledigen gehabt – beispielsweise ihre Kräutervorräte aufzustocken –, aber die vergangenen Wochen mit der Reise über den Kanal waren wirklich anstrengend gewesen. Deshalb fand sie, dass sie sich eine Pause verdient hatte. Endlich einmal wieder hatte sie ein paar Stunden für sich. Ein rares Gut, das ihr am Hofe ihrer Herrin nur selten zuteilwurde und das sie schmerzlich vermisste. Zwar hatte sie auch auf dem Gut ihrer Eltern viel gearbeitet, hatte ihre Mutter im Haushalt und bei der Betreuung ihres kleinen Bruders Haimo unterstützt und dem Vater gelegentlich bei der Feldarbeit geholfen. Trotzdem hatte sie sich immer wieder einmal für eine kurze Weile in einen Winkel des Gartens oder des Stalles zurückziehen und vor sich hin träumen können.

Die Luke lag so hoch, dass Aline über die Zinnen der Befestigungsmauer hinwegblicken konnte. Rings um die Burg erstreckte sich eine sanft gewellte Landschaft. Von hier oben wirkte sie mit ihren ineinander verschachtelten Äckern und Wiesen wie ein oft geflicktes Gewand. Auf einem der Felder ernteten Bauern das Getreide.

Aline musste daran denken, wie sie und ihre Mutter im Herbst hinter dem Vater zwischen den Feldfurchen hergegangen waren und die geschnittenen Ähren zu Garben gebunden hatten. Vor zwei Jahren hatte sie dies das letzte Mal getan. Niemals hätte sie damit gerechnet, welche Wendung ihr Leben einmal nehmen würde. Ein Kloß bildete sich in ihrem Hals, und sie schluckte hart an dem Apfelbissen.

Immerhin hatte sie an Matildas Hof gelernt, dass auch das Leben der Mächtigen keineswegs immer einfach war. Als der Graf von Anjou begriffen hatte, dass seine Gattin ihn verlassen würde, hatte er ihr abwechselnd gedroht und sie angefleht zu bleiben. Wobei ihn dazu, dachte Aline bissig, ganz eindeutig keine plötzliche Anwandlung von Liebe getrieben hatte. Nein, ihm war klargeworden, dass er mit seiner Gemahlin auch viel an Reichtum und Einfluss verlieren würde.

An Matilda waren all sein Jammern und Toben abgeprallt – Aline war sehr stolz auf ihre Herrin gewesen. Allerdings fragte sie sich, wie wohl der König auf diesen Entschluss seiner Tochter reagieren würde. Als Matilda in Dover gelandet war, hatte er in Schottland geweilt. Aber bestimmt würde er sie nur zu bald aufsuchen und zur Rede stellen.

»Aline …!« Sie hatte eben den Apfel und das Brot aufgegessen, als sie unten in der Scheune Sir Simon ihren Namen rufen hörte. »Ich bin sicher, dass ich sie vor kurzem hier gesehen habe«, sagte er dann zu jemandem. »Aline kann gewiss etwas gegen Eure Verletzung tun.«

Sie unterdrückte ein Seufzen. So viel zu ihrem Wunsch,

einmal ungestört zu sein … Schon lange hatte sich unter Matildas Gefolge herumgesprochen, dass sie heilkundig war. Häufig baten die Bediensteten, aber auch die Adeligen sie bei Krankheiten um Hilfe.

»Ich komme ja schon!«, rief sie und stieg die Leiter hinab. Im unteren Teil der Scheune war es im Kontrast zu dem sonnendurchfluteten Heuboden dämmrig. Aline blinzelte, um sich auf das schlechtere Licht einzustellen. Ein leuchtend roter Haarschopf fiel ihr ins Auge. Er gehörte dem jungen Mann, der neben Sir Simon vor einem Stapel prall gefüllter Säcke stand. Aline stutzte. Er war größer und in den Schultern breiter geworden und sein Gesicht noch ein wenig kantiger, aber der junge Mann war eindeutig Ethan.

»Gut, dass ich dich gefunden habe.« Sir Simon lächelte erleichtert. »Dieser Knappe aus dem Gefolge Stephens hat eine üble Verletzung am Bein. Von einem Pferd, das ausgeschlagen hat …«

Nun erkannte auch Ethan Aline. Er machte einen Schritt rückwärts. Sie musste an ihre letzte Begegnung denken und ertappte sich bei dem Wunsch, ihm ebenfalls mit aller Kraft gegen das Bein zu treten.

»Vielleicht sollte ich doch besser einen Medicus aufsuchen«, begann er zögernd.

»In Wallingford gibt es einen Arzt. Er soll einen guten Ruf haben«, versetzte sie streitlustig.

»Aber mein Junge«, Sir Simon blickte ein wenig irritiert zwischen den beiden hin und her und tätschelte dann Ethans Schulter. »Vor ein paar Wochen hatte ich schlimme Halsschmerzen. Aline hat mir einen Saft gebraut, und binnen drei Tagen war die Entzündung verschwunden. Glaubt mir, Ihr solltet Aline wirklich einen Blick auf Euer Bein werfen lassen.«

»Meinetwegen ... Schaden wird es ja wahrscheinlich nicht.« Ethan klang wenig überzeugt.

»Dann kommt mit« – Aline erschien es plötzlich nicht mehr passend, den Jungen mit »Du« anzureden –, »hier, zwischen all dem Staub, sehe ich mir auf gar keinen Fall eine Wunde an.«

✳

Hinkend folgte ihr Ethan über den Hof und dann zu ihrer kleinen Kammer in dem Wohnturm, wo sie ihre Kräuter aufbewahrte. Barsch befahl Aline dem jungen Mann, sich auf einen Schemel zu setzen, seinen Stiefel auszuziehen und sein Hosenbein hochzukrempeln. Auf seinem rechten Schienbein hatte sich ein hässlicher Bluterguss gebildet, dessen Ränder entzündet waren – allem Anschein nach hatte die scharfe Kante des Hufeisens die Haut aufgerissen.

Vorsichtig berührte Aline den Bluterguss. Das Fleisch fühlte sich heiß an. Sie konzentrierte sich auf ihre Fingerspitzen und versuchte, die Hitze aus dem Bein zu ziehen – etwas, das ihre Mutter ihr beigebracht hatte. Schließlich blickte sie zu Ethan auf. »Wie lange habt Ihr die Wunde schon?«

»Vier Tage«, entgegnete er mürrisch.

»Und bisher ist es Euch noch nicht in den Sinn gekommen, einen Heilkundigen aufzusuchen?«

»Oh, ich war davon überzeugt, das wird schon wieder.« Er zuckte die Schultern.

»Da habt Ihr Euch gründlich getäuscht«, versetzte Aline scharf. »Wenn diese Entzündung noch länger unbehandelt geblieben wäre, hätte sie Euch das halbe Bein kosten können.« Es ärgerte sie immer, wenn Kranke sich erst spät entschlossen, Hilfe zu suchen, und Ethan brachte sie zusätzlich auf. Wie nicht anders zu erwarten, verfiel er in ein hochmütiges Schweigen.

Zornig säuberte Aline die Wunde mit scharf gebranntem Schnaps, wobei sie nicht besonders sanft mit Ethan umging. Er ertrug ihre Behandlung ohne Klagen. Nur dann und wann keuchte er leise auf. Anschließend träufelte sie eine Salbei-Thymian-Tinktur über die Schwellung und legte einen Verband an. Dabei hatte sie das irritierende Gefühl, dass Ethan sie nicht aus den Augen ließ. Lauerte er etwa darauf, dass sie einen Fehler beging?

Als sie das Tonfläschchen schließlich in die Truhe stellte, sagte er: »Du … Ihr seid älter geworden.«

»Das ist wohl bei jedem Menschen der Fall«, gab sie sarkastisch zurück.

»Und Ihr scheint gern Kranke zu behandeln …«

Mit einem Knall schlug Aline den Truhendeckel zu und fauchte ihn an: »Ja, das stimmt … Und im Allgemeinen haben die Kranken wenig Grund, sich über mich zu beschweren. Aber, wie ich Euch bereits sagte … In Wallingford gibt es einen guten Arzt. Ich nehme es Euch nicht übel, wenn Ihr ihn auch noch konsultieren wollt.«

»So habe ich das nicht gemeint.« Zu ihrer Verwunderung errötete Ethan ein wenig. »Ich war vorhin einfach überrascht, dass der Ritter mich ausgerechnet zu Euch führte. Ich habe mich wegen unserer letzten Begegnung geschämt. Das heißt, ich will sagen … Ich habe mich wegen meines unfreundlichen Benehmens geschämt.« Er atmete tief durch. »Ich war zornig und traurig wegen meines Vaters. Ich wollte mit ihm reden, aber er hat mich abgewiesen. Das habe ich an Euch ausgelassen.«

Aline schwieg, völlig überrumpelt. Ein schiefes Grinsen breitete sich auf Ethans Gesicht aus. »Jedenfalls hätte ich es

Euch nicht verdenken können, wenn Ihr mir die Wunde mit Gift bestrichen hättet.«

Sie schluckte und sah zu Boden. »Ich muss mich auch entschuldigen. Ich hätte Euch das mit Eurem Vater nicht an den Kopf werfen dürfen. Das war unverzeihlich.« Ein zaghaftes Lächeln erschien auf Alines Gesicht, und Ethan erwiderte es.

»Was macht Ihr eigentlich hier in der Gegend?«, fragte Aline endlich beinahe schüchtern.

»Ich habe Stephens Gattin Maude nach Bristol begleitet. Auf dem Rückweg habe ich erfahren, dass Stephen sich mit seiner Base treffen will.«

»Also wartet Ihr hier auf Stephen?«

»Ja, er müsste in wenigen Tagen eintreffen.«

»Morgen möchte ich mir die Wunde wieder ansehen. Kommt gegen Mittag hierher.«

»Vielen Dank für Eure Hilfe.« Ethan erhob sich und humpelte, den Stiefel in der Hand, zur Tür. Er hatte sie schon aufgezogen, als er sich noch einmal umdrehte. Er schien noch etwas sagen zu wollen. Doch dann überlegte er es sich wohl anders und ging.

Aline bemerkte plötzlich, dass Sonnenlicht durch das schmale Fenster fiel. Also musste es schon später Nachmittag sein, denn die Kammer lag nach Westen. Sicher würde Matilda bald von ihrem Ausflug zurückkehren. Sie würde ärgerlich werden, wenn Aline sie nicht in ihren Räumen erwartete.

*

In den Gemächern ihrer Herrin holte Aline ihren Nähkorb und setzte sich damit in eine der breiten gepolsterten Fensternischen des Schlafzimmers, denn dort war das Licht am besten. Mit einem Lächeln blickte sie zu Matildas Stickrahmen. Das Bild war inzwischen um einige in unordentlichen Stichen ausgeführte Gräser, Stiele und Blütenblätter angewachsen.

Aline nahm ihren eigenen kleinen Handstickrahmen aus dem Korb und legte zwei Seidengarnstränge – einen in Burgunderrot sowie einen zweiten in einem helleren Rotton – neben sich auf das Kissen. Sie liebte die weichen, schimmernden Garne und konnte sich an den intensiven Farben nie sattsehen. Sie war Bess sehr dankbar, dass diese ihr das Sticken beigebracht hatte, und das Privileg, mit dem kostbaren Material arbeiten zu dürfen, war etwas, das sie an ihrem neuen Leben wirklich schätzte.

Ein Sirren ließ sie aufsehen. Eine Bremse umkreiste sie. Mehrmals versuchte Aline, das Insekt zu verscheuchen. Doch statt durch das geöffnete Fenster flog es ins Zimmer zurück. Kurz entschlossen lehnte sie ihren Rücken gegen die Wand und stellte ihre Füße auf das Kissen. Dann zog sie den schweren dunkelblauen Samtvorhang zu, um die Bremse von der Fensternische fernzuhalten.

Während Aline die Nadel mit dem burgunderroten Faden durch den schwarzen Seidenstoff zog, ertappte sie sich bei einem Lächeln. Rasch redete sie sich ein: Es ist ja auch verständlich, dass ich froh darüber bin, mich mit Ethan ausgesöhnt zu haben. Ihre Gedanken wanderten weiter, und ihr Lächeln verschwand. Sehr wahrscheinlich würde sich auch Hugo de Thorigny bei Stephens Gefolge befinden. Die Vorstellung, dass er sich bald auf der Burg aufhalten würde, behagte ihr gar nicht. Irgendwie musste es ihr gelingen, ihm aus dem Weg zu gehen.

Das komplizierte Rosenmuster forderte Alines ganze Aufmerksamkeit. Sie schreckte erst auf, als die Tür im angrenzenden Raum krachend ins Schloss fiel. Ihre Herrin war zurückgekehrt! Hastig legte Aline den Stickrahmen in den Korb. Schon wollte sie aus der Nische schlüpfen und zu Matilda eilen. Doch die laute Männerstimme, die durch den Vorhang drang, ließ sie zögern. Was sie gefürchtet hatte, war eingetreten: Der König war in der Burg eingetroffen, und er war sehr zornig. »Was fällt dir ein, unsere Abmachung zu brechen! Du bist die Gattin des Grafen von Anjou und hast mit ihm zu leben.«

»Ich habe die Abmachung nicht gebrochen. Im Gegenteil, meinen Teil habe ich erfüllt«, gab Matilda erregt zurück. »Immerhin habe ich diesen hässlichen Schwachkopf geheiratet. Aber ich bin nicht bereit, mein Leben mit einem Mann zu teilen, der versucht hat, mich zu schlagen, und der außerdem plant, sich zum König über England krönen zu lassen.«

»Was redest du da!«

»Oh, das habt Ihr also nicht gewusst!«, versetzte Matilda höhnisch. »Ja, Euer teurer Schwiegersohn plant tatsächlich, neben mir König zu werden. Was faktisch bedeutet: Er will allein regieren.«

Schwere Schritte hallten auf dem Steinboden wider. Anscheinend lief der König angespannt auf und ab. »Das werde ich zu verhindern wissen«, sagte er schließlich. »Die englischen Lords und Fürsten werden Geoffrey niemals die Treue schwören.«

»Das glaube ich Euch gern.« Der Sarkasmus in Matildas Stimme war unüberhörbar. »Vor allem, da Ihr Euch schon einmal von Geoffrey habt übertölpeln lassen.«

Eine Faust krachte auf einen Tisch. »Mädchen, vergiss nicht, mit wem du redest!« Wieder erklangen die Schritte. Aline starrte auf die Falten des dunkelblauen Samts. Sie glaubte vor sich zu sehen, wie Matilda, die Lippen zusammengepresst und die Arme vor der Brust verschränkt, dastand und ihren Vater herausfordernd beobachtete.

»Ich werde Geoffrey unmissverständlich klarmachen, dass er sich die englische Krone aus dem Kopf schlagen muss«, wiederholte Henry schließlich. »Und du kehrst unverzüglich zu ihm zurück.«

»Das werde ich nicht!«

»Dann wird Robert es zu büßen haben«, sagte der König langsam und schneidend. Einige Momente herrschte Stille. Aline erwartete, dass ihre Herrin wieder einlenken würde. Doch sie täuschte sich.

»Ich schwöre Euch: Wenn Ihr Robert etwas antut, werde ich mich umbringen.« Ihre Stimme klang unerbittlich.

»Bist du wahnsinnig …«

»Nein, das bin ich ganz und gar nicht. Und auch wenn ich dafür bis in alle Ewigkeit in der Hölle schmoren muss: Das Wissen, dass ich Robert gerächt habe und dass niemand von Eurem eigenen Fleisch und Blut Euch auf den Thron nachfolgen wird, ist mir das wert.«

Aline zweifelte nicht daran, dass es ihrer Herrin mit ihren Worten ernst war. Auch der König schien dies zu spüren. Er seufzte. »Begreif doch … Ich kann diese monströse Liebe nicht dulden.« Sein Tonfall war ein wenig unsicher geworden.

»Ich habe Euch schon einmal versprochen – und zu diesem Schwur stehe ich nach wie vor –, dass ich nicht mehr auf diese … auf diese Weise mit Robert zusammenkommen werde.« Aline glaubte, ein leises Zittern in Matildas Stimme wahrzunehmen. »Aber ich kehre nicht zu Geoffrey zurück.«

»Du halsstarriges, verbohrtes Ding …«

»Spart Euch Eure Beschimpfungen«, unterbrach Matilda ihren Vater kühl. »Mein Leben gegen Roberts. Schwört mir, dass Ihr ihm nichts antun werdet.«

»Ja, ich schwöre es«, hörte Aline den König nach einer Weile murmeln.

»Gut«, Matildas Stimme klang nun fest und klar, »dann sollten wir uns jetzt zur Abendmahlzeit umziehen. Sonst wundern sich unsere Leute noch. Denn dass wir beide uns lange und liebevoll unterhalten, dürfte nun wirklich keiner glauben.«

*

Von einer Grasbank aus, bei einem Lavendel- und Rosenbeet, betrachtete Stephen wohlgefällig eine Gruppe junger Damen, die in der Abendsonne miteinander Ball spielten. Die Töchter und Nichten seines Gastgebers, des Count Waleran of Meulan, waren aber auch wirklich ausnehmend hübsch. Besonders Elaine, eine zierliche Zwölfjährige, der der Wind immer wieder eine kastanienbraune Korkenzieherlocke ins Gesicht wehte.

Stephen kostete einen Schluck Gewürzwein und ließ die kandierte Umhüllung einer Mandel langsam in seinem Mund zergehen. Nun, gewissermaßen stellten die reizenden jungen Frauen eine gute Einstimmung auf das Stelldichein dar, das er in den nächsten Tagen haben würde.

Als ein Schatten auf das Beet fiel, dachte er, sein Gastgeber wolle sich zu ihm setzen. Doch stattdessen kam Henry of Winchester auf ihn zu. Stephen unterdrückte einen Seufzer. Konnte dieser Quälgeist ihn denn nie in Ruhe lassen?

»Ich hatte in einer kirchlichen Angelegenheit in Leicester zu tun, als ich hörte, dass du dich hier aufhältst.« Henry setzte sich neben ihn. »Ich nehme an, du bist auf dem Weg nach Wallingford?«

»Ja, allerdings.«

»Matilda hat Geoffrey von Anjou verlassen, und nach allem, was man von den Höflingen so hört, ist sie nicht schwanger.« Sein Bruder lächelte dünn. »Damit verbessern sich deine Aussichten, ihrem Vater auf den Thron zu folgen, natürlich ganz ungemein. Es ist klug, dass du versuchst, bei unserem Onkel für dich zu werben.«

»Mein lieber Bruder, ich habe nichts dergleichen vor.« Stephen verspeiste eine weitere kandierte Mandel.

»Aber …«

»Ich habe mich auf den Weg nach Wallingford gemacht, um mich mit einer Hofdame meiner Base zu treffen. Lady Adela. Du erinnerst dich nicht an sie? Nein? Blond, ein rosiges Gesichtchen und eine Figur wie eine Aphrodite.« Verträumt zeichnete Stephen zwei üppige Formen in der Luft nach.

Henry of Winchester starrte ihn entgeistert an. »Du bist verrückt! Wie kannst du deine Möglichkeiten einfach so wegwerfen? Bei Gott, bedenk doch: Matilda wird möglicherweise niemals Kinder haben.«

»Du siehst die Dinge immer viel zu verkrampft.«

»Ich betrachte sie realistisch, während du in den Tag hineinlebst und das Wild nicht einmal dann schießen würdest, wenn es direkt vor dir stünde.«

»Jetzt hör mir gefälligst einmal gut zu!« Stephen richtete sich abrupt auf. Alle Lässigkeit war von ihm abgefallen, und ein gefährliches Funkeln glomm in seinen Augen auf. »*Du* würdest jedes Wild vertreiben, weil du im Wald herumrennen und viel zu viel Lärm verursachen würdest. Henry will seinen Enkel auf dem Thron sehen. Wenn ich nun für mich als Nachfolger werbe, veranlasst ihn das nur dazu, schleunigst Matildas Scheidung zu betreiben und ihr einen neuen Gatten zu besorgen. Außerdem würde es meine liebe Base alarmieren. Was ich nun wirklich vermeiden will. Nein, es ist wichtig, jetzt ein tragfähiges Netz von Verbündeten zu knüpfen und dann nach Henrys Tod schnell zu reagieren. Er ist fast sechzig Jahre alt und wird nicht mehr ewig leben. Wenn du für mich an diesem Netz arbeiten willst – gut. Du wirst es nicht bereuen. Aber erspare mir von nun an deine Besserwisserei.«

Der Ball flog über die Rosenstöcke und kam vor Stephens Füßen zu liegen. Geschmeidig stand er auf und griff sich das Spielzeug. Ohne seinen völlig konsternierten Bruder noch eines einzigen Blickes zu würdigen, ging er zu den jungen Frauen und warf ihnen die Lederkugel zu. Lachend fing Elaine sie auf.

*

Aline lief einen schmalen Hohlweg zwischen zwei Feldern entlang. Der Himmel war klar und blau. Da und dort wehten lange Spinnwebfäden durch die Luft. Ein erdiger Geruch stieg von den Äckern auf und kündigte den nahen Herbst an.

Nachdenklich beobachtete sie einen Krähenschwarm, der kreischend von den Feldfurchen aufflog. Am Vorabend hatte Matilda es kommentarlos zur Kenntnis genommen, als Aline – nachdem Henry die Gemächer seiner Tochter verlassen hatte – aus der Fensternische geschlüpft war. Abwesend hatte sie sich von ihr beim Umkleiden helfen lassen. Auch als sie die gewünschten Armreifen nicht schnell finden konnte, hatte ihre Herrin sie nicht gescholten.

Nein, dachte Aline, *die Sache zwischen Matilda und dem*

Earl of Gloucester ist noch nicht ausgestanden. Der Himmel allein mochte wissen, wie all dies enden würde.

An einer Wegbiegung kletterte sie die Böschung hinauf und duckte sich unter den hängenden Zweigen einer Weide hindurch. Jenseits einer Wiese schlängelte sich die Themse durch weitläufige Auen. Vor einigen Tagen hatte sie dort an einer Furt eine Stelle entdeckt, wo Brunnenkresse üppig wucherte.

Aline streifte ihre Sandalen ab, raffte ihren Kittel und stieg in das an dieser Stelle kaum mehr als knöchelhohe Wasser. Sie hatte schon eine Hand voll der runden Blätter gepflückt, als sie ein Stück entfernt am Ufer Ethan entdeckte. Er stand vor einer Erle und starrte – wie es ihr schien – unglücklich auf den Fluss. Als hätte er ihren Blick gespürt, drehte er sich nun um, und seine Miene wurde sofort abweisend. Als hätte sie ihn bei etwas Geheimem ertappt.

Sie erwartete, dass er sofort in die andere Richtung weggehen würde. Doch nach einem kurzen Zögern hinkte er zu ihr hinüber. Unschlüssig, mit vorgerecktem Kinn blieb er vor ihr stehen, als bereute er seinen Entschluss bereits.

»Falls Ihr lieber allein sein wollt … Ihr müsst Euch nicht verpflichtet fühlen, Euch mit mir zu unterhalten«, bemerkte sie spitz. »Außerdem muss ich mir später in der Burg ohnehin noch Eure Wunde ansehen.« Warum nur brachte er sie immer so schnell in Rage?

»Ich fühle mich zu gar nichts verpflichtet.« Zu ihrer Verwunderung huschte ein schiefes Grinsen über sein Gesicht. »Wofür braucht Ihr das Kraut?« Er wies auf das dicke Kissen aus Brunnenkresse, das sich mit der leichten Strömung hob und senkte.

»Ein Diener meiner Herrin leidet an einer Hautreizung. Dagegen hilft ein Saft aus den Blättern.« Aline zuckte die

Schultern. »Und die Köche haben mich um die Blüten gebeten. Wie Ihr ja wahrscheinlich wisst, hält sich der König seit gestern in der Burg auf, und Stephen, Euer Herr, wird für heute Nachmittag erwartet. Entsprechend aufwändig sollen die Speisen dekoriert werden.«

Sie strich sich eine Haarsträhne aus der Stirn und sagte herausfordernd: »Wenn Ihr Euch dazu nicht zu vornehm seid, könntet Ihr mir beim Pflücken helfen.«

Aline rechnete damit, dass Ethan entrüstet ablehnen würde. Doch wieder überraschte er sie. Er zog seine Schuhe aus, krempelte die Hosenbeine hoch und stieg in den Fluss.

»Habt Ihr irgendwelche Vorlieben?« Mit einem Kopfnicken deutete er auf die orangenen und gelben Blüten.

»Wie meint Ihr das denn?«

»Wie soll ich das schon meinen ... Mögt Ihr eine der beiden Farben lieber?«

Irritiert sah sie ihn an. Dann registrierte sie das Lachen in seinen Augen und musste ebenfalls lächeln. »Nein, welche Ihr nehmt, ist mir ganz gleichgültig«, antwortete sie friedfertig.

In einträchtigem Schweigen pflückten sie vor sich hin. Ein Frosch sprang quakend auf einen Stein. In der Flussmitte schlängelte sich eine Forelle über den sandigen Grund. Im Sonnenlicht, das durch die Wasseroberfläche fiel, schimmerten die Schuppen in allen Regenbogenfarben. Aline hielt gebannt inne.

Auch als der Korb gefüllt war, auf dem Rückweg zur Burg, schlenderten sie in zufriedenem Schweigen nebeneinander her. Schließlich warf ihr Ethan einen Blick von der Seite zu und sagte: »Also ... Ihr mögt Forellen, und Ihr mögt orangene Brunnenkresseblüten ...«

»Wie kommt Ihr denn darauf?«, fragte sie verblüfft.

»Ihr habt gelächelt, als der Fisch durch das Wasser glitt, und Ihr habt viel mehr orangene als gelbe Blüten gepflückt. Was mögt Ihr noch?«

Er hatte die Forelle also auch bemerkt … »Was ich mag …?« Sie schlenkerte den Korb und runzelte die Stirn. »Seidene Garne und Stoffe … Kirschen … Mohnblumen … Taufeuchtes Gras … Spinnwebfäden, die durch die Luft wehen. Allerdings nicht, wenn sie an mir kleben bleiben.« Fröhlich schlug sie einen der Fäden beiseite. »Geröstete Maronen … Und was mögt Ihr?«

»Ebenfalls geröstete Maronen …« Er wiegte nachdenklich den Kopf. »Galoppieren … Überhaupt alles, was mit Pferden zu tun hat … Bücher … Pflaumen lieber als Kirschen … Schwimmen.«

»Ich galoppiere auch gern.« Aline nickte. »Und ich wünschte, ich könnte lesen und schreiben. Meine Herrin liebt Bücher.«

»Seid Ihr gern ihre Magd? Sie soll kein einfacher Mensch sein.«

Ob sie Matilda gern diente? Seit jener Nacht, in der Henry seine Tochter mit Robert of Gloucester ertappt hatte, fühlte sie sich ihr nahe. Wobei sie, wenn sie hätte wählen können, lieber wie ihre Eltern einen kleinen, oft wenig ertragreichen Bauernhof bewirtschaftet hätte, statt ständig die Bedürfnisse eines anderen Menschen erfüllen zu müssen. Aber sie hatte keine Wahl. Die Umstände hatten sie nun einmal an Matildas Seite gestellt. Und ihre Herrin war – bei all ihren schwierigen Charaktereigenschaften – immerhin aufrichtig und mutig.

Als Aline endlich Ethans Frage mit: »Größtenteils ja«, beantwortete, meinte sie das ehrlich. »Und wie ist es, Stephen als Herrn zu haben?«

»Gut.« Ethans Gesicht leuchtete auf. »Gelegentlich kann er sehr jähzornig sein …«

»… das scheint in der Familie zu liegen …« Aline seufzte mitfühlend.

»… aber das geht meistens schnell wieder vorbei. Im Allgemeinen ist er sehr großzügig und herzlich. Er hat immer ein offenes Ohr für seine Leute. Und wenn jemand Sorgen hat, ist er gern bereit zu helfen.«

Ethans Stimme klang sehnsüchtig. Wahrscheinlich verkörperte Stephen genau das, was er sich von seinem Vater gewünscht hätte. Sie fürchtete schon, er würde sich wieder in sich zurückziehen. Aber er erzählte von dem Kloster, in dem er einige Jahre lang erzogen worden war. Er schien gern gelernt, aber des Öfteren Schwierigkeiten gehabt zu haben, sich der Klosterdisziplin anzupassen – was Aline auch nicht anders erwartet hatte. Dann berichtete er von den Gegenden, die er als Stephens Knappe kennen gelernt hatte.

Ein wenig verlegen blieben sie schließlich im vorderen Burghof stehen. »Ich muss weiter«, sagte Aline nach einer kurzen Pause. »Ich sehe Euch dann später wegen Eurer Wunde.«

»Ja, sicher. Aber …« Ethan fuhr sich durch seine roten Haare. »Hättet Ihr vielleicht Lust, einmal mit mir auszureiten? Ich könnte Euch auch das Lesen und Schreiben beibringen.«

»Wenn meine Herrin mir frei gibt«, erwiderte Aline betont gleichmütig, während ihr Herz plötzlich schneller klopfte.

»Ihr müsst Euch schon entscheiden. Lesen und Schreiben lernen oder Reiten?« Funken tanzten in Ethans Augen.

Aline gab nach. »Wir können es auch mit beidem versuchen.«

Einige Reiter trabten durch das Tor. Karren rumpelten hinter ihnen her. Sie gehörten zu Stephens Tross. Einen Augenblick lächelten sie sich noch scheu an, ehe Ethan zu seinen Leuten hinkte.

Aline sah ihm nach. Es war schön gewesen, mit ihm zu reden. Und ja … Sie freute sich darauf, ihn wieder zu sehen. Vor sich hinsummend, lief sie zur Küche.

*

Beim Entladen der Karren und Versorgen der Pferde zu helfen beanspruchte Ethan für den Rest des Tages völlig. Erst kurz vor der Abendmahlzeit fand er die Gelegenheit, Aline rasch wegen seiner Beinverletzung aufzusuchen. Sie sagte ihm, dass sie zufrieden mit der Heilung sei – sonst sprachen sie nichts miteinander. Ethan war froh darüber, denn er fühlte sich ihr gegenüber plötzlich wieder sehr befangen und bedauerte sein Angebot fast schon wieder, ihr das Lesen und Schreiben beizubringen. Da viele Gäste anwesend waren – zusätzlich zu den Adeligen aus Stephens Tross waren auch zahlreiche Edelleute aus der Umgebung erschienen –, musste er bei dem Mahl aufwarten. Gegen Mitternacht fiel er dann in einem der Nebengebäude todmüde auf seinen Strohsack.

Am nächsten Morgen ritt er zusammen mit den anderen Knappen aus, um die Pferde des Trosses zu bewegen. Ethan fühlte sich leicht und glücklich, als er, seinen Freund Nicolas neben sich, inmitten des Trupps einen Hügelkamm entlangdonnerte. Die Luft war frisch und kühl, denn über dem nahen Waldrand ging eben erst die Sonne auf. Ob Aline diesen wilden Ritt wohl ebenso genossen hätte wie er? *Ja*, dachte er. *Wahrscheinlich hätte sie dieses Gefühl von Freiheit genauso geliebt.*

Bislang, überlegte Ethan, kannte er vier Sorten von Mädchen: schüchtern Zurückhaltende, Hochmütige, dann die fröhlich Unbekümmerten, die sich wie Kameraden verhielten, und schließlich die völlig Rätselhaften. Auf Aline traf keines dieser Muster zu. Sie machte ihn wütend und unsicher. Sie ließ ihn Dinge sagen, die er eigentlich überhaupt nicht aussprechen wollte. Trotzdem fühlte er sich – manchmal zumindest – in ihrer Gegenwart sehr wohl. Außerdem brachte sie ihn zum Lachen. Was nicht vielen Menschen gelang.

»He, ist dir eigentlich klar, dass du geistesabwesend vor dich hinlächelst und eben fast in einen Busch geprescht wärst?«, hörte er nun Nicolas über das hämmernde Geräusch der Pferdehufe rufen.

»Das ist überhaupt nicht wahr!«, brüllte Ethan lachend zurück. Vom Scheitel bis zu den Fußspitzen erfüllte ihn eine pulsierende Freude. An der Spitze des Feldes entdeckte er jetzt Hugo de Thorigny. »Wetten, dass ich als Erster am Fluss sein werde?«, schrie er seinem Freund zu. Übermütig spornte er seinen Braunen an und preschte an einigen seiner Gefährten vorbei. Die Reiter stürmten nun eine ausgedehnte Wiese abwärts. Unten in den Auen glitzerte die Themse im Sonnenlicht.

»Schneller, mein Guter, schneller ...« Ethan beugte sich noch weiter nach vorne im Sattel und bearbeitete die Flanken seines kleinen, robusten Hengstes unablässig mit den Fersen. Er wich einer Gruppe von Ginsterbüschen aus und zog an zwei weiteren Gefährten vorbei. Nun war nur noch Hugo war vor ihm. Dann hatte er auch diesen eingeholt. De Thorigny wandte den Kopf. Als er Ethan erkannte, verfinsterte sich sein Gesicht, und er trieb seinen Fuchs gnadenlos an. Ein Stück galoppierten sie nebeneinander her. Doch schließlich ließ Ethan auch Hugo hinter sich. Am Fluss-ufer reckte er triumphierend den Arm in die Luft, ehe er aus dem Sattel sprang.

»Ein guter Ritt!« Andrew, einer der älteren Knappen – ein großer, blonder Junge, der bald zum Ritter geschlagen werden würde –, nickte ihm auf seine bedächtige Art aner-kennend zu. Auch Nicolas hatte nun den Fluss erreicht und ließ sich neben Ethan von seinem Gescheckten gleiten. »Ja, gar nicht schlecht für einen Tagträumer«, sagte er grinsend. Ethan boxte ihm freundschaftlich in die Seite.

Während die Pferde an dem flachen Ufer ihre Köpfe ins Wasser senkten und zu trinken begannen, gesellten sie sich zu ihren Gefährten, die sich bei einigen Erlen ins Gras ge-legt hatten. Noch immer fühlte Ethan sich einfach glücklich. Über ihm in den Zweigen schimmerte ein großes, fein ge-sponnenes Spinnennetz. Aline mochte die langen Fäden … Später würde er sie fragen, ob sie morgen mit ihm ausrei-ten würde.

»Ich fürchte, Hugo will etwas von dir.« Nicolas berührte ihn warnend am Arm. »Wahrscheinlich ist er wütend, weil du ihn geschlagen hast.« Tatsächlich schlenderten de Tho-rigny und seine beiden Freunde Bernard und Arnold auf sie zu.

»Ach, soll er doch.« Ethan zuckte gleichmütig die Schul-tern. Er hatte nicht vor, sich von dem eingebildeten Kerl die gute Laune verderben zu lassen.

Hugo, Bernard und Arnold bauten sich vor ihnen auf. »He, ihr nehmt uns die Sonne weg«, rief Nicolas. De Tho-rigny ignorierte ihn und wandte sich mit einem boshaften Lächeln an Ethan. »Auf dem Weg nach Wallingford waren wir übrigens einige Tage lang zu Gast bei Lord Latimer.« Nach einer kurzen Pause fügte er hinzu: »Deinem Vater …«

»Das habe ich Ethan bereits erzählt. Also ist es völlig überflüssig, dass du das erwähnst. Außerdem weiß er, dass der Lord sein Vater ist«, versuchte Nicolas abzuwiegeln.

Hugo beachtete ihn wieder nicht, sondern sah weiter Ethan an. »Lord Latimer war ein sehr zuvorkommender Gastgeber. Und auch seine beiden Söhne waren sehr freundlich. Der eine, George, ist ja rothaarig wie du. Allerdings hat er ein viel angenehmeres Wesen.«

»Was du nicht sagst«, bemerkte Ethan spöttisch. Aber sein Mund wurde plötzlich trocken. Die anderen Knappen wurden auf sie aufmerksam und blickten neugierig zu ihnen.

Hugo wandte sich zum Gehen. Nach einigen Schritten blieb er jedoch stehen und drehte sich noch einmal zu Ethan um. »Ach ja, wir haben natürlich an den Gottesdiensten in der Kapelle des Landhauses teilgenommen. Dort befindet sich das Grab deines Bruders Clarence. Die Steinplatte trägt den lateinischen Spruch: ›Errette uns Herr, aus den Fluten.‹ Ich muss schon sagen … Es war sehr ergreifend, diese Zeilen zu lesen.«

Er kämpfte gegen die reißende Strömung … Seine Augen konnten in dem grünlichen Licht unter Wasser kaum etwas erkennen … Seine Lungen drohten zu platzen … Ethan sprang auf.

»Ethan, lass ihn! Du weißt doch, Hugo ist ein Idiot.« Nicolas versuchte, ihn zurückzuhalten. Aber Ethan schlug seinen Arm weg. Im nächsten Moment war er bei Hugo und riss ihn zu Boden. Wie durch einen Schleier nahm er wahr, dass Nicolas sowie Bernard und Arnold sich ebenfalls in den Kampf stürzen wollten, die anderen Knappen sie jedoch auf einen Befehl Andrews hin zurückhielten.

Normalerweise wäre Hugo ihm ein ebenbürtiger Gegner

gewesen. Doch der Zorn verlieh Ethan zusätzliche Kräfte. Gleichzeitig überkam ihn plötzlich eine gefährliche Ruhe, die es ihm möglich machte, sich ganz auf den Kampf zu konzentrieren. Er erlaubte de Thorigny auf die Füße zu kommen, während er ebenfalls aufsprang. Einem Hieb Hugos in seine Magengrube wich er geschickt aus und landete seinerseits einen wuchtigen Schlag gegen dessen Kinn. De Thorigny sackte in die Knie.

Noch immer von glühendem Zorn erfüllt, packte Ethan ihn am Kragen seines Gewandes, zerrte ihn – trotz seiner heftigen Gegenwehr – zum Ufer und stieß ihn unter dem Gelächter der anderen Knappen ins Wasser. Prustend und sich schüttelnd tauchte Hugo gleich darauf aus dem Fluss auf. Mit erhobenen Fäusten erwartete Ethan seinen erneuten Angriff.

»Halt!« Ein lauter, befehlender Ruf von der Wiese her ließ ihn die Arme senken. »Ihr beiden … Was soll das? Ich will keinen Streit unter meinen Leuten. Das gilt ganz besonders auch für euch Knappen.« Stephen war ebenfalls ausgeritten und hatte zusammen mit einigen seiner Männer zufällig dieselbe Stelle am Fluss erreicht. Scheinbar grimmig musterte er die zwei Streithähne. Doch um seinen Mund zuckte es. »Los, vertragt euch wieder!«

Ethan errötete und streckte Hugo die Hand hin. Nach kurzem Zögern schlug dieser ein, während er Ethan unter gesenkten Lidern gleichzeitig einen hasserfüllten Blick zuwarf.

»Gut so!« Stephen nickte. »Wir sehen uns heute Abend in der Halle. Und ich erwarte, dass ihr euch dann tadellos benehmt.« Er und seine Begleiter ritten weiter. Mit einem letzten wütenden Blick auf Ethan stapfte Hugo zu seinen beiden Freunden.

»Ach, es war wirklich schön, de Thorigny wie eine Ratte ins Wasser platschen zu sehen.« Nicolas grinste ihn an. »Aber wahrscheinlich wird er es dir nie vergessen, dass du ihn vor den anderen Knappen und vor allem vor Stephen blamiert hast.«

Das auf dem Fluss reflektierende Sonnenlicht blendete Ethan. Alles um ihn herum verschwamm. Für einen Augenblick glaubte er wieder, seine Lungen würden bersten. Er konnte Clarence einfach nicht finden.

»Ethan …« Er fühlte Nicolas' Hand auf seiner Schulter. Der Freund betrachtete ihn besorgt.

»Ach, Hugo ist mir völlig gleichgültig«, murmelte Ethan. Die Leichtigkeit und Freude, die ihn vorhin erfüllt hatten, waren verschwunden. Wie so oft in seinem Leben fühlte er sich traurig und bedrückt.

*

Aline huschte in Matildas Gemächer und setzte eine Platte mit süßen Kuchen auf dem Tisch ab, wo bereits Schalen mit gezuckerten Äpfeln und Pflaumen sowie Marzipan und anderer Konfekt standen. Ihre Herrin hatte beschlossen, dass es doch wieder einmal an der Zeit sei, sich mit ihren Hofdamen zu treffen.

Durch die geöffnete Tür zu dem großen, mit Wandgemälden geschmückten Wohnraum sah Aline Matilda an ihrem Stickrahmen stehen. Lustlos stach sie in den Stoff und führte einige Stiche mit einem grünen Seidengarn aus. Etwa ein Dutzend Hofdamen saßen um sie herum auf Bänken und Stühlen und waren ebenfalls mit einer Handarbeit beschäftigt.

Während Aline rasch feine Leinenservietten und versilberte Becher auf dem Tisch anordnete, wanderten ihre Gedanken zu Ethan. Gestern war Matilda so freundlich gewesen, ihr den Nachmittag über frei zu geben – zur guten Laune ihrer Herrin hatte wahrscheinlich beigetragen, dass ihr Vater die Burg für einige Tage verlassen hatte. Er beabsichtigte das Kloster von Reading aufzusuchen, dem er einen Altar gestiftet hatte.

Sie war mit Ethan ausgeritten. Anfangs hatte sie sich befangen gefühlt, und auch Ethan war sehr schweigsam gewesen. Aber während ihrer Rast an dem sich herbstlich verfärbenden Waldrand, hoch über der Stadt, hatten sie wieder unbeschwert miteinander plaudern können. So wie an jenem Tag, als sie die Brunnenkresse gesammelt hatten. Beim Abschied hatte Ethan versprochen, ihr demnächst die Buchstaben des Alphabets aufzuschreiben. Aline lächelte vor sich hin. *Dabei habe ich ihn noch bis vor kurzem für eingebildet und für ein Ekel gehalten,* dachte sie bei sich.

»Es ist wirklich schade, dass Lady Adela heute unpässlich ist«, drang Matildas Stimme aus dem Nebenraum zu ihr. Ihre Herrin war des Stickens endgültig überdrüssig geworden und hatte sich in ihren Lehnstuhl geworfen.

»Oh, unpässlich …«, erwiderte Lady Grey, eine rundliche Frau Anfang zwanzig, gedehnt. »Nun, wenn man es so nennen will.« Einige der Hofdamen tauschten rasche Blicke, andere kicherten.

Matilda hob die Augenbrauen. »Meine Ladys, wenn Ihr mich vielleicht darüber aufklären würdet, was Eure Heiterkeit erregt hat?«

»Nun, Lady Adela …« Lady Grey lachte ein wenig verlegen. »Verzeiht, wenn ich das so offen sage: Euer Vetter Stephen ist sehr an ihr interessiert.«

»Ihr wollt also sagen, dass sie die Gesellschaft Stephens der meinen vorgezogen hat«, bemerkte Matilda trocken.

Lady Grey errötete. »Vor einer Weile habe ich Lady Adela mit Eurem Vetter und einigen seiner Leute die Burg verlassen sehen. Anscheinend wollten sie auf die Falkenjagd gehen.«

»Mein teurer Vetter und seine Frauengeschichten«, Matilda seufzte gelangweilt, »ich werde wegen Lady Adela ein ernstes Wort mit ihm reden müssen. Mir eine meiner Hofdamen abspenstig zu machen …« Aline war überzeugt, dass sich die Dame auf einigen Ärger gefasst machen konnte.

Auch Lady Grey schien dies nun zu befürchten. »Bitte, Ihr müsst der Lady verzeihen«, warf sie rasch ein. »Euer Vetter ist einfach zu liebenswürdig. Es ist schwer, ihm eine Bitte abzuschlagen.«

»Und er ist nicht der einzige Fürst, der einer armen Frau den Kopf verdrehen kann«, warf nun Lady Henrietta, eine hübsche grauäugige Hofdame, ein, die im gleichen Alter war wie Lady Adela. »Ich habe sagen hören, dass der Earl of Gloucester einer jungen Adeligen hier aus der Gegend heftig den Hof macht.«

Für einige Momente war nur das leise Rascheln von Seidenfäden zu hören, die durch einen festen Stoff gezogen wurden. Aline schien es, als ob sich Matilda aufrichtete. Ihre Stimme klang sehr kühl, als sie sagte: »Ihr müsst Euch getäuscht haben. Mein Halbbruder nimmt es – im Gegensatz zu Stephen – mit der ehelichen Treue sehr genau.«

»Nein, Lady Henrietta hat Recht«, mischte sich nun eine pferdegesichtige Dame, die neu am Hof war und deren Namen Aline nicht kannte, ein. »Robert of Gloucester umwirbt tatsächlich Kathryn, die Tochter Sir Brians. Meine Schwester ist mit ihrer Mutter befreundet.« Sie zuckte die Schultern. »Die Familie ist von niederem Adel und fühlt sich durch die Aufmerksamkeit des Earls natürlich geschmeichelt.«

Der noch dazu ein illegitimer Sohn des Königs ist …, schoss es Aline durch den Kopf. Gleichzeitig nahm sie wahr, wie sich Matildas Hände einige Momente um die Armlehnen ihres Stuhls krampften. Doch ihr gelang es, die Fassung zu bewahren.

Schließlich sagte sie barsch: »Ach, diese Männergeschichten ermüden mich wirklich. Lasst uns über etwas anderes reden. Kennt eine von Euch Damen den Text Ovids über die Verwandlungen von Menschen und Pflanzen? Nein? Nun, Lady Grey, auf dem Tisch dort findet Ihr das Buch. Wenn Ihr es bitte holen und uns daraus vorlesen würdet?«

*

Helles Morgenlicht füllte das Schlafzimmer. Aline beugte sich vor und schüttelte die Kissen von Matildas Bett auf. Im Nebenraum saß ihre Herrin, noch im Nachthemd mit einem Umhang darüber, bei ihrer Morgensuppe und einem Becher Wasser. Eine gute Woche war jetzt vergangen, seit die Hofdamen über den Earl of Gloucester gesprochen hatten. Matilda hatte jenen Nachmittag sehr gefasst überstanden. Doch in der anschließenden Nacht war sie stundenlang in ihren Gemächern auf und ab gegangen. Seitdem brütete sie immer wieder vor sich hin und wollte – was ungewöhnlich für sie war – häufig allein sein. Zweimal hatte Aline einen Jäger zu ihr geführt, mit dem sich ihre Herrin lange unterhalten hatte.

Aline ahnte, wie sehr ihre Herrin darunter litt, dass ihr Halbbruder – höchstwahrscheinlich – eine andere Frau liebte, und sie empfand tiefes Mitleid mit ihr. Gleichzeitig war sie jedoch, wenn auch mit einem schlechten Gewissen, froh darüber, dass Matilda in den vergangenen Tagen so oft für sich hatte sein wollen. So hatte sie sich mit Ethan verabreden können.

Noch zweimal waren sie miteinander ausgeritten und gestern hatten sie sich auf dem Heuboden getroffen. Ethan hatte eine Wachstafel und einen Griffel mitgebracht. Aline erschien es wie ein Wunder, dabei zuzusehen, wie gelbliche Buchstaben auf dem braunen Wachs erschienen, während Ethan den Griffel bewegte. Das ganze Alphabet hatte er für sie aufgeschrieben, und zum Schluss buchstabierte sie mit seiner Hilfe das Wort »Mohn«. Sie war so glücklich gewesen wie an jenem Tag, als ihr kleiner Bruder mit ihrer Hilfe die ersten Schritte tat.

Eine Seidendecke in der Hand blieb Aline in Gedanken versunken stehen. Während sie sich über die Tafel gebeugt hatte, hatten sich für einen Moment Ethans und ihre Finger berührt. Sie hatte ihre Hand rasch weggezogen, und doch hätte sie sich gewünscht, die seine festzuhalten.

Die ärgerliche Stimme ihrer Herrin brachte sie wieder in die Gegenwart zurück. »Aline! Mädchen, bist du plötzlich taub geworden, oder warum hörst du es nicht, wenn ich nach dir rufe?« Matilda stand im Türrahmen und bedachte sie mit einem gereizten Blick. »Los, bring mir das rotbraune Wollkleid. Wir reiten gleich zusammen aus.«

*

Nach etwa zwei Stunden erreichten sie einen Waldrand oberhalb eines Tales. Wiesen und abgeerntete Felder zogen sich die Hügel hinunter bis zu einem Bach. Matilda sprang von ihrem Pferd und bedeutete Aline ebenfalls abzusitzen. Ihre Herrin blieb stumm wie schon während des ganzen Ritts. Sie trat zu einer Buche und blickte in den Wiesengrund. Aline wagte es nicht, sie anzusprechen.

Nachdem sie die Pferde festgebunden hatte, näherte sie sich Matilda, blieb jedoch in einigem Abstand zu ihr stehen. Zwischen niedrigem, bunt verfärbtem Strauchwerk konnte sie am Ufer des Bachs ein kleines, einstöckiges Fachwerkhaus sehen. Derartige Unterkünfte benutzten Adelige, um dort während einer Jagd vor Wind und Wetter geschützt zu speisen oder auch einmal eine Nacht zu verbringen.

Aline sank das Herz. Traf sich Robert of Gloucester etwa an diesem Ort mit Kathryn Fitzgerald, und Matilda wollte ihn ertappen? Hatte ihr der Jäger davon berichtet und ihr den Weg beschrieben? Sie zog ihren Umhang fester um sich, denn ein schneidender Wind wehte. Er trieb dicke graue Wolken über den Himmel und fegte die Blätter von den Zweigen. Matilda schien die Kälte jedoch nicht zu bemerken.

Dann und wann flog ein Vogelschwarm über den Himmel. Einmal lugte ein Fuchs zwischen den Büschen hervor, und ein Eichhörnchen hüpfte von Baum zu Baum – sonst geschah lange Zeit nichts. Alines Finger und Zehen fühlten sich allmählich völlig taub an, und sie fragte sich, ob Matilda wohl beabsichtigte, den ganzen Tag hier auszuharren. Irgendwann – es musste inzwischen früher Nachmittag sein – bogen zwei Reiter in das Tal ein. Ein dunkelhaariger Mann mit einem braunen Umhang und eine Frau, deren grüner Schleier in den Nacken gerutscht war und deren vom Wind zerzaustes kastanienfarbenes Haar ihr schmales Gesicht umwehte.

Der Mann war der Earl of Gloucester. Aline sah, wie sich Matildas Gesicht verhärtete. Vor dem Jagdhaus half der Earl seiner Begleiterin aus dem Sattel. Die Dame war, wie Aline jetzt erkannte, recht groß für eine Frau und nicht wirklich hübsch. Aber ihr Gesicht mit den weit auseinanderstehenden braunen Augen und den hohen Wangenknochen wirkte apart und klug.

Robert of Gloucester hatte mittlerweile die Zügel der Pferde an eisernen Ringen in einem Steinklotz befestigt. Nun reichte er seiner Begleiterin die Hand und ging mit ihr in Richtung des Hauses. Um ihrer Herrin willen wünschte sich Aline, dass das Gerede der Hofdamen falsch gewesen war, dass es sich bei dieser Frau – entgegen allem Anschein – doch nicht um Kathryn Fitzgerald handelte. Doch ihre Hoffnung wurde sofort zunichtegemacht, denn auf der Türschwelle zog der Earl seine Begleiterin an sich. Lachend küssten sich die beiden. Im nächsten Moment waren sie im Haus verschwunden.

Matilda keuchte auf und rannte den Hügel hinab. Entsetzt begriff Aline: Sie wollte ihren Halbbruder im Beisein von Kathryn Fitzgerald mit seinem Verrat konfrontieren. Ohne zu überlegen stürzte sie ihr nach und klammerte sich an ihr fest. »Herrin, bitte, tut das nicht!«, stammelte sie.

»Was fällt dir ein! Lass mich sofort los.« Matilda versuchte, sie abzuschütteln, und zerrte sie einige Schritte mit sich. Wie aus weiter Ferne nahm Aline wahr, dass ein Schwarm Krähen laut krächzend über sie hinwegflatterte.

Verzweifelt umschlang Aline sie nur noch fester. »Herrin, nein! Verzeiht mir. Aber ich kann nicht zulassen, dass Ihr Euch vor Kathryn Fitzgerald bloßstellt und verratet. Bedenkt doch: Wenn Euer Geheimnis bekanntwird, seid Ihr für immer vernichtet. Ihr könnt niemals Königin werden.« Matilda ließ die Arme sinken.

»Außerdem ... Denkt doch an Euren Vater«, flehte Aline weiter. »Wenn er erfahren sollte, dass Ihr Euch mit dem Earl getroffen habt ... Würde er nicht annehmen, dass

Ihr Euren Schwur gebrochen habt? Und würde der Earl dies nicht büßen müssen?«

»Ich hätte dich niemals in jener Nacht neben meinem Gemach schlafen lassen dürfen«, murmelte Matilda mit abgewandtem Gesicht. »Du weißt viel zu viel von mir.«

Doch als Aline sie am Arm fasste und sanft den Hügel hinaufdrängte, gab sie ihren Widerstand auf und folgte ihr.

Sobald sie den Waldrand erreicht hatten und außer Sichtweite des Fachwerkhauses waren, machte sich Matilda von Aline los. »Lass mich in Ruhe!«, fuhr sie das Mädchen an. »Denk daran, du bist nur meine Dienerin. Also benimm dich entsprechend.«

»Gewiss, Herrin«, murmelte Aline beklommen. Wenigstens schienen der Earl und seine Geliebte von ihrer Auseinandersetzung auf der Wiese nichts mitbekommen zu haben. Denn bei dem Fachwerkhaus blieb alles ruhig. Wahrscheinlich waren die beiden viel zu sehr mit sich selbst beschäftigt gewesen, um ihre Stimmen zu hören – oder das Geschrei der Krähen hatte sie übertönt.

Matilda kauerte sich auf den Boden und starrte in das Tal. Auch als es zu regnen begann, rührte sie sich nicht. Schließlich holte Aline eine grobe Pferdedecke aus einer Satteltasche und legte sie ihrer Herrin um, damit diese wenigstens notdürftig vor der Nässe geschützt war. Matilda schien das gar nicht zu bemerken.

Nach einer Weile – Aline zitterte inzwischen vor Kälte – ließ der Regen nach, und dann und wann kam die Sonne stechend zwischen den jagenden Wolken hervor. Als sie in dem Talgrund eine Bewegung wahrnahm, dachte sie zuerst, das rasche Spiel von Licht und Schatten hätte sie genarrt. Doch schließlich erkannte sie, dass tatsächlich eine Frau auf das

Fachwerkhaus zuritt. Dem einfachen Wollumhang nach zu schließen, war sie eine Dienerin.

Vor dem Haus ließ sich die Magd aus dem Sattel gleiten und führte ihr Pferd auf und ab. Wieder eine Weile später erschienen der Earl und Kathryn Fitzgerald auf der Schwelle. Nachdem sie sich noch einmal umarmt und geküsst hatten, ritt die junge Adelige mit ihrer Dienerin davon. Robert of Gloucester kehrte in das Haus zurück.

Matilda hatte sich erhoben. Sie war sehr blass, ihre Augen brannten jedoch. Mit der nassen, groben Decke, die sie noch immer um die Schultern trug, wirkte sie eher wie eine Bettlerin als wie eine Fürstin und – trotz ihres Zorns – sehr verletzlich. Angespannt verfolgte Aline, wie Kathryn Fitzgerald und deren Dienerin den Bach entlangritten. Würde ihre Herrin es jetzt gut sein lassen und nach Wallingford zurückkehren? Doch als die zwei Frauen um die Talkrümmung verschwunden waren, verließ Matilda den Schutz der Bäume und eilte in Richtung des Fachwerkhauses. Wieder setzte der Regen ein, stärker noch als zuvor.

Aline wagte es nicht, ihre Herrin noch einmal zurückzuhalten. Was sollte sie nur tun? Nach einigen Momenten des Zögerns entschied sie, dass sie Matilda nicht allein lassen konnte, und folgte ihr über das durchweichte, abgeerntete Feld.

Sobald ihre Herrin das Haus erreicht hatte, riss sie die Tür auf und stürmte nach drinnen. Aline suchte unter einem Vorsprung des Strohdaches an der Seitenwand Schutz.

»Matilda …« Die Stimme des Earls drang durch die Ritzen in dem hölzernen Fensterladen neben ihr. Sie klang nicht schuldbewusst, sondern eher überrascht und besorgt. Aline zog sich ein Stück zurück, denn sie wollte das Gespräch nicht belauschen. Doch der wütende Ausruf ihrer

Herrin war nicht zu überhören: »Fass mich nicht an! Hier ist also dein Liebesnest! Oder willst du etwa behaupten, dass die Küsse, die du mit der jungen Fitzgerald getauscht hast, rein freundschaftlich waren? Danach sah es aber ganz und gar nicht aus!«

Nach einer kurzen Pause erwiderte Robert of Gloucester ruhig: »Ich streite nichts ab.«

»Du hast mir die Liebe geschworen.« Matilda schrie gequält auf.

Für einige Momente war nur das Rauschen des Regens zu hören. Als Robert of Gloucester schließlich antwortete, war seine Stimme so leise, dass ihn das Prasseln der Tropfen fast übertönte. »Glaub mir: An meiner Liebe zu dir hat sich nichts geändert. Vielleicht fühle ich mich gerade deswegen zu Kathryn so hingezogen, weil sie dir in vielem ähnlich ist. Sie ist klug und eigensinnig und …«

»Spar dir deine Lügen!«, unterbrach Matilda ihn wütend.

»Das ist keine Lüge!« Auch der Earl verlor nun seine Beherrschung. »Meine Liebe zu Kathryn kann ich wenigstens leben.«

»Wenn es darum geht …«, Matildas Stimme wurde nun milder, »… wir müssen nur bis zum Tod unseres Vaters warten. Danach fühle ich mich an meinen Schwur nicht mehr gebunden.«

»Schwester, begreif doch: Was auch immer wir fühlen: Es darf nicht sein. Unser Vater hat Recht: Unsere Liebe ist monströs. Das habe ich mittlerweile eingesehen.«

»Das ist nicht wahr!« Matildas verzweifelter Aufschrei schnitt Aline ins Herz.

»Doch … Und auch du kannst davor nicht länger die Augen verschließen.« Der Tonfall des Earls war sanft, aber bestimmt. »Auch wenn wir es uns noch so sehr wünschen – wir können nicht fortwährend gegen die Natur und das Gesetz Gottes verstoßen.«

»Was scheren mich das weltliche Recht und die Lehren der Kirche, wenn ich erst einmal Königin bin. Wir müssen nur warten …«

»Auch als Königin stehst du nicht über dem Recht. Sobald unser Verhältnis bekanntwürde, würde der Papst uns exkommunizieren und dich für abgesetzt erklären«, versetzte Robert erregt. »Deine Gefolgsleute würden sich von dir abkehren und die Lords und Fürsten sich gegen dich erheben.«

»Für dich würde ich meine Krone gerne opfern.« Untermalt vom Geräusch des Regens klang Matildas Stimme sehr verloren.

»Das glaubst du jetzt. Aber auch wenn du das im Moment noch nicht so siehst – vertrau mir, denn in diesem Punkt kenne ich dich besser als du dich selbst. Du bist zur Herrscherin bestimmt.«

Wieder senkte sich Stille über das Haus. Dann sagte Matilda hart: »Das sind doch alles nur Ausflüchte. Im Grunde genommen hast du einfach nur Angst vor unserer Liebe. Bei Gott, ich hätte dich niemals für einen Feigling gehalten.«

Im nächsten Augenblick stieß sie einen leisen Schmerzensschrei aus, als hätte Robert sie grob am Arm gepackt. Auch seine Stimme klang nun unnachgiebig. »Ich kann diese Liebe nicht mehr leben, weil ich wegen ihr schon einen Mord begangen habe. Ich habe den Diener umgebracht, der uns an unseren Vater verraten hat. Und ich schwöre dir: Ich werde wegen uns nicht noch einen weiteren Menschen töten.«

»Geh zu einem Priester und beichte, wenn du um dein

Seelenheil fürchtest«, versetzte Matilda verächtlich. »Für dich hätte ich mich sogar selbst getötet und die ewige Verdammnis in Kauf genommen.«

»Matilda …«

»Lass mich los!« Ein Schlag klatschte. Gleich darauf stürmte Matilda aus dem Haus.

*

Spät am Abend trat Aline aus dem steinernen Wohngebäude der Burg. In dem von Fackeln erhellten Hof standen hoch beladene Karren, die vor dem immer noch fallenden Regen mit Planen geschützt waren. Müde erinnerte sie sich daran, dass, als sie mit Matilda zurückgekehrt war, Bedienstete die Wagen mit Kisten und Truhen bepackt hatten. Sie hatte ihre Herrin in deren Räume gebracht und dafür gesorgt, dass sie ein heißes Bad und zu essen bekam. Matilda hatte nur ein wenig Suppe zu sich genommen und ihr dann befohlen, sie allein zu lassen.

Aline hatte diesem Befehl nur ungern Folge geleistet, denn ihre Herrin war unnatürlich ruhig gewesen. Fast hätte sie sich gewünscht, Matilda hätte geweint, getobt oder gebrüllt. Sie hatte es aber auch nicht gewagt, ihr zu widersprechen. Aline nahm sich vor, später noch einmal nach ihr zu sehen – auch falls ihre Herrin dies bemerken und sie dann ausschelten sollte.

Als sich eine Gestalt aus den Schatten zwischen den Karren löste und auf sie zutrat, schrie sie leise auf. Doch es war nur Ethan. »Es tut mir leid, dass ich Euch erschreckt habe. Ich habe schon seit dem Nachmittag nach Euch gesucht. Stephen will für ein paar Tage nach Dorchester reiten«, sprudelte er hervor. »Aber er hat mir erlaubt hierzubleiben.«

Aline begriff, dass sie von den Geschehnissen der letzten Stunden so durcheinander war, dass sie sich noch nicht einmal gefragt hatte, was die beladenen Karren zu bedeuten hatten.

»Wenn Eure Herrin Euch nicht braucht, könnten wir uns noch ein bisschen in die Halle setzen«, schlug Ethan vor. »Dort gibt es Licht … Ich könnte auch die Wachstafel und den Griffel holen.«

Aline zögerte. Sie wünschte sich, bei Ethan zu sein. Aber plötzlich hatte sie auch Angst davor. Einem Menschen zu nahezukommen, konnte sehr schmerzhaft sein. Das hatte ihr das Beispiel Matildas und deren Liebe zu dem Earl of Gloucester nur zu deutlich gezeigt.

»Natürlich nur, wenn Ihr mögt«, sagte Ethan, der ihr Zögern bemerkte, hastig. »Jedenfalls müsst Ihr nicht fürchten, Hugo de Thorigny und seine beiden dummen Freunde in der Halle zu treffen. Die drei sind schon heute Nachmittag mit ein paar von unseren Leuten aufgebrochen.«

Aline gab sich einen Ruck. Was dachte sie an Liebe? Ethan war ein Freund, nichts weiter. »Ja, ich würde gern mit Euch kommen«, sagte sie schließlich.

»Schön!« Er grinste sein schiefes Grinsen, und sie bemühte sich, das Flattern in ihrem Bauch zu ignorieren.

Sie wartete unter dem Vordach der Halle auf ihn. Ethan blieb nicht lange fort. Drinnen schlug ihnen Wärme entgegen, denn in dem riesigen Kamin an der Längsseite prasselte ein großes Feuer. Obwohl die Abendmahlzeit schon eine Weile zurücklag und die meisten Tische und Bänke an die Wände geschoben worden waren, hingen immer noch Essensgerüche in der Luft. Einige Knappen hatten sich bereits in ihre Decken gerollt und sich in den Binsen, die den Boden bedeckten, zum Schlafen gelegt. Andere schwatzten miteinander oder säuberten ihre Waffen, und an einem Tisch saßen vier Männer, die miteinander würfelten. Hier und da winkte oder nickte jemand Ethan zu, und er erwiderte die Grüße.

Aline wurde plötzlich klar, dass sie sich, wenn Ethan nicht bei ihr gewesen wäre, nicht so einfach müßig in der Halle hätte aufhalten können. Denn dies war der Ort für die Adeligen. Bislang hatte es nie eine Rolle zwischen ihnen gespielt, dass Ethans Vater ein Lord war. Aber plötzlich musste sie daran denken, dass er von viel höherer Geburt war als sie und zudem zum Gefolge eines mächtigen und einflussreichen Fürsten gehörte. Auch wenn sein Vater ihn ablehnte, würde Ethan sicher seinen Weg in der Welt machen. Er konnte sich unmöglich ernsthaft für ein einfaches Bauernmädchen wie sie interessieren.

Beklommen folgte sie ihm zu dem Podium auf der Stirnseite. Ein mächtiges, mit Schnitzereien verziertes Paneel war dort dem Gang zu den Küchengebäuden vorgelagert. An der Wand daneben brannten Fackeln. Hier kauerten sie sich auf die Bretter.

Die Hitze der Flammen war bis auf das Podium zu spüren. Sie tat Aline gut, denn nachdem sie und Matilda zurückgekehrt waren, hatte sie sich zwar trockene Kleidung angezogen, aber ihr war immer noch kalt. Sie entspannte sich ein wenig.

Ethan legte die Wachstafel und den Griffel vor sich auf den Boden. »Manchmal bringen Nonnen den Kindern einfacher Leute Lesen und Schreiben bei«, sagte er. »Aber dort, wo Ihr herkommt, war das wohl nicht der Fall.«

Aline zuckte innerlich zusammen. Warum redete er von »einfachen Leuten«? Schon fühlte sie sich wieder minderwertig. Gleichzeitig ärgerte sie sich über ihre Unsicherheit.

Noch nie hatte sie sich ihrer Herkunft geschämt, und immer noch sehnte sie sich fast täglich nach ihrem verlorenen Zuhause.

»Das nächste Nonnenkloster war von dem Dorf, in dem ich groß geworden bin, mehr als zehn Meilen entfernt«, sagte sie steif. »Und der Pfarrer hatte kein Interesse daran, einfachen Leuten« – sie betonte die Worte spöttisch – »Bildung beizubringen.«

Ethan warf ihr einen scharfen Blick zu. »Eure Eltern waren Dienstleute?«

»Nein«, fauchte Aline, »sie waren freie Bauern.« Und auch sie selbst wäre frei, wenn nicht der Baron de Thorigny, einer von Ethans Stand, sie unrechtmäßig zur Leibeigenen erklärt und ihr den Hof geraubt hätte. Aber das konnte sie dem Jungen neben sich jetzt nicht erzählen.

Eine unbehagliche Stille breitete sich zwischen ihnen aus. Aline schluckte und bedauerte ihren Ausbruch. Um das Gespräch wieder in Gang zu bringen, fragte sie: »Stimmt denn das Gerücht, dass Eure Mutter eine Magd war?«

Als sich Ethans Gesicht verschloss, begriff sie, dass sie besser nicht danach gefragt hätte. Er spielte mit dem Griffel, ehe er schließlich kühl erwiderte: »Nein, sie war die Tochter eines der Gutsverwalter meines Vaters.«

Hörte er sich wieder so hochmütig an, weil sie ihn mit ihrer unbedachten Frage verletzt hatte, oder wollte er ihr begreiflich machen, dass er auch mütterlicherseits einem höheren Stand angehörte als sie?

Aline schwirrte der Kopf. »Wollten wir nicht Lesen und Schreiben üben?«, wandte sie sich wieder an Ethan. Selbst in ihren eigenen Ohren klang ihre Stimme nicht sehr freundlich.

Er musterte sie kurz mit gerunzelten Brauen, dann nickte er und reichte ihr die Wachstafel. »Ich habe das Alphabet bereits aufgeschrieben. Allerdings in ungeordneter Reihenfolge. Sonst wäre es zu einfach.«

Aline biss sich auf die Lippen. Nach ihrem letzten Treffen war sie so überzeugt davon gewesen, dass sie sich die Lettern gemerkt hatte – und nun schienen sie in dem unruhigen Licht der Fackeln zu einem Wust aus seltsamen, ihr unbekannten Zeichen zu verschwimmen.

»Nun?«, fragte Ethan ungeduldig.

Aline versuchte, sich zu konzentrieren, und wies endlich auf den ersten Buchstaben. »Das ist ein ›B‹«, sagte sie leise.

Ethan nickte. »Und wie lautet der Nächste?«

Aline fasste Mut. »Ein ›U‹.«

»Nein, das ist ein ›O‹.«

Wieder unsicher deutete sie auf die darauf folgende Letter. »Das ist ein ›D‹?«

»Nein, ein ›C‹.« Ethan schüttelte den Kopf. »Strengt Euch gefälligst an, und ratet nicht einfach.«

Aline kam es vor, als ob einer der Knappen, der unten in der Halle saß und Pfeilspitzen schnitzte, nun den Kopf hob und neugierig zu ihnen hinsah. »Ich rate nicht«, fuhr sie Ethan beschämt an. »Aber ich habe – anders als Ihr – schließlich keine jahrelange Klostererziehung genossen.«

»Das hat damit überhaupt nichts zu tun«, gab er gereizt zurück. »Ihr seid einfach mit Euren Gedanken nicht bei der Sache. Also noch einmal … Was ist das für ein Buchstabe?« Er deutete auf eine Letter in der unteren Buchstabenreihe.

Wieder verschwamm alles vor Alines Augen. Tränen machten ihr die Kehle eng. »Ich weiß es nicht. Und ich will es auch überhaupt nicht wissen«, brachte sie gepresst hervor.

»Ach, und ich dachte, Lesen und Schreiben zu lernen, sei Euer sehnlichster Wunsch? Ich hätte nicht gedacht, dass Ihr so schnell aufgeben würdet.«

Ethans sarkastischer Tonfall gab Aline den Rest. »Ihr habt Euch doch nur dazu herabgelassen, mir die Buchstaben zu zeigen, damit Ihr Euch überlegen fühlen könnt«, stieß sie hervor. Während ihr endgültig die Tränen in die Augen schossen, rannte sie davon.

*

In dem Wohngebäude angelangt, schlüpfte Aline in Matildas Schlafzimmer. Eine kleine Öllampe brannte auf einer Truhe. In dem schwachen Licht sah Aline, dass ihre Herrin die Augen geschlossen hatte. Ihr Atem ging unruhig, und ihre Hände lagen zu Fäusten geballt auf der Seidendecke. Nein, sie konnte ihre Herrin nicht allein lassen!

Leise zog sich Aline in das vordere Zimmer zurück. Rasch bereitete sie sich ein Lager aus Wolldecken und rollte sich darauf zusammen. Sie versuchte einzuschlafen. Doch immer wieder musste sie an Ethan denken. Hatte sie ihm Unrecht getan, oder war er wirklich nur so hilfsbereit gewesen, weil er sich ihr überlegen fühlen wollte? Schließlich konnte sie die innere Stimme, die sich beharrlich in ihr zu Wort meldete, nicht länger ignorieren: Du hast dich in Ethan verliebt – deshalb hast du so überempfindlich reagiert, flüsterte sie ihr zu. *Das ist nicht wahr!*, dachte Aline zornig und wälzte sich wieder einmal auf den Decken herum.

Irgendwann schlief sie ein. Als sie im Morgengrauen erwachte, fühlte sie sich wie gerädert. Auch Matilda, die eine Weile später nach Aline rief, wirkte bleich und hatte tiefe Ringe unter den Augen. Geistesabwesend ließ sie das übliche Prozedere von Ankleiden und Kämmen über sich ergehen. Als sich die Bürste in ihrem schweren, rotblonden Haar verhedderte – worauf sie sonst immer äußerst gereizt reagierte –, schien sie dies nicht einmal zu bemerken.

Zum Frühstück begnügte sie sich mit einem Becher warmem, mit Honig gesüßten Würzwein. Aline setzte sich im rückwärtigen Teil des Zimmers an ein Fenster. Es hatte aufgehört zu regnen, aber der Himmel war immer noch bewölkt und das Licht entsprechend schlecht.

Matilda hatte eben das silberne Gefäß abgestellt, als Aline eine barsche Männerstimme etwas zu dem Soldaten sagen hörte, der draußen im Gang Wache hielt. Es war die des Königs. Er musste noch spät in der Nacht auf der Burg eingetroffen sein.

Aline sah, wie ihre Herrin sich straffte. Gleich darauf erhob sich Matilda und verneigte sich spröde vor ihrem Vater.

»Nun, ist der von Euch gestiftete Altar geweiht, und könnt Ihr auf ein paar weniger Jahre im Fegefeuer hoffen?«, fragte sie spöttisch.

»Halte dein lästerliches Mundwerk!«, fuhr Henry sie an, »und schick das Mädchen weg. Ich habe mit dir zu reden.«

Aline erhob sich hastig, um aus dem Zimmer zu eilen. Doch Matilda entgegnete ihrem Vater kühl: »Falls es bei diesem Gespräch um mich und Robert gehen sollte, weiß Aline ohnehin alles. Sie bleibt.«

Zögernd ließ sich Aline wieder auf ihren Sitz sinken. Henry bedachte seine Tochter mit einem finsteren Blick, dann nahm er ihr gegenüber in einem Lehnstuhl Platz. »Ich habe mich in Reading mit deinem Gatten Geoffrey getroffen.«

»Oh, ich dachte mir schon, dass Euch wahrscheinlich nicht die Gesänge und Gebete der Mönche so lange dort festgehalten haben.«

Der König ignorierte ihren Einwurf. »Geoffrey möchte sich unbedingt mit dir versöhnen. Er sieht ein, dass er sich dir gegenüber falsch verhalten hat und hat mich deshalb beauftragt, dir seine Bitte um Vergebung zu übermitteln.«

»Tatsächlich?« Matildas Fingerspitzen trommelten auf die Tischplatte. »Ich vermute, seine ehrgeizigen Nachbarn, die Grafen von Blois und der Champagne machen ihm wieder zu schaffen.«

»Das stimmt.« Henry nickte. »Aber du weißt sehr gut, dass auch wir auf Geoffreys Hilfe angewiesen sind, um unsere Interessen in der Normandie wahren zu können. Geoffrey ist bereit, öffentlich jeglichem Anspruch auf den englischen Thron abzuschwören. Außerdem ist er bereit, dir eine Summe von vierhundert Pfund in Gold als Versöhnungsgeschenk zu zahlen.«

Matilda stand auf und trat an eines der Fenster. Unter gesenkten Lidern warf ihr Aline einen ängstlichen Blick zu. Das Gesicht ihrer Herrin wirkte steinern. Aber ihre Hände hielt sie gegen die Brust gepresst, als wollte sie sich selbst Trost spenden.

Als Matilda sich zu ihrem Vater umwandte, erwartete Aline, dass sie Geoffreys Vorschlag schroff ablehnen würde. Aber wieder einmal wurde sie von ihrer Herrin überrascht, denn diese sagte mit klarer Stimme: »Ich bin einverstanden und nehme das Versöhnungsangebot meines Gatten an.«

Henry starrte sie verblüfft an, als wagte er es nicht recht, ihren Worten zu trauen. »Ich danke dir, dass du dich so einsichtig verhältst«, sagte er schließlich beinahe unsicher.

»Oh, ich tue es nicht, um mich als gehorsame Tochter zu erweisen.« Matilda winkte ab. »Ich nehme Geoffreys Angebot nur an, da ich Königin werden will und ihn dazu brauche. Allerdings habe ich eine Bedingung.«

Henry beugte sich vor. »Und die wäre?«

»Geoffrey wird nicht nur öffentlich seinem Anspruch auf den Thron abschwören. Ich verlange auch, dass er mich – vor den Lords und Fürsten – für sein anmaßendes Benehmen um Verzeihung bittet.«

Der König nickte. »Ich bin überzeugt, dass er auch darauf eingehen wird.«

»Gut, dann lege ich fest, dass die Versöhnungszeremonie am zweiten Sonntag im Monat Oktober in der Kathedrale von Northampton abgehalten werden soll.« Wieder klang Matildas Stimme sehr fest und entschieden. »Bis dahin werde ich mit meinem Gefolge in das Kloster Saint Benet's at Holme übersiedeln. Wir brechen so bald wie möglich auf.«

Sie besprachen noch einige Details der Reise und des Festes, dann verabschiedete sich Henry von seiner Tochter. Nachdem er den Raum verlassen hatte, ging Matilda eine Weile rastlos auf und ab, bis sie schließlich vor dem großen Stickrahmen mit dem Blumenbild stehen blieb und es gereizt betrachtete. Dann packte sie den Rahmen und schleuderte ihn quer durch das Zimmer, wo er gegen eine Truhe krachte. Einen Moment starrte sie vor sich hin. Dann sank sie mit einem klagenden Aufschrei zu Boden. Ein heftiges Weinen schüttelte sie, und sie schluchzte Roberts Namen.

»Herrin … Ach, Herrin, nicht …« Aline stürzte zu ihr. Sie kniete sich neben sie und streichelte sie tröstend. Matildas Körper versteifte sich. Doch schließlich ließ sie sich gegen Aline sinken und weinte sich an ihrer Schulter aus.

*

Es dauerte lange, bis Matilda sich beruhigte. Trotzdem war Aline froh, dass sie nicht wieder in jene schreckliche seelische Starre verfiel. Gegen Mittag dann hatte ihre Herrin sich endlich so weit gefasst, dass sie Aline befahl, ihr »irgendetwas zu bringen, das mein verschwollenes Gesicht einigermaßen normal aussehen lässt«.

Aline holte eine Arnikalösung für Matildas gerötete Augen sowie Leinentücher und kaltes Wasser. Je besser die Mittel anschlugen, desto deutlicher kam auch das übliche kühl-distanzierte Wesen ihrer Herrin wieder zum Vorschein. Schließlich – nachdem sie sich eingehend in einem Bronzespiegel betrachtet hatte – entschied Matilda, dass die Schwellung nun für eine Erkältung durchgehen könne und erteilte Aline den Auftrag, Sir Simon zu ihr zu bringen.

Erst als sie draußen auf dem windigen Hof stand, begriff Aline wirklich, was an jenem Morgen geschehen war. Da Matilda beschlossen hatte, zu Geoffrey von Anjou zurückzukehren, würde sie auf unabwägbar lange Zeit von Ethan getrennt sein. Sie musste ihn sehen und sich mit ihm aussprechen!

Aline hastete zur Halle. Dorthin hatten sich wegen des schlechten Wetters viele Adelige zurückgezogen. Doch unter den Rittern und Knappen konnte sie keinen von Stephens Leuten entdecken. Gewiss hielt sich Ethan in einem der Ställe auf, so sehr, wie er die Pferde liebte.

Aber sowohl in dem großen, komfortablen Stall, wo die Pferde der Edelleute untergebracht waren, als auch in den beiden kleineren, die für die Reittiere der Bediensteten benutzt wurden, fand sie ihn nicht.

Aline hatte gerade die Stalltür hinter sich zugezogen und überlegte, wo sie noch nach Ethan suchen könnte, als Sir Simon über den Hof lief. »Sir!«, rief sie und rannte zu ihm. Sie holte den rundlichen Mann bei einer Pferdetränke ein. »Habt Ihr vielleicht Ethan gesehen? Einen von Stephens Knappen?«, stieß sie atemlos hervor.

»Den rothaarigen Jungen, der vor zwei Wochen mit einer Beinwunde hierherkam?« Sir Simon nickte. »Ja, das habe ich. Er ist heute Morgen mit Stephens Leuten weggeritten.«

Gestern Abend hatte Ethan noch gesagt, dass er hier in Wallingford bleiben würde … Aline registrierte plötzlich, dass eine dicke Schicht brauner Blätter das Wasser in der Pferdetränke bedeckte. Ein herber Geruch stieg von ihnen auf. Er mischte sich mit dem Rauch, der von dem nahen Küchengebäude herüberwehte. In einem der Ställe wieherte ein Pferd und schlug mit den Hufen gegen die Wand.

Hatte Ethan wegen ihres abweisenden Benehmens beschlossen, die Burg zu verlassen? Oder wäre er ihrer sowieso überdrüssig geworden? Ein Klumpen bildete sich in Alines Magen. Vielleicht war es ja gut, dass sie ihn nicht mehr traf. Schließlich hätten sie beide ohnehin keine gemeinsame Zukunft gehabt.

»Aline, Mädchen, ist alles in Ordnung mit dir?« Sir Simon berührte sie an der Schulter und musterte sie besorgt.

»Mir geht es gut«, erwiderte Aline hastig, während sie sich wieder auf ihren Auftrag besann. »Unsere Lady bittet Euch, sofort zu ihr zu kommen.«

Kapitel 3

Aline eilte einen langen, von Fackeln erhellten Flur entlang, der zu den Räumen ihrer Herrin führte. Die Fensterläden waren geschlossen. Trotzdem glaubte sie, den Schnee riechen zu können. Den ganzen Tag schon war ein heftiger Flockenwirbel über der Gegend von Rouen niedergegangen. Nach der Versöhnungszeremonie in Northampton hatten Matilda und Geoffrey es gerade noch rechtzeitig geschafft, sich einzuschiffen. Wenige Tage später hatten schwere Herbststürme eingesetzt und den Kanal unpassierbar gemacht.

Ein Lächeln huschte über Alines Gesicht, als sie an das Versöhnungsfest dachte. Geoffrey von Anjou hatte sich vor Matilda gedemütigt, was diese mit unverhohlener Genugtuung zur Kenntnis genommen hatte. Auch Robert war in Northampton gewesen. Ihre Herrin und ihr Halbbruder waren wieder wie Geschwister miteinander umgegangen – nichts hätte einen Verdacht erregen können, dass sie einander viel mehr bedeuteten. Aber in den Nächten nach dem großen Treffen hatte Aline Matilda manchmal weinen hören. Ihrem Gatten hatte sie jedenfalls den Zugang zu ihrem Schlafgemach verwehrt.

Alines Lächeln verschwand. Auch Stephen hatte natürlich an dem Fest teilgenommen. Unter seinem Gefolge hatten sich Reginald de Thorigny und dessen Sohn Hugo befunden. Doch Ethan hatte seinen Herrn nicht begleitet. Einige Male hatte Aline seinen Freund Nicolas von ferne gesehen. Aber sie hatte es sich verboten, ihn anzusprechen und nach Ethan zu fragen.

In Matildas Zimmern entzündete Aline die Kerzen – ihre Herrin würde bald von der Abendmahlzeit in der Halle zurück sein – und legte in den Kaminen von Schlaf- und Wohnraum frische Holzscheite in das Feuer. Der große Stickrahmen stand in dem vorderen Gemach. Abgesehen von ein paar Kratzern hatte er Matildas Ausbruch unbeschadet überstanden. Das Bild war in der Zwischenzeit um eine weitere, in unordentlichen Stichen ausgeführte Blüte angewachsen. Ein Strang roten Seidengarns war von dem Rahmen auf den Teppich gefallen. Als Aline ihn aufhob, sah sie, dass auf einem Tisch ein aufgeschlagener Psalter lag – Matilda hatte das kostbare Buch vor kurzem von den Nonnen des Klosters Fontevraud geschenkt bekommen.

Aline trat an den Tisch. Die rechte Buchseite zeigte Männer, die in einem Schiff auf sturmgepeitschter See unterwegs waren. Doch eigentlich interessierte sie der daneben stehende Text. Sie konnte zwar die Worte nicht lesen, erkannte aber einige Buchstaben. Ein M und ein L sowie das verwünschte C und das U. Sofort war ihr wieder der Abend mit Ethan präsent. Sie schluckte. Sie konnte sich noch so sehr bemühen, ihn zu vergessen, ständig musste sie an ihn denken. Wenn sie Bücher sah und wenn sie auf ihrem Pferd galoppierte. Beim Anblick bunten Herbstlaubs und …

»Aline!« Sie fuhr herum. Von ihr unbemerkt hatte Matilda den Raum betreten. Ihre Herrin musterte sie prüfend. »Du magst Bücher, nicht wahr?«

Sie nickte.

»Möchtest du gern lesen lernen?«

»Ich … Ja … Nein …«, stammelte Aline überrascht.

»Was denn nun?« Die vertraute, ungeduldige Falte erschien zwischen Matildas Augenbrauen.

»Ja, ich würde gern lesen lernen«, flüsterte Aline.

»Gut, dann werde ich dem Pfarrer der Burg sagen, dass er es dir beibringen soll. Und jetzt hilf mir.«

Nachdem Matilda in ihr Nachthemd geschlüpft war, dachte Aline, sie würde zu Bett gehen. Doch stattdessen befahl sie dem Mädchen, sie solle ihr den roten Samtumhang bringen und ihn ihr umlegen. »Komm mit!«, sagte sie dann, während sie zur Tür ging. »Vielleicht brauche ich dich noch.«

Verwundert folgte ihr Aline durch den Flur, den sie eben erst entlanggeschritten war, und dann über eine Wendeltreppe in das untere Stockwerk. Dort ging Matilda zielstrebig auf eine mit Schnitzereien verzierte Tür zu – ähnlich der, die den Eingang zu ihren Gemächern bildete – und stieß sie auf.

Ein mit Wandteppichen und kostbarem Mobiliar bestückter Raum tat sich vor ihnen auf. Durch einen Türbogen konnte Aline Geoffrey von Anjou in dem angrenzenden Gemach sehen. Er saß in einem Lehnstuhl und hatte seine in Stiefeln steckenden Füße auf die Polster eines anderen gelegt. In der Hand hielt er einen Weinkelch.

»Madam …« Er riss seine Füße von dem Stuhl und starrte seine Gattin mit offenem Mund an.

»Bleib hier«, raunte Matilda Aline zu. Hastig wich das Mädchen in einen Zimmerwinkel zurück. Mit wiegenden Schritten ging Matilda auf den Grafen zu. »Eines der Ziele dieser Ehe ist, einen Erben in die Welt zu setzen«, sagte sie spöttisch. »Also sollten wir diese Sache möglichst bald hinter uns bringen.« Mit einer raschen Bewegung streifte Matilda ihren Umhang und das Hemd ab. Einen Moment lang sah Aline sie nackt dastehen. Ihre langen Haare flammten im Licht wie Feuer. Geoffrey von Anjou keuchte auf.

Matilda griff hinter sich und zog den Vorhang zu, der die beiden Räume trennte. »Zieht Euch aus!«, befahl sie, »und legt Euch aufs Bett.«

»Ja, Madam …« Aline hörte das Rascheln von Kleidern, als Geoffrey von Anjou sich seine Gewänder vom Leib riss, und ein Klirren, als sein Gürtel auf den Steinboden fiel. Das Bett knarrte.

»Gut so«, ertönte wieder Matildas Stimme. Der Vorhang war so dünn gewebt, dass sich ihr Körper einen Augenblick lang wie ein Schattenriss auf dem Stoff abzeichnete, als sie sich auf ihren Gatten setzte. Wieder keuchte er auf – wollüstig, aber auch fast ängstlich. Dann begann das Bett rhythmisch zu knarren.

*

Sorgfältig zog Aline die Nadel mit dem Goldfaden durch den weißen Damast. Nach einigen weiteren Stichen wischte sie ihre feuchten Finger an einem Leinentuch ab. Die vergangene Juliwoche war so heiß gewesen, dass die Hitze mittlerweile sogar in das steinerne Wohngebäude der Burg von Alençon gedrungen war, und sie wollte die Stickerei, einen Gürtel für ihre Herrin, keinesfalls verderben.

Rasch blickte sie zu dem Schlafzimmer, wo Matilda, ein Buch in der Hand, in einem bequemen, gepolsterten Lehnstuhl ruhte und sich von einer jungen Hofdame mit einem Stoffwedel Luft zufächeln ließ. Unter ihrem hellgrünen Seidenkleid zeichnete sich deutlich ihr hoch gewölbter Leib ab. Schon bald nach jener Nacht in Rouen hatte sie festgestellt, dass sie ein Kind empfangen hatte. Die Schwangerschaft war, abgesehen von einer anfänglichen morgendlichen Übelkeit, unproblematisch verlaufen. Nun stand die Niederkunft kurz bevor.

König Henry war vor einigen Tagen in der Burg eingetroffen. Er und seine Tochter hatten – vorerst zumindest – einen Waffenstillstand geschlossen und gingen recht friedlich miteinander um. Auch Matildas Verhältnis zu Geoffrey von Anjou hatte sich verbessert. Dazu hatte allerdings bestimmt auch beigetragen, dachte Aline, während sie wieder zu sticken begann, dass die beiden, bald nachdem Matildas Schwangerschaft feststand, beschlossen hatten, in getrennten Haushalten zu leben. So bewohnte Geoffrey nun die meiste Zeit die Burg von Ambrières. Er beabsichtigte allerdings, zur Niederkunft seiner Gattin nach Alençon zu kommen.

Ja, überlegte Aline, die vergangenen Monate waren alles in allem recht angenehm verlaufen. Der Priester der hiesigen Burg – ein geduldiger älterer Mann – unterrichtete sie auf Matildas Wunsch in Lesen und Schreiben, und sie hatte gute Fortschritte gemacht. Mittlerweile konnte sie ohne zu stocken ganze Sätze laut vorlesen, worauf sie sehr stolz war.

Immer wieder ertappte sie sich jedoch bei dem Wunsch, ihre Freude darüber mit Ethan teilen zu können. Erst am Morgen, als sie einen Psalm gelesen hatte, hatte sie sich gefragt, ob auch er die Worte so schön gefunden hätte wie sie.

Matildas gequälter Aufschrei brachte Aline wieder in die Gegenwart zurück. Ihre Herrin krümmte sich vor Schmerzen. Aline rannte zu ihr und sagte zu der Hofdame, die erschrocken daneben stand: »Die Wehen haben eingesetzt. Bitte, holt den Arzt.«

Während die junge Frau davonrannte, half Aline Matilda aus dem Stuhl und zu dem Bett. »Herrin, Eure Schwangerschaft ist so gut verlaufen. Ihr werdet sehen – in ein paar Stunden habt Ihr ein gesundes Kind zur Welt gebracht«, redete sie beruhigend auf sie ein.

*

Wieder einmal tauchte Aline einen Lappen in eine Schüssel mit Wasser und fuhr ihrer Herrin dann damit behutsam über die verschwitzte Stirn. Erst vor kurzem hatte sie einen Diener zum Brunnen geschickt, und dennoch war das Wasser bereits wieder warm. Auch ihr selbst klebte der Kittel am Leib. Obwohl es mittlerweile Nacht war, hatte die drückende Hitze nicht nachgelassen.

Ihre Hoffnung, dass die Geburt leicht werden würde, hatte sich nicht erfüllt. Sosehr Matilda auch kämpfte, sie konnte ihr Kind nicht gebären. Nach qualvollen zweieinhalb Tagen schien ihr Körper keine Kraft mehr für die Wehen zu haben. Die Häufigkeit und die Intensität der Kontraktionen hatte in den letzten Stunden merklich nachgelassen. Auch verlor sie hin und wieder das Bewusstsein.

Matilda bewegte die aufgesprungenen Lippen, als ob sie etwas sagen wollte. Aline beugte sich noch weiter vor. »Herrin, was ist?«, fragte sie sanft.

»Mein Kind, mein totes Kind«, flüsterte Matilda.

»Herrin«, sagte Aline voller Angst. »Euer Kind ist nicht tot. Es lebt in Eurem Leib, und Ihr werdet es zur Welt bringen.«

»Nein, es ist tot.« Eine Wehe erfasste Matilda, und sie stöhnte vor Schmerz auf. Erneut registrierte Aline, dass die Kontraktion sehr viel schwächer war, als sie hätte sein sollen.

Schritte ließen sie aufblicken. Henry und sein Medicus Walther betraten das Gemach. Schon seit der ersten Begegnung hatte Aline den Arzt – einen feisten, sehr von sich selbst überzeugten Mann in den Dreißigern – nicht ausstehen können, und sie hatte sich sehnlichst gewünscht, Gawain würde an seiner Stelle Matilda betreuen. Die grobe Art, mit der Walther ihre Herrin untersucht hatte, und seine Behandlungsmethoden, die im Wesentlichen darin bestanden hatten, Matilda davon zu überzeugen, im Liegen statt im Sitzen zu gebären, und an ihrer Scheide herumzufingern, hatten ihren schlechten Eindruck nur zu sehr bestätigt. Schließlich hatte Matilda seine ungeschickten Berührungen sattgehabt und ihn aus ihren Gemächern geworfen.

»Mach mir Platz!«, fuhr Walther Aline an. Widerstrebend stand sie auf und trat einige Schritte zurück. Wieder einmal tastete der Medicus Matildas Leib ab und fuhr dann mit seinen großen Händen zwischen ihre Oberschenkel und untersuchte ihre Scheide.

Matilda stieß ein Wimmern aus. Dass sie ihn nicht mehr fluchend anschrie, er solle sich zum Teufel scheren, erfüllte Aline mit wachsender Furcht. Nur mit Mühe widerstand sie dem Impuls, den Arzt von Matilda wegzuziehen.

»Wie steht es um meine Tochter?« Henrys Miene war finster wie gewohnt. Doch unter der barschen Fassade – spürte Aline – fürchtete auch er um Matildas Leben.

»Leider ganz und gar nicht gut.« Walther seufzte. »Eure Tochter hätte mich nicht wegschicken dürfen. Ein letztes Mittel bleibt uns noch – nämlich der Aderlass.«

»Das dürft Ihr nicht tun!« Aline vergaß ihren niedrigen Status als Dienerin und trat erregt einen Schritt vor. »Der Blutverlust würde meine Herrin viel zu sehr schwächen.

Dabei benötigt sie all ihre Kraft, um das Kind aus sich herauszupressen.«

»Was fällt dir ein, so mit mir zu reden!«, herrschte der Medicus sie an. »Bei Gott, eine Magd, die medizinische Kenntnisse besitzen will ...«

»Mädchen, ich weiß, dass du dich bisher gut um meine Tochter gekümmert hast«, Henry wandte sich ihr zu, »aber das hier ist nicht dein Metier.«

»Es gibt Tränke, die die Wehentätigkeit anregen können.« Flehend blickte Aline ihn an. »Etwa ein Sud aus Rosmarin oder Lavendel. Oder ein Pulver aus Mutterkorn.« In den letzten Jahren hatte sie einigen Wöchnerinnen beigestanden und einmal sogar ein Kind im Mutterleib gedreht, so wie sie es damals bei Gawain gelernt hatte. Doch mit so schwachen Wehen hatte sie es noch nie zu tun gehabt. Da sie fürchtete, aus Unerfahrenheit das Falsche zu tun, hatte sie es bislang nicht gewagt, eines ihrer Mittel bei Matilda anzuwenden.

»Mutterkorn!« Walther keuchte entsetzt auf. »Das ist Teufelszeug. Nein, alles, was Eure Tochter noch retten kann, ist ein Aderlass.«

»Bitte, Hoheit ...«, versuchte es Aline noch einmal.

»Schweig, Mädchen, und lass den Medicus seine Arbeit tun«, wies Henry sie schroff zurecht. Er nickte Walther zu. »Während Ihr den Aderlass vornehmt, werde ich in der Kapelle für meine Tochter beten.«

»Ja, bittet Gott um seine Hilfe!« Walther verneigte sich ernst. »Ich muss noch rasch meine Instrumente holen. Dann werde ich die Schnitte unverzüglich ausführen.«

Die beiden Männer verließen das Schlafzimmer. Aline ballte die Hände zu Fäusten. Sie musste etwas tun! Sie durfte ihre Herrin nicht diesem Quacksalber überlassen! Sie eilte zu Matilda. »Herrin, ich bin gleich wieder bei Euch!«, flüsterte sie. Matilda lag völlig reglos auf ihrem Bett, als hätte sie ihre Worte überhaupt nicht gehört.

Aline folgte den beiden Männern bis zur Tür, die den Schlaf- und den Wohnraum voneinander trennte. In dem angrenzenden Gemach hielten sich etwa ein Dutzend Hofdamen auf. Manche dösten in der Hitze. Andere bedrängten den König mit leisen, besorgten Fragen, doch dieser schüttelte nur abwehrend den Kopf. Sobald er und Walther auch das Vorzimmer verlassen hatten, schlüpfte Aline ihnen nach.

Draußen auf dem Hof schritt Henry in Richtung der Kapelle, Walther schlug den Weg zu dem Gästehaus ein. Plötzlich begriff Aline, dass sie nichts würde ausrichten können. Der Medicus würde es niemals dulden, dass sie Matilda behandelte. Erschöpft ließ sie sich gegen die Wand des Wohnhauses sinken. Zudem wusste sie ja nicht einmal genau, welches Mittel in welcher Dosierung sie anwenden sollte. Verzweiflung stieg in ihr auf.

Als sie auf der anderen Seite des Hofes eine Bewegung wahrnahm und Sir Simon erkannte, hoffte sie, dass er sie nicht sehen würde. Sie war nicht in der Stimmung mit irgendjemandem über ihre Herrin zu sprechen. Doch er hatte sie schon entdeckt und kam auf sie zu. »Aline, wie geht es unserer Lady?«, fragte er gepresst. Matilda hatte auch ihn oft genug schikaniert, hatte ihn ihre Launen spüren lassen und ihn herumkommandiert. Doch in seinen großen braunen Augen konnte Aline aufrichtige, tief empfundene Sorge lesen.

»Sie kann ihr Kind nicht zur Welt bringen«, stieß sie hervor. »Und jetzt will der Medicus ihres Vaters sie zur Ader lassen. Was – davon bin ich überzeugt – ihren Tod bedeuten wird.«

»Du bist dir ganz sicher?«

»Ja«, schluchzte Aline. »Sie ist schon viel zu sehr geschwächt, um einen Blutverlust zu überstehen.« Plötzlich begann sich ein Gedanke in ihr zu formen. »Sir Simon«, sagte sie hastig, »könntet Ihr den Arzt eine Zeit lang aufhalten? Eine gute Stunde womöglich?«

Der Ritter musterte sie einige Momente, dann nickte er. »Ich werde es versuchen.«

In ihrer Kammer entzündete Aline an der kleinen Öllampe, die sie dort immer für Notfälle brennen hatte, eine Kerze. Danach überlegte sie kurz. Die Wirkung eines Suds aus Rosmarin oder Lavendel war leichter kalkulierbar als die des Mutterkorns. Aber würden diese beiden Kräuter – so sehr, wie Matildas Wehen nachgelassen hatten – tatsächlich stark genug sein?

Zögernd ging Aline zu ihrer Truhe, öffnete sie und nahm ein Tongefäß heraus. Nachdem sie den Korken entfernt hatte, schüttete sie den Inhalt auf den Tisch, drei längliche, schwarz verfärbte Körner. Als Gawain ihr das Mutterkorn bei ihrem Abschied aus Oxford gegeben hatte, hatte er ihr noch einmal eingeschärft, dass es nur mit größter Vorsicht angewendet werden durfte. Aber welche Dosierungen hatte er ihr noch einmal empfohlen? Zahlen und winzige Gewichtseinheiten wirbelten durch Alines Gedächtnis. Zudem musste sie berücksichtigen, dass Matilda schon sehr schwach war. In dem blakenden Licht der Kerze erschienen Aline die Körner wie winzige, sich kringelnde Schlangen.

Sie musste das Wagnis eingehen! Sie bekreuzigte sich und gab eines der Körner in einen Mörser. Mit schweißnassen Händen zerdrückte sie es rasch zu einem Pulver und wog dann auf ihrer kleinen Waage eine winzige Menge ab, die sie in einen Krug mit Wasser gab. Nachdem sie die Flüssigkeit schnell umgerührt hatte, hastete sie aus ihrer Kammer. Auf dem Weg zu dem Wohngebäude fiel ihr ein, dass sie heißes Wasser und frische Tücher benötigt hätte. Doch die zu holen blieb ihr keine Zeit.

In Matildas Räumen schien die Luft noch stickiger geworden zu sein. Keine der Damen beachtete sie, als sie an ihnen vorbei in das Schlafzimmer huschte. Zu ihrer grenzenlosen Erleichterung traf sie dort den Medicus nicht an – Sir Simon hatte Wort gehalten! Leise zog sie die Tür zu und schob den Riegel vor.

Matilda lag immer noch apathisch und mit geschlossenen Augen auf dem Bett. »Madam«, Aline kniete sich vor sie und schlug sie mehrmals leicht auf die Wangen, »bitte, kommt zu Euch.«

Die Lider ihrer Herrin flatterten. »Lass mich in Ruhe«, murmelte sie.

»Ich habe ein Mittel … Vielleicht wird es Euch und das Kind retten. Aber es ist nicht ungefährlich …«

»Du willst sagen, es könnte mich auch töten?«

»Ja«, Aline nickte. »Ich habe das Mittel noch nie zuvor angewendet.«

Matilda riss die Augen auf und sah sie an. »Alles ist besser, als diese Schmerzen noch stundenlang auszuhalten«, flüsterte sie. »Gib es mir!«

Aline füllte die Flüssigkeit von dem Krug in einen Becher. Dann half sie Matilda, sich aufzurichten, stützte sie und setzte ihr das Gefäß an die Lippen. Nachdem Matilda es geleert hatte, ließ Aline sie wieder auf das Lager gleiten und zog sich einen Schemel neben das Bett. Während sie in ihrem Herzen unablässig Gebete sprach, begann sie, um sich selbst zu beruhigen und um Matilda Kraft zu spenden, leise vor sich hin zu summen.

Irgendwann zuckte der Schein eines Blitzes durch das Zimmer, und in der Ferne grollte der Donner. Aline stand auf und öffnete die Fensterläden. Eine frische Brise und Regentropfen wehten ihr entgegen. Einige Momente hielt sie ihr Gesicht in den Wind und atmete die kühle Luft tief ein. Mittlerweile musste mehr als eine Stunde vergangen sein. Wie lange würde Sir Simon den Medicus noch aufhalten können? Und wie viel Zeit würde der König in der Kapelle verbringen?

Mit der nachlassenden Schwüle kehrten auch Matildas Kräfte zurück. Die Wehen kamen wieder häufiger, und hatte sie anfangs bei den Krämpfen nur gestöhnt und gewimmert, schrie sie nun immer lauter. »Madam«, sagte Aline schließlich, als die Kontraktionen dicht hintereinander erfolgten, »Ihr müsst Euch auf den Schemel setzen.«

Vor sich hinfluchend ließ sich Matilda von ihr auf den hölzernen Sitz helfen. Hastig legte Aline einen Stapel Tücher unter sie. In das Geräusch des niederprasselnden Regens mischten sich nun laute Stimmen, die in dem angrenzenden Raum erklangen. Fäuste donnerten gegen die Tür.

Wieder krümmte sich Matildas Leib unter einer Wehe. Aline stellte sich hinter sie und gab ihr Halt. »Madam, mit der nächsten Wehe müsst Ihr pressen!«, rief sie.

»Ich kann nicht ...«

Erneut donnerten Fäuste an die Tür. Dann ein dumpfes Geräusch, als würde sich ein Körper mit aller Kraft dagegenwerfen.

»Doch, Ihr könnt!«

»Du dummes Ding ... Als hättest du jemals ein Kind geboren ...« Matildas Worte gingen in einen durchdringenden Schrei über. Aline beugte sich vor, legte ihre Hände auf den Leib ihrer Herrin und drückte so fest sie konnte. Ein weiterer markerschütternder Schrei entrang sich dem Mund ihrer Herrin.

In dem Moment, als die Tür aufflog, glitt das Kind inmitten eines Blutschwalls aus Matildas Körper und auf die Tücher.

Aline nahm wahr, dass der König und sein Medicus, die Hofdamen und einige Wachen in den Raum drängten. Doch sie kümmerte sich nicht um sie. Rasch bückte sie sich, hob den Säugling an den Beinen hoch und versetzte ihm einen leichten Schlag auf den Rücken. Seine kleine Brust hob sich und er stieß ein kräftiges Brüllen aus.

Matilda kauerte immer noch vornübergekrümmt auf dem Schemel. Müde hob sie den Kopf, von dem ihr Schweiß durchtränktes Haar wirr abstand. »Was ist es?«, flüsterte sie.

»Ein Junge«, erwiderte Aline.

»Ich habe gewusst, dass es ein Junge wird.« Matildas Blick suchte ihren Vater. »Und Euer Medicus ist ein verdammter Stümper.« Dann verlor sie die Besinnung.

*

Aline rannte durch dichtes Unterholz. Guy d'Esne jagte hinter ihr her. Schon hörte sie die Hunde bellen. Ihr Kittel verfing sich in Dornenranken. Verzweifelt versuchte sie, sich loszureißen. Die Ranke verwandelte sich in eine Hand. Ihre Verfolger hatten sie eingeholt und hielten sie fest! Sie schrie und wehrte sich gegen den Griff.

»Aline, beruhige dich! Es ist alles in Ordnung. Du hast nur schlecht geträumt.« Eine Frauenstimme redete auf sie ein. Sie blinzelte. Sie befand sich in einem schattigen Raum. Nur ein wenig Sonnenlicht fiel in schmalen Streifen durch die Ritzen der Fensterläden. In einem der Höfe bellte ein

Hund. Lady Grey beugte sich über sie, und auf dem Bett vor ihr lag Matilda. Ihr Gesicht hatte eine wächserne Farbe, aber ihre Brust hob und senkte sich leicht unter ihren Atemzügen.

Mit einem Mal war Aline wieder alles gegenwärtig. Nach der Geburt ihres gesunden, kräftigen Sohnes hatte Matilda starke Blutungen erlitten, die sie sehr geschwächt hatten. Einige Tage lang hatte sie zwischen Leben und Tod geschwebt. Mittlerweile ging es ihr etwas besser, aber noch immer war ihr Zustand kritisch.

»Mädchen, du musst dich wieder einmal ausschlafen. Du hast in der letzten Zeit ja kaum ein Auge zugetan«, redete die Lady auf sie ein. »Kein Wunder, dass dich Albträume plagen.«

Nein, sie konnte ihre Herrin nicht allein lassen … Die Hofdame schien ihr den Gedanken vom Gesicht abzulesen, denn sie sagte freundlich: »Geh wenigstens nach draußen, an die frische Luft. Ich verspreche dir, ich werde gut auf unsere Lady Acht geben.«

Aline war zu müde, um mit ihr zu diskutieren. Deshalb stand sie auf und sagte: »Ich bleibe nicht lange weg.«

Sie hatte so viele Tage in dem dämmrigen Raum zugebracht, dass der Sonnenschein in dem Burggarten sie blendete. Blinzelnd suchte sie ihren Weg über eine Wiese bis zu einer Grasbank, die neben einem Rosenstrauch stand. Ein kräftiger Wind wehte. Er peitschte die Zweige mit den vollen weißen Blüten. Über ihr breitete sich ein von Wolken blankgefegter, tiefblauer Himmel aus. Hoch in der Luft zog ein Raubvogel, dessen Gefieder wie Silber glänzte, seine Kreise. Aline glaubte, seinen wilden Schrei zu hören, und das Leben erschien ihr plötzlich sehr schön und sehr kostbar.

Dabei war Matilda immer noch nicht gänzlich gerettet. Und falls ihre Herrin während der Geburt gestorben wäre, hätte sie – Aline – ihr eigenmächtiges Handeln wahrscheinlich mit dem Tod büßen müssen. Die Anspannung der letzten Tage wurde zu viel für sie. Sie schlug die Hände vor das Gesicht und begann zu weinen.

Plötzlich legten sich Arme um sie und hielten sie fest. Finger strichen tröstend über ihre Wange. »Nicht weinen ...«, sagte eine vertraute Stimme. Aline versuchte, die Tränen wegzuzwinkern. Rotes Haar leuchtete vor ihr im Sonnenlicht. Sie konnte es nicht glauben.

»Ethan ...«, flüsterte sie. Sofort ließ er sie los.

»Wie kommt Ihr denn hierher?«

Er zuckte die Schultern und lächelte schwach. »Mit Henrys Gefolge.«

»Aber ... Gehört Ihr denn nicht mehr zu Stephens Leuten?«

»Doch ... Ich habe ihn gebeten, mich für ein paar Wochen an seinen Onkel auszuleihen.«

Immer noch schluchzend schüttelte Aline den Kopf. »Warum das denn? Und wie lange seid Ihr überhaupt schon hier?«

Ethan betrachtete einen kleinen schwarzen Käfer, der auf dem kurz geschnittenen Gras zwischen ihnen herumkrabbelte, ehe er sie wieder ansah. »Seit gestern. Ich bin ein paar Tage nach dem König hier eingetroffen. Seine Flotte geriet auf dem Kanal in einen Sturm und das Schiff, auf dem ich mich befand, wurde bis nach Dieppe abgetrieben.«

Aline registrierte, dass Ethan ihre erste Frage nicht beantwortet hatte. Sie wollte nachhaken, doch in dem Wohngebäude begann jetzt ein Säugling zu schreien – Matildas Sohn. Das Weinen brach abrupt ab. Wahrscheinlich hatte ihm seine Amme die Brust gegeben. Aber wie mochte es seiner Mutter gehen?

Sie stand hastig auf. »Entschuldigt mich, ich muss nach meiner Herrin sehen.« Aline war schon einige Schritte weit gelaufen, als sie noch einmal stehen blieb und sich umdrehte. »Ich bin froh, dass Ihr hier seid«, stieß sie hervor.

Ein Lächeln breitete sich auf Ethans Gesicht aus, das wieder tausend Schmetterlinge in ihrem Magen aufflattern ließ.

*

Vor der Tür von Matildas Kammer blieb Aline einen Augenblick stehen. Sie war so glücklich – es durfte einfach nicht sein, dass es ihrer Herrin wieder schlechter ging! Behutsam zog sie die Tür auf und huschte in das Gemach. Aus dem angrenzenden Schlafzimmer war die aufgebrachte Stimme des Königs zu hören: »Und ich sage dir, du wirst verfügen, dass du in der Kathedrale von Rouen bestattet werden willst.«

»Ich denke überhaupt nicht daran«, ertönte Matildas kühle Antwort, »die Abteikirche des Klosters von Bec-Hellouin wird mein Begräbnisort sein.«

»Ein Nonnenkloster …«, Henry schnaubte verächtlich, »… das ist bei Gott kein Ort, der dem Grab einer Königstochter und zukünftigen Königin angemessen ist.«

»Ach, sonst pflegt Ihr mir doch immer Hochmut und Stolz vorzuwerfen«, versetzte Matilda spöttisch. »Also solltet Ihr froh darüber sein, dass ich mich in Demut übe und mich für eine bescheidene Begräbnisstätte entscheide.«

»Natürlich ausgerechnet in einem Fall, in dem diese Demut völlig unangebracht ist«, Henry lachte bitter auf.

»Beurteilt das, wie Ihr wollt, aber ich sage Euch zum letzten Mal, meine Gebeine werden nicht in Rouen enden. Ich habe weder die Stadt noch die Kathedrale jemals gemocht.« Matilda hatte den Kopf von den Kissen gehoben. Ihre vorhin noch so wächsernen Wangen waren nun leicht gerötet, und ihre Augen funkelten.

Aline seufzte vor Erleichterung. Nein, ihre Herrin würde so bald nicht sterben. Matilda blickte nun in ihre Richtung, und für einen Moment erschien es Aline, als ob sie ihr zublinzelte. Leise zog sie sich, während sich ein Lächeln auf ihrem Gesicht ausbreitete, auf den Flur zurück.

*

Nachdenklich blickte Stephen auf den Brief, der im Schein einer Kerze vor ihm auf dem breiten Eichentisch lag. In gewohnt aufgeregten Worten hatte ihm sein Bruder Henry of Winchester mitgeteilt, dass Matilda bei der Geburt ihres Sohnes fast gestorben, mittlerweile aber wieder weitgehend genesen sei. Auch der Knabe sei kräftig und wohlauf. Nach seinem Großvater würde er auf den Namen Henry getauft werden.

Sein geliebter Bruder hatte es natürlich nicht unterlassen können, darüber zu spekulieren, was geschehen wäre, wenn Matilda und der Junge nicht überlebt hätten. Stephen schob seinen Stuhl zurück und ging in dem großen, mit Wandteppichen geschmückten Raum der Burg von Newbury auf und ab.

Er schätzte seine Base in gewisser Weise durchaus und hätte ihr und dem Kind wirklich nicht den Tod gewünscht. Andererseits hatte sein Bruder unbestreitbar damit Recht, dass – falls die Geburt anders geendet hätte – sein Onkel, der König, höchstwahrscheinlich nicht mehr umhingekommen wäre, ihm als seinem Neffen die Krone anzubieten. Was die Dinge ganz entscheidend vereinfacht hätte. Matilda war nun einmal zäh, und es würde nicht einfach sein, sie zur Gegnerin zu haben. Nach dem Tod ihres Vaters würde er schnell und umsichtig reagieren müssen, um ihr die Herrschaft über England entreißen zu können.

Stephen nahm den Brief von dem Tisch und wog ihn kurz in seinen Händen. Dann trat er zu einem Bronzebecken und legte das Pergament auf die glühenden Kohlen. Er hatte sowieso vorgehabt, einige Burgen bei Boulogne, die über seine Gattin Maude in seinen Besitz gekommen waren, auf ihre Tauglichkeit zu überprüfen. Es konnte nicht schaden, auf dem Weg dorthin bei seinem Onkel und seiner Base Station zu machen, den beiden gegenüber Ergebenheit zu heucheln und sie in Sicherheit zu wiegen.

Nachdem der Brief vollständig zu Asche verbrannt war, schlenderte er in den angrenzenden Raum, wo eine blonde, üppige Schönheit in seinem Bett lag. Die junge Adelige stützte den Kopf in die Hand und sah ihn schmollend an. »Ich habe lange auf Euch warten müssen.«

»Ich verspreche Euch, Ihr werdet die Wartezeit nicht zu bereuen haben.« Stephen schlüpfte zu ihr unter die Seidendecke und begann, ihre Brüste zu liebkosen.

*

Wieder einmal sah Aline Ethan von der Seite an. Dieser blickte starr geradeaus, als seien die sommerlichen Obstwiesen, durch die sie ritten, viel interessanter als sie. Dabei hatte sie sich so auf das Zusammensein mit ihm gefreut, und sie hatte so lange darauf warten müssen, denn Matilda hatte sie in den letzten Tagen ständig um sich haben wollen. Und nun stockte andauernd das Gespräch zwischen ihnen, als hätte es jenen Moment der Nähe im Burggarten niemals gegeben.

Vielleicht wäre es besser gewesen, Ethan wäre überhaupt nicht in die Normandie gekommen, überlegte Aline wütend und traurig. Sie hielt es nicht mehr länger aus, neben ihm her zu reiten und gleichzeitig innerlich meilenweit von ihm entfernt zu sein. Heftig stieß sie ihrem Pferd die Fersen in die Flanken und galoppierte los.

»Aline!«, hörte sie Ethan rufen. Doch sie kümmerte sich nicht darum und spornte ihr Pferd nur noch mehr an. Apfelbäume und Brombeerhecken rasten an ihr vorbei. Sie fühlte den Wind auf ihren Wangen und das hohe Gras gegen ihre Beine streifen.

»Aline!«, schrie Ethan wieder. Ein Blick über die Schulter zeigte ihr, dass er zu ihr aufgeholt hatte. Nein, auf keinen Fall würde sie auf ihn warten! Sie trieb ihre Stute weiter an und setzte mit ihr über eine niedrige Wacholderhecke. Vor ihr tat sich ein Weizenfeld auf. Da sie nicht hindurchreiten wollte, lenkte sie ihr Pferd nach links.

Einige Momente lang war sie von der Sonne geblendet. Deshalb registrierte sie den Graben in der Wiese erst, als sie und die Stute sich schon direkt davor befanden. Sie verlagerte ihr Gewicht nach vorn, half dem Pferd abzuspringen, und es landete auf der anderen Seite des Grabens. Doch der Sprung war zu kurz gewesen, und die Stute knickte mit den Vorderbeinen ein. Aline wurde aus dem Sattel geschleudert. Die Welt kippte – die Grashalme befanden sich plötzlich über und der klare Himmel unter ihr. Dann wurde ihr schwarz vor Augen.

Kaltes Wasser, das ihr ins Gesicht tropfte, brachte sie wieder zu sich. Als sie die Lider öffnete, sah sie Ethan, der sich über sie beugte. Sein Gesicht war so blass, dass sich seine Sommersprossen wie dunkle Punkte von seiner Haut abhoben.

»Seid Ihr noch ganz bei Sinnen?«, fuhr er sie an. »Weshalb seid Ihr plötzlich wie eine Verrückte losgaloppiert?«

Aline wollte sich aufsetzen, doch ein heftiger Schmerz in ihrem Hinterkopf brachte sie dazu, sich wieder stöhnend ins Gras sinken zu lassen.

»Geschieht Euch ganz recht, dass Euch der Schädel brummt«, bemerkte Ethan ohne eine Spur von Mitleid. »Allem Anschein nach habt Ihr Euch nichts gebrochen. Aber dieser Sturz hätte auch ganz anders ausgehen können. Also – warum seid Ihr auf einmal losgeprescht?«

»Weil Euch die Apfelbäume mehr zu interessieren schienen als ich«, gab Aline streitlustig zurück. »Ihr habt kaum ein Wort mit mir geredet.«

»Ich habe nicht mit Euch gesprochen?!« Ethan starrte sie verblüfft an. »Ihr habt doch die ganze Zeit vor Euch hin geschwiegen.«

»Das ist nicht wahr!« Die Streitlust verdrängte Alines Kopfschmerzen. »Außerdem habt Ihr mir noch immer nicht gesagt, warum Ihr Euch Henrys Gefolge angeschlossen habt.«

»Weil ich wissen wollte, warum Ihr damals in der Halle so empfindlich reagiert habt und einfach davongerannt seid«, erwiderte er mit einem Schulterzucken, als sei dies die natürlichste Sache auf der Welt. Bissig fügte er hinzu: »Wobei ich schon sagen muss, dass das Wegrennen beziehungsweise Weggaloppieren bei Euch zur Gewohnheit zu werden droht.«

Aline ignorierte seine letzten Worte. »Wenn Ihr das so unbedingt erfahren wolltet: Warum habt Ihr mich dann nicht am nächsten Morgen danach gefragt, statt Euch doch Stephens Gefolge anzuschließen? Und warum habt Ihr ihn nicht zur Versöhnungsfeier nach Northampton begleitet?«

»Weil ich wütend auf Euch war.« Wieder zuckte Ethan die Schultern.

Sein Gleichmut brachte Aline nur noch mehr auf. »Und warum habt Ihr dann – bitteschön – Eure Meinung geändert?«, brüllte sie ihn an. »Ganz abgesehen davon, dass *ich* eigentlich allen Grund dazu hätte, auf *Euch* zornig zu sein?«

Ethan blickte zu den beiden Pferden, die in einiger Entfernung friedlich grasten. Als er sich schließlich wieder Aline zuwandte, war die gleichmütige Maske verschwunden. Er wirkte plötzlich unsicher, ja beinahe verletzlich, was Aline ein wenig besänftigte. »Ende des Winters hatte mich ein wirklich übles Fieber erwischt«, begann er zögernd zu erzählen. »Auch als es endlich abgeklungen war, musste ich noch lange das Bett hüten. Ihr kennt übrigens den Medicus, der mich wieder auf die Beine brachte. Sein Name ist Gawain.«

»Gawain!«, rief Aline überrascht. »Habt Ihr Euch denn mit Stephens Leuten in Oxford aufgehalten?«

»Nein, in Lincoln. Gawain war zufällig in der Stadt. Ich soll Euch übrigens Grüße von ihm ausrichten.«

Aline erinnerte sich daran, dass Gawain manchmal umherzog. Sie wollte gerne wissen, wie es ihm ging. Doch das musste noch warten. So einfach sollte ihr Ethan nicht davonkommen. »Ihr wart also krank«, nahm sie den Faden wieder auf.

»Ja, und ich hatte viel Zeit zum Nachdenken. Die paar Bücher, die es in der Burg gab, hatte ich bald ausgelesen.« Er grinste. »Und dabei kam ich zu dem Schluss, dass es Euch eigentlich gar nicht ähnlich sah, Euch so zickig wie an jenem Abend zu verhalten. Ihr seid manchmal barsch und kratzbürstig und streitlustig, aber eigentlich nie zickig.«

»Oh ...«, murmelte Aline.

Ethan rieb sich über die Stirn, als ob es ihm schwerfiele weiterzusprechen. »Mein Vater lehnt mich ab, aber er hat mir nie offen gesagt, warum. Ich weiß natürlich, dass er mich für den Tod meines Halbbruders Clarence verantwortlich macht, das ja. Aber er hat mich schon vor dem Unglück nicht beachtet. Und als ich in jener Kammer lag und an die Decke starrte, kam ich zu dem Schluss, dass ich es satthabe, nicht zu wissen, warum Leute, die mir wichtig sind, mich ablehnen.«

»Ich lehne Euch nicht ab«, flüsterte Aline so leise, dass sie sich nicht sicher war, ob Ethan sie überhaupt gehört hatte.

»Euch in einem Brief um Aufklärung bitten konnte ich ja nicht, da Ihr ihn nicht hättet lesen können...«

»Mittlerweile kann ich lesen und schreiben!«, fuhr Aline auf.

»Ich war wahrscheinlich ein miserabler Lehrer.« Ethan seufzte zerknirscht.

»Sagen wir es so ... Ihr wart nicht sehr geduldig.« Aline senkte den Kopf, denn Ethans Blick war plötzlich sehr durchdringend geworden.

»Ihr wisst jetzt also, warum ich mich Henry angeschlossen habe«, sagte er, »und nun möchte ich von Euch erfahren, weshalb Ihr Euch an jenem Abend so merkwürdig verhalten habt. Denn ich glaube eigentlich nicht, dass das Lesen der eigentliche Grund dafür war.«

Aline wünschte, sie hätte nicht damit begonnen, ihn auszufragen. Aber er war ihr gegenüber offen gewesen. Also schuldete sie ihm eine offene Antwort. »Mir ist damals klargeworden, wie sehr sich unsere Herkunft unterscheidet«, sagte sie gepresst.

Ethan runzelte die Stirn. »Und weshalb sollte das wichtig sein?«

»Eigentlich ist es überhaupt nicht wichtig«, antwortete Aline rasch. Wenn sie Glück hatte, verstand er nicht, was sie damit im Grunde genommen hatte ausdrücken wollen. Sie setzte sich vorsichtig auf, um neue Kopfschmerzen zu vermeiden. »Ich würde jetzt gern zur Burg zurückkehren. Meine Herrin soll nicht auf mich warten müssen.«

Ethan musterte sie immer noch. Ein Funkeln trat in seine Augen. »Aber unsere Herkunft könnte eine Rolle spielen, wenn wir … Nun ja … Ein Paar wären. Das meint Ihr doch damit, oder?«

Aline spürte, wie sich eine tiefe Röte von ihrem Hals bis in ihre Wangen ausbreitete. »Ja … Ich will sagen: Nein«, stotterte sie. »Denn wir sind ja kein Paar.«

Ethans Gesicht war ihrem jetzt ganz nahe. Unter seinen dunklen Wimpern konnte sie eine Reihe heller Härchen erkennen, die ihr noch nie zuvor aufgefallen waren. Seine Augen lachten, waren aber gleichzeitig sehr ernst. »Aber wir könnten ein Paar werden, wenn du endlich zugeben würdest, dass du dich in mich verliebt hast.«

»Das habe ich ganz und gar nicht«, protestierte Aline.

»Du lügst!«

Ihre Lippen berührten sich.

»Nein, ich lüge nicht«, murmelte sie, nur um im nächsten Moment Ethans Kuss zu erwidern.

*

Zwei Monate später ließ sich Aline außer Atem auf einem Hügel ins Gras sinken. Sie war den Hang hochgerannt – einfach, weil sie sich so glücklich und lebendig fühlte. Mit strahlenden Augen blickte sie sich um. Der Wald leuchtete in einer Vielzahl von Farbschattierungen. Tiefes Gelb, warmes Rostbraun und feuriges Rot waren mit grünen Laubsprengseln durchsetzt. Sie hatte den Herbst immer geliebt. Die klaren, trockenen Tage, an denen die Luft nach frisch geschnittenem Korn roch, und auch die nebligen, wenn die feuchte Luft alle Farben verwischte. Aber noch nie zuvor war ihr diese Jahreszeit so schön erschienen. Und das verdankte sie Ethan.

Aline lächelte. Sicher, hin und wieder stritten sie sich. Gelegentlich reichte eine hingeworfene Bemerkung aus, dass zwischen ihnen die Funken stoben. Sie wusste inzwischen, dass Ethans scheinbarer Hochmut oft nur Selbstschutz war. Trotzdem machte er sie manchmal wahnsinnig, und wahrscheinlich würden sie sich immer aneinander reiben. Dennoch hatte sie sich noch nie einem anderen Menschen so nahe gefühlt.

Die Liebe kann also auch schön sein, dachte sie, während sie die Grashalme betrachtete, die über ihr in den Himmel ragten. *Sie muss nicht quälen und verletzen wie die zwischen meiner Herrin und Robert of Gloucester.*

Wann immer es ihnen möglich gewesen war, hatten Ethan und sie sich von ihren Pflichten davongestohlen, um zusammen zu sein. Schade war nur, dass Stephen vor gut anderthalb Monaten in der Normandie eingetroffen war. Ethan hatte sich ihm wieder anschließen müssen. Aber wenigstens hatte er sich in einer Burg niedergelassen, die nur wenige Meilen von Alençon entfernt war, wo Matilda und ihr Vater immer noch wohnten. Und Stephen weilte häufig am Hof von Base und Onkel.

Ende der Woche würde Matilda wieder ein Festmahl veranstalten, zu dem selbstverständlich auch ihr Vetter erscheinen würde. *Hoffentlich*, überlegte Aline und fuhr mit einem

Finger einen der Halme entlang, *werde ich Ethan noch vorher sehen.* Acht Tage war es nun her, dass sie sich das letzte Mal getroffen hatten – was ihr vorkam wie eine Ewigkeit. Kurz danach hatte Matilda beschlossen, einen Jagdausflug zu unternehmen, und natürlich verlangt, dass Aline sie begleitete. Aber heute würden sie den letzten Tag in den ausgedehnten Waldgebieten um Périers verbringen. Morgen beabsichtigte Matilda, den Rückweg nach Alençon anzutreten.

Ein Rascheln riss Aline aus ihren Träumereien. Eine Amsel hüpfte auf der Suche nach Futter im Gras herum. Sie registrierte, dass die Schatten länger geworden waren und sprang hastig auf. Unbedingt musste sie noch vor ihrer Herrin in dem Jagdlager eintreffen! Schließlich hatte Matilda sie in der letzten Zeit schon einige Male gescholten, wenn sie sich nach einem Treffen mit Ethan verspätet hatte.

Tatsächlich kam Aline nur kurz vor Matilda in dem Lager an, wo bereits ein großes Feuer brannte. Sie hatte eben in dem Zelt ihrer Herrin nach dem Rechten gesehen, als sie Hufschläge hörte, die die Jagdgesellschaft ankündigten.

Matilda wirkte heiter und gelöst. »Du kannst noch mehr Scheite in die Flammen legen«, rief sie dem Knecht zu, der das Feuer bewachte. »Wir hatten eine wirklich gute Jagd.«

Zwei Jäger führten nun Pferde zwischen den Zelten hindurch, die aus Zweigen geflochtene Tragen hinter sich herzogen. Darauf lag jeweils ein Hirsch. Aline fühlte Bedauern, als sie die toten, schönen Tiere mit ihren prächtigen Geweihen sah.

Matilda ließ sich von ihr aus dem Sattel helfen und lächelte sie an. »Einen der Hirsche habe ich geschossen, und wahrscheinlich hätte ich noch einen weiteren erlegt, wenn nicht Sir Simon plötzlich gehustet hätte.«

»Nun, Madam ...« Der Ritter errötete.

»Versucht ja nicht, es abzustreiten.« Matilda berührte ihn mit dem Stiel ihrer Reitpeitsche an der Schulter. »Das Tier stand nur zwanzig Schritt von mir entfernt auf der Lichtung. Mein Bogen war gespannt, und der Pfeil lag an der Sehne. Aber wie auch immer ... Das Wetter scheint gut zu bleiben. Deshalb habe ich beschlossen, noch ein paar Tage länger zu jagen. Morgen werden wir in Richtung Süden reiten. Dort soll es viel Wild geben.«

»Aber Madam ...«, brach es aus Aline heraus.

»Was ist?« Matilda wandte sich ihr mit gerunzelter Stirn zu.

»Nichts ...«, stammelte Aline. »Verzeiht ...«

»Falls du dir Gedanken über die Zahl meiner frischen Hemden machen solltest – ich habe keine Schwierigkeiten damit, ein und dasselbe auch einmal mehrere Tage hintereinander zu tragen. Und nun steh nicht herum. Ich bin durstig und kann einen Schluck Wein vertragen.«

»Gewiss, Madam.« Aline neigte den Kopf.

Während sie Matilda in das Zelt folgte, dachte sie, dass sich ihr Wiedersehen mit Ethan ja nur um kurze Zeit hinauszögerte. Trotzdem hatte der Tag plötzlich sein Strahlen für sie verloren, und sie wurde das Gefühl nicht los, dass sich ein Unglück anbahnte.

*

Was Aline nicht wusste: Auch wenn ihre Herrin, wie ursprünglich geplant, nach Alençon zurückgekehrt wäre, hätte sie Ethan dort vorerst nicht angetroffen. Denn am Tag, nachdem Matilda zur Jagd aufgebrochen war, hatte Stephen eine Einladung des Erzbischofs Hugo d'Amiens angenommen und war mit seinem Gefolge nach Rouen geritten.

Einige Stunden ehe sich Matilda entschied, ihren Jagdausflug auszudehnen, saß Stephen in einem von der Herbstsonne durchfluteten Zimmer mit seinem Bruder Henry beim Schach. Mit einem leisen Lachen schlug er gerade einen von dessen Springern, als ein Diener meldete, ein Bote wünsche ihn dringend zu sprechen. Er bringe wichtige Nachrichten vom Hof des Königs. Stephen befahl, den Mann sofort zu ihm zu führen.

»Hoheit.« Der bullige Kahlköpfige, der sich kurz darauf vor ihm verbeugte, war einer jener Männer aus dem Gefolge seines Onkels, die Stephen dafür bezahlte, dass sie ihm vertrauliche Informationen lieferten. Er bemerkte, dass der Mann aufgewühlt wirkte. Und das zu Recht, wie dessen nächste Worte bestätigten. »Euer Onkel wurde vor zwei Tagen am Abend vom Schlag getroffen. Ich konnte ein Gespräch zwischen seinem Medicus und einem seiner Schreiber belauschen. Der Medicus glaubt, dass es sehr schlecht um den König steht.«

Stephen drehte die Schachfigur zwischen seinen Fingern und tauschte einen Blick mit seinem Bruder. »Der Medicus nimmt also an, der König könnte bald sterben?«, fragte er dann ruhig.

»Ja, das befürchtet er.« Der Bote neigte zustimmend den Kopf.

»Wie nimmt meine Base dies auf?«

»Sie befindet sich immer noch auf der Jagd. Es wurden bereits Boten nach ihr ausgeschickt. Aber niemand weiß, wo und wann sie die Tochter des Königs endlich aufspüren werden.«

Stephen nickte dem Mann zu. »Es ist gut. Du kannst gehen. Und lass dir in der Küche einen Becher Wein geben.«

Nachdem der Bote die Tür hinter sich geschlossen hatte, beugte sich Henry aufgeregt vor. »Was wirst du jetzt tun?«

Stephen musterte das Schachbrett mit zusammengekniffenen Augen. »Tja, ich würde sagen, ich kann zwischen zwei Möglichkeiten wählen: Ich kann alles auf eine Karte setzen, sofort nach England aufbrechen und mich in Winchester zum König krönen lassen. Oder ich kann hierbleiben und abwarten, wie sich die Gesundheit unseres werten Onkels entwickelt.«

»Wenn unser Onkel wirklich stirbt, wird dir die Tatsache einer vollzogenen Krönung einen entscheidenden Vorteil gegenüber Matilda verschaffen. Egal, was die Fürsten und Lords ihr in Oxford geschworen haben – viele wollen lieber dich als eine Frau zum Herrscher haben.« Henry wiegte nachdenklich den Kopf. »Falls unser Onkel allerdings gesunden sollte, werden sich die meisten Adeligen umgehend auf seine Seite schlagen und dich als Eidbrüchigen ächten. Es ist eine riskante Wahl.«

Stephen besann sich einige Momente, dann warf er den Springer auf das Schachbrett, sodass die Figuren durcheinanderpurzelten, und erhob sich. »Es ist an der Zeit, ein neues Spiel zu beginnen«, erklärte er ruhig.

*

Bei einem von Stephens Dolchen hatte sich ein Edelstein am Griff gelockert, und die Waffe war deshalb zur Reparatur gegeben worden. Nun hatte Ethan sie wieder bei dem Silberschmied abgeholt. Als er durch das Tor des Bischofspalastes ritt, sah er verwundert, dass der vordere Hof voller Gepäckwagen stand. Dazwischen eilten Knappen und Knechte umher, die Truhen und Körbe aus den Gebäuden schleppten und auf die Gefährte luden. Sein Herz machte einen Sprung. Hatte sich Stephen etwa dafür entschieden, früher als geplant in die Gegend von Alençon zurückzukehren? Bei einem der Wagen entdeckte er Nicolas. Rasch lenkte er sein Pferd zu ihm, stieg ab und warf die Zügel einem Knecht zu, dem er befahl, den Braunen zu den Stallungen zu führen.

»Reiten wir etwa morgen wieder nach Alençon?«, fragte Ethan dann hoffnungsvoll, während er dem Freund half, einen großen, viereckigen Korb auf ein Gefährt zu wuchten.

Nicolas schüttelte den Kopf. »Nein, unser Herr beabsichtigt, eine viel weitere Reise zu unternehmen. Wir werden nach England segeln.«

»Warum das denn so plötzlich?«, stieß Ethan entsetzt hervor und blieb wie angewurzelt stehen. Wie der ganze Haushalt war auch er selbstverständlich davon ausgegangen, dass sein Herr Herbst und Winter in der Normandie verbringen würde.

»Ach, soviel ich weiß, sind Grenzstreitigkeiten mit irgendeinem von seinen Nachbarn der Grund.« Nicolas zuckte die Schultern. Dann bemerkte er, wie niedergeschlagen Ethan war. Aufmunternd berührte er ihn am Arm. »Stephen wird diesen Zwist sicher schnell bereinigen. Vielleicht kehrt er ja noch in diesem Jahr wieder in die Normandie zurück. Oder Matilda zieht mit ihrem Hof für eine Weile nach England. Bestimmt wirst du deine Aline bald wiedersehen.«

»Du hast gut reden«, entgegnete Ethan düster. »Einige Monate werden bis dahin sicher vergehen.«

»Selbst schuld.« Nicolas grinste und boxte ihn in die Seite. »Warum musstest du dich auch ausgerechnet in eine von Matildas Mägden verlieben? Du hättest das alles viel einfacher haben können, wenn du dich in eine von Maudes Dienerinnen verguckt hättest.« Nicolas lachte.

»He, ihr beiden.« Andrew tauchte hinter ihnen auf und bedachte sie mit einem gereizten Blick. »Könntet Ihr Euren kleinen Plausch gefälligst verschieben und endlich wieder mit anpacken? Kaum ein Viertel der Wagen ist beladen, und Stephen will morgen in aller Frühe aufbrechen.«

»Schon gut …« Nicolas hob besänftigend die Hände. »Wir beeilen uns ja schon.«

Ethans Pflichten hielten ihn für den Rest des Tages völlig in Atem. Erst spät am Abend hatte er wieder Zeit, an Aline zu denken. Wie häufig, wenn er durcheinander oder traurig war, zog er sich in den Pferdestall zurück, denn die Gegenwart der Tiere tröstete und beruhigte ihn. Er streichelte seinen Braunen und kontrollierte im letzten Tageslicht das Futter in der Raufe. Dann hockte er sich neben dem Tier ins Stroh.

Wahrscheinlich hatte Nicolas Recht, überlegte er, und er würde gar nicht so lange von Aline getrennt sein. Trotzdem wusste er, dass er sie schrecklich vermissen würde. Sie zu sehen, mit ihr über Ernsthaftes und Belangloses zu schwatzen, sie zu necken und zum Lachen zu bringen und sich über sie zu ärgern, das alles hatte ihm schon während der letzten Woche schmerzlich gefehlt.

So lange er zurückdenken konnte, war er sich immer als Außenseiter vorgekommen. Sicher, Nicolas war ein guter Freund, dem er unbedingt vertraute. Aber bei Aline hatte er das Gefühl, dass sie ihn wirklich verstand und ihn mit all seinen Schwächen akzeptierte – obwohl sie ihm nicht selten deutlich die Meinung sagte.

Ethan lauschte dem leisen, mahlenden Geräusch, mit dem sein Pferd einige Haferkörner zwischen den Zähnen zerrieb. In spätestens zwei Jahren würde er zum Ritter geschlagen werden. Vielleicht würde Stephen sich bereiterklären, ihm ein kleines Gut zum Lehen zu geben. Dann könnten er und Aline heiraten – vorausgesetzt, Matilda war bereit, sie aus ihrem Dienst zu entlassen.

Mit einem Knarren schwang die Stalltür auf, und das Licht einer Laterne huschte über den Gang und die Bretterwände der Pferche. Ethan stand auf. Es war Zeit, dass er in die Halle ging und sich dort schlafen legte. Doch Hugo de Thorignys Stimme und die seiner beiden Freunde Bernard und Arnold veranlasste ihn, sich wieder in das Stroh zu hocken. Er war nicht in der Laune, sich mit dem eitlen Kerl und seinen dummen Kumpanen zu streiten.

Die drei Knappen hatten ihn nicht entdeckt und betraten einen Pferch ganz in seiner Nähe. Ethan erinnerte sich daran, dass dort Hugos Pferd stand. Ein Vorderlauf des Tiers sollte entzündet sein.

Der junge Hengst schnaubte, und Hugo murmelte einige Worte, um ihn zu beruhigen. Ethan stellte sich vor, wie er sich hinkniete und das Bein untersuchte.

»Und, wie steht es?«, hörte er Bernard fragen.

»Die Entzündung ist abgeklungen.« Hugos Stimme klang erleichtert. »Er wird die langen Ritte während der nächsten Tage durchstehen, ohne Schaden zu nehmen.«

»Grenzstreitigkeiten …«, bemerkte nun Arnold. »Ob sich Lord Baratier wieder einmal mit Stephen angelegt hat? Er müsste doch allmählich wissen, dass er von unserem Herrn gehörig eins auf seine fette Nase kriegen wird.«

Einige Momente herrschte Stille, und Ethan dachte, die drei würden den Stall verlassen. Doch stattdessen ertönte ein schabendes Geräusch, als lehnte sich jemand gegen die Pferchwand.

»Nun, Grenzstreitigkeiten sind nicht der wahre Grund für Stephens eiligen Aufbruch«, ergriff Hugo gedehnt das

Wort. »Euch kann ich es ja anvertrauen ... Von meinem Vater habe ich erfahren, dass der König schwer krank ist. Höchstwahrscheinlich wird er nicht mehr lange leben.«

»Das heißt ...«, stammelte Bernard ungläubig und schnappte nach Luft, »... Stephen will versuchen, seiner Base zuvorzukommen und die Herrschaft an sich zu reißen?«

»Ja, ganz genau«, erwiderte Hugo kühl. »Wobei allerdings keine Rede davon sein kann, dass unser Herr etwas Unrechtmäßiges tut. Über seine Mutter besitzt Stephen schließlich einen ebenso starken Anspruch auf die Krone wie Matilda.«

Aber er hat ihr und ihrem Vater die Treue geschworen, dachte Ethan benommen.

Arnold und Bernard brachen in anerkennendes Gelächter aus. »Aber das muss natürlich vorerst unter uns bleiben«, war wieder Hugo zu hören. Er und seine beiden Freunde verließen den Pferch. »Zumindest, bis wir an der englischen Küste gelandet sind.«

»Wird seine Base denn nicht von seinem Aufbruch erfahren und daraus ihre Schlüsse ziehen?«, ertönte Arnolds kieksende Stimme, während sich die drei Knappen entfernten.

»Zuerst einmal muss sie überhaupt von der Krankheit ihres Vaters erfahren. Und für das Übrige hat unser Herr vorgesorgt.« Ihre Stimmen verhallten hinter der zufallenden Stalltür.

Ethan krallte seine Hände in das Stroh. Erst jetzt begriff er die ganze Tragweite dessen, was er eben belauscht hatte. Bei dem Kampf um die Macht konnten einige wenige Tage entscheidend sein. Während seiner Jahre am Hof hatte er genug über Intrigen und Ränkespiele gelernt, um zu wissen, dass einmal geschaffene Tatsachen nur noch schwer rückgängig zu machen waren. Wer von den beiden – ob Matilda oder Stephen – zuerst gekrönt werden würde, würde einen großen Vorteil besitzen.

Sollte er versuchen, Matilda über Aline eine Warnung zukommen zu lassen, damit sie sich so bald wie möglich nach England einschiffte? Aline hing sehr an ihrer Herrin, und sie würde es ihm niemals verzeihen, wenn sie erfuhr, dass er von Stephens Betrug gewusst und nichts dagegen unternommen hatte.

Andererseits … Stephen war sein Herr. Er hatte ihm die Treue geschworen, und Stephen hatte ihn – anders als sein leiblicher Vater – immer freundlich und großzügig behandelt. Nicht jeder mächtige Fürst wäre ohne Weiteres bereit gewesen, den Bastard eines Lords zu seinem Knappen zu machen. Stephen handelte vielleicht nicht sehr ehrenhaft. Aber er befand sich dabei durchaus im Einklang mit der höfischen Welt, die Täuschung und List im Streit um die Macht tolerierte.

Ethan fühlte etwas Weiches, Feuchtes an seinem Gesicht. Sein Pferd stupste ihn mit dem Maul an, als würde es seinen inneren Zwiespalt spüren. Geistesabwesend begann er, die Flanke des Tiers zu streicheln. Was sollte er nur tun?

*

Dünne Rauchfäden stiegen von dem Kohlebecken neben dem Lager des Königs auf. Sie kratzten Aline im Hals. Seit Stunden war das Gemach nicht mehr gelüftet worden, denn der Schwerkranke fror ständig, und das sonnige Herbstwetter war mittlerweile in eine feuchte Kälte umgeschlagen. Schon auf dem Rückweg von der Jagd hatte die Kühle eingesetzt. Die Boten des königlichen Haushaltes hatten

Matilda erst vier Tage, nachdem der Schlag ihren Vater ereilt hatte, aufgespürt. Mehr als doppelt so viel Zeit war nun seit dem Unglück vergangen.

Müde blickte Aline zu dem Bett, auf dem der König lag. Unter der Seidendecke wirkte Henrys Körper sehr zerbrechlich. Nichts mehr erinnerte an den kraftvollen, einschüchternden Mann, der er einmal gewesen war.

Matilda hatte Aline befohlen, mit ihr bei ihrem Vater zu wachen und ihn zu pflegen. Walther war gleich nach der Geburt von Matildas Sohn entlassen worden, aber auch Henrys derzeitigem Medicus vertraute Aline nicht wirklich. Doch mehr, als dem König Mittel zu verabreichen, die ihm das Atmen erleichterten, oder dafür zu sorgen, dass er sich nicht wundlag, konnte sie für den Kranken nicht tun. Es war unverkennbar, dass der alte König an der Schwelle des Grabes stand.

»Stephen ...«, murmelte Henry und bewegte sich mühsam.

»Ich habe es Euch doch schon einige Male erklärt«, Matilda beugte sich zu ihm, »er leidet an einem heftigen Fieber und kann deshalb den langen Ritt bei diesem schlechten Wetter nicht auf sich nehmen. Sobald es ihm besser geht, wird er Euch umgehend aufsuchen.« Während der letzten beiden Tage hatte sie das Gemach kaum verlassen, und ihr Gesicht war von Erschöpfung gezeichnet. Was jedoch nicht bedeutete, dass sie sich gegenüber ihrem Vater besonders herzlich verhalten hätte.

»Du und Robert ... Ich weiß, dass es mit mir zu Ende geht. Sag mir die Wahrheit!«

In Matildas Antlitz zuckte ein Muskel. Dann wurde ihre Miene wieder starr. »Ich habe meinen Schwur gehalten. Zwischen uns ist nichts mehr«, sagte sie mit spröder Stimme. »Ihr sollt jedoch auch wissen: Nach Eurem Tod hätte ich mich nicht mehr an diesen Schwur gebunden gefühlt.«

»Du ...« Henry machte eine Bewegung, als wollte er sich aufrichten.

Doch Matilda winkte ab. »Macht Euch keine Sorgen. Robert hat sich dafür entschieden, unsere Beziehung ein für alle Mal zu beenden. Ihr kennt ihn ebenso gut wie ich – er bleibt bei einem einmal getroffenen Entschluss.«

Der König stieß hörbar den Atem aus. Es klang wie ein erleichterter Seufzer.

»Ja, Robert ist genau wie Ihr zu der Ansicht gelangt, dass unser Verhältnis gegen die Natur ist.« Matildas Augen hatten einen harten Glanz. »Ich allerdings bin ganz und gar nicht seiner Meinung. Er ist der einzige Mann – ja, der einzige Mensch –, mit dem ich jemals wirklich glücklich war, und ich werde es Euch über Euren Tod hinaus niemals verzeihen, dass Ihr mir dieses Glück zerstört habt.«

»Du verkommenes Ding! Mögest du für immer in der Hölle schmoren«, kam es brabbelnd über Henrys Lippen.

»Oh, ich schätze, die Aussichten, dass wir uns dort treffen, stehen nicht schlecht«, versetzte Matilda kühl. »Mögt Ihr den Priester auch noch so sehr um Vergebung für all Eure Sünden angefleht haben.«

Besorgt beobachtete Aline, dass der König die Hand hob, als ob er seine Tochter schlagen wollte. Matildas Miene war unergründlich. »Wisst Ihr eigentlich, dass Robert den Mann getötet hat, der Euch unser Verhältnis verraten hat?«

Henry stieß ein keuchendes Stöhnen aus. Sein Kopf hob sich wie in einem Krampf von den Kissen, und seine Augäpfel verdrehten sich.

»Mädchen, schnell!«, rief Matilda. Aline war schon aufgesprungen und hatte den Becher mit der nach Mohn riechenden Flüssigkeit ergriffen. Während Matilda ihren Vater stützte, gelang es ihr, ihm das Mittel einzuflößen.

Allmählich wurde der Atem des Königs ruhiger. Die Lider fielen ihm zu. Kurz darauf war er eingeschlafen. Sein Schlaf war jedoch nicht friedlich, denn hin und wieder stöhnte er, und seine Hände zuckten.

Aline zündete die Kerzen auf einem dreiarmigen vergoldeten Leuchter an, denn der Tag war bewölkt, und die Dunkelheit setzte früh ein. Ein leichter Regen fiel und schlug gegen die Scheiben. Matilda saß reglos in ihrem Lehnstuhl. Nach einer Weile erschien ein Diener ihres Gatten und erklärte, der Graf von Anjou lasse fragen, wie es seinem Schwiegervater gehe.

»Sein Befinden ist unverändert«, beschied ihm Matilda knapp. Auf die Nachricht vom Schlaganfall des Königs war Geoffrey umgehend nach Alençon gekommen. Doch Matilda legte auf seinen Beistand keinen Wert.

Wie es Ethan wohl geht?, fragte sich Aline, die in ihrem Zimmerwinkel gegen die Müdigkeit ankämpfte. Ob er sich ebenso nach ihr sehnte wie sie sich nach ihm? Die vergangenen Tage in dem Krankenzimmer waren bedrückend gewesen, und sie hatte sich häufig gewünscht, Stephen wäre nicht erkrankt, sondern hätte den Sterbenden aufgesucht. Ethan wäre bestimmt in seinem Gefolge gewesen.

Irgendwann – Aline schätzte, es war inzwischen nach Mitternacht – stieß der König wieder ein Stöhnen aus und bewegte die Lippen.

»Was wollt Ihr mir sagen?« Matilda kniete sich neben das Bett und neigte ihm ihr Ohr zu.

»Lass mich allein sterben … Brich sofort nach England auf«, glaubte Aline zu verstehen.

»Nein, ich bleibe bei Euch.« In einer ungewohnt zärtlichen Geste strich Matilda ihrem Vater über die Wange.

»Die Krone ...« Henrys eingefallenes Gesicht verzerrte sich. Wieder flößte ihm Aline mit Matildas Hilfe den Trank ein.

»Ich hoffe, dass er nicht mehr lange leiden muss«, hörte sie ihre Herrin leise sagen, während sie ihn auf die Kissen gleiten ließen.

»Nein, Madam, es wird nicht mehr lange dauern«, flüsterte sie.

Noch zweimal innerhalb der nächsten Stunden verabreichten sie ihm den Trank. Irgendwann war Aline so müde, dass sie einschlief.

Als sie erwachte, füllte das graue Licht der frühen Morgendämmerung das Zimmer. Benommen sah sie, dass Matilda erneut neben dem Bett ihres Vaters kniete. Nun beugte sie sich vor, schloss ihm die Lider und küsste ihn auf die Stirn. Aline begriff.

Einige Male schluchzte ihre Herrin trocken auf. Doch als sie sich Aline zuwandte, hatte sie sich – bis auf ein leichtes Zittern in ihrer Stimme – schon wieder gefasst. »Mädchen, geh zu meinem Gatten, und teile ihm mit, dass mein Vater gestorben ist. Außerdem sagst du Geoffrey, dass ich ihn umgehend zu sehen wünsche.«

*

Ein heftiger Sturm peitschte über das Land. Der Regen hatte aufgehört, gelegentlich kam sogar die Sonne zwischen den jagenden Wolken hervor. Aber der eisige Wind biss Aline ins Gesicht, und trotz der Reithandschuhe waren ihre Finger vom stundenlangen Halten der Zügel ganz steif. Seit dem Tod des Königs wurde ihre Herrin von einer merkwürdigen Unruhe beherrscht. Gnadenlos trieb sie ihren Tross vorwärts, als könnte sie die normannische Küste nicht schnell genug erreichen. So waren sie auch heute bei Morgenanbruch losgeritten. Inzwischen war es Nachmittag geworden. Doch noch immer hatte Matilda sich und ihren Leuten keine Rast gegönnt.

Wahrscheinlich wird meine Herrin noch in diesem Jahr zur Königin gekrönt werden, ging es Aline durch den Kopf, während sie einen Hügel hinauftrabten, der durch einen bunten Laubwald führte. Als Tochter einfacher Bauern geboren, zur Leibeigenen gemacht und nun bald die Dienerin einer Königin … Vor wenigen Jahren hätte sie niemals damit gerechnet, dass das Leben einmal so etwas für sie bereithalten würde.

Ein Bild stahl sich in ihren Kopf: Sie sah sich mit Ethan einen Bauernhof bewirtschaften. *Er hätte mir ruhig aus Rouen einige Zeilen schreiben können*, überlegte sie. *Schließlich weiß er ja, dass ich jetzt lesen kann.* Aber wahrscheinlich war ihm einfach etwas dazwischengekommen, versuchte sie, sich zu beruhigen. Irgendein Auftrag, den ihm Stephen erteilt hatte.

Sie hatten den Wald nun hinter sich gelassen. Der Weg verlief zwischen kahlen Feldern und abgemähten Wiesen über eine Hochebene. Die Weißdorn- und Brombeersträucher, die da und dort am Rand eines Ackers wuchsen, boten keinerlei Schutz vor dem Wind. Aline verkroch sich tiefer in ihren Mantel und versuchte vergebens, die Kälte zu ignorieren. Nach einer, wie ihr schien, endlos langen Weile, kamen sie an einer Buchengruppe vorbei. Dahinter befand sich ein kleines, strohgedecktes Bauernhaus. Einige verblühte Sonnenblumen wuchsen hinter einem aus Weidenzweigen geflochtenen Zaun.

Matilda wandte sich zu Sir Simon um. »Wir werden hier eine kurze Rast einlegen. Sagt den Bauersleuten Bescheid.«

»Sehr gerne, Madam«, antwortete der Ritter inbrünstig. Auch er wirkte völlig durchgefroren.

Während sich die Wagen und Karren um das ärmliche Anwesen gruppierten – darunter das mit schwarzem Samt verhängte Gefährt, auf dem der Sarg des Königs transportiert wurde – holte Aline Wein sowie Brot und Fleisch für ihre Herrin.

Als sie dann mit Matilda zu dem niedrigen Haus ging, standen die Bauersleute und ihre drei Kinder schon zwischen Kohl- und Rübenbeeten in dem Garten. Staunend und schüchtern betrachteten sie das Getriebe ringsum und verneigten sich tief vor der fremden, vornehmen Dame. Huldvoll erwiderte Matilda ihren Gruß. »Sieh zu, dass die Leute für die Umstände, die wir ihnen machen, ein Entgelt bekommen«, wandte sie sich an Aline.

»Gewiss, Madam.« Sie nickte und lächelte den beiden kleinen Jungen und dem etwas älteren Mädchen zu. Wahrscheinlich würden sie noch ihren Enkeln von diesem Ereignis erzählen.

Das Innere des Hauses bestand aus einem einzigen, dämmrigen Raum. Aline fühlte sich schmerzlich an ihr verlorenes Heim erinnert: Wie dort nahm ein großes Bett, in dem die ganze Familie schlief, eine der Zimmerecken ein. Zwiebeln und Knoblauch hingen von den Deckenbalken herab. In der Nähe der rußgeschwärzten Feuerstelle befanden sich ein grober Tisch und zwei Bänke. Nur eine Wiege wie die, in der ihr Bruder Haimo geschlafen hatte, fehlte.

Sie bemühte sich, die traurigen Gedanken abzuschütteln. Rasch entfachte sie ein Feuer, entzündete daran eine der Kerzen, die ein Diener mittlerweile gebracht hatte, und gab

Wein sowie einige Gewürze in einen Bronzetopf, den sie an den Rand der Flammen schob. Nachdem der Wein erwärmt war, rührte sie noch etwas Honig hinein und servierte ihn zusammen mit dem Brot und dem Fleisch ihrer Herrin.

Matilda hatte an dem Würzwein genippt und ein wenig von dem Weißbrot gegessen, als draußen Hufgetrappel und laute Rufe zu hören waren – ein neuer Reitertrupp schien angekommen zu sein.

»Was hat das denn zu bedeuten?« Stirnrunzelnd sah Matilda Aline an. »Geh hinaus, und erkundige dich!«

Doch noch ehe Aline die Tür erreicht hatte, bückte sich Geoffrey von Anjou unter dem niedrigen Türsturz hindurch. Der Blick, mit dem Matilda ihren Gatten bedachte, war alles andere als erfreut. »Warum seid Ihr mir nachgeritten?«, fuhr sie ihn an. »Wir hatten doch ausgemacht, dass Ihr vorerst in der Normandie bleiben würdet.«

»Meine Teuerste ...« Der Graf küsste ihre Hand, die sie ihm unwillig reichte und gleich wieder entzog. Seine Miene hatte einen eigentümlichen Ausdruck, den Aline nicht recht deuten konnte. »Leider muss ich Euch eine sehr schlechte Nachricht überbringen.«

»Unser Sohn ...?«, schrie Matilda erschrocken auf. Sie hatte das Kind in der Obhut seiner Amme bei ihrem Gatten zurückgelassen.

»Mit dem Jungen ist alles in Ordnung.« Geoffrey schüttelte den Kopf. »Nein, ich bin Euch gefolgt, da ich erfahren habe, dass Euer Vetter Stephen vor zehn Tagen Rouen verlassen hat und mit seinem Tross zum Hafen von Barfleur geritten ist.« Nach einer kurzen Pause fügte er hinzu: »Genau genommen ist er am Tag, nachdem er von dem Schlaganfall Eures Vaters erfahren hatte, aufgebrochen.«

»Das kann nicht sein!« Matilda starrte den Grafen an.

»Stephen war krank. Deshalb ist er nicht am Sterbebett meines Vaters erschienen.«

»Oh, das mit dem Fieber war nur eine List.« Geoffrey vollführte eine wegwerfende Handbewegung. »Euer lieber Vetter hat uns alle übertölpelt. Wahrscheinlich ist er mittlerweile schon längst sicher in England gelandet und befindet sich auf dem Weg nach Winchester, um sich dort krönen zu lassen.«

»Die Fürsten und Lords haben mir die Treue geschworen. Sie werden seinen Betrug nicht dulden«, stammelte Matilda.

»Meine Liebe, Ihr leidet doch sonst nicht an Realitätsferne.« Der Graf hob die Augenbrauen. »Wer als Erster mutig nach der Macht greift, dem fällt sie in der Regel auch zu. Außerdem hat Stephen Euch einen entscheidenden Vorteil voraus: Er ist ein Mann. Und Männer dienen nun einmal lieber anderen Männern als Frauen. Euch bleibt nur eine Möglichkeit, um ihm die Herrschaft zu entreißen. Wobei Euch Stephen leider nicht nur im Kampf um die Krone übertölpelt hat …«, Geoffrey machte eine wirkungsvolle Pause, »… er hat auch Eure Schiffe und die Eures Vaters, die im Hafen von Barfleur lagen, gekapert.«

Matilda straffte sich. »Dieser Bastard«, murmelte sie. »Wahrscheinlich war das die Idee seines Bruders Henry.«

»Eine derartige Finte traue ich auch eher dem Bischof als Stephen zu.« Der Graf nickte. »Wie auch immer: Ihr müsst so schnell wie möglich nach England übersetzen und versuchen zu retten, was zu retten ist. Vielleicht wird Eure Anwesenheit ja einige mächtige Adelige dazu veranlassen, doch Euch statt Euren Vetter zu unterstützen. Zwei Hundertschaften an Bewaffneten habe ich mitgebracht. Ihr könnt über sie verfügen, wie Ihr wollt.«

»Ich danke Euch.« Matildas Verzweiflung war einem kalten Zorn gewichen.

Fassungslos hatte Aline dem Gespräch gelauscht. Nun durchfuhr es sie: Ethan musste von all dem gewusst haben, und er hatte nichts unternommen, um sie und ihre Herrin zu warnen. Wie hatte er ihr das nur antun können? Tränen der Enttäuschung stiegen ihr in die Augen, während Matilda und Geoffrey ihr weiteres Vorgehen berieten.

*

Während der nächsten Tage verschlechterte sich das Wetter noch mehr. Als Matilda und ihr Tross den Hafen von Barfleur erreichten, klatschten hohe Wellen gegen die Kaimauer, und Gischt sprühte durch die Luft. In das Tosen der Brandung mischte sich das Kreischen einiger Möwen, die hilflos unter der tiefen Wolkendecke flatterten und von den Böen landeinwärts getrieben wurden.

Aline zog ihren Mantel eng um sich, da sie fürchtete, der Wind könnte ihn ihr sonst vom Leib reißen. Die Herbststürme hatten mit aller Macht eingesetzt. Alle Fischerboote waren an Land gebracht worden. Die großen Schiffe krachten gegen die Sandsäcke, die zu ihrem Schutz an der Kaimauer hingen. Die Ankerplätze der königlichen Flotte waren leer.

Matilda stand reglos am Pier und blickte auf das brodelnde Wasser hinaus. Ihre Kapuze und ihr Schleier waren ihr in den Nacken gerutscht, und das Haar hing ihr in wirren, nassen Strähnen ums Gesicht. Wieder ging ein Regenguss nieder. Matilda schien ihn überhaupt nicht wahrzunehmen.

»Herrin«, Aline trat zu ihr, »bitte, lasst uns zur Burg reiten. Ihr holt Euch in diesem kalten Wind sonst noch den Tod.«

Matilda beachtete sie nicht, sondern winkte Sir Simon zu sich. »Mietet mir Schiffe«, sagte sie mit harter Stimme. »Ich will den Kanal so bald wie möglich überqueren und zahle jede Summe.«

»Madam«, Sir Simon wiegte unglücklich den Kopf, »ich fürchte, Ihr werdet mehrere Wochen warten müssen, bis der Kanal wieder passierbar ist.«

»Mein Großvater hat bei ebenso schlechtem Wetter die Überfahrt gewagt und ist mit seinem Heer heil an der englischen Küste gelandet.« Matilda strahlte wie in all den vergangenen Tagen, seit sie von Stephens Verrat erfahren hatte, eine kalte Entschlossenheit aus. »Auch mir wird dies gelingen.« Ohne ein weiteres Wort zu verlieren, schwang sie sich in den Sattel.

Auch als sie in der Burg angekommen waren, sprach sie nur das Notwendigste mit Aline. Nachdem sie ein Bad genommen und etwas gegessen hatte, saß sie in einem Lehnstuhl vor dem Feuer und schien auf das Tosen des Sturms zu lauschen. Aline hatte sich in einen Zimmerwinkel zurückgezogen und versuchte, sich im blakenden Licht der Kerzen auf eine Näharbeit zu konzentrieren.

Spät am Abend kündigte ein Diener Sir Simon an. Überrascht sah Aline, dass er einen blonden Mann Ende dreißig bei sich hatte, dessen Wollmantel völlig durchnässt war und der einen abgekämpften Eindruck machte. Aline nahm an, dass es sich bei dem Blonden um einen Schiffer handelte, doch nachdem Sir Simon sich vor Matilda verneigt hatte, sagte er: »Hoheit, dies ist ein Bote Eures Gatten. Ich habe ihn auf dem Weg zur Burg getroffen.«

Matilda musterte den Blonden kurz. »Ich vermute, Ihr bringt mir keine guten Nachrichten«, sagte sie schließlich trocken.

»Nein, Hoheit, so sehr ich dies auch bedaure.« Der Bote verneigte sich ebenfalls. »Euer Gatte lässt Euch ausrichten, dass sich einige Eurer normannischen Vasallen gegen Euch erhoben haben. Ihre Namen und alles Weitere findet Ihr in diesem Brief.« Er überreichte ihr ein mit dem Siegel des Grafen versehenes Pergament. Matilda ließ es in ihren Schoß sinken.

»Wie steht es mit den Schiffen?«, wandte sie sich dann mit rauer Stimme an Sir Simon.

»Zwei Kapitäne sind bereit, nach England überzusetzen«, erklärte er unbehaglich. »Aber ihre Kähne sind nicht sehr groß. Sie bieten höchstens Platz für je fünfzig Mann.«

»Ich habe schon allein mehr als dreihundert Bewaffnete bei mir«, fuhr sie ihn ungeduldig an. »Von meinem übrigen Tross gar nicht zu reden. Versucht es weiter. Zahlt, was auch immer die Kapitäne fordern.«

»Madam, bedenkt das schlechte Wetter«, hob Sir Simon an. »Ich bitte Euch …«

»Geht!«, herrschte sie ihn an. Nachdem er und der Bote das Gemach verlassen hatten, brach Matilda das Siegel auf und las den Brief. Sie sagte nichts, doch Aline kam es vor, als ob sie noch blasser würde. Sie wagte es nicht, sie anzureden. Lange Zeit saß Matilda nur da und starrte in die langsam niederbrennenden Flammen.

Erst spät in der Nacht befahl sie Aline, ihr beim Auskleiden zu helfen. Nachdem sie zu Bett gegangen war, zog sich Aline in ihren Alkoven zurück. Durch den dünnen Vorhang konnte sie hören, dass sich Matilda auf ihrem Lager hin und her wälzte. Auch Aline fand kaum Schlaf. Immer wieder musste sie an Ethan denken. Die leeren Ankerplätze im Hafen – dort, wo sich sonst die königlichen Schiffe befunden hatten – hatten ihr die Niederträchtigkeit von Stephens Verrat noch einmal besonders deutlich vor Augen geführt. *Wie kann Ethan nur einem derartig falschen Herrn dienen?*, fragte sie sich wütend und verzweifelt.

Am nächsten Morgen war Matilda gereizter und Aline bedrückter Stimmung. Nach dem Frühstück befahl ihr ihre Herrin, sie solle ihr den Mantel bringen. Sie wolle selbst zum Hafen reiten.

Aline ging ins Nebenzimmer. Sie hatte das Kleidungsstück eben von einer Truhe genommen, als die Tür geöffnet wurde. Sie dachte, ein Diener würde Sir Simon ankündigen. Aber stattdessen hörte sie Matilda leise aufkeuchen und rannte erschrocken zu dem Durchgang: Der Earl of Gloucester hatte den Raum betreten. Hastig wich Aline zurück. Matilda lief ihm einige Schritte entgegen und streckte die Arme nach ihm aus. Sie ließ sie wieder sinken, als ihr Halbbruder keine Anstalten machte, sie zu berühren, sondern nur sanft sagte: »Nein, nicht.« Aline konnte ihren Blick nicht von den beiden losreißen.

»Warum bist du dann gekommen?«, stieß Matilda hervor.

»Weil ich dir die Nachricht überbringen wollte, dass sich Stephen vor sechs Tagen in Winchester zum König hat krönen lassen.«

Matilda ballte die Hände zu Fäusten. »Dafür hättest du dich nicht nach Barfleur bemühen müssen«, versetzte sie bitter. »Ich wusste ohnehin, dass es so kommen würde. So bald ich endlich genügend Schiffe habe, werde ich nach England segeln und …«

»Du kannst jetzt unmöglich den Kanal überqueren.«

»Natürlich kann ich das!«

»Bitte, hör mir zu.« Robert hob beschwörend die Hände. »Mein eigenes Schiff wurde vorgestern weit abgetrieben.

Wir haben einen Mast verloren, und ich danke dem Himmel, dass wir nicht gekentert sind. Wir sind dem Tod wirklich nur um Haaresbreite entkommen.«

Matilda starrte ihn mit schreckgeweiteten Augen an. Ihre Miene war weich geworden und spiegelte alles, was sie für ihn empfand. »Du hast dein Leben für mich aufs Spiel gesetzt«, sagte sie leise.

»Und das werde ich auch immer wieder tun.« Robert lächelte wehmütig. Einige Momente sahen sie sich nur an, und dabei herrschte eine größere Intimität zwischen ihnen, als wenn sie sich geküsst hätten. Aline wagte kaum zu atmen. Schließlich war es Matilda, die den Bann brach, indem sie den Kopf in den Nacken warf und herausfordernd fragte: »Was rätst du mir also zu tun?«

»Auf dem Weg nach Barfleur habe ich Gerüchte gehört, dass sich Vasallen gegen dich erhoben haben. Trifft das wirklich zu?«

»Diese Gerüchte sind nur zu wahr.« Matilda lachte freudlos auf. »Die Grafen von Breteuil, Beaumont und Mortagne haben mir die Gefolgschaft aufgekündigt. Und wahrscheinlich werden sie nicht die Einzigen bleiben.«

»Zurzeit kannst du nicht gegen Stephen kämpfen«, erklärte Robert ruhig.

»Du sagst mir also, ich soll meinem Recht auf die englische Krone kampflos entsagen und Stephen die Herrschaft überlassen?« Matilda funkelte ihn an, außer sich vor Zorn. »Auf diesen Rat kann ich wahrhaftig verzichten.«

»Das meine ich ganz und gar nicht.« Robert streckte besänftigend die Hand nach ihr aus, aber Matilda wich vor ihm zurück. Eindringlich sagte er: »Ich bitte dich, vertrau mir.«

Matilda kämpfte mit sich. Dann nickte sie. »Gut, sag, was du zu sagen hast.«

»Du bist zwar mutig wie eine Löwin«, Robert lächelte sie an, und Wärme und Zuneigung strahlten in seinen Augen auf, »aber noch nicht einmal du kannst es gleichzeitig mit mehreren gefährlichen Gegnern aufnehmen und diesen Kampf gewinnen. Zuerst musst du mit Hilfe deines Gatten deine aufständischen normannischen Vasallen besiegen ...«

»Geoffrey ...«, murmelte Matilda verächtlich.

»Zurzeit bist du auf seine Hilfe angewiesen«, redete Robert geduldig weiter. »Er wird dich unterstützen, da dies seinen eigenen Plänen dient. Sobald du dir hier in der Normandie eine sichere Machtbasis geschaffen hast, wirst du nach England segeln. Aber auf keinen Fall früher. Du benötigst die Soldaten und die Tributzahlungen deiner Vasallen, um eine schlagkräftige Armee gegen Stephen aufstellen zu können.«

Matilda hörte ihm mit unbewegter Miene zu. Wieder lächelte Robert sie an. »Glaub mir, die Zeit wird dir in die Hände spielen. Du kennst doch unseren Vetter. Er ist risikofreudig, ja ... Aber er ist auch unberechenbar und wankelmütig. Es gelingt ihm schnell, Menschen für seine Sache zu begeistern. Aber ebenso schnell stößt er sie mit seinem Jähzorn auch wieder vor den Kopf. Ein großer Teil der Lords und Fürsten, die ihm in Winchester die Treue geschworen haben, werden dies bald bereuen und sich nach einem anderen Herrscher sehnen.«

»Wie steht es mit dir?« Matilda musterte Robert, als versuchte sie, auf den Grund seiner Seele zu dringen. »Hast du Stephen die Treue geschworen?«

»Nein, das habe ich nicht.« Robert erwiderte offen ihren Blick. »Ich habe mich allerdings auch nicht gegen ihn gestellt, denn dafür ist die Zeit noch nicht reif. Stephen wird vorerst meinen Schwur nicht einfordern. Denn noch ist er nicht mächtig genug, um mich anzugreifen, wenn ich ihm den Treueid verweigere. Vertrau mir – sobald du gegen ihn zu Felde ziehst, werde ich an deiner Seite sein.«

Nach einer langen Pause flüsterte Matilda: »Für mich gilt immer noch: Ich würde die Krone und meinen Herrschaftsanspruch aufgeben, wenn ich nur mit dir leben könnte.«

»Du weißt, dass das nicht geht«, erwiderte Robert gepresst. »Außerdem hast du jetzt einen Sohn und bist es auch ihm schuldig, um deine Herrschaft zu kämpfen.«

Doch als sich Matilda in seine Arme warf, wehrte er sie nicht ab, sondern zog sie an sich und verbarg sein Gesicht in ihrem Haar. Einige Momente standen sie eng umschlungen da, als wollten sie sich nie wieder loslassen.

Ein Klopfen an der Tür ließ sie auseinanderfahren. Ein Diener erschien, der jetzt tatsächlich Sir Simon ankündigte. Als der Ritter kurz darauf in den Raum schritt, stand Matilda vor ihrem Stickrahmen und hielt eine Nadel in der Hand. Robert of Gloucester lehnte an einer Truhe.

»Madam.« Sir Simon verneigte sich mit bedrückter Miene. »Sosehr ich es auch bedaure, ich konnte nur einen weiteren Kapitän finden, der bereit ist, bei diesem Wetter über den Kanal zu segeln.«

Matilda zog den grünen Seidenfaden durch den Stoff und betrachtete den Stich eingehend, als ob sie sich vergewissern wollte, ob er auch wirklich korrekt ausgeführt sei. »Ich danke Euch für Eure Mühe«, erklärte sie dann obenhin. »Aber ich habe meine Pläne geändert. Eine Überfahrt steht nicht an, denn vorerst werde ich in der Normandie bleiben.«

Kapitel 4

Aline schlüpfte aus ihrem Mantel und hängte ihn über ihren Korb. Über Nacht war das Wetter plötzlich frühlingshaft geworden, sodass sie unter der dicken, fest gewebten Wolle zu schwitzen begonnen hatte. In dem Graben neben der Straße, die zur Burg von Sées führte, gluckerte das Schmelzwasser. Die kahlen Äste der Ulmen, die zwischen den Feldern wuchsen, schimmerten im Sonnenlicht rötlich vom steigenden Saft.

Sonst war Aline immer glücklich über das Ende des Winters gewesen – und gerade der letzte hatte sich als besonders hart erwiesen. Doch ihr graute vor den Kämpfen, die nun bald bevorstehen würden. Wieder wie häufig in den vergangenen Monaten empfand sie ohnmächtigen Zorn auf Stephen und Bitterkeit gegenüber Ethan. *Nein*, dachte sie wütend, *ich vermisse ihn kein bisschen!*

Matilda hatte den Winter genutzt, um ein Heer aufzustellen. Robert hatte sie dabei unterstützt, bis er an einem der wenigen Tage, an denen der Kanal gefahrlos passierbar gewesen war, nach England zurückgekehrt war. Danach war Matilda für einige Tage krank geworden. Jene Apathie hatte sie überfallen, die bei ihr immer eine Folge von seelischen Erschütterungen war.

Als Aline den Fuß des Burgbergs erreicht hatte, hörte sie Hufschläge in dem Schneematsch hinter sich. Ein junger Mann rief ihren Namen. Die Stimme kam ihr bekannt vor, doch sie konnte sie nicht gleich zuordnen. Sie blieb stehen. Ein Knappe mit weizenblondem, strubbeligem Haar und einem offenen, freundlichen Gesicht trabte auf sie zu. Sein Name war, wie sie sich nun erinnerte, Garreth. Kurz nach Weihnachten war er zu Matildas Gefolge gestoßen. Er war der Sohn eines normannischen Adeligen von niedrigem Rang. Sein Vater hatte Matilda in der Vergangenheit irgendeinen Dienst erwiesen, hatte Aline sagen hören, deshalb war ihre Herrin bereit gewesen, den Jungen in ihr Gefolge aufzunehmen.

Vor einigen Wochen hatte sich Garreth einen hartnäckigen Husten zugezogen und darum Aline einige Male aufgesucht. Sie mochte sein ruhiges, freundliches Wesen und lächelte ihn an, als er nun sein Pferd neben ihr zum Stehen brachte und auf den Weg sprang. »Euer Husten ist hoffentlich nicht wieder gekommen?«

»Nein, ganz und gar nicht … Ich wollte nur fragen, ob ich Euch den Korb abnehmen kann«, erwiderte Garreth ein wenig schüchtern.

»Danke, aber das ist nicht nötig. Er ist nicht schwer.« Aline schüttelte den Kopf. »Ich habe nur ein Paar Stiefel für meine Herrin von einem Schuhmacher geholt.«

Garreth dirigierte sein stämmiges Pferd um eine große Pfütze herum und blickte zu den Feldern, wo der Schnee so weit geschmolzen war, dass vereinzelt schwarze Erdfurchen zwischen der weißen Decke sichtbar waren. »Bei mir zu Hause werden sie darauf warten, dass es endlich vollständig taut, damit sie die Äcker pflügen können.« Eine Sehnsucht schwang in seiner Stimme mit, die Aline rührte und an ihre Kindheit erinnerte. »Ihr mögt die Feldarbeit? Von einem Adeligen hätte ich das nicht gerade erwartet.«

»Oh, meine Familie ist nicht reich.« Garreth lachte. Seine anfängliche Schüchternheit war verflogen. »Mein Vater hilft häufig bei der Aussaat und bei der Ernte mit, und ich werde es nicht anders halten, wenn ich selbst einmal ein Gut bewirtschaften werde. Aber bis dahin wird noch viel Zeit vergehen. Und erst einmal stehen uns ja Kämpfe bevor.«

»Ihr scheint darüber nicht sehr erfreut.« Aline warf ihm von der Seite her einen Blick zu. »Andere Knappen können es kaum abwarten, endlich zu Felde zu ziehen.«

»Vor ein paar Jahren haben in der Gegend, in der ich aufgewachsen bin, Kämpfe getobt.« Garreth zuckte die Schultern. »Ihr mögt mich für einen Feigling halten. Aber der Frieden ist mir lieber als der Krieg.«

»Ich halte Euch überhaupt nicht für einen Feigling«, erklärte Aline entschieden. »Ich könnte auf diese Kämpfe ebenfalls sehr gut verzichten.«

»Schön, dass Ihr das auch so seht.« Garreth hielt sein Pferd davon ab, in dem Schneematsch mit dem Maul nach einer Rübe zu graben, und zog es weiter. »Der Gemahl unserer Herrin hat jedenfalls schon eine Schlacht geschlagen. Ich bin einigen seiner Soldaten vorhin begegnet.«

Ob Geoffrey wohl seine Bewaffneten begleitete?, fragte sich Aline, während Garreth ihr von dem Landstrich bei Évreux erzählte, wo sich der Besitz seiner Familie befand. Während der letzten Monate hatten sich Matilda und ihr Gatte – vereint in ihrem gemeinsamen Ziel, die Normandie wieder unter ihre Kontrolle zu bringen und Matilda so eine sichere Basis zur Eroberung der englischen Königskrone zu verschaffen – recht gut verstanden. Aber Aline bezweifelte, dass dieser Friede lange Bestand haben würde.

*

Tatsächlich hörte Aline, als sie sich den Gemächern ihrer Herrin näherte, laute, aufgebrachte Stimmen – es waren die Matildas und Geoffreys. Vor der Tür zögerte sie. Sollte sie wirklich eintreten? Aber ihre Herrin wartete auf ihre neuen Stiefel aus feinem, rotem Leder, und sie würde wahrscheinlich sehr ärgerlich werden, wenn sie sich verspätete.

Kaum war Aline in den Raum geschlüpft, als Geoffrey von Anjou mit hochrotem Gesicht zu ihr herumwirbelte. »Verschwinde!«, fuhr er sie an. Aline wich zurück.

»Was fällt Euch ein! Das Mädchen ist meine Dienerin, und es tut, was ich ihm befehle.« Matilda ging einen Schritt auf ihren Gatten zu. Ihre Augen blitzten wütend. »Es war mir ja schon immer klar, dass Ihr kein genialer Stratege seid. Trotzdem hätte ich es nicht für möglich gehalten, dass Ihr so dumm sein und ein Benediktinerkloster in Brand stecken würdet.«

Aline huschte an den beiden vorbei in einen Erker. Dort kauerte sie sich auf einen Stuhl und wünschte, sie wäre unsichtbar.

Geoffrey beachtete sie nicht länger. »Ich habe Euch doch schon einmal gesagt, es war ein Unglück«, ereiferte er sich hitzig. »Wenn dieser Trottel Abt Ailred mir und meinen Leuten Unterkunft gewährt hätte, statt die Tore vor uns zu verrammeln, dann hätten wir das Kloster nicht belagern müssen.«

»Und bei dieser Belagerung fiel Euch nichts Besseres ein, als ausgerechnet Brandpfeile abzuschießen. Brandpfeile ...« Matildas Stimme überschlug sich.

»Ich wollte dem Alten ein bisschen Angst einjagen.« Geoffrey zuckte die Schultern. »Mein Gott ... Auf allen Dächern lag eine dicke Schneeschicht. Es war einfach Pech, dass einer der Pfeile durch ein offen stehendes Fenster flog und einen Teppich entflammte. Außerdem verstehe ich sowieso nicht, warum Ihr Euch wegen ein paar Pfaffen so aufregt.«

»Ein paar Pfaffen?!« Matilda baute sich vor Geoffrey auf. Sie war einen Kopf größer als er, und sie wirkte, als ob sie gute Lust hätte, ihm eine Ohrfeige zu verpassen. »Seid Ihr so ignorant, oder tut Ihr nur so? Gestern habe ich ein Schreiben von Bernhard von Clairvaux, einem, wie Ihr ja sehr wohl wisst, äußerst einflussreichen Kirchenmann, empfangen. Bernhard ist sehr empört über Euren, wie er schreibt, ›brutalen und barbarischen Angriff auf meine Ordensbrüder‹. Und damit nicht genug: Er hat zudem angekündigt, Papst Innozenz von dem Vorfall zu unterrichten, und er wird diese Drohung sicher wahrmachen. Glaubt Ihr etwa im Ernst, ich könnte es mir bei meinem Kampf um die Krone mit dem Papst verscherzen? Noch dazu, da Innozenz Henry of Winchester sehr schätzt und ihn zu seinem Gesandten für England ernannt hat? Eine Exkommunikation ist wahrhaftig das Letzte, das ich in dieser Situation gebrauchen kann.«

»Ihr übertreibt wie immer maßlos.« Geoffrey stöhnte ungeduldig. »Ich werde die niedergebrannten Gebäude bezahlen und dem Kloster außerdem einen neuen Altar spenden. Dann werden sich die Gemüter schon wieder beruhigen.«

»Dieses Geld wird uns später für Soldaten und Waffen fehlen«, fauchte Matilda. »Bei Gott … Ich wünschte wirklich, ich wäre auf Eure Hilfe nicht angewiesen.« Die letzten Worte spie sie verächtlich aus.

»Ihr solltet mir dankbar sein für meine Unterstützung.« Die Augen des Grafen verengten sich und verrieten, dass er getroffen war. »Schließlich stehen die Verbündeten nicht gerade bei Euch Schlange. Und was den Euch angeblich so treu ergebenen Earl of Gloucester betrifft … Vor ein paar Tagen habe ich die Nachricht erhalten, dass sich Euer Halbbruder an Stephens Hof aufhält und unterwürfig um die Gunst Eures Vetters buhlt.«

»Das ist nicht wahr!« Matilda ballte die Hände zu Fäusten, während ihr Gesicht totenbleich wurde. »Wie könnt Ihr es wagen, so über Robert zu reden. Er würde niemals … Er …«

Aline fürchtete, dass ihre Herrin gleich etwas sagen würde, das sie später für immer bereuen würde. Rasch stieß sie einen versilberten Krug um, der auf dem Tisch vor ihr stand. Scheppernd fiel das Gefäß auf den Boden und rollte über die bunten Kacheln. Matilda und Geoffrey fuhren zu ihr herum.

»Tja, meine Teure … Eure Leute stellen sich wirklich sehr geschickt an.« Geoffreys Stimme troff vor Sarkasmus. »Ich habe es satt, mich für Eure Ziele aufzuopfern. Euren Kampf um Eure Krone könnt Ihr alleine ausfechten.« Ohne Matilda noch eines weiteren Blickes zu würdigen, stürmte er aus dem Gemach.

Aline eilte die Erkerstufen hinunter, um den Krug aufzuheben. Eine Wasserlache hatte sich um das Gefäß gebildet, und als sie es aufhob, sah sie, dass sich in dem Edelmetall eine Delle gebildet hatte. »Madam, es tut mir leid«, flüsterte sie.

Matilda beugte sich zu ihr und musterte den Krug. Plötzlich erschien ein Lächeln auf ihrem Antlitz. »Das ist kein schlimmer Schaden. Ganz im Gegensatz zu dem, was mein Gatte angerichtet hat. Und … Danke, Mädchen. Ich schätze, du warst gerade im richtigen Moment ungeschickt …«

»Wird der Graf von Anjou tatsächlich Euren Kampf um

die Herrschaft nicht länger unterstützen?«, wagte Aline zu fragen.

»Mach dir darüber keine Gedanken.« Matilda winkte ab. »Sobald er sich wieder beruhigt hat, wird er erkennen, dass er damit nur sich selbst schaden würde, und reumütig zurückkehren.« Sie ging einige Schritte zu ihrem Stickrahmen und betrachtete das Bild, das mittlerweile um eine unordentliche Lilie sowie eine in schiefen Stichen ausgeführte Rose angewachsen war. »Auch mir bleibt wohl nichts anderes übrig, als mich reumütig zu verhalten. Nämlich dem Klerus gegenüber. Am besten, ich ziehe mich für einige Tage fastend und betend in das Benediktinerinnenkloster von Fontevraud zurück.« Sie wandte sich zu Aline um. »Ich werde einen demütigen Entschuldigungsbrief an Bernhard und Abt Ailred verfassen. Ruf meinen Schreiber. Er soll sofort zu mir kommen. Und danach packst du meine Sachen. Noch morgen brechen wir auf.«

»Wie Ihr wünscht, Hoheit.« Aline verneigte sich und wollte den Raum verlassen. Doch eine Handbewegung Matildas hielt sie auf. »Warte … Es dürfte meine Zerknirschung noch unterstreichen, wenn ich ohne Dienerin in dem Kloster lebe.« Wieder lächelte sie. »Du kannst hierbleiben und dir ein paar angenehme Tage machen, ohne meine Launen ertragen zu müssen.«

»Madam …«, murmelte Aline verlegen. Matilda musterte sie mit einem Funkeln in den Augen. »Oh, ich weiß, dass es manchmal nicht leicht ist, mit mir auszukommen«, sagte sie dann trocken. »Schließlich verbringe ich selbst die meiste Zeit mit mir …«

*

Aline nutzte die Abwesenheit ihrer Herrin, um einige Salben und Elixiere zuzubereiten, an denen jetzt am Ende des Winters immer ein großer Bedarf bestand, wie Mittel gegen Husten und Fieber.

Am dritten Tag nach Matildas Abreise wurde sie zu einem abgelegenen Gehöft gerufen, denn auch in Sées und dem Umland der Stadt hatte sich schnell verbreitet, dass sie heilkundig war. Ein Pferd hatte gescheut und dabei die vier Jahre alte Tochter der Bauersleute so unglücklich am Schenkel getroffen, dass der Knochen gebrochen war.

Die Kleine war panisch vor Schmerzen und wollte Aline erst nicht an sich heranlassen. Sie musste dem Kind lange und geduldig zureden, bis sie es schließlich untersuchen durfte. Zu ihrer Erleichterung war es ein glatter Bruch. Doch bis sie den Knochen gerichtet und den Schenkel mit Holzstäben und Leinenstreifen stabilisiert hatte, war es Abend geworden.

Die Bauersleute liehen Aline eine Laterne, wofür sie dankbar war. Denn am Nachmittag war Nebel aufgekommen, der die Dunkelheit noch undurchdringlicher machte. Die Sorge um das Kind hatte sie abgelenkt. Aber als sie nun den glitschigen, von Schneematsch durchsetzten Feldweg entlangging, kehrte ihre niedergeschlagene Stimmung zurück. Heute war der Festtag des heiligen Joseph. Genau drei Jahre waren nun vergangen, seit Guy d'Esne versucht hatte, sie zu vergewaltigen, und Matilda sie gerettet hatte. Erneut regte sich der Hass auf Reginald de Thorigny in ihr, der den Hof ihrer Eltern geraubt und ihr Leben in eine ganz andere Bahn gezwängt hatte.

Der Weg führte zwischen Weiden und hohen Büschen hindurch. Dahinter rauschte ein Bach, der Schmelzwasser mit sich führte. Als Aline ein Rascheln von Ästen und ein

Knacken wie von zerbrechenden Zweigen hörte, meinte sie zuerst, ihre Erinnerung gaukelte ihr dies vor. Doch nun löste sich eine Gestalt aus den Sträuchern und kam auf sie zu. Ein Windstoß brachte die Flamme der Laterne zum Flackern und hinderte Aline daran, den Angreifer zu erkennen.

Sie unterdrückte ihren Impuls wegzurennen, denn dazu war es zu spät. Also ließ sie die Laterne fallen und griff nach dem Messer, das sie in ihrem Bündel bei sich trug. Das Licht landete in einem Schneehaufen. In dem Moment, als es umkippte und endgültig erlosch, glaubte Aline, etwas Rotes in der feuchten Luft aufleuchten zu sehen.

»Verschwindet! Lasst mich in Ruhe!«, schrie sie und stieß mit dem Messer nach dem Schatten, der nun vor ihr aufragte und nach ihr fasste.

»Aline! Um Gottes willen … Ich wollte dich nicht erschrecken.«

Sie ließ die Arme sinken. Es konnte nicht Ethan sein, der hier im Nebel zwischen den Schneeresten vor ihr stand. Er war doch bei Stephen in England. Sie musste sich irren.

»Ich dachte, du hättest mich erkannt.« Nein, es war unverkennbar Ethan, der mit schuldbewusster Stimme zu ihr sprach.

»Was machst du hier?«, brachte sie mühsam hervor.

»Ich musste dich sehen … Mich mit dir aussprechen.«

Zorn über seinen Verrat loderte in Aline auf und machte die Freude, die sie eben noch empfunden hatte, zunichte. »Wir haben nichts mehr zu bereden«, fuhr sie ihn an.

»Ich habe Stephen angelogen, um hierherkommen zu können. Ich gehe nicht weg, ehe du mich nicht wenigstens angehört hast.«

»Ich lasse mich von dir zu nichts zwingen!«

»Bitte …« Er streckte den Arm nach ihr aus, zog ihn dann jedoch mit einem unterdrückten Schmerzenslaut wieder zurück.

»Was hast du?«, fragte Aline gegen ihren Willen.

»Ach, es ist nichts«, wehrte er ab.

»So, tatsächlich?« Sie packte seinen Arm und ließ ihre Finger darüberwandern. Der Stoff seines Mantels fühlte sich feucht und klebrig an. »Ich habe dich mit meinem Messer verletzt«, erkannte sie bestürzt. »Während ich die Wunde versorge, kannst du meinetwegen mit mir reden.«

»Gut.« Ethans Stimme klang ausdruckslos. »Ich habe die letzte Nacht in einem Feldschuppen in der Nähe verbracht. Ich würde lieber dorthin gehen, als dich zur Burg zu begleiten und möglicherweise in einem Kerker zu landen.«

»Du hast Recht. Stephens Leute sind dort zurzeit wirklich nicht gerne gesehen.« Aline warf den Kopf in den Nacken. »Aber du hast Glück. Ich habe Verbandszeug bei mir.«

Ethan führte sie ein Stück weiter den Feldweg entlang, bis er sie schließlich durch eine Lücke zwischen den Büschen und dann über eine schmale Brücke über einen Bach geleitete. Trotz der Dunkelheit und dem Nebel schien er sich mühelos zurechtzufinden, während Aline sich eingestehen musste, dass sie sich ohne Lampe wahrscheinlich hoffnungslos verirrt hätte. Der Weg führte einen Hügel hinauf, und es kam ihr vor, als ob der Nebel ein wenig lichter würde. Kurz darauf nahm sie einen Waldrand und davor die Umrisse von etwas Niedrigem, Rechteckigem wahr.

Im Inneren des Schuppens roch es nach Heu und feuchter Erde. Ein Pferd schnaubte. »Keine Sorge, mein Guter, ich bin es nur«, sagte Ethan besänftigend. Aline hörte, wie er in seinem Bündel herumkramte. Ein Stück von ihm entfernt kauerte sie sich auf den Boden. Funken stoben auf, als Ethan seinen Feuerstein bearbeitete.

»Lass mich das machen«, sagte sie. »Du solltest deinen Arm schonen.«

»Nein, es geht schon«, wehrte er ab.

»Unsinn!« Doch bevor Aline energisch nach dem Feuerstein greifen konnte, züngelte eine Flamme auf. Rasch steckte Ethan daran den Docht einer Kerze in Brand. Der dunkelbraune Hengst bewegte den Kopf und beäugte die Flamme misstrauisch, schien dann jedoch zu der Überzeugung zu gelangen, dass ihm keine Gefahr drohte, und schloss die Augen. Auf der anderen Seite des Schuppens lag Heu, über das eine Decke gebreitet war. Einige Feldwerkzeuge lehnten an der Bretterwand.

Als Ethan sich vorbeugte und das Licht der Kerze auf sein Gesicht fiel, versetzte sein Anblick Aline einen Stich. Auf seinen Wangen spross ein rotblonder Bart. Sein Haar war zottelig und hätte dringend wieder einmal geschnitten werden müssen. Außerdem war er sehr dünn geworden.

»Du wirkst wie ein hungriger Straßenköter«, sagte sie barsch, um ihre Gefühle zu verbergen. »Hast du den Weg nach Sées etwa als Bettler zurückgelegt?«

»Sagen wir es einmal so – ich habe versucht, sparsam mit meinem Geld umzugehen; schließlich habe ich nicht allzu viel davon.« Ethan grinste auf seine übliche schiefe Weise, während Aline versuchte, das vertraute, schmerzlich süße Ziehen in ihrer Magengrube zu ignorieren.

»Wie hast du mich eigentlich gefunden?«, fragte sie wieder mit schroffer Stimme und wies Ethan an, seinen Mantel abzulegen.

»Stephens Hof ist immer darüber informiert, wo sich Matilda gerade aufhält.« Er zuckte die Schultern, während er den blutgetränkten Ärmel seines Kittels hochkrempelte. »Vorgestern bin ich in Sées angekommen. Seitdem habe ich tagsüber an der Straße zur Burg herumgelungert. Heute Nachmittag habe ich dich dort endlich gesehen und bin dir gefolgt. Aber ehe ich dich ansprechen konnte, kamen mir ein paar von Matildas Soldaten entgegen. Ich habe befürchtet, dass mich einer von ihnen erkennen könnte und es deshalb vorgezogen, mich in die Büsche zu schlagen. Als die Männer endlich weg waren, konnte ich dich nicht mehr finden und habe bei den Weiden auf dich gewartet.«

Aline hatte mittlerweile scharf gebrannten Schnaps auf ein Leinentuch gegossen und wischte damit das Blut von Ethans Oberarm. Zu ihrer Erleichterung entpuppte sich der Schnitt als eine oberflächliche Fleischwunde. Sie befahl Ethan, sich auf die Decke zu legen und den Arm ruhigzuhalten, und säuberte die Verletzung mit dem Schnaps, was Ethan klaglos mit zusammengebissenen Zähnen über sich ergehen ließ. Dabei und auch, als sie anschließend die Wunde verband, vermied sie es, ihn anzusehen. Denn jede Berührung seiner Haut ließ ihren Körper erglühen.

Sobald sie den letzten Stoffstreifen verknotet hatte, zog sie sich von Ethan zurück. »Also«, sagte sie betont kühl, »gibt es irgendetwas, das du zu deiner Entschuldigung vorbringen kannst? Oder willst du vielleicht behaupten, es sei dir erst in England klargeworden, dass Stephen beabsichtigte, Matilda um ihre Krone zu betrügen?«

Ethan richtete sich auf. »Es ist ja nicht so, als ob Stephen keinerlei Anrecht auf die Herrschaft über England besäße«, entgegnete er hitzig. »Schließlich war seine Mutter König Henrys Schwester.«

»Matilda ist Henrys Tochter! Außerdem hat Stephen ihr die Treue geschworen.«

»Ach, es weiß doch jeder, dass Schwüre auch wieder gebrochen werden.« Ethan winkte ab, was Aline erst recht in Rage brachte. »Wie kannst du es wagen, Stephen auch noch zu verteidigen«, schrie sie ihn an. »Gib es endlich zu: Du hast, noch während König Henry im Sterben lag, von dem Verrat deines Herrn gewusst.«

»Ja, es stimmt. Ich habe schon damals von seinem Verrat erfahren.« Ethans Zorn war verflogen, und plötzlich wirkte er sehr erschöpft. Nein, er war kein Junge mehr, sondern ein Mann geworden. Eine Erkenntnis, die Alines Enttäuschung und Verwirrung nur noch steigerte.

»Ich hatte ein Gespräch Hugo de Thorignys mit seinen Freunden belauscht«, sprach Ethan weiter. »Reginald de Thorigny hatte seinen Sohn von Stephens Plänen unterrichtet.«

Reginald de Thorigny war also an der Verschwörung beteiligt, dachte Aline bitter. Wieder einmal hatte der Baron dazu beigetragen, dass ihr Leben eine negative Wendung genommen hatte. Auch ihre Wut war verraucht. Sie fühlte nur noch Trauer. »Warum hast du nichts unternommen, um mich zu warnen?«, fragte sie leise.

»Hättest du das im umgekehrten Fall getan? Hättest du mich gewarnt, wenn dies bedeutet hätte, dass du damit höchstwahrscheinlich Matildas Pläne ein für alle Mal zerstört hättest?« Ethan lächelte freudlos. »Hättest du deine Herrin wirklich so hintergehen können? Komm, sei dir und mir gegenüber ehrlich.«

Aline blickte zu Boden. In der Staubschicht auf dem gestampften Lehm hatte sich durch den Wind, der durch die Ritzen in den Holzwänden blies, ein Muster aus feinen Linien gebildet. Es erschien ihr ebenso verworren wie ihr Leben in den letzten Jahren.

Schließlich hob sie den Kopf und sah Ethan in die Augen. »Sehr wahrscheinlich hätte ich genauso gehandelt wie du.« Sie hatte einen Kloß im Hals, und ihre Stimme hörte sich in ihren eigenen Ohren sehr fremd an. Sie stockte kurz, ehe sie hart hinzufügte: »Ja, auch ich hätte dich verraten. Wir haben uns einfach zum falschen Zeitpunkt ineinander verliebt.«

Ethan schaute sie nur an, ohne etwas zu erwidern. Ein gedämpftes Klirren ertönte, als sich das Pferd bewegte und seine Hufe über den Boden schabten. *Warum ist Ethan nicht einfach in England geblieben?*, dachte Aline verzweifelt. Und doch hätte sie die Begegnung mit ihm um nichts in der Welt missen mögen. Einige trockene Grashalme hatten sich in seinem Gewand verfangen. Aline ertappte sich bei dem widersinnigen Wunsch, die Halme von Ethan zu streifen. Schon bei der bloßen Vorstellung, ihn wieder zu berühren, durchlief sie ein Schauder.

Sie hielt es nicht länger in seiner Gegenwart aus und sprang auf. »Danke für den letzten Sommer«, stieß sie hervor. »Und … leb wohl.« Sie stürmte zur Tür, doch nach wenigen Schritten hatte Ethan sie eingeholt und hielt sie fest.

»Aline …« Seine Stimme klang sanft und drängend. »Stephen ist bereit, mich noch in diesem Jahr zum Ritter zu schlagen und mir ein kleines Gut als Lehen zu geben. Ich bin hierhergekommen, weil ich dich bitten möchte, mich nach England zu begleiten und mich zu heiraten.«

Alines Widerstand brach zusammen. Während sie sich an Ethan schmiegte, wirbelten ihre Gedanken durcheinander. Sie könnte mit dem Mann, den sie wirklich liebte, leben. Mit ihm Kinder haben und einen Bauernhof bewirtschaften. Das war mehr als alles, was sie sich in den letzten Jahren vom Leben erträumt hatte. Doch noch während ein heißes

Glücksgefühl in ihr aufstieg, begriff sie schon, dass dies unmöglich war.

»Ich kann meine Herrin nicht verlassen und in das Lager ihres Feindes überwechseln. Sie braucht mich«, flüsterte sie.

»Natürlich kannst du sie verlassen.« Ethan drehte Aline zu sich herum. Seine Miene war weich, drückte jedoch gleichzeitig Entschlossenheit aus.

»Nein …« Aline wollte ihm erklären, dass Matilda ihr das Leben gerettet hatte und sie ihr deshalb tief verpflichtet war. Aber als sein Kuss ihr den Mund verschloss, wehrte sie sich nicht länger gegen ihre Gefühle. Nur noch Ethan zählte. Sie gab sich ganz dem Kuss hin und der Wonne, die seine Finger, die nun sanft über ihren Hals und ihre Brüste glitten, in ihr entfachten, und ließ sich mit ihm auf die Decke sinken.

*

Als Aline blinzelnd die Augen öffnete, fiel Sonnenlicht durch die Ritzen in den Bretterwänden und bildete feine Streifen auf der Wolldecke. Sie fühlte sich leicht und schwebend und gleichzeitig glücklich und geborgen. Dann hörte sie Ethan leise neben sich atmen, spürte seinen Körper an ihrem und erinnerte sich wieder an das, was während der letzten Nacht geschehen war. Ganz selbstverständlich hatten sie zueinandergefunden – wie bei einem Spiel oder einem Tanz, bei dem jeder die Berührungen des anderen vorausahnte und mühelos darauf einging – bis sie schließlich ganz voneinander erfüllt eingeschlafen waren.

Sie beugte sich über Ethan und küsste ihn vorsichtig auf die Lippen, denn sie wollte ihn nicht wecken. Im Schlaf wirkte sein Gesicht ganz weich und jung. *Wie ein Welpe,* dachte sie und lächelte, während sein Bart sie an der Wange kitzelte.

Der Sonnenschein lockte sie nach draußen. Rasch warf sie ihren Mantel über. Der Nebel hatte sich zum Fuß des Hügels abgesenkt und lag wie ein silbriges Seidentuch über dem Bach und den Wiesen. Die Schneereste glitzerten im Licht. Noch waren die Luft frisch und das feuchte Gras kalt unter Alines Füßen. Aber es kündigte sich bereits an, dass der Märztag warm werden würde.

»Hier bist du also. Ich hatte schon Angst, dass du mir davongelaufen wärst.« Ethan war zu ihr getreten und lachte sie an. »Ich habe einen Bärenhunger.«

»Da du mager bist, als hättest du tagelang gefastet, wundert mich das nicht«, neckte ihn Aline. Während sie zärtlich über seine nackte Brust strich, spürte sie plötzlich, dass auch ihr ganz flau im Magen war. »Hast du denn etwas zu essen dabei?«

Er seufzte gespielt. »Nur ein paar erbettelte Brotbrocken.«

»Hoffentlich sind sie nicht schimmelig …«

Auf der Ostseite des Schuppens lag ein Baumstamm. Nachdem sie sich gegen die Morgenkühle schnell Kleider und Schuhe angezogen hatten, setzten sie sich darauf. Ethan hatte einen halben Laib Brot, ein Stück Speck, einen Käsekanten und zwei schrumpelige Äpfel aus seinen Satteltaschen geholt und breitete alles neben ihnen aus.

Aline ließ sich eine Scheibe von dem Brot und etwas Speck abschneiden und biss hungrig hinein. »Die Leute in der Gegend um Sées scheinen recht großzügig mit ihren Gaben gewesen zu sein«, sagte sie mit vollem Mund.

»Ja, ich kann nicht klagen.« Ethan grinste, wurde dann aber wieder ernst. »Du musst dir keine Sorgen machen. Ich habe genug Geld, um uns beide sicher nach England zu bringen.«

Aline starrte ihn an. Die Glücksblase, die sie seit dem Aufwachen umschlossen hatte, zerplatzte, und ihr alltägliches Leben mit all seinen Anforderungen drängte sich ihr jäh und brutal wieder auf.

»Aber ich kann nicht mit dir kommen«, meinte sie leise und unglücklich. »Das habe ich dir doch schon gesagt.«

Ethan runzelte die Stirn. Seine Miene drückte Unwillen und schieren Unglauben aus. »Ich dachte, du hättest es dir anders überlegt. Warum hast du denn sonst mit mir geschlafen?«

»Es kam so plötzlich. Ich wollte das nicht …«

»Das heißt, es bedeutet dir nichts?« Ethan hieb mit der flachen Hand so fest auf den Stamm, dass ein Stück Rinde absplitterte.

»Nein, es bedeutet mir sehr viel. Du bedeutest mir sehr viel …« Aline wusste nicht, wie sie sich Ethan verständlich machen konnte, ohne ihn noch mehr aufzubringen.

»Dann komm mit mir!«

»Ich habe dir doch schon einmal gesagt – ich kann Matilda nicht verlassen.« Verzweiflung erfasste Aline. Wieder wollte sie Ethan erklären, dass sie ihrer Herrin ihr Leben verdankte, aber er schnitt ihr das Wort ab. »Gott im Himmel, ich verstehe dich nicht. Du bist doch nicht ihre Leibeigene«, fuhr er sie an. »Und selbst wenn … In England wärst du in Sicherheit.«

Sein gereizter Tonfall brachte Aline gegen ihn auf. »Ach ja? Du verlangst von mir, dass ich meine Herrin hintergehe. Die ohnehin schon unter dem Verrat ihres feigen Vetters zu leiden hat. Warum entschließt du dich denn nicht dazu, Stephen die Gefolgschaft aufzukündigen und an Matildas Hof zu wechseln? Sie würde dich sicher unter ihre Gefolgsleute aufnehmen.« Einen Moment hoffte Aline – gegen besseres Wissen –, dass Ethan auf ihren Vorschlag eingehen und doch noch alles zwischen ihnen gut werden würde. Aber bereits sein zorniger und verächtlicher Blick zeigte ihr, dass diese Hoffnung sich nicht bewahrheiten würde.

»Wie stellst du dir das vor? Ich habe Stephen einen Eid geschworen«, herrschte er sie an.

»Und dieser Schwur soll wichtiger sein als die Verpflichtung, die ich gegenüber Matilda habe?«, gab sie ebenso aufgebracht zurück.

»Das kannst du nicht miteinander vergleichen.« Ethans Stimme klang sehr hochmütig.

»So tatsächlich nicht? Außerdem hast du gestern noch behauptet, dass ein Schwur sowieso nicht viel wert sei.«

Um Ethans Mund trat ein harter Zug. »Das gilt nicht für mich. Ich stehe zu dem, was ich einem anderen Menschen gelobt habe.«

»Wirklich?«, fauchte Aline. »Wie steht es denn dann mit deinen Liebesbeteuerungen mir gegenüber?«

»Ich habe Stephen belogen und bin hierhergekommen, um dich zu bitten, meine Frau zu werden. Welche Liebesbeweise erwartest du denn noch von mir?«

»Wie großzügig von dir, dass du mir anbietest, mich zu heiraten.« Aline wusste, dass Ethan viel auf sich genommen hatte, um sie zu treffen. Doch die Angst, ihn wieder zu verlieren, ließ sie ungerecht werden. »Der Adelige, der sich eines Bauernmädchens annimmt …«

»Verdammt, Aline«, er packte sie an den Schultern und schüttelte sie, »darum geht es doch überhaupt nicht.«

»Doch! Zudem stellst du die Bedingungen, und ich habe mich zu fügen.«

»Ich werde Stephens Hof auf gar keinen Fall verlassen und zu Matilda überwechseln.« Ethans kantiges Gesicht war blass und störrisch. »Ich bitte dich zum letzten Mal: Komm mit mir!«

»Meine Antwort lautet wieder: Nein!«

Einige Momente lang blickten sie sich unversöhnlich an. Erneut hoffte Aline, dass Ethan seine Meinung ändern oder wenigstens etwas sagen würde, das ihr dabei half, den Graben zwischen ihnen doch noch zu überbrücken. Aber er zuckte nur die Schultern und erklärte schroff: »Gut, wie du willst.« Dann wandte er sich ab, ging in den Schuppen und schlug die Tür hinter sich zu.

Tränen des Zorns und des Kummers schossen Aline in die Augen. Unschlüssig ging sie ihm einige Schritte nach. Sollte sie nicht doch einlenken? Matilda liebte ihren Halbbruder, ohne sich um die Gesetze der Welt und der Kirche zu scheren. Würde sie nicht vielleicht doch Verständnis dafür haben, wenn Aline um des Mannes willen, den sie liebte, in das Lager ihres Feindes wechselte?

Hufgetrappel schreckte sie auf. Einige Reiter kamen den Feldweg entlang, der unterhalb des Schuppens verlief. Nun löste sich ein blonder junger Mann aus der Gruppe und galoppierte auf sie zu. Es war Garreth.

»Aline!«, rief er. »Gott sei Dank, dass ich Euch treffe. Alle haben sich Sorgen gemacht, weil Ihr gestern Nacht nicht in der Burg wart.« Er beugte sich zu ihr hinunter und betrachtete sie beunruhigt. »Ist alles in Ordnung mit Euch?«

»Ja, natürlich.« Aline würgte die Tränen hinunter. »Ich habe mich in der Dunkelheit und dem Nebel verlaufen und deshalb in dem Schuppen übernachtet. Mir ist nur kalt, und ich habe Hunger.« Kaum, dass sie dies gesagt hatte, bemerkte sie erschrocken, dass die Nahrungsmittel noch auf dem

Baumstamm lagen. Doch Garreths Aufmerksamkeit war ganz auf sie gerichtet. »Dann wird es höchste Zeit, dass ich Euch sicher zur Burg bringe«, sagte er lächelnd und reichte ihr seine Hand. »Kommt, mein Pferd kann uns beide tragen.«

»Das ist sehr freundlich von Euch.« Aline ließ sich von ihm auf den Rücken der dunklen Stute helfen. Während Garreth sein Pferd antraben ließ, dachte sie trotzig: *Wenn Ethan wirklich etwas an mir liegt, kommt er nach draußen und bekennt sich zu mir – ganz gleich, was das für Konsequenzen für ihn haben wird.* Doch nichts regte sich in dem Schuppen.

Als sie bereits die anderen Reiter auf dem Feldweg erreicht hatten, drehte sich Aline noch einmal um. Der vom Wetter ausgebleichte Holzbau lag immer noch scheinbar verlassen da. Nur eine Elster hatte die Speisen auf dem Baumstamm entdeckt und pickte an dem Brot herum.

✳

Das Hämmern, Sägen, Pferdewiehern und Rufen, das über den Lagerplatz von Matildas Heer schallte, dröhnte in Alines Ohren. Der Rauch, der von dem Schmiedefeuer bei dem schilfbestandenen Flussufer zu ihr herüberwehte, und die Ausdünstungen der Männer und Pferde verursachten ihr Übelkeit. Die ungewöhnliche Hitze des Maitages schien alle Gerüche zu intensivieren. Seit über zwei Wochen litt Aline an einer hartnäckigen Erkältung, die sie, trotz all ihres heilkundlichen Wissens und trotz all der Mittel, die sie sich schon verabreicht hatte, einfach nicht loswurde.

Inzwischen hatten die ersten Kämpfe zwischen Matildas Armee und den aufständischen Vasallen stattgefunden. Alines Herrin hatte mit ihrer Einschätzung Geoffreys von

Anjou richtig gelegen, denn ihr Gatte hatte sich tatsächlich wieder auf ihre Seite geschlagen. Die Grafen von Breteuil und Beaumont waren recht schnell bereit gewesen, sich Matilda zu unterwerfen, als deren Heer vor ihren Burgen erschien – so, als hätten sie nicht mit ihrer eisernen Entschlossenheit gerechnet, sich als Lehnsherrin über die Normandie zu behaupten. Es waren nur wenige Tote zu beklagen, aber es hatte Verwundete gegeben, um die Aline sich kümmern musste.

Kurz darauf hatte sie ihr Ziel erreicht und bückte sich unter dem Eingang des Zeltes hindurch, in dem die Verletzten lagen. Unter den Leinenplanen war die Luft stickig und noch heißer als draußen, und Aline musste sich einen Moment lang an einer Zeltstange festhalten, da ihr schwindelig wurde. In den ersten Tagen nachdem sie sich mit Ethan gestritten und mit ihm gebrochen hatte, hatte sie sich ständig mit der Frage gemartert, ob sie ihm nicht doch hätte nachgeben sollen. Aber mit dem Beginn der Kämpfe war ihr klargeworden, dass es letztlich gut so war, wie es gekommen war. Die gegenwärtigen bewaffneten Auseinandersetzungen waren ja nur ein Vorgeplänkel.

Spätestens dann, wenn sich Matildas Heer und das ihres Vetters bekriegten, hätte ich es unter Stephens Leuten nicht mehr ausgehalten, dachte Aline müde, während sie sich an das Lager eines jungen Soldaten setzte. *Und Ethan hätten schlimme Gewissensbisse gequält, wenn er zu Matilda übergelaufen wäre. Unter diesen Umständen hätten wir uns bestimmt bald gehasst.*

Energisch schluckte Aline ihre Traurigkeit hinunter und widmete sich dem flämischen Söldner, der kaum älter war als die meisten von Matildas Knappen. Ein Pfeilschuss hatte ihn in den Rücken getroffen. Sie war froh, dass sich die

Wunde nicht entzündet hatte und gut heilte. Auch der Zustand der anderen Schwerverwundeten, die sie anschließend untersuchte, hatte sich zumindest nicht verschlechtert. Als sie sich endlich auch um den Letzten gekümmert hatte, hielt sie es in der von Pisse und Schweiß getränkten Luft nicht mehr aus.

»Wer noch meine Hilfe braucht, soll nach draußen kommen«, rief sie den leichter Verwundeten zu, die teils auf den Strohsäcken dösten und teils ihre Waffen reinigten, Karten spielten oder würfelten.

»Ihr habt die Dienerin unserer Lady gehört«, brüllte der knorrige, graubärtige Schotte, der die Aufsicht über das Zelt führte. »Los, macht schon, und tut, was sie Euch sagt.«

Ein schlaksiger Waliser erhob sich von seinem Lager und humpelte hinter Aline her bis unter das Sonnensegel, das hinter dem Zelt aufgespannt war. Dort hockte er sich auf einen Schemel. Aline hatte eben den Leinenstreifen von seinem Unterschenkel gewickelt, wo ein Schwerthieb sein Fleisch bis auf den Knochen durchschnitten hatte, als eine vertraute Stimme sie ansprach. Überrascht blickte sie auf. Ein dunkelhaariger Mann mit feinen Gesichtszügen und einer scharf gebogenen Nase stand neben ihr.

»Gawain«, rief sie aus. »Was hat Euch denn hierherverschlagen?«

»Du weißt doch, dass ich gelegentlich auf Wanderschaft gehe.« Er lächelte sie an. »Die letzten Wochen habe ich in Paris verbracht, um mich mit Kollegen auszutauschen. Auf dem Weg zum Hafen von Dieppe habe ich erfahren, dass sich deine Herrin bei Vernon aufhält. Ich dachte, das könnte eine gute Gelegenheit sein, dich wiederzusehen. Nach England wirst du ja wahrscheinlich leider, so wie sich die Lage zwischen Matilda und ihrem Vetter entwickelt hat, nicht so bald zurückkehren.« Sein Seufzen drückte tiefes Bedauern über die überflüssigen Machtspiele der Herrschenden aus.

»Nein, höchstwahrscheinlich wird dies nicht der Fall sein«, erwiderte Aline traurig.

»Hat dir der junge Mann namens Ethan eigentlich voriges Jahr meinen Gruß ausgerichtet?«

Aline schluckte und wich Gawains Blick aus. »Ja, das hat er«, murmelte sie.

Gawains Gewand raschelte, als ob er sich unwillkürlich bewegt hätte. Scharfsinnig wie er war, hatte er sicher erkannt, dass Ethan ihr viel bedeutete und was dies für Konsequenzen für sie hatte. Sie war dem Medicus dankbar, dass er kein weiteres Wort darüber verlor, sondern sich nun neben den Waliser kniete, der mit hochgezogenen Schultern und unbehaglicher Miene auf seine Behandlung wartete.

Eingehend betrachtete Gawain die blutrote, mit Dornen geklammerte Wunde und ließ seine Fingerspitzen über das geschwollene Fleisch wandern. »Du hast den Hieb gut versorgt«, sagte er dann anerkennend. »Ich bin sicher, er wird nicht eitern.«

»Ich hatte einen guten Lehrer«, wehrte Aline verlegen ab.

Geschmeidig war Gawain aufgestanden, und nun war sie es, die er prüfend musterte. »Deine blasse Gesichtsfarbe und deine glanzlosen Augen gefallen mir allerdings gar nicht.«

»Ach, es ist nichts.« Sie schüttelte den Kopf. »Ich werde einfach eine Erkältung nicht los.«

Zwei weitere Soldaten – der eine trug den rechten Arm in der Schlinge, und um den Kopf des anderen war ein Verband gewickelt – hatten sich mittlerweile ebenfalls unter dem Sonnensegel eingefunden und beäugten Aline und den Medicus neugierig.

»Ich würde mir dich gerne einmal genauer ansehen.« Gawain wirkte nicht überzeugt. »Wo hat denn Matilda ihr Quartier bezogen?«

»In einem Gut, eine Meile flussaufwärts«, erklärte Aline. »Aber es ist nicht nötig, dass Ihr Euch wegen mir die Mühe macht und dorthin kommt.«

»Lass mich das beurteilen.« Gawain lächelte. »Wir Heilkundigen sind häufig blind, wenn es um uns selbst geht. Ich treffe dich heute Abend in dem Gut.« Mit einem Kopfnicken verabschiedete er sich, während sich Aline wieder dem Waliser zuwandte.

✶

Als sich Aline am späten Nachmittag dem Gutshof näherte, fühlte sie sich völlig zerschlagen, und das Kleid klebte ihr am Leib. *Wahrscheinlich ist es nur die Hitze, die mir so zusetzt,* versuchte sie sich zu beruhigen. Eine Staubschicht lag auf den Wegen, und das Gras auf den Wiesen war dürr wie sonst nur am Ende des Sommers.

Hinter dem Tor, auf dem mit Sand bestreuten Hof, kreuzte Sir Simon ihren Weg. Ein kräftiger Mann, dessen schmutzige Kleidung von einem langen Ritt zeugte, war bei ihm. »Dieser Bote ist gerade aus England angekommen.« Sir Simon wies auf seinen Begleiter. »Würdest du ihn zu unserer Lady führen?«

»Natürlich.« Aline nickte. *Ob der Bote wohl Nachrichten über Robert of Gloucester brachte?*, fragte sie sich, während sie mit dem Mann den Hof überquerte. Während der letzten Wochen waren immer wieder Gerüchte an Matildas Hof gelangt, dass der Earl mit Stephen paktierte. Ihre Herrin hatte sich nichts weiter anmerken lassen, aber Aline kannte sie gut genug, um zu wissen, wie sehr ihr dieses Gerede zusetzte. Sie fragte sich, ob Matilda es je verwinden würde, wenn auch ihr Geliebter sie verraten hätte.

Inzwischen hatte sie mit dem Boten die schattige Halle betreten und geleitete ihn nun durch eine Tür und eine schmale Wendeltreppe hinauf, denn Matildas Gemächer befanden sich im oberen Stockwerk. Der Mann roch durchdringend nach Schweiß und nach Pferd, und erneut stieg eine Welle von Übelkeit in ihr auf.

Nach Alines Klopfen ertönte Matildas übliches, ungeduldiges »Herein«. Die Läden des Zimmers waren der Hitze wegen halb geschlossen. Ihre Herrin ruhte in einem Lehnstuhl und hielt ein Buch in den Händen.

Während Aline auf sie zuschritt, kämpfte sie gegen die Übelkeit und ein neuerliches Schwindelgefühl an. »Madam, dieser Mann bringt Nachrichten aus England«, stellte sie ihren Begleiter hastig vor. Für einen Moment schien Angst in Matildas Augen auf. Aber sie hatte sich schnell wieder gefasst und sagte: »Es ist gut, Mädchen. Du kannst gehen.«

Aline hastete zur Tür. Sie hatte sie fast hinter sich zugezogen, als ein Schmerz, so heftig, als würde ein Messer in ihren Unterleib gebohrt, sie durchzuckte. Erstickt keuchte sie auf und sank zu Boden. Sie spürte noch, wie etwas Warmes ihre Schenkel herabrann und hörte Matilda erschrocken aufschreien. Dann verlor sie die Besinnung.

*

Sie war wieder ein Kind und lag in der Scheune ihrer Nachbarn. Das Fieber tobte in ihrem Körper. Doch wenn sie ihre Augen ein wenig öffnete – und es kostete sie große Anstrengung, dies zu tun –, sah sie keine hölzernen Dachsparren und Schindeln über sich, sondern Balken, die in leuchtenden Farben mit einem Blumenmuster bemalt waren. Irgendwo brannten Kerzen, denn die Zimmerdecke war in ein warmes, gelbliches Licht getaucht.

Nun beugte sich jemand über sie. Es war Matilda. Sie hielt einen Tonbecher in der Hand. »Mädchen, trink das!«, befahl sie. Ihre Stimme klang beinahe sanft. Aline wollte sagen, dass es ihre Aufgabe sei, ihrer Herrin zu trinken zu geben und nicht umgekehrt. Doch ihre Zunge und ihre Lippen gehorchten ihr nicht.

Eine Gestalt in einem dunklen Gewand erschien neben Matilda. Ein Mann, der aussah wie Gawain. Aber Gawain hielt sich doch in England auf? Während der Mann Aline half, sich aufzusetzen, durchzuckte ein heftiger Schmerz ihren Unterleib, und sie stieß ein Wimmern aus.

»Schon gut, Mädchen. Der Schmerz wird gleich vergehen.« Matilda hielt den Becher an Alines Mund. Sie schluckte gehorsam die nach Mohnsaft schmeckende Flüssigkeit. Gleich darauf verschwammen die bemalten Deckenbalken vor ihren Augen, und sie schlief ein.

Als Aline wieder erwachte, füllte Tageslicht das Zimmer. Durch das offen stehende Fenster konnte sie die struppige Krone eines alten Apfelbaumes sehen. Ein solcher Baum stand, wie sie sich mühsam erinnerte, im Garten des Gutshofs, wo Matilda Quartier bezogen hatte. Was hatte sie nur für einen merkwürdigen Traum gehabt, in dem ihre Herrin sie pflegte?

Doch als Aline nun den Kopf auf dem Kissen drehte, sah sie Matilda neben ihrem Bett sitzen. Wie bei ihrer letzten Begegnung las sie in einem Buch.

»Herrin …«, flüsterte Aline. Matilda blickte auf und ließ das Buch sinken. Die Andeutung eines Lächelns erschien auf ihrem schmalen Gesicht. »Du bist also endlich zu dir gekommen!«, stellte sie fest.

Aline wollte sich aufrichten, aber sie war zu schwach dafür und sank wieder in die Kissen zurück. »Was ist mit mir geschehen?«

»Du hattest eine Fehlgeburt. Es war ein großes Glück, dass Gawain, kurz nachdem du zusammengebrochen warst, zu dem Gutshof kam. Denn du hattest sehr viel Blut verloren.«

»Eine Fehlgeburt …?«, stammelte Aline.

»Warum hast du mir denn nicht gesagt, dass du schwanger bist?« Keine Verurteilung schwang in Matildas Stimme mit, nur Anteilnahme.

»Ich habe es nicht bemerkt …« Sie war so erleichtert gewesen, als, zehn Tage nach der Nacht, die sie mit Ethan verbracht hatte, ihre Regel wie üblich eingesetzt hatte. Auch in den beiden darauf folgenden Monaten war dies der Fall gewesen. Wobei … Nun erinnerte sie sich, dass diese Blutungen von kürzerer Dauer und weniger stark als sonst gewesen waren. Sie hatte sich darüber weiter keine Gedanken gemacht, sondern dies einfach darauf zurückgeführt, dass sie zu jener Zeit sehr erschöpft gewesen war.

Doch so sehr sie auch die Erkenntnis, schwanger zu sein, entsetzt hätte – nun, da sie das Kind verloren hatte, glaubte Aline, den Verlust nicht ertragen zu können. Sie begann hemmungslos zu weinen.

Matilda fasste nach ihrer Hand und streichelte sie. »Schon gut, Mädchen«, murmelte sie. »Lass deinem Kummer nur freien Lauf.«

Nach einer Weile, als Aline sich wieder etwas beruhigt hatte, fragte sie behutsam: »Willst du mir sagen, wer der Vater des Kindes ist? Wenn du es möchtest, sorge ich dafür, dass er dich heiratet.«

»Nein«, schluchzte Aline. »Verzeiht, aber ich kann es

Euch nicht sagen. Und ich kann den Mann auch nicht heiraten.«

Matilda betrachtete sie prüfend. Dann nickte sie. »Wie du willst. Es ist natürlich deine Entscheidung.« Sie blickte zu dem Fenster. Ein leichter Wind wehte. Die silbrige Unterseite der Apfelbaumblätter flirrte vor dem klaren Himmel. Ihr Gesicht wirkte weich und traurig.

»Ich habe einmal einem Mädchen das Leben geschenkt«, sagte sie leise und mehr wie zu sich selbst. »Damals, während meiner Ehe mit Heinrich, dem Kaiser. Als es acht Wochen alt war, starb es an einem Fieber. Da es ein Mädchen war, war es nicht wichtig. Wahrscheinlich erinnert sich schon niemand mehr außer mir an das Kind.« Langsam schüttelte sie den Kopf. »Wie sehr ich es hasse, dass wir Frauen oft so wenig zählen.«

Noch nie hatte sich Aline ihr so nahe gefühlt. »Herrin«, wagte sie flüsternd zu fragen, »hatte der Bote aus England gute Nachrichten für Euch?«

Matildas Augen strahlten auf. »Falls du wegen Robert fragst … Alle Gerüchte über ihn waren nur Lügen. Er hat sich nicht mit Stephen verbündet.« Sie beugte sich vor und strich über Alines Stirn. »Schlaf jetzt wieder. Gawain wird später nach dir sehen.«

Dann griff Matilda nach ihrem Buch und begann, leise daraus vorzulesen, in einer fremden Sprache, die Aline nicht verstand. Aber sie fand den Klang der Worte tröstlich und beruhigend. Sie linderten ihren Kummer und halfen ihr einzuschlafen.

*

Ethan schüttelte das Wasser aus seinen Haaren und rieb sich dann rasch mit seinem Hemd ab. Der Junitag war sehr heiß, sodass der Stoff schon bald wieder trocken sein würde. Er fühlte sich erfrischt und angenehm müde. Selbst jetzt, mitten im Sommer, waren der Avon immer noch kühl und die Strömung sehr stark. Er hatte es genossen, dagegen anzukämpfen und sich dabei zu verausgaben. Obwohl sein Halbbruder in seiner Gegenwart ertrunken war, hatte er niemals aufgehört, das Element Wasser und das Schwimmen zu lieben.

Er hob einen Kiesel auf, der an dem sandigen Ufer lag, schleuderte ihn mit einer schnellen Handbewegung auf den Fluss hinaus und sah zu, wie der Stein einige Male auf der dunkelgrünen Wasseroberfläche aufsprang. Hinter dem flussaufwärts gelegenen Eichenwäldchen erschollen Pferdegetrappel, Rufe und Lachen. Die meisten seiner Kameraden hatten sich dort auf der Wiese eingefunden, um Speerwürfe zu üben. Keine ganz leichte Übung, denn die Waffe musste aus dem Galopp auf einen Sandsack geschleudert werden.

Normalerweise beteiligte sich Ethan gern an so etwas. Aber im Augenblick war ihm nicht nach Gesellschaft zu Mute. Ganz zu schweigen davon, dass Hugo de Thorigny sich vorhin, als er an der Wiese vorbeigekommen war, wieder einmal aufgeführt hatte, als hätte er den Knappen zu befehlen. Was in Ethan den innigen Wunsch geweckt hatte, ihm in sein selbstzufriedenes Gesicht zu schlagen und eine Prügelei anzufangen. Seit Stephen sich zum König hatte krönen lassen, gehörte Reginald de Thorigny zu seinen engsten Vertrauten und dementsprechend hochmütig verhielt sich Hugo. Nein, es war wirklich besser, wenn er den anderen fernblieb.

In der Burg von Bristol, wo Stephen und sein Hof logierten, schlug Ethan den Weg zu einem der Speicher ein. Dort hockte er sich mit hochgezogenen Knien auf eine Truhe an der Giebelwand. Durch die Luke darüber konnte er die bewaldeten Hügelketten der Downs sehen, die wie grüne Wellen auf den Horizont zuzustreben schienen.

Ethan liebte diesen Platz. Er hatte ihn vor einigen Wochen kurz nach der Ankunft auf der Burg entdeckt, als er und einige andere Knappen leere Truhen und Körbe auf den Boden getragen hatten. Wann immer er allein sein wollte, und das war dieser Tage nicht selten, zog er sich hierher zurück.

Er starrte auf die Linie, wo die Hügel und der dunstige Himmel miteinander verschwammen. Währenddessen wanderten seine Gedanken wieder einmal zu Aline. Er hatte überlegt, ob er nicht doch aus dem Schuppen herauskommen und noch einmal mit ihr reden sollte. Aber dann war dieser blonde Knappe aufgetaucht. Es war nur zu deutlich gewesen, dass auch dieser junge Mann in Aline verliebt war. Und die schien sehr gern mit ihm weggeritten zu sein. Seine Eifersucht und sein Stolz hatten ihn daran gehindert, ihr nachzulaufen.

Und wenn schon, dachte Ethan düster, *wahrscheinlich wird sie mit diesem blonden Kerl sowieso glücklicher werden als mit mir. Ein Bastard, den der eigene Vater verstoßen hat.*

Schritte näherten sich auf der steinernen Wendeltreppe, die zu dem Dachboden führte. Hastig ließ sich Ethan von der Truhe gleiten und überlegte, was für einen Vorwand er anführen könnte, weshalb er sich hier oben aufhielt. Denn sein Bedürfnis, allein zu sein, war nun wirklich nichts, was er den anderen Knappen offenbaren wollte. Doch es war nur Nicolas' rundes Gesicht, das nun in dem Türspalt erschien. Dem Freund hatte er sich anvertraut.

»Ich dachte mir fast schon, dass ich dich hier finde.« Nicolas seufzte erleichtert.

»Hat Hugo das Speerwerfen gewonnen?«

»Ich war nicht dabei. Aber ich habe sagen hören ja. Er soll vor Stolz platzen.«

»Das sieht ihm ähnlich.« Ethan stöhnte angewidert.

»Allerdings.« Nicolas grinste, wurde aber sofort wieder ernst. »Stephen wünscht dich zu sprechen.«

»Hat er einen Grund genannt?«

»Nein, nur dass du dich möglichst bald bei ihm sehen lassen sollst.«

»Hoffentlich hat er nicht erfahren, dass ich ihn angelogen und mich in die Normandie davongestohlen habe«, murmelte Ethan erschrocken.

Nicolas wiegte besorgt den Kopf. »Wenn doch, dann dürfte dir das jede Menge Ärger einbringen.«

*

Ethan hatte Stephen gegenüber behauptet, dass sein Großvater mütterlicherseits nach all den Jahren endlich den Fehltritt seiner Tochter verziehen habe und seinen Enkel zu sehen wünsche – in Wahrheit hatte sich niemand aus der Familie seiner Mutter jemals für ihn interessiert. Im Gegenteil waren sie froh gewesen, dass sein Vater ihn nach dem Tod der Mutter zu Pflegeeltern gegeben hatte und sie sich mit »dieser Frucht der Sünde«, wie sie ihn wohl genannt hätten, nicht mehr befassen mussten. Aber da sein Großvater und seine beiden Söhne weder in Verbindung mit Stephens Hof standen noch zu Lord Latimer Kontakt hatten, war Ethan überzeugt gewesen, dass seine Lüge nicht auffliegen würde.

Manchmal gab es jedoch dumme Zufälle, dachte er beklommen, während er vor Stephens Gemächern darauf wartete, hereinbefohlen zu werden. Wenn ihn Stephen der Lüge bezichtigen sollte, würde er jedenfalls – was auch immer dies für Konsequenzen haben mochte – nichts abstreiten.

Er holte tief Atem, als der ältliche Diener nun auf den Vorplatz trat und ihn in das Zimmer winkte.

Stephen saß hinter einem wuchtigen Eichentisch, der mit Schriftstücken übersät war. Seine Miene wirkte sorgenvoll. »Setz dich, mein Junge«, sagte er knapp. Verzagt nahm Ethan ihm gegenüber Platz und beobachtete, wie sein Herr mit gerunzelter Stirn eines der Schreiben las, ehe er es mit angewiderter Geste wieder zu den anderen Pergamenten warf. »Rechnungen, nichts als Rechnungen …«, sagte er und stöhnte. »Hast du eine Ahnung, was es kostet, eine verdammte Burg zu unterhalten? Von einigen Hundertschaften an Bewaffneten gar nicht zu reden.«

»Nein, Sir, das habe ich nicht«, stotterte Ethan.

»Nun, wie solltest du auch …« Stephen lehnte sich in seinem Stuhl zurück und verschränkte die Arme vor der Brust. »Hattest du eine gute Zeit bei deinen Verwandten?«

»O ja, Sir, das hatte ich.«

»Es ist immer schön, wenn Familien bereit sind, über die Sünden der Vergangenheit hinwegzusehen und sich zu versöhnen.« Stephen lächelte.

Ethan murmelte eine zustimmende Antwort, während sich sein Magen vor Scham zusammenzog.

»Du erinnerst dich doch sicher an den Earl of Warwick?« Stephens Stimme klang immer noch wohlwollend. Verdutzt fragte sich Ethan, worauf dieses Gespräch hinauslaufen würde.

»Ja, natürlich, Hoheit. Ich bin ihm einige Male begegnet.«

»So zum Beispiel vor einigen Wochen in der Gegend von Shrewsbury bei der Jagd.« Stephen nickte. »Wo du den guten Warwick – laut seinen eigenen Worten – vor einem wild gewordenen Eber gerettet hast.«

Ethan hob verlegen die Schultern. »Gerettet ist wahrscheinlich zu viel gesagt ... Ich stand einfach günstig, als der Earl auf nassem Laub ausrutschte, und konnte den Eber leicht mit meinem Speer erlegen.«

»Warwick wird allmählich fett und ungelenkig.« Stephen grinste. »Kein Wunder, dass es ihn auf dem Waldboden hingestreckt und er es nicht mehr rechtzeitig geschafft hat, auf die Beine zu kommen. Allerdings wäre es wirklich schade gewesen, seinen Tod beklagen zu müssen. Warwick ist jedenfalls fest davon überzeugt, dass ihm der Eber die Hauer in den Leib gerammt hätte – wenn du nicht gewesen wärst.«

»Es ist nicht sicher, dass es so gekommen wäre«, wehrte Ethan ab.

Stephen hob amüsiert die Augenbrauen. »Junge, du willst doch wohl nicht ernsthaft mich und dich glauben machen, dass ein gereizter Eber freiwillig von seinem Gegner ablassen würde? Sei doch froh, dass Warwick der Meinung ist, dir etwas schuldig zu sein.«

»Sir ...?« Ethan starrte Stephen verblüfft an. Nachdem er das Wildschwein mit seinem Speer in die Flanke getroffen hatte, hatte sich der Earl schwerfällig und fluchend vom Waldboden hochgestemmt und war davongestapft, ohne ein weiteres Wort an Ethan zu verlieren. Nicolas, der auch in der Nähe gewesen war, hatte ihm kopfschüttelnd nachgeblickt und gemeint: »Wahrscheinlich ist der fette, alte Kerl auch noch wütend auf dich und denkt, dass du ihn um seine Jagdbeute gebracht hast.«

»Junge«, Stephens Grinsen vertiefte sich, »Warwick will dir als Dank seine jüngste Tochter Ruth zur Frau geben. Wenn das Mädchen nach seiner Mutter Magdalen gerät … Sie war als junge Frau sehr hübsch.« In seine blauen Augen trat ein verträumter Ausdruck.

»Aber Hoheit …«, keuchte Ethan auf, während es ihn durchfuhr: Aline!

»Junge, du wirst doch wohl hoffentlich diese Gelegenheit mit beiden Händen beim Schopf ergreifen und festhalten.« Stephen beugte sich vor und sah Ethan eindringlich an. »Du weißt, dass ich dich schätze, und ich bin gern bereit, dir zu helfen, damit du in der Welt deinen Weg machst. Aber auch ich kann keine reiche und mächtige Adelsfamilie zwingen, dich in ihre Sippe aufzunehmen. Du weißt sehr wohl, dass die Warwicks von weit höherem Rang sind als deine Verwandtschaft väterlicherseits, von der deiner Mutter ganz zu schweigen, und dass du zudem noch nicht einmal ehelich geboren bist.«

»Das weiß ich sehr wohl, Sir«, flüsterte Ethan.

»Du hast ein Mädchen, nicht wahr?« Stephens Blick wurde milder.

Ethan schwieg, aber er fühlte, dass ihm die Röte in die Wangen stieg. Ein nachsichtiges und verständnisvolles Lächeln zuckte um Stephens Mund. »Die kleine Ruth wird erst in zwei, drei Jahren im heiratsfähigen Alter sein. Bis dahin hast du noch genug Zeit, dir die Hörner abzustoßen und dich mit deinem Mädchen zu vergnügen. Und nach der Hochzeit, nun ja … Es verlangt doch niemand, dass du es dann mit der Treue sehr genau nimmst. Die Liebe ist ein Vergnügen und die Ehe ein Geschäft, das möglichst viel Gewinn abwerfen sollte. Nicht dass ich mich in dieser Hinsicht über meine Gattin Maude beklagen würde.«

Ich hätte Aline geheiratet, weil ich sie liebe, schoss es Ethan durch den Kopf. Aus keinem anderen Grund. »Junge, ich kann Warwick doch hoffentlich ausrichten, dass du der Heirat zustimmst?«, hörte er Stephen mit einer gewissen Schärfe fragen.

Ethan rang mit sich. Er kannte Ruth flüchtig. Sie war ein nettes, freundliches Mädchen mit haselnussbraunen Haaren und strahlend blauen Augen. Mit ihr würde er – wenn er sie richtig einschätzte – ein zufriedenstellendes Leben führen können. Noch dazu würde er endlich den Makel seiner Herkunft hinter sich lassen können. Das war mehr, als er sich noch vor wenigen Jahren vom Leben erhofft hatte. Es war am besten, wenn er Aline endlich vergaß und sich der Wirklichkeit stellte.

Er blickte Stephen fest an, doch seine Stimme klang ein wenig rau, als er sagte: »Sir, richtet dem Earl bitte aus, dass ich dankbar für diese Ehre bin. Ich willige gerne in die Heirat ein.«

»Dann wäre das also wenigstens geklärt.« Stephen seufzte erleichtert.

Kapitel 5

Ein Schneeschauer peitschte über den Burghof. Aline zog ihren Wollumhang eng um sich, während sie in Richtung der Küche hastete. Es war Ende Februar. Eine schier endlose Zahl eisig kalter, wolkenverhangener Tage lag hinter ihr, und wieder einmal schien der Winter nicht weichen zu wollen.

Als sie den Küchenhof erreichte, sah sie Garreth zwischen den wirbelnden Flocken. Er kam aus Richtung der Stallungen. Sein Gesicht war grau vor Kälte, und sein Mantel war ganz weiß vom Schnee – offensichtlich war er seit längerer Zeit im Freien unterwegs. Er steuerte direkt auf sie zu. In den vergangenen Monaten hatte sich Aline ab und zu kurz mit ihm unterhalten, wenn sie sich begegnet waren, und diese Gespräche waren einige der wenigen Lichtblicke in Alines Alltag gewesen. Niemand am Hof wusste von dem Kind, das sie verloren hatte. Dies war ein Geheimnis zwischen Matilda, Gawain und ihr – Matilda hatte verbreiten lassen, Aline habe an einer schweren Lungenentzündung gelitten –, und die Hofgesellschaft glaubte, ihre Schwäche und Niedergeschlagenheit rühre von der langwierigen Genesung her.

Garreth hatte sich auf eine unaufdringliche Weise teilnahmsvoll verhalten. Mit ihm über so alltägliche Dinge wie Saatzeiten, Pflanzen und Tiere zu reden, hatte Aline gutgetan.

»Wie schön, dass ich Euch treffe.« Er lächelte sie an.

»Ihr klingt ja so, als ob Ihr es darauf angelegt hättet«, erwiderte sie freundlich. Ohne es recht zu bemerken, wichen sie unter das Vordach der Küche zurück. Rauch und warme Luft drangen durch die Fensterluken nach draußen. Es roch nach bratendem Fleisch und siedendem Getreide.

Garreth nestelte an seinem Bündel herum und zog schließlich ein Päckchen heraus, von dem er nun die Stoffhülle entfernte. »Ich hatte etwas in Argentan zu erledigen. Und auf dem Markt sah ich dies …« Er reichte Aline ein Wachstäfelchen und einen Griffel, dessen hölzerner Schaft mit einer geschnitzten Blattranke verziert war. »Ihr habt mir einmal erzählt, dass Ihr lesen und schreiben könnt. Deshalb dachte ich, dass Ihr Euch vielleicht über diese Dinge freuen würdet«, sagte er ein wenig schüchtern.

Aline starrte auf die kleinen, geschnitzten Blätter. Seit sie vor nun fast einem Jahr endgültig mit Ethan gebrochen hatte, hatte sie kein Wort mehr geschrieben. Sie erinnerte sich wieder daran, wie sie mit ihm auf dem Heuboden von Wallingford gesessen und zum ersten Mal in ihrem Leben Buchstaben in eine Wachstafel geritzt hatte. Wie Zauberei war es ihr erschienen, als sich die Lettern gelb von dem dunklen Untergrund abzuheben begannen. Ethan hatte ihr damals eine ganz neue Welt eröffnet – eine Welt, zu der normalerweise nur Adelige und Priester Zutritt hatten und keine Frau von niederer Herkunft wie sie –, und sie war so stolz und glücklich gewesen, diesen Moment mit ihm teilen zu dürfen.

»Gefallen Euch die Dinge nicht?« Sie bemerkte plötzlich, dass Garreth sie erschrocken ansah.

»Nein, sie sind sehr schön.« Hastig schüttelte sie den Kopf. »Aber Ihr dürft mir nicht so etwas Teures schenken. Ich kann das nicht annehmen.«

»Oh, ich hatte Geld für ein neues Pferd von meinem Vater bekommen – anlässlich meiner bald bevorstehenden Erhebung zum Ritter – und konnte eines sehr günstig erwerben. Viel billiger, als ich gedacht hatte. Es ist ein gutes Tier – nur etwas bockig, aber es wird sich schon an mich gewöhnen. Jedenfalls hatte ich nach dem Handel noch einige Münzen übrig«, sprudelte er hervor. »Macht mir doch die Freude, und nehmt den Griffel und die Tafel an«, bat er, als Aline immer noch zögerte. »Ich musste dafür auf nichts verzichten. Es war nur so … Ich war so gut gelaunt nach dem Kauf und wollte Euch einfach an meinem Glück teilhaben lassen.«

Sein Eifer rührte Aline. »Ich nehme Euer Geschenk an«, gab sie nach. »Aber nur unter der Bedingung, dass auch ich Euch etwas schenken darf.«

»Davon will ich Euch nicht abhalten.« Garreth lachte.

»Ich überlege mir etwas.« Aline fiel plötzlich ein, weshalb sie sich auf den Weg zur Küche gemacht hatte – Matilda hatte Kopfschmerzen, und sie wollte ihr eine Arznei zubereiten.

»Wenn Ihr mich jetzt bitte entschuldigen würdet«, sagte sie rasch zu Garreth. »Meine Herrin wartet auf mich.«

*

Wie Aline befürchtet hatte, empfing Matilda sie mit einem gereizten: »Mädchen, wo hast du so lange gesteckt?« Sie ruhte, an Kissen gelehnt, in ihrem Bett. Sie war angekleidet, trug jedoch keinen Schleier. Ihre Augen hatte sie zu Schlitzen zusammengekniffen, und ihre Wangen waren fleckig.

»Verzeiht, Madam, ich wurde aufgehalten«, sagte Aline nur. Wobei sie überzeugt war, dass Matilda sie in jedem Fall gescholten hätte, auch wenn sie nicht kurz mit Garreth geplaudert hätte. Nachdem Matilda den Lavendeltee in kleinen Schlucken getrunken hatte, befahl sie Aline, frische Holzscheite in der Feuerstelle nachzulegen, und erklärte dann, sie könne sich zurückziehen.

Dankbar schlüpfte Aline in den vorderen Raum. Dort zündete sie die Kerzen an einem Bronzeleuchter an – obwohl es erst früher Nachmittag war, war es bereits dämmrig – und griff nach ihrem Stickzeug. Doch schon nach wenigen Stichen ließ sie die Handarbeit sinken. Das Gelb des Seidenstoffes und das grüne Garn hatten plötzlich jede Leuchtkraft für sie verloren und schienen ihr wie mit einem Grauschleier überzogen. Seit dem vergangenen Frühjahr und Sommer überkamen sie immer wieder solche Anfälle von Traurigkeit. Gawain hatte ihr gesagt, sie solle sich gedulden, diese Zustände würden sich allmählich legen. Aber Aline kam es vor, als ob ihre Niedergeschlagenheit in den letzten Wochen eher noch zugenommen hätte.

Sie lauschte auf das Knacken des brennenden Holzes im Nebenzimmer und auf das Knistern des Schnees, den der Wind gegen die Fenster blies. Die letzten Monate waren sehr anstrengend gewesen, denn Matildas Kämpfe gegen ihre aufständischen Vasallen hatten die entscheidende Phase erreicht. Für ihre Herrin stand alles auf dem Spiel, und entsprechend gereizt war sie häufig.

Wenigstens fiel es Aline mittlerweile leichter als früher, ihre Launen zu ertragen. Matilda hatte sich rührend um sie gekümmert, als sie nach der Fehlgeburt und dem großen Blutverlust lange krank gewesen war. Auch dass ihre Herrin ihr von ihrer toten Tochter erzählt hatte, hatte sie Aline sehr nahe gebracht.

Aline hatte es überrascht, dass ihre Herrin so tief um ihr verstorbenes Kind trauerte. Ihre Söhne Henry sowie

Geoffrey und William, die in den vergangenen beiden Jahren zur Welt gekommen waren, behandelte sie – wenn sie die Jungen überhaupt in ihrer Nähe duldete – eher wie lästige Schoßhunde als geliebte Sprösslinge. Aber Matildas Wesen hatte, das hatte Aline inzwischen begriffen, sehr viele Facetten.

Sie zwang sich, an der Stickerei weiterzuarbeiten. Während sie sich ganz darauf konzentrierte, den schimmernden Faden durch den Stoff zu ziehen, vergaß sie allmählich ihre Traurigkeit. Sie hatte eben eine grüne Borte vollendet, als es an der Tür pochte. Ein Diener meldete, der Söldnerführer William of Ypres sei in der Burg eingetroffen und wünsche Matilda zu sprechen.

O Gott, durchfuhr es Aline. Welche Nachricht er wohl übermitteln würde? Während der letzten Wochen hatte sie sich immer wieder gewünscht, das Warten auf die Entscheidung sei endlich vorbei – egal, wie diese ausgehen mochte –, doch nun bangte ihr plötzlich davor.

Matilda hatte die Worte des Dieners gehört und war schon in das vordere Zimmer geeilt. Sie wirkte kühl und gefasst. Die Flecken waren von ihren Wangen verschwunden. »Bring William zu mir«, wies sie den Diener an.

Aline hatte den Mann, der sich kurz darauf vor ihrer Herrin verbeugte, schon einige Male gesehen. Wie immer erinnerte er sie mit seinem abgewetzten, speckigen Ledermantel, den er sommers wie winters trug, dem wettergegerbten Gesicht und dem grauen verfilzten Haarschopf eher an einen Wegelagerer denn an den Befehlshaber eines Heeres. Aber die Intelligenz und Tatkraft, die William ausstrahlte, machten diesen Eindruck wieder wett.

»Nun, was habt Ihr mir mitzuteilen?« Matildas Stimme klang spröde.

»Euer Gatte schickt mich.«

Kleine Rinnsale schmelzenden Schnees rannen – dies fiel Aline nun auf – wie Linien unordentlich ausgeführter Stiche an seinem Mantel herab. Das Geräusch der Tropfen, die auf den Boden fielen, mischte sich mit dem Knistern der Kerzenflammen und dem des Feuers.

»Der Graf von Anjou möchte, dass Ihr ihn umgehend aufsucht, denn er muss sich mit Euch beraten.« Ein Grinsen erhellte Williams kantige Züge. »Mit Aubrey de Vere und Ralph of Essen sind Eure letzten Widersacher besiegt, und der Weg nach England steht Euch nun offen.«

»Aubrey und Ralph sind besiegt«, murmelte Matilda. Sie wandte Aline und dem Söldnerführer den Rücken zu und trat an eines der Fenster. Mittlerweile hatte die Dämmerung eingesetzt, und der Schein der Kerzen spiegelte sich in dem Glas. In sich versunken blickte sie darauf, als könnte sie in dem gelben Schimmern die Zukunft erkennen.

Als sie sich abrupt wieder zu William umdrehte, leuchteten ihre Augen eigenartig. »Würdet Ihr auch *mir* mit Eurem Heer nach England folgen?«, fragte sie mit erhobener Stimme.

»Gewiss, Madam«, erwiderte der Mann überrascht. »Ich stehe schließlich in Eurem Dienst.«

»Ich fürchte, Ihr habt mich nicht ganz richtig verstanden. Mit ›mir‹ meinte ich ›mir allein‹ und nicht ›mir und meinem Gatten‹.« Matilda hatte den Kopf stolz erhoben. Ihr rotblondes Haar umspielte ihr schmales Gesicht wie eine Löwenmähne. »England ist mein Land, und ich will dort so um meine Herrschaft kämpfen, wie ich es für richtig halte – ohne mich darüber mit meinem Gatten« – Matilda sprach das Wort mit unverhohlener Verachtung aus – »beraten zu müssen.«

»Nun«, William wirkte verunsichert. »Verzeiht, wenn ich das so offen sage. Der Graf von Anjou ist nun einmal ein Mann …«

»Das Geschlecht allein macht noch keinen Mann«, versetzte Matilda schneidend. »Antwortet mir gefälligst mit Ja oder Nein auf meine Frage, und sucht keine Ausflüchte. Aber Ihr solltet bei Eurer Entscheidung auch bedenken, dass ich Euch und Euren Leute mehr zahlen kann als mein Gemahl.«

Die beiden musterten sich prüfend. Schließlich nickte William. »Ja, ich werde mit Euch ziehen.«

»Gut.« Ein knappes Lächeln spielte um Matildas Mund. »Dann kniet nieder, und leistet mir noch einmal den Treueid.«

Nachdem der Söldnerführer ihre Hände mit seinen umschlossen und den Treueid gesprochen hatte, blickte Matilda Aline an. »Richte Sir Simon aus, dass ich ihn sofort zu sehen wünsche. Danach kannst du damit beginnen, meine Sachen zu packen.«

»Ja, Madam.« Aline neigte den Kopf.

Sobald das Wetter es zulässt, wird Matilda den Kanal überqueren, dachte Aline, während sie durch die Gänge der Burg hastete. *In wenigen Wochen werden sich ihre und Stephens Armeen bekämpfen. Dann sind Ethan und ich endgültig zu Feinden geworden.* Sie versuchte sich einzureden, dass ihr dies nichts ausmachte. Aber unwillkürlich berührte sie ihren Leib, in dem sie Ethans und ihr Kind getragen hatte, und Tränen machten ihr die Kehle eng.

*

Es konnte einfach nicht wahr sein … Noch nicht einmal Stephen war eine derart bodenlose Unverschämtheit zuzutrauen! Zehn Tage zuvor war Henry of Winchester außer sich in die Gemächer seines Bruders gestürzt.

Stephen saß, die Füße auf eine niedrige Bank gelegt, vor einem prasselnden Kaminfeuer. Er trug keinen Gürtel, und seine Kleidung hing unordentlich an ihm, als hätte er sie sich eben erst übergeworfen. In den Duft der Kerzen und den Rauch der brennenden Scheite mischte sich ein leichter, aber unverkennbarer Hauch von Parfüm, was Henrys schlechte Laune nicht verbesserte.

Sein Bruder bedachte ihn mit einem amüsierten Blick. »Gibt es irgendwelche Probleme?«

Henry zwang sich zur Ruhe. »Ich habe eben von einem Boten erfahren, dass deine Bewaffneten meine Burg bei Farnham besetzt haben. Sag mir, dass diese Nachricht falsch ist.«

Stephen verschränkte die Arme hinter dem Kopf, reckte sich und gähnte. »Nein, die Botschaft trifft durchaus zu«, sagte er dann träge.

»Wie kannst du es wagen!« Henry rang nach Atem.

»Soviel ich höre, entwickeln sich die Dinge in der Normandie nicht schlecht für Matilda.« Stephen nahm einen Apfel aus einer silbernen Schale und biss krachend davon ab. »Ich will vorbereitet sein, falls sie mit ihrer Armee den Kanal überquert. Jene Burg, die dich so außer dir geraten lässt, steht nun einmal an einer strategisch wichtigen Stelle.«

»Du hättest mich wenigstens über deine Pläne informieren können.«

»Du hast Recht. Das hätte ich wirklich tun können. Ich muss es wohl einfach vergessen haben.« Stephen warf den Apfelrest in hohem Bogen in das Feuer. Sein gelangweiltes Lächeln weckte in Henry das Verlangen, ihn zu schlagen.

Nur mit Mühe beherrschte er sich. »Ich habe dich immer unterstützt und bei den Lords und Fürsten für deine Pläne geworben. Ohne mich hättest du es niemals geschafft, König zu werden«, stieß er vor Wut zitternd hervor. »Dafür verlange ich Respekt!«

»Oh, du hast bislang durchaus davon profitiert, dass ich König geworden bin.« Auch Stephen wurde nun wütend. »Ich habe dich mit Burgen und Landgütern belehnt …«

»… die Burg bei Farnham hat mir noch unser Onkel Henry übergeben«, schnappte der Bischof.

Stephen ignorierte diesen Einwurf. »Außerdem hat dir meine Stellung als König dazu verholfen, dass Papst Innozenz dich zum Legaten ernannte. Wovon du ja immer geträumt hast. Und schließlich: Mir als König gehört sowieso das ganze Land. Ich kann frei darüber verfügen. Ganz wie es mir beliebt.«

»Bist du nun völlig größenwahnsinnig geworden?«, fauchte Henry.

»Ganz und gar nicht!« Stephen beugte sich vor, und seine Augen funkelten gefährlich. »Vielleicht tröstet es dich ja: Deine Burg wird nicht die einzige bleiben, die ich in Besitz nehme. Glaube mir, auch andere Männer von Adel werden dies akzeptieren müssen. Und jetzt lass mich mit deinem Gejammer in Frieden.«

Wortlos drehte sich Henry um und eilte aus dem Raum. Nachdem er eine Weile zornbebend in seinen Gemächern auf und ab gelaufen war, wurde er ruhiger. Vielleicht hatte er ja auf den falschen Trumpf gesetzt. Falls sich die Dinge für Matilda erfolgversprechend gestalten sollten, würde es wahrscheinlich sein Schaden nicht sein, in ihr Lager zu wechseln. Anders als sein undankbarer Bruder würde sie ihn sicher zu schätzen wissen.

Und was die anderen Burgen betraf, die Stephen sich anzueignen gedachte ... Henry lachte höhnisch auf. Kein Adeliger würde dies bereitwillig hinnehmen. Er hatte ein Bündnis für Stephen geschmiedet. Er besaß jedoch auch die Fähigkeiten und Mittel eines *gegen* ihn zu formieren. Noch war es zu früh, offen die Seiten zu wechseln. Aber es konnte nicht schaden, schon einmal vorsichtig die Fühler auszustrecken.

*

Der Tag war neblig. Doch es hatte endlich aufgehört zu schneien, und ein Hauch von Tauwetter lag in der Luft. Während Aline neben Matilda durch die hügelige Landschaft um Rouen ritt, fragte sie sich, ob es wohl möglich sein würde, den Kanal zu überqueren. Übermorgen würden sie Dieppe erreichen. Seit ihrem Aufbruch in Argentan vor vier Tagen war es beinahe windstill. Aber hier, in der Normandie, konnte das Wetter schnell umschlagen, und im Kanal mit seinen starken Gezeiten und Strömungen gehorchte das Meer ohnehin seinen eigenen Gesetzen.

Eine große Flotte würde im Hafen von Dieppe liegen, denn Matilda hatte die vergangenen beiden Jahre auch dazu genutzt, um neue Schiffe bauen zu lassen.

Ob sich Ethan ebenfalls davor fürchtet, dass Stephens und Matildas Armeen bald aufeinandertreffen werden?, ging es Aline durch den Kopf, während sie ihren Blick über die verschneite Gegend schweifen ließ. Nein, wahrscheinlich hatte er sie längst vergessen und sich einem anderen Mädchen zugewandt. Und überhaupt war er bestimmt so dumm, sich auf einen Krieg zu freuen – wie die meisten jungen Männer.

Einige Reiter tauchten nun aus dem Nebel auf und preschten über ein Feld auf William of Ypres zu.

Matilda drehte sich zu Sir Simon um, der hinter ihr ritt. »Lasst anhalten!«, rief sie ihm zu. Sir Simon brüllte einen Befehl, der von den Soldaten im vorderen Teil des riesigen Trosses aufgenommen und weitergegeben wurde. Leder knirschte, Waffen klirrten, und Pferde wieherten, während die tausend Mann starke Armee allmählich zum Stehen kam.

William war unterdessen aus dem Tross ausgeschwenkt. Er war den Reitern entgegengaloppiert und hatte kurz mit ihnen gesprochen. Nun lenkte er sein Pferd zu Matilda. Aline glaubte, in seinen verwitterten Gesichtszügen Sorge lesen zu können. Auch Matilda hatte dies wahrgenommen und blickte ihm angespannt entgegen. »Eure Leute bringen schlechte Nachrichten?«, fragte sie knapp.

Der Söldnerführer nickte. »Die Vorhut hat sechs Meilen entfernt bei Louviers ein großes Heer entdeckt, das uns entgegenzieht.«

»Könnte es sich dabei um Soldaten meines Gemahls handeln?«

»Das ist leider höchst unwahrscheinlich.« William schüttelte den Kopf. »Meine Leute konnten in dem Nebel die Abzeichen und Fahnen dieser Armee nicht erkennen. Aber sie hörten, wie sich die Soldaten durch Rufe verständigten. Ihre Sprache war eindeutig nicht Französisch.«

»Dann wird es Stephens Heer sein«, sagte Matilda hart.

»Aber Madam, kann Euer Vetter denn schon erfahren haben, dass Ihr Euch auf dem Weg nach England befindet?«, mischte sich Sir Simon ein.

»Da weder er noch sein teurer Bruder Henry übernatürliche Kräfte besitzen – zumindest ist mir davon nichts bekannt –, wüsste ich eigentlich nicht, wie dies möglich sein könnte«, bemerkte Matilda trocken. »Vermutlich hat er einfach beschlossen, mir zuvorzukommen und mich in der Normandie anzugreifen, statt darauf zu warten, dass ich in England lande.«

»Madam, ich fürchte, Ihr habt Recht.« William nickte. »Wir können nur hoffen, dass die Besatzung in Dieppe Eure Schiffe besser verteidigt hat, als die in Barfleur es tat.«

»Ja, in der Tat, das hoffe ich ebenfalls«, erwiderte Matilda mit einem dünnen Lächeln. Doch Aline konnte spüren, wie besorgt sie war. Wenn es Stephen wieder gelungen war, die Schiffe in seinen Besitz zu bringen, oder wenn sie während eines Kampfes zerstört worden wären, käme dies einer Katastrophe gleich. Einmal abgesehen von dem erneuten Zeitaufschub, den dies bedeuten würde – Matilda konnte es sich einfach nicht leisten, noch einmal eine große Flotte in Auftrag zu geben.

»Ich will dieses Heer sehen«, beschied Matilda nun William.

»Madam, um Gottes willen«, wehrte dieser entsetzt ab, »Ihr solltet Euch in die Burg von Rouen zurückziehen und alles Weitere mir überlassen. Was, wenn Ihr Stephens Leuten in die Hände fallen würdet?«

»Keine Sorge – ich werde schon achtgeben, dass dies nicht geschieht«, entgegnete Matilda grimmig. Sie wandte sich Aline zu. »Mädchen, es steht dir frei, mit mir zu kommen oder nicht.«

»Natürlich begleite ich Euch, Madam«, sagte Aline rasch. Ihr Mund war ganz trocken. Würden sie und Ethan sich etwa noch früher, als sie befürchtet hatte, als Feinde begegnen?

William brummelte ein wenig missmutig vor sich hin, sah dann jedoch ein, dass es sinnlos war, Matilda noch einmal zu widersprechen, und wies einige Soldaten der Vorhut an, ihnen den Weg zu weisen.

Während des Ritts folgten sie, so oft dies möglich war, Hügelkämmen. Mal lag der Nebel unter ihnen, dann wieder hüllte sie die feuchte Luft zur Gänze ein. Nach etwa zwei Stunden – sie durchquerten gerade ein Waldstück, und inmitten des Dunsts über den kahlen Baumwipfeln konnte Aline die Sonne als fahle Scheibe erkennen – hörte sie in der Ferne dumpfe Geräusche. So klang es, wenn mehrere hundert Reiter unterwegs waren.

Kurz darauf lichtete sich der Wald. Sie hatten eine Bergkuppe erreicht und warteten im Schutz der Bäume. Eine dunkle Linie erschien unten in der Ebene auf dem Weiß des Schnees. Sie wurde größer und deutlicher, bis die Umrisse von Reitern auszumachen waren. In das Hufgetrappel mischten sich nun Stimmen und das Knarren von Wagenrädern. Nebel umhüllte die Pferdebeine, während die Sonne aus der diesigen Luft hervorblitzte und da und dort Waffen und Kettenhemden aufleuchten ließ.

Obwohl sie wusste, dass es unmöglich war, in dieser Menge von Bewaffneten jemanden zu erkennen, ertappte Aline sich dabei, dass sie nach Ethans rotem Haarschopf Ausschau hielt. Etwas Blaues und Silbernes leuchtete jetzt an der Spitze des Zuges zwischen den Reitern auf. Matilda, die das Näherkommen der Armee reglos verfolgt hatte, fasste sich an die Brust und stieß einen seltsamen Laut aus – halb Lachen und halb Weinen. Dann presste sie ihrem Pferd die Fersen in die Flanken und galoppierte auf das Heer zu.

»Ist diese Frau denn jetzt völlig wahnsinnig geworden?«, brüllte William of Ypres nach einem Schreckmoment. Mit einem Fluch riss er sein Pferd herum und folgte Matilda. Aline und die Soldaten taten es ihm gleich. Plötzlich ahnte Aline, wer dieses Heer befehligte. Ihre Ahnung wurde zur

Gewissheit, denn als Matilda etwa die Hälfte der Strecke zurückgelegt hatte, löste sich ein Reiter aus dem Heerhaufen und preschte in ihre Richtung.

Sobald Matilda und der Earl of Gloucester sich erreicht hatten, ließen sie sich aus den Sätteln gleiten und fassten einander bei den Händen. »Robert, wie habt Ihr davon erfahren, dass ich auf dem Weg nach England bin?«, hörte Aline, die zusammen mit William die beiden nun eingeholt hatte, Matilda fragen.

»Madam verzeiht, aber bei allem Respekt – hättet Ihr vielleicht die Güte, mich darüber aufzuklären, was dies zu bedeuten hat?« Der Söldnerführer konnte nur mit Mühe seinen Ärger im Zaum halten.

Robert of Gloucester wandte sich zu ihm um. Gelassen, aber trotzdem mit einer gewissen Schärfe, sagte er: »Dies bedeutet, dass ich beschlossen habe, Eure Herrin offen gegen Stephen zu unterstützen.« Dann blickte er Matilda an. »Ich habe nichts von Eurem Vorhaben gewusst. Meine Späher an Stephens Hof haben erfahren, dass einige seiner wichtigsten Gefolgsleute unzufrieden mit seinen Entscheidungen sind. Deshalb fand ich, die Zeit sei reif, meinen Waffenstillstand mit ihm aufzukündigen.«

Matilda lachte. »Wen hat mein lieber Vetter denn gegen sich aufgebracht?« Ihre Frage war ganz sachlich, und doch schwang ein Hauch von atemlosen Glück darin mit, der – davon war Aline überzeugt – nichts mit Stephen zu tun hatte. *Ob Ethan meine Stimme auch einmal so zum Klingen gebracht hätte?*, durchfuhr es sie.

»Henry of Winchester …«

»Diese Ratte …«, murmelte Matilda.

»Außerdem Ranulf, den Earl of Chester«, Robert grinste sie an, »und die Bischöfe Nigel of Ely und Roger of Salisbury. Diese Männer werden gewiss nicht abgeneigt sein, in Euer Lager zu wechseln.«

»Das schätze ich auch«, mischte sich William ein. Er blickte von Matilda zu Robert. »Wirklich erstaunlich, Sir, dass Ihr Euren Entschluss gerade dann gefasst habt, als auch meine Herrin sich entschied, ihrem Vetter den Krieg zu erklären. Man könnte ja fast von Gedankenübertragung sprechen.«

Robert hat gefühlt, was meine Herrin plante, ging es Aline durch den Kopf.

Der Earl of Gloucester lächelte nur und sagte leichthin: »Tja, wir sind nun einmal Halbgeschwister. Wahrscheinlich besteht deshalb ein besonders enges Band zwischen uns. Und nun sollten wir weiterreiten, damit wir einen guten Lagerplatz finden.«

*

»Wo beabsichtigst du, in England zu landen?«, fragte Robert of Gloucester. Mittlerweile war es Abend geworden. Er und Matilda saßen sich bei einer Mahlzeit in der Burg von Rouen gegenüber. Matilda hatte erklärt, allein mit ihrem Halbbruder speisen zu wollen, da sie sehr müde sei. Allerdings hatte sie Aline bei sich behalten, da dies andernfalls Aufsehen erregt hätte.

Wobei, dachte Aline, während sie die Schüsseln mit gedünstetem Kohl, gebratenen Zwiebeln und Rüben wegräumte und Platten mit Rind- und Kalbfleischscheiben sowie einen Korb mit hellem Brot auf den Tisch stellte, *Matilda meine Anwesenheit wahrscheinlich ohnehin kaum wahrnimmt. Seit Beginn des Mahls ruhen ihre Blicke nur auf Robert.* Leise zog sie sich in die Schatten jenseits der brennenden Kerzen zurück.

Matilda trank einen Schluck mit Wasser verdünnten Weins. »Ich plane, in Hastings an Land zu gehen«, sagte sie dann. »Adeliza, die Burgherrin von Arundel, ist mir gewogen, und auch strategisch liegt der Platz günstig.« Sie stellte den Kelch ab und beugte sich vor. »Ich kann dir gar nicht sagen, wie froh ich bin, dass du zu mir gekommen bist. Noch dazu, ohne von meinen Plänen gewusst zu haben. Es erscheint mir wie ein Wunder, und ich glaube fest daran, dass mir, nun, da du an meiner Seite stehst, alles gelingen wird.«

»Hast du denn je an meinem Wort gezweifelt, dass ich dich unterstützen würde?«, fragte Robert sanft.

»Nur, als es immer wieder Gerüchte gab, dass du zu Stephen übergelaufen wärst. Das heißt … Tief in meinem Innern habe ich darauf vertraut, dass du zu mir stehen würdest. Trotzdem hatte ich Angst, dass du mich verraten würdest. Denn das hätte ich nicht ertragen.« Tränen schimmerten in Matildas Augen. Sie griff nach Roberts Hand und umschloss sie mit ihren Fingern. Er entzog sie ihr nicht, wich aber ihrem Blick aus.

»Wie stehen die Dinge zwischen dir und Kathryn Fitzgerald?«, fragte Matilda nach einer Weile.

»Vor zwei Jahren hat sie Lord Malcolm geheiratet. Der Sohn, den sie ihm bald darauf geschenkt hat, ist in Wahrheit mein Kind. Was wir alle drei wissen.« Robert lächelte freudlos.

»Du hast ein Kind mit ihr.« Matildas Stimme klang tonlos. »Was sagt deine Gemahlin dazu? Ich nehme an, sie weiß es ebenfalls?«

»Natürlich«, Robert nickte, »aber haben sie und dein Gatte jemals gezählt?«

»Geoffrey zählt nicht.« Matilda lachte bitter auf. »Kathryn Fitzgerald ist aber immer noch wichtig für dich, oder?«

»Wir treffen uns hin und wieder.« Robert spielte mit seinem Messer und vermied immer noch Matildas Blick. Sie ließ seine Hand los und rückte von ihm ab.

»Ich habe es dir doch schon einmal versucht zu erklären.« Robert sah sie nun an. Seine Stimme klang gequält. »Ich bin ihr so sehr zugetan, weil sie mich an dich erinnert.«

»Ich habe niemanden, der mich an dich erinnert und mit dem ich mich trösten könnte«, versetzte Matilda hart.

»Du bist viel stärker als ich.«

»Das bezweifle ich. Und wenn, dann hat mir diese Stärke niemals Glück gebracht. Bei Gott, ich wünschte, wir wären keine Geschwister. Oder niemand wüsste davon, dass wir es sind«, brach es leidenschaftlich aus Matilda heraus. »Oder wir lebten in einer Zeit oder an einem Ort, wo niemand sich darum scheren würde.« Sie schlug die Hände vor das Gesicht und begann verzweifelt zu weinen.

»Nicht, bitte nicht …« Robert sprang auf und nahm sie in seine Arme, und Matilda klammerte sich an ihn. Aline versuchte, mit den Schatten zu verschmelzen. Nach einer Weile hatte sich ihre Herrin wieder ein wenig beruhigt. »Robert«, flüsterte sie, »lass uns noch einmal als Mann und Frau zusammen sein.«

»Du weißt, dass das nicht möglich ist«, seufzte er. »Wir müssen uns so verhalten, als seien wir nur Geschwister. Andernfalls beschwören wir eine Katastrophe herauf.«

»Darüber bin ich mir im Klaren, und um meinetwillen wäre mir dies gleichgültig. Aber ich will nicht, dass du wegen mir zu leiden hast.« Sie schmiegte sich an ihn. »Ich bin so glücklich, dass du bei mir bist. Es ist, als sei es endlich wieder Tag um mich geworden. Als könnte ich endlich wieder frei atmen. Damit wir wieder beieinanderbleiben können, bin ich bereit, jedes Opfer zu bringen, auch wenn das heißt, dass ich dich nicht begehren darf. Aber einmal möchte ich es noch auskosten, ganz eins mit dir zu sein. Andere mögen ihr Heil bei der Messe und bei Gebeten finden, aber ich weiß, du bist meines.« Wieder strömten Tränen über ihr Gesicht, und ihre Stimme brach.

»Ach, Matilda …« Noch immer hielt Robert sie fest. In seinem Gesicht stritten die widersprüchlichsten Gefühle.

»Nur noch dieses eine Mal«, flehte Matilda. »Ich schwöre dir, danach werde ich dich niemals wieder darum bitten. Und du weißt, ich halte meine Schwüre.«

»Ja, das weiß ich«, erwiderte er rau.

Matilda zog Roberts Kopf zu sich herab und küsste ihn. Aline sah, dass ein Zittern den Earl durchlief. Er gab seinen Widerstand auf und erwiderte ihren Kuss, als sei er am Verdursten und sie seine Quelle. Dann, ohne ihren Mund loszulassen, streifte er ihr den Schleier und das Gewand ab. Ein Keuchen, das fast wie ein Schluchzen klang, entrang sich seiner Kehle, als er Matilda hochhob und in das angrenzende Schlafzimmer trug. Gleich darauf stöhnte Matilda vor Lust auf, und Aline schlüpfte aus dem Zimmer.

Draußen lehnte sie sich gegen die Wand, presste die Hände gegen ihre Brust und rang nach Atem. Mit jeder Faser ihres Körpers sehnte sie sich nach Ethan.

*

Flöten- und Harfenmusik schallten aus der Halle in den Gang, der zur Küche führte. Ethan hatte gerade zwei von den Wein- und Wasserkrügen, die auf Tischen bereitstanden, in die Hände genommen – wie so oft war es seine Aufgabe als Knappe, bei einem Festmahl aufzuwarten –, als Hugo de Thorigny und seine beiden Freunde auf ihn zuschlenderten.

»Nun Ethan, ach bald wird es ja tatsächlich ›Sir Ethan‹ heißen«, Hugo griff ebenfalls nach zwei Krügen, während er ihn spöttisch angrinste, »nur wirst du ja wahrscheinlich leider nach dem Ritterschlag ein Herr ohne Land sein.«

»Wirklich sehr bedauerlich«, Arnold seufzte gespielt.

»Tja, dass sein Vater ihm eines seiner Güter abtreten wird, ist in der Tat höchst unwahrscheinlich«, auch Bernard seufzte. »Schließlich kommt Lord Latimer, wie wir ja alle wissen, sehr ungern für Ethans Leben am Hofe auf.«

Einige Knappen, die sich auch Nachschub an Wein und Wasser holten, wurden auf sie aufmerksam und drehten sich zu ihnen um. Ethan beschloss die Sticheleien der drei zu ignorieren. Eine Prügelei konnte er jetzt während des Festmahles ohnehin nicht anfangen, auch wenn es ihn in den Fingern juckte. Seit das Datum des Ritterschlags näher rückte, benahm sich Hugo besonders unausstehlich, so als könne er es nicht ertragen, dass Ethan diese Auszeichnung zuteilwurde. Doch Nicolas trat an seine Seite und spottete: »Ach, Thorigny, spar dir dein Gift. Wir alle wissen doch, du kannst es einfach nicht verwinden, dass Stephen heute Abend Ethan befohlen hat, ihm aufzuwarten, und nicht dir.«

Hugo schluckte und verriet Ethan somit, dass Nicolas ins Schwarze getroffen hatte. »Ich bin völlig damit zufrieden, meinen Vater zu bedienen«, gab er hochmütig zurück. »*Mein* Vater schätzt meine Gegenwart – was man von Ethans ja nun nicht behaupten kann.«

»He, würdet Ihr gefälligst Euren Disput auf später verschieben und Euch endlich wieder in die Halle bemühen?« Jocelyn, der Hofmeister, der für seine Jähzornsausbrüche berüchtigt war, war in dem Gang erschienen und drohte sie mit seinen wütenden Blicken zu erdolchen. »Glaubt mir, ich habe keine Schwierigkeiten damit, einem angehenden Ritter eine ordentliche Tracht Prügel zu versetzen, wenn er seine Pflichten vernachlässigt.«

»Schon gut, Sir Jocelyn, wir gehen ja schon.« Nicolas hob beschwichtigend die Hände.

Hugos Boshaftigkeit hatte Ethan wirklich getroffen. Doch als er nun neben Nicolas in die Halle der Burg von Salisbury schritt, den Schein der zahllosen Kerzen sah und das Stimmengewirr und das Lachen hörte, beschloss er, sich von Hugo nicht die Laune verderben zu lassen. Nicht heute. Am Nachmittag war er lange alleine ausgeritten. Die Februarsonne hatte eine große Wärme entwickelt und den Schnee zum Schmelzen gebracht. Den Winter über war er häufig düsterer Stimmung gewesen. Doch während er über die Felder getrabt war, hatte er sich endlich wieder einmal zufrieden, ja, fast glücklich, gefühlt.

Auf dem Podium an der Stirnseite der Halle trat er hinter Stephen und füllte Wasser in dessen vergoldeten Becher. Während Diener die Schüsseln des Gemüsegangs wegtrugen und stattdessen Platten mit Enten, Gänsen und Hühnern und neue Körbe voller Brot auf die kostbar gedeckte Tafel stellten, ließ Ethan seinen Blick umherschweifen. Etwa achtzig Männer, alle von Adel, saßen an den Tischen unterhalb des Podiums. Zu Stephens Ehrengästen, die er an seine Tafel geladen hatte, zählte auch der Baron de Thorigny. Ethan unterdrückte ein Grinsen, als er sah, wie ostentativ sich Hugo um seinen Vater bemühte. Der Baron hatte kaum einen Schluck getrunken, da goss er ihm schon wieder Wein nach.

Von Henry of Winchester, der rechts neben Stephen saß, konnte Ethan das Profil erkennen. Der Bischof wirkte ausgesprochen schlecht gelaunt. Was Ethan nicht weiter kümmerte – er mochte den eitlen, selbstbezogenen Mann ohnehin nicht.

Die Diener hatten nun das Podium verlassen. Während die Musiker ein neues Lied anstimmten, legte Ethan ein Stück Gänse- und Entenbrust auf Stephens Teller und reichte ihm von dem Brot. Stephen aß einige Bissen von der Ente und trank einen Schluck Wein, ehe er sich einem jungen blonden Adeligen zuwandte, der ein Stück von ihm entfernt an der Tafel saß. »Nun York, wie gefällt Euch das Eheleben mit Eurer hübschen Gattin?«, fragte er gut gelaunt.

»Oh, sehr gut, Sir.« Der Earl of York lachte ein wenig verlegen.

»Dazu habt Ihr aber auch wirklich allen Grund.« Stephen seufzte wohlig. »Ach, noch einmal jung und verliebt zu sein …« Henry of Winchester spießte ein Stück Gans auf sein Messer. Der gereizte Blick, mit dem er seinen Bruder bedachte, besagte deutlich, dass seiner Meinung nach das Verliebtsein für Stephen ja wohl einen Dauerzustand darstellte.

»Die erste Zeit einer Ehe ist so wunderbar«, sprach Stephen, in seinen Stuhl zurückgelehnt, verträumt weiter. »Wenn ich mich da an meine Gattin Maude und mich erinnere …«

»Ich bin ganz Eurer Meinung, Sir.« Der junge York lächelte verwirrt, was Ethan gut verstehen konnte. Maude und Stephen waren beide machtbewusst und unterstützten sich deshalb in ihren Zielen. Es war jedoch allgemein bekannt, dass sie niemals in großer Leidenschaft füreinander entbrannt gewesen waren.

»Junge, in ein, zwei Jahren wirst auch du heiraten.« Ethan begriff erst etwas verspätet, dass Stephen ihn angesprochen hatte, und zuckte zusammen. »Ja, Sir …«, murmelte er.

»Wer ist denn die Auserwählte?«, fragte der Earl of York

höflich, offensichtlich froh darüber, das Gespräch von sich weglenken zu können.

»Ruth, die jüngste Tochter Warwicks«, erwiderte Stephen an Ethans Stelle lächelnd. Die Gäste an der Tafel tuschelten anerkennend. Aus den Augenwinkeln registrierte Ethan, dass Hugo ihn bestürzt und neidisch anstarrte. Ethan hatte bisher nur Nicolas von dieser Hochzeit erzählt und es meist vermieden, daran zu denken. Doch jetzt empfand er einen Anflug von grimmiger Genugtuung, dass er durch diese Verbindung Hugo gesellschaftlich mehr als ebenbürtig sein würde.

»Auf die Liebe!« Stephen hob seinen Kelch. Bevor er ihn jedoch an den Mund setzen konnte, hastete ein Diener die Stufen des Podiums hinauf und auf ihn zu. Während sich der Mann zu dem König hinabbeugte und leise auf ihn einsprach, glaubte Ethan das Wort »Matilda« zu verstehen.

Henry of Winchester erstarrte. Für einen Moment wurde Stephens Miene steinern, aber er hatte sich schnell wieder in der Gewalt. Er erhob sich und rief seinen Gästen zu: »Setzt das Mahl fort. Ich werde bald wieder hier sein. Aber im Augenblick gibt es dringende Geschäfte, die keinen Aufschub dulden.«

Die Gespräche in der Halle waren kurz verstummt und setzten nun wieder ein. Ethan begriff, dass etwas Bedeutsames im Gange war. Gab es etwa neue Nachrichten über Matilda, oder hatte er sich nur verhört? All seine Genugtuung über die Hochzeit mit Ruth of Warwick war wie weggeblasen, und er sehnte sich nach Aline.

*

»Matilda ist mit ihrem Heer in England gelandet. Sie hat in der Burg von Arundel Quartier bezogen, und Robert of

Gloucester unterstützt sie.« Fassungslos wiederholte Henry of Winchester, was Stephen eben ihm und Reginald de Thorigny eröffnet hatte. Nachdem er sich angehört hatte, was Matildas Unterhändler zu berichten hatte, hatte sein Bruder ihn und den Baron in seine Räume gebeten. Ärgerlich fuhr er Stephen an: »Warum haben deine Späher in der Normandie nichts von Matildas Plänen erfahren und dich rechtzeitig gewarnt?«

»Ich fürchte, ich habe unsere Base unterschätzt.« Aufreizend gleichgültig zuckte Stephen die Schultern. »Meine Späher sollten Geoffrey von Anjou und dessen Heer auskundschaften. Ich habe es einfach nicht in Betracht gezogen, dass Matilda es wagen würde, auch ohne Geoffreys Unterstützung nach England zu kommen. Ich weiß, zwischen den beiden steht es nicht gerade zum Besten. Aber sie haben schließlich die aufständischen normannischen Vasallen gemeinsam niedergeworfen.«

»Ich habe es geahnt, dass Roberts Neutralität nicht zu trauen war«, ereiferte sich Henry of Winchester weiter. Ein nagender Zorn erfüllte ihn. »Du hättest ihn – so wie ich es dir damals riet – gleich nach deiner Krönung ausschalten sollen. Womit dir auch noch seine reichen Ländereien in die Hände gefallen wären – was deiner klammen Kasse nur gutgetan hätte. Aber nein, du musstest ihn ja in Ruhe lassen.«

»Und ich habe dir zu jener Zeit gesagt, und ich sage dir jetzt wieder …« Stephen erhob die Stimme. Wut leuchtete in seinen blauen Augen auf, und Henry beschloss, besser nicht zu weit zu gehen. »… ich konnte es mir nicht leisten, mir Robert zum Feind zu machen und mich mit ihm zu bekriegen. Dazu ist er viel zu mächtig. Außerdem ist jetzt nicht der richtige Zeitpunkt, um über die Vergangenheit zu debattieren.«

»Du hast Recht«, lenkte der Bischof ein. »Wir sollten wieder auf Matilda zurückkommen.«

»Diese Frau ist ein einziges Ärgernis.« Erregt beugte sich Reginald de Thorigny vor. Wie bei Hugo verrieten sein schwarzes Haar – auch wenn seines mit grauen Strähnen durchzogen war – und seine dunkle Hauttönung die normannische Abstammung. Und wie sein Sohn war auch er mit seinem länglichen Gesicht, den kühlen Augen und dem üppigen Mund auf eine hochmütige Weise gut aussehend. »Hoheit, Ihr werdet Eure Base doch sicher umgehend angreifen?«

»Nein, ich glaube, das werde ich nicht.« Stephen rieb sich nachdenklich über das Kinn. »Da gibt es nämlich noch eine Sache: Matilda fordert von mir freies Geleit nach Bristol. Dort will sie – so bezeichnet sie es – ›unter ebenbürtigen Bedingungen‹ mit mir verhandeln.«

»Wie kann sie es wagen! Du bist der König.« Henry of Winchester schnappte entsetzt nach Luft und war gleichzeitig fasziniert von Matildas kaltblütiger Unverschämtheit.

»Ganz recht! Ich hoffe, Sir, Ihr werdet diese bodenlose Frechheit angemessen beantworten«, sagte Reginald de Thorigny erregt. »Knüpft diesen Unterhändler auf dem höchsten Burgturm auf. Oder schickt ihn zurück, und geht zum Schein auf Matildas Forderung ein, und stellt ihr dann eine Falle, und nehmt sie gefangen. Damit hättet Ihr auf einen Schlag all Eure Schwierigkeiten beseitigt.«

»Danke für Euren Rat, Reginald. Aber ich werde ihn nicht befolgen.« Stephen schob seinen schweren Lehnstuhl zurück und ging vor der Feuerstelle auf und ab. Die zuckenden Flammen warfen riesige Schatten an die Wände. »Denn ich würde damit erst recht in Schwierigkeiten geraten.«

»Sir?« Der Baron hob fragend die Augenbrauen. Stephen beachtete ihn nicht, sondern wandte sich Henry zu. »Bist du in diesem Fall ausnahmsweise einmal einer Meinung mit mir?«

Henry of Winchester spielte in seinem Kopf rasch verschiedene Möglichkeiten durch. Eine ganz spezielle Option zeichnete sich immer klarer für ihn ab, doch diese behielt er für sich. »Ja«, sagte er schließlich, »es wäre ein Fehler, Matilda in einen Hinterhalt laufen zu lassen. Immerhin ist sie die Tochter eines Königs. Die Fürsten und Lords haben ihr in Oxford die Treue geschworen. Was manch einem von ihnen, der mittlerweile in dein Lager gewechselt ist, ein schlechtes Gewissen bereitet haben dürfte. Wenn du Matilda gefangen nehmen würdest, würdest du den Bogen überspannen.« Noch dazu, da es unter deinen Gefolgsleuten ohnehin schon rumort, dachte Henry, doch dies sprach er nicht aus.

Reginald de Thorginy war mit diesem Argument nicht einverstanden. »Sicher, Sir, es ist nicht auszuschließen, dass der eine oder andere Mann erst einmal einen Groll gegen Euch hegen wird, wenn Ihr Eure Base hart anpackt. Aber dieser Unmut wird sich bald wieder legen. Glaubt mir, die Männer, die jetzt zornig auf Euch wären, würden Euch dann loben und stolz auf Euch sein, da Ihr Eure Position verteidigt habt. Ihr sollet wirklich zu einer List greifen.«

»Es geht aber nicht nur um die Fürsten und Lords, nicht wahr, Henry?« Stephen sah seinen jüngeren Bruder lächelnd an, als sei dieser ein Schüler, von dem er eine kluge Antwort erwartete. Dieser würgte eine bissige Bemerkung hinunter und ließ sich absichtlich Zeit mit seiner Erwiderung, als müsste er erst noch überlegen.

Immerhin verhielt sich Stephen – für seine Verhältnisse – überraschend weise. Er war einfach völlig unberechenbar.

Mal bewies er so wenig diplomatisches Geschick wie ein wild gewordener Eber. Dann wieder handelte er überlegt und vorausschauend. Das Problem mit ihm war, dass einfach nie vorherzusehen war, wie er sich in einer bestimmten Situation benehmen würde.

Henry räusperte sich und wandte sich Reginald de Thorigny zu. »Mein Bruder hat Papst Innozenz im Sinn«, erklärte er verbindlich. »Seine Heiligkeit ist gegenwärtig etwas verärgert über Stephen, da mein Bruder bei der Besetzung des Abtpostens von St. Mary in York nun ja ... ein wenig ungeschickt agiert hat. St. Mary ist, wie Ihr ja wisst, ein bedeutendes Kloster.«

»Oh, du kannst ruhig offen sagen, dass Papst Innozenz deswegen vor Zorn getobt hat.« Wenigstens wirkte Stephen ein wenig zerknirscht. Den alten Abt abzusetzen, da dieser mit Matilda sympathisierte, und den Mönchen stattdessen einen Vorsteher aufzuzwingen, der Stephen unterstützte, war eindeutig eine Aktion »wild gewordener Eber« gewesen. Als päpstlicher Legat hatte Henry einen geharnischten Brief von seiner Heiligkeit erhalten, mit dem Auftrag, Stephen zur Rechenschaft zu ziehen. Henry hatte all seine diplomatischen Fähigkeiten aufbieten müssen, um die Situation so weit zu befrieden, dass Stephen mit einer Geldbuße davonkam. Aber auch seine, Henrys, Position war dadurch geschwächt worden.

»Wenn mein Bruder Matilda hintergehen würde, würde dies sein ohnehin schon angespanntes Verhältnis zu Papst Innozenz über Gebühr belasten«, setzte er dem Baron weiter scheinbar geduldig auseinander. »Jeder Herrscher sollte es tunlichst vermeiden, sich mit einem Papst zu überwerfen. Dies gilt vor allem für solche, deren Legitimität umstritten ist.« Diese Spitze konnte sich Henry nicht verkneifen.

»Nun, seine Heiligkeit …«, begann Reginald. Doch Stephen winkte ab. »Ihr könnt Euch Eure Worte sparen. Ich habe mich entschieden. Ich werde meiner Base freies Geleit nach Bristol zusichern und ohne Wenn und Aber dazu stehen. Außerdem wäre jedes andere Verhalten einer Dame gegenüber höchst unritterlich.«

Henry of Winchester unterdrückte ein Seufzen. Leider meinte Stephen dies tatsächlich ernst. Dabei übersah er jedoch völlig, dass es sich bei Matilda nicht um eine seiner schmachtenden Gespielinnen handelte. Unter Matildas weiblicher Hülle verbarg sich ein durchaus männlicher Kern. Ja, wahrscheinlich war sie, was Voraussicht, Willenskraft und Ausdauer anbelangte, mehr Mann, als Stephen je sein würde.

»Dann wäre diese Sache endlich geklärt. Schade, dass es sich nicht mehr lohnt, in die Halle zurückzukehren.« Stephen entließ sie mit einem Gähnen.

»Henry, ich verstehe nicht, warum Ihr Eurem Bruder nicht zugeredet habt, Matilda in seine Gewalt zu bringen.« Draußen auf dem Flur sprach Reginald erregt auf den Bischof ein. »Es ist eine Schande, dass Stephen diese einmalige Gelegenheit ungenutzt verstreichen lassen will.«

»Ich habe Euch doch dargelegt, warum ich einer Meinung mit dem König bin«, erwiderte Henry kühl. »Glaubt mir, Reginald, Stephen wird andere, bessere Gelegenheiten finden, seine Base auszuschalten.«

Doch während er durch die von Fackeln erhellten Gänge schritt, bewunderte er wieder die Kühnheit, mit der Matilda ihre Pläne verwirklicht hatte. Dass sie von Stephen freies Geleit gefordert hatte, war nicht anders als genial zu nennen. Damit hatte sie seinen Bruder völlig ausmanövriert.

Es konnte wirklich nicht schaden, hinter Stephens Rücken vorsichtig mit ihr Kontakt aufzunehmen.

*

Die Hügelketten der Downs empfingen Matilda und ihr Gefolge mit einem frühlingshaften Grün. Ein klarer, blauer Himmel spannte sich darüber. *Ich bin wieder zu Hause,* dachte Aline, während sie ihr Pferd einen Weg hinauflenkte, wo zwischen dem Gras da und dort weißer Kalkstein aufblitzte. Die Normandie mit ihren oft rauen Landschaften war ihr immer ein wenig fremd geblieben.

Matilda ritt an der Spitze des Zuges. Robert of Gloucester, Henry of Winchester und einige andere hohe Adelige von Stephens Hof hatten sich um sie geschart. Aline hatte sich auf Geheiß ihrer Herrin weiter hinten in den Tross eingereiht. Als sie am Morgen in Arundel aufgebrochen waren, hatte sie unwillkürlich unter Stephens Leuten nach Ethan Ausschau gehalten, ihn in dem Durcheinander aus Menschen, Pferden und Gepäckwagen aber nirgends entdecken können.

Wahrscheinlich ist er nicht zu der Eskorte befohlen worden, die meine Herrin nach Bristol begleiten soll, überlegte Aline. Oder er hat sich eine Ausrede einfallen lassen, um diesem Auftrag zu entgehen. Außerdem ist es ohnehin besser, wenn wir uns nicht mehr begegnen.

Matilda und ihre Begleiter hatten nun den Kamm des Hügels erreicht. Da sie ein Stück vorausgeritten waren, zügelten sie ihre Pferde, um auf den Tross zu warten. Matilda trug ein hellgrünes Seidengewand, das den gleichen fröhlichen Farbton hatte wie die Landschaft ringsum, und einen eierschalenfarbenen, mit kostbaren Stickereien verzierten Samtumhang. Eine rotblonde Haarsträhne war unter ihrem Schleier hervorgerutscht und kringelte sich auf ihrer Wange.

Selten hatte Aline ihre Herrin so heiter und gelöst erlebt. Auch die einfachen Menschen schienen dies zu spüren. Aline war häufig dabei gewesen, wenn das Volk Matilda zugejubelt hatte, und dieser Jubel war immer eher pflichtschuldig gewesen. So wie er einer Dame von sehr hohem Adel nun einmal gebührte, und ihre Herrin hatte ihn hoheitsvoll und reserviert entgegengenommen. Doch nun schienen sich die Menschen in den Dörfern und Weilern, die sie kreuzten, wirklich zu freuen, die Tochter ihres verstorbenen Königs zu sehen. Ihre Rufe und Segenswünsche wirkten, als kämen sie von Herzen, und Matilda dankte ihnen voller Wärme.

Vielleicht, hoffte Aline wider alle Vernunft, gibt es ja doch noch ein Wunder, und Matilda und Stephen gelingt es in Bristol, sich friedlich zu einigen. An diesem strahlenden Frühlingstag war jeder Gedanke an Krieg und Tod so abwegig.

Eine gute Stunde später, gegen Mittag, machte der Tross auf einer Wiese am Rand eines Dorfes Halt. Aline eilte zu Matilda, doch diese sagte ihr, dass für sie gesorgt würde, und erlaubte ihr, sich zu entfernen. In derbe bäuerliche Gewänder gekleidete Menschen strömten aus dem Tor in der hohen Hainbuchenhecke. Sie brachten Krüge voller Most und Wasser, große Brotlaibe und Fleisch und Käse. Die Kinder hatten Blumen gepflückt.

Aline musste plötzlich daran denken, wie während ihrer Kindheit einmal der alte angelsächsische Lord zu ihrem Dorf gekommen war. Auch sie hatte damals seiner Dame Blumen gebracht und die glitzernden Waffen, kostbaren Stoffe und edlen Pferde seines Gefolges mit großen Augen bestaunt. Gemeinsam mit dieser Erinnerung tat der Anblick der Häuser mit den weit heruntergezogenen Strohdächern, die so sehr denen ihrer Heimat glichen, ein Übriges, und plötzlich wurde ihr das Getriebe ringsum zu viel. Sie wollte allein sein und lief an der Hecke, an der schon die ersten Blätter sprossen, entlang. Jenseits einer weiteren Wiese erstreckte sich ein kleiner Wald.

Noch einmal hielt Aline nach Matilda Ausschau. Ja, es ging ihr gut. Sie thronte auf einem Faltstuhl im lichten Schatten einer Buche und genoss es lächelnd, wie sich Robert of Gloucester und die anderen Männer um sie bemühten.

Im Wald fiel Sonnenschein durch die von zartem Laub überhauchten Bäume. Während Aline mit halbem Ohr auf die Stimmen und das Lachen achtete, die von der Wiese zu ihr herüberschallten, schlenderte sie an einem Bach entlang. Das Wasser war grün und durchscheinend und da und dort von Sonnenflecken gesprenkelt. Da bewegte sich etwas dicht unter der Oberfläche in dem Nass. Regenbogenfarben schimmerten auf. Aline kniete sich an das Ufer. Eine Forelle, in deren Schuppen sich das Licht brach, schlängelte sich an ihr vorbei.

Hinter ihr raschelten Schritte durch das trockene Laub. Aline hielt den Atem an. Eine warme Welle durchflutete sie. Noch ehe sie sich umdrehte, wusste sie, dass Ethan ihr gefolgt war. *Ja, er ist es.* Er stand vor einem Weißdornbusch. Der Bart war verschwunden, die Haare waren ordentlich geschnitten, und seit ihrer letzten Begegnung war er wieder kräftiger geworden. Mit seinem blauen Samtumhang wirkte er sehr erwachsen und vornehm. Ganz gewiss glich er nicht länger einem hungrigen Straßenköter. Wie immer fiel ihm ein widerspenstiges Haarbüschel in die Stirn. Nun wanderte sein Blick zu dem Bach, wo die Forelle auf der

Suche nach Futter zwischen einigen Kalksteinen hin und her schwamm.

An dem Tag, an dem wir uns angefreundet haben, haben wir auch eine Forelle gesehen, durchfuhr es Aline. Ob Ethan sich daran erinnerte? Das Schweigen zwischen ihnen dehnte sich. Irgendwo hämmerte ein Specht gegen einen Baum. Dann bemerkte Aline die Schwertschneide an Ethans Gürtel.

»Du bist jetzt also ein Ritter«, sagte sie. Ihre Stimme hörte sich in ihren eigenen Ohren sehr hoch und flach an.

»Ja«, Ethan nickte, »vor etwa einem Monat wurde ich von Stephen zum Ritter geschlagen.«

Damals, in der Nacht, als sie miteinander geschlafen hatten, hatte Ethan erklärt, er wolle versuchen, nach seinem Ritterschlag ein Gut für sie beide von Stephen als Lehen zu bekommen. Ihr Leben hätte so glücklich sein können, wenn sie nicht gegnerischen Lagern angehört hätten. Hilfloser Zorn erfüllte Aline. Obwohl sie wusste, dass dies letztlich nichts geändert hätte, wünschte sie sich, einer von ihnen hätte nachgegeben.

In einer ihr sehr vertrauten Geste strich Ethan die störrische Strähne zur Seite. »Ich bin dir gefolgt, weil ich mit dir sprechen möchte.« Seine Miene wirkte ausdruckslos.

»Das ist sehr freundlich von dir, aber ich fürchte, wir haben uns nichts mehr zu sagen«, entgegnete Aline spröde.

»Ich möchte wissen, wie es dir in dem vergangenen Jahr ergangen ist«, beharrte er.

Aline erstarrte. Die Trauer über den Verlust des Kindes war ihr mit einem Mal wieder ganz gegenwärtig, und auch, wie schwach und elend sie sich in den Wochen danach gefühlt hatte. Etwas in ihrem Gesicht musste sie verraten haben, denn Ethan legte den Arm um sie und zog sie an sich. »Was hast du? Komm, sag es mir«, bat er eindringlich.

Sie schluckte, registrierte seine Sommersprossen. Den Ansatz von rotblondem Bartflaum auf seinen Wangen. Die goldenen Einsprengsel in seiner ansonsten graublauen Iris. Die Wärme seines Körpers. Wie sollte sie es nur jemals fertigbringen, auf ihn zu verzichten? *Und wenn Matilda und Stephen doch Frieden miteinander schließen?*, keimte wieder eine unsinnige Hoffnung in ihr auf. »Ich … Ich hatte …«, begann sie zögernd zu sprechen.

Ganz in der Nähe knackten Zweige. Instinktiv wichen sie auseinander. Doch es war schon zu spät. Eine spöttische Stimme ertönte: »Oh, sieh an, Sir Ethan hält ein Mädchen im Arm.« Aline erkannte Hugo de Thorigny sofort. Dieser musterte sie neugierig, dann schien in seinem Gedächtnis eine Glocke anzuschlagen. Doch ehe er sich wirklich darauf besinnen konnte, wer sie war, fasste Ethan schon an den Griff seines Schwertes. »Verschwinde, Thorigny«, zischte er mit zusammengebissenen Zähnen.

»Aber natürlich, ich gehe ja schon.« Hugo de Thorigny hob beschwichtigend die Hände. »Nichts liegt mir ferner, als dich bei einem Stelldichein zu stören.«

Aufreizend gemächlich schlenderte er davon, wandte sich jedoch nach einigen Schritten noch einmal um. Mit einem seidenweichen Lächeln, das Aline Übelkeit verursachte, spottete er: »Tss, Ruth of Warwick, deiner zukünftigen Gattin, dürfte es aber überhaupt nicht gefallen, dass du mit einem anderen Mädchen herumturtelst.«

Aline starrte Hugo nach, bis dieser endlich hinter einem kahlen Brombeergestrüpp verschwunden war. Dann fuhr sie zu Ethan herum und fragte gepresst: »Stimmt das, was er gesagt hat? Bist du wirklich Ruth of Warwick versprochen?«

Ethan nickte, und seine schuldbewusste Miene hätte ihr ohnehin die Wahrheit verraten. Dieses Mädchen ist die Tochter eines Earls, ging es Aline durch den Kopf. Ihr wurde ganz kalt. Wie aus großer Ferne beobachtete sie, wie ein Eichhörnchen einen Baumstamm hinaufhuschte und sich in eine Astgabel hockte. Sein Fell leuchtete in der Sonne so rot wie Ethans Haar. Ruth gehörte einer völlig anderen gesellschaftlichen Sphäre an als sie selbst – ein einfaches Bauernmädchen. Sie warf den Kopf in den Nacken und funkelte Ethan an: »War das etwa der eigentliche Grund, weshalb du mit mir sprechen wolltest?«

Irgendetwas hatte das Eichhörnchen aufgeschreckt, denn es machte nun einen großen Satz und schwang sich an den Ästen einer Eiche entlang. Aline bemerkte, dass Ethan sie unglücklich ansah. »Ja, auch deshalb …«, erwiderte er leise.

Und sie hatte gedacht, dass er sich wirklich für sie interessieren würde … »Ich habe dir eben schon einmal erklärt, dass es zwischen uns nichts mehr zu sagen gibt«, fauchte sie ihn an.

»Aline …« Er ging einen Schritt auf sie zu.

»Lass mich in Ruhe!« Das Blut dröhnte in ihren Ohren, während sie ihm auswich. Rief da jemand ihren Namen, oder täuschte sie sich? Hastig wandte sie sich um. Garreth trat zwischen zwei Bäumen hervor und winkte ihr fröhlich zu. »Der Tross wird bald aufbrechen.«

Nun registrierte er Ethan. Das Lächeln schwand von seinem Gesicht, und er meinte unsicher: »Verzeiht, störe ich Euch?«

»Nein, überhaupt nicht!« Aline raffte ihr Kleid und rannte zu ihm. »Stephens Ritter und ich wollten uns sowieso gerade verabschieden.« Für einen Moment nahm sie noch wahr, dass Ethan blass geworden war, als hätte sie ihn geschlagen. Doch sie wollte nur noch von ihm fort.

*

Auf dem Weg zu dem Lagerplatz nahm Aline kaum etwas von dem wahr, was Garreth zu ihr sagte. Auch auf dem Ritt nach Warnford – einer der Zwischenstationen auf dem Weg nach Bristol – verschwamm alles um sie herum wie in einem Nebel. Erst als sie am Abend in ihrem Quartier, einem Gutshof, ankamen, brachten ihre Pflichten sie wieder in die Gegenwart zurück. Wie immer legte sie letzte Hand an Matildas Räume, lüftete die Gewänder ihrer Herrin, bereitete das Bett und sorgte dafür, dass ein Feuer brannte, denn die Nächte waren noch kühl.

Aline hatte eben das dünne Nachthemd ihrer Herrin aus einer Truhe genommen und auf die seidenen Bettdecken gelegt, als sie Matilda und Robert of Gloucester in dem Nebenzimmer miteinander reden hörte.

»Nach der Rast hat es Henry of Winchester so eingerichtet, dass wir ein Stück nebeneinanderritten«, sagte der Earl. »Dass Stephen ihm die Burg von Farnham wegnahm, muss ihn wirklich schwer getroffen haben.«

»Das geschieht ihm nur recht – wenigstens hat mein Vetter in diesem Fall ausnahmsweise einmal klug gehandelt.« Matilda ging einige Schritte auf und ab. »Ich nehme an, Henry hat dich mit Erklärungen beschwatzt, warum er mich hinterging?«

»Das auch.« Robert grinste. »Es kann natürlich nicht von einem Verrat die Rede sein. Er hatte nur das Wohl Englands im Auge.«

»Natürlich«, wiederholte Matilda sarkastisch. »Und überhaupt nicht seinen eigenen Vorteil.«

»Nein, nichts hätte ihm ferner gelegen.« Roberts Grinsen vertiefte sich. »Aber das eigentlich Interessante ist: Er hat sich selbstverständlich nicht klar geäußert – so etwas würde er niemals tun –, aber nichtsdestotrotz angedeutet, dass er nicht abgeneigt wäre, in dein Lager zu wechseln. Für den Fall, dass die Verhandlungen zwischen dir und Stephen scheitern …«

»Was nun wirklich nicht auszuschließen ist.« Matildas Stimme klang trocken.

»… und für den Fall – dies hat Henry natürlich verschwiegen, aber wir beide kennen ihn gut genug –, dass sich die Waagschale im Kampf um die Krone zu deinen Gunsten neigt.«

Ein Buchenscheit in der Feuerstelle zerbarst, und verkohlte Holzteilchen regneten auf die Steinfliesen. Hastig griff Aline nach einem Besen und kehrte den Schmutz auf.

»Allerdings«, ergriff wieder Matilda das Wort, »kennen wir ihn beide und wissen, dass ihm nicht zu trauen ist. Er gehört zu den Leuten, die ich lieber nicht als Verbündete haben möchte.«

»Auf die du aber wahrscheinlich nicht verzichten kannst. Henry ist einflussreich. Er ist ein mächtiger Bischof und zudem ein Legat des Papstes.«

»Darüber bin ich mir im Klaren.« Matilda seufzte. »Ich werde mich dann entscheiden, wenn Henry seine Karten offenlegt.«

»Falls er dies jemals tut«, antwortete Robert.

Aline huschte wieder zu der Truhe und nahm einen Kamm und eine Bürste heraus. Als sie die beiden Dinge neben das vergoldete Wasserbecken auf dem Tisch in der Zimmermitte legte, kamen ihre Herrin und der Earl wieder in ihr Blickfeld. Die beiden schwiegen und sahen sich an. »Es wird Zeit, dass wir uns umziehen und zu der Abendmahlzeit in die Halle gehen«, sagte Robert schließlich mit rauer Stimme.

»Ja.« Matilda nickte. Im Schein der Kerzenflammen wirkte ihr Gesicht ganz weich. Wieder zeigte es ganz offen, was sie für Robert empfand und wie viel es sie kostete, auf den Geliebten zu verzichten. Doch als Robert sich nun vor ihr verbeugte, versuchte sie nicht, ihn zurückzuhalten.

Nachdem ihr Halbbruder das Zimmer verlassen hatte, ließ sich Matilda auf einen Stuhl sinken und betrachtete geistesabwesend, wie sich die Flammen in dem vergoldeten Leuchter spiegelten. Sie wirkte gefasst, jedoch traurig und voller Sehnsucht. Aline litt mit ihr. Dennoch ging ihr durch den Kopf: *Wenigstens steht der Geliebte meiner Herrin zu ihr, und sie hat das Glück, ihn in ihrer Nähe zu haben.*

*

Mücken tanzten über dem morastigen Bett des Avon, und ein fauliger Geruch stieg von dem Schlamm auf. Die Ebbe hatte das Wasser ins Meer gezogen. Aline beschleunigte ihren Schritt. Auf der Suche nach dem Kraut Engelwurz war sie zu dem Fluss hinabgestiegen. Am anderen Ende des schluchtartigen Tales lag Bristol. Ein dunstiger Himmel spannte sich über der Stadt an der Meerenge.

Während des sechstägigen Ritts hatte Aline Ethan nur einige Male aus der Ferne gesehen. Er hatte keinen weiteren Versuch unternommen, sich ihr zu nähern. Am Vorabend dann, bei dem großen Festmahl in der Burg von Bristol, hatte er bei Stephens Rittern gesessen. Aline war nur kurz in die Halle gekommen, um ihrer Herrin einen Schal zu bringen, und Ethan zu erblicken hatte sie wieder in dumpfe Verzweiflung gestürzt. Aber das Leben war eben oft hart und ungerecht, und es war nichts als eine sinnlose Träumerei, sich die Dinge anders zu wünschen, als sie nun einmal waren.

Am Morgen hatte Sir Simon ihr ausführlich von dem Festmahl erzählt. Matilda und Stephen waren außerordentlich höflich und zuvorkommend miteinander umgegangen und hatten keine Gelegenheit ausgelassen, ihre enge verwandtschaftliche Beziehung zu betonen. »Aber eigentlich«, hatte der Ritter hinzugefügt, der unter seiner gutmütigen Schale überraschend scharfsichtig sein konnte, »haben sie einander umkreist wie Hunde, die nur auf eine günstige Gelegenheit warten, dem anderen an die Kehle zu fahren.« Er bezweifelte stark, dass die Verhandlungen zu einem Frieden führen würden, und im Grunde ihres Herzens musste Aline ihm Recht geben.

Vor ihr tat sich nun der steile Weg auf, der zur Stadt und zur Burg führte. Sie hatte ihn etwa zur Hälfte erklommen, als ihr zwei Reiter entgegenkamen. Um ihnen Platz zu machen, wich sie unter einen Ahorn am Wegrand zurück. Der vordere Reiter war, wie Aline nun sah, Reginald de Thorigny. Und der andere … Sie hatte das Gefühl, dass ihr Herzschlag aussetzte und ihr ein eiserner Ring um den Hals die Luft abschnürte. Niemals hatte sie das teigige Gesicht, die verhangenen Augen und die breiten, behaarten Hände vergessen.

Alines erster Impuls war, davonzulaufen und sich zwischen den Bäumen und dem Strauchwerk zu verstecken. Doch irgendetwas in ihr ließ sie wie festgewurzelt stehen bleiben und Guy d'Esne trotzig anstarren. Der Blick des Verwalters glitt über sie, und kurz glaubte sie wieder, seinen von Zwiebeln und Most durchtränkten Atem zu riechen.

Dann war Guy d'Esne an ihr vorbeigeritten. Aline benötigte einige Momente, ehe sie begriff: Er hatte sie nicht erkannt. Sicher, seit jenem regnerischen Märztag waren inzwischen mehr als fünf Jahre vergangen, und sie war älter geworden. Aber sie glaubte nicht, dass dies der eigentliche Grund war. Der Verwalter hatte sie damals überhaupt nicht richtig wahrgenommen. Für ihn war sie einfach eine ganz beliebige Leibeigene gewesen, die er vergewaltigen konnte, wenn ihm der Sinn danach stand. Und wenn Matilda sie nicht gerettet hätte, hätte er sie wahrscheinlich brutal missbraucht und sie danach wie einen aufsässigen Hund zu Tode geprügelt. Wie ein Stück Vieh hätte man sie irgendwo verscharrt.

Aline sank zu Boden und übergab sich, bis ihr Magen nur noch Galle ausspie. Eine Weile blieb sie noch zitternd und erschöpft im Gras kauern, ehe sie schließlich imstande war, aufzustehen und ihren Weg fortzusetzen.

✳

Die folgenden Tage verstrichen mit Festmählern und Jagdausflügen, immer wieder unterbrochen von Verhandlungen. Die Atmosphäre war heiter, aber unwirklich. Sie erinnerte Aline an eine Eisfläche bei Tauwetter, die jederzeit einbrechen konnte. Matilda war meist beschäftigt, deshalb hatte Aline viel Zeit für sich selbst. Sie nutzte sie wie immer, um ihren Vorrat an Salben und Tinkturen aufzufüllen. Außerdem hatte sie auch endlich einmal die Muße, an ihrem Geschenk für Garreth weiterzuarbeiten. Einem schmalen blauen Seidenband, das sie mit gelben Blütenknospen bestickte.

Ethan hatte die Burg vor kurzem im Auftrag von Stephen verlassen. Worüber Aline dankbar war. Ihm zu begegnen hätte wieder all ihre Gefühle für ihn aufflammen lassen.

An einem warmen Nachmittag, als ein großer Teil von Matildas und Stephens Gefolge ausgeritten war und ihre Herrin und deren Vetter sowie Henry of Winchester, Robert of Gloucester und einige andere Vornehme aus den jeweiligen Lagern sich wieder zu neuen Verhandlungen zurückgezogen hatten, vollendete Aline den letzten Stich an dem Band. In einer sonnigen Fensternische von Matildas Gemächern schnitt sie den Faden ab und vernähte ihn sorgfältig.

Sie war gerade dabei, das Band und die übrigen Sticksachen in ihre Kammer zu bringen, als sie auf dem Weg dorthin Garreth im vorderen Burghof sah. Auch er trug nun ein Schwert am Gürtel, denn Robert of Gloucester hatte ihn am vergangenen Sonntag in der Burgkapelle zum Ritter geschlagen. Er plauderte mit einer jungen Frau, die ein hübsches, kindliches Gesicht hatte. Aline schätzte, dass sie etwa gleich alt war wie sie selbst. Dies war jedoch ihre einzige Gemeinsamkeit, denn ihrem zartroten Seidenkleid nach zu schließen und den kostbaren Ringen an ihren Händen, war die Frau eindeutig eine Adelige. Sie hatte den Kopf selbstbewusst erhoben – ihr unruhig umherschweifender Blick und ihre fest aufeinandergepressten Hände verrieten Aline jedoch, dass diese Selbstsicherheit nur vorgetäuscht war.

Aline nickte Garreth zu und wollte ihren Weg fortsetzen, doch der junge Ritter rief freundlich: »Aline, darf ich Euch Lady Eleanor vorstellen? Sie kommt aus derselben Gegend wie ich. Wir kennen uns schon seit unserer Kindheit. Sie ist vor kurzem hier eingetroffen und wird eine Zeit lang zu den Hofdamen unserer Herrin gehören.«

»Mylady …« Aline verneigte sich höflich vor der jungen Frau.

»Und wer seid Ihr?« Lady Eleanor musterte Alines einfaches, helles Wollkleid mit gerümpfter Nase, was diese ihr nachsah, denn sie wusste, dass die Adlige eine alles andere als glänzende Zeit erwartete. Matilda hielt nach wie vor nicht viel von ihren wechselnden Hofdamen, und so blieben die Frauen meist sich selbst überlassen.

»Das ist Aline, Matildas Dienerin«, kam Garreth ihr mit seiner Antwort zuvor.

»Tatsächlich?«, erwiderte Lady Eleanor abschätzig. Sie würdigte Aline keines Blickes mehr, sondern wandte sich an Garreth: »Wenn Ihr mich bitte entschuldigen würdet – ich möchte mich gerne noch ausruhen und umziehen, ehe ich unserer Herrin meine Aufwartung mache.«

»Ihr müsst Euch nicht beeilen, Matilda ist zurzeit ohnehin beschäftigt«, konnte sich Aline nun doch nicht verkneifen zu sagen.

»Sie ist eigentlich ganz nett.« Garreth lächelte entschuldigend, während er der Lady nachsah, wie diese mit hochgerafften Kleid über den sandbestreuten Burghof schritt. »Ihr Vater wurde erst unter König Henry zum Lord ernannt. Wahrscheinlich ist sie deshalb so schrecklich stolz auf ihre Herkunft.«

Eine Gruppe von Reitern drängte lärmend durch das Tor. Aline besann sich plötzlich darauf, dass das Seidenband in ihrem Korb lag. »Ich würde Euch gern endlich Euer Geschenk geben«, sagte sie rasch.

»Das werde ich mir nicht entgehen lassen.« Garreth lachte. »Hättet Ihr Lust, mit mir in den Burggarten zu kommen?«

»Gerne.« Aline nickte.

In dem kleinen Garten blühten die ersten Veilchen in den Beeten, und vor kurzem hatten sich auch die silbrig behaarten Blätter eines Quittenbaumes entfaltet. Nachdem sie sich auf eine Grasbank gesetzt hatten, nahm Aline das Band aus ihrem Korb und reichte es Garreth. »Es tut mir leid, dass ich es erst jetzt fertigstellen konnte. Ich hoffe, Ihr mögt es trotzdem.«

Garreth senkte den Kopf und ließ seine Finger behutsam über die Stickerei wandern. Als er Aline wieder ansah, hatte sich eine leichte Röte auf seinen Wangen ausgebreitet. »Morgen soll ein Turnier zwischen Matildas und Stephens Leuten stattfinden«, sagte er unsicher. »Aline, würdet Ihr mir erlauben, Eurer Band als mein Zeichen zu tragen?«

Aline begriff. »O Garreth«, wehrte sie ab. »Ihr seid ein Ritter, und ich bin nur eine Dienerin. Ihr würdet Euch mit meinem Band nur lächerlich machen.«

»Genau genommen bin ich ein verarmter Ritter, und Ihr seid die persönliche Dienerin einer Dame, die hoffentlich bald über ganz England herrschen wird.« Garreth lächelte schwach. »Meiner Ansicht nach passen wir sehr gut zusammen.«

Eine Meise hüpfte in dem Gras herum und flatterte dann zwitschernd auf die Burgmauer. Eine salzige Brise wehte vom Meer her und brachte die Äste des Quittenbaumes zum Zittern. Aline faltete die Hände in ihrem Schoß. Sie mochte Garreth wirklich und fühlte sich wohl in seiner Gegenwart. Außerdem teilte er die gleiche Liebe zum Land wie sie.

»Liebt Ihr den jungen Mann aus Stephens Gefolge, mit dem ich Euch kürzlich im Wald sah?«, hörte sie Garreth fragen. »Könnt Ihr Euch wegen ihm nicht für mich entscheiden?«

»Ich habe ihn einmal geliebt«, erwiderte Aline leise. »Aber das ist vorbei.«

Garreth fasste sie behutsam unter dem Kinn und hob ihren Kopf hoch. »Aline …« Sein Blick war unsicher und fragend. Sie schloss die Augen und ließ es zu, dass er sie küsste. Vom Burghof her schallten nun laute Stimmen zu ihnen herüber, doch sie achteten nicht darauf. Garreth' Kuss war angenehm – sanft, abwartend und nicht fordernd –, und schließlich gab sie sich ihm ganz hin.

»Ich darf Euer Band also während des Turniers tragen?«, flüsterte Garreth nach einer Weile.

»Ja, das dürft Ihr.« Aline lächelte ihn an.

*

In der Nacht, auf ihrem Lager in Matildas Gemächern, starrte Aline in die Dunkelheit. Im Nebenzimmer hörte sie ihre Herrin leise atmen. Irgendwo schrie ein Käuzchen.

Ja, sie hatte Garreth gerne geküsst. Aber damals, als Ethan sie zum ersten Mal geküsst hatte, war es ganz anders gewesen. Sie hatte das Gefühl gehabt, dass die ganze Welt um sie herumwirbelte. Das hohe Gras mit den Kornblumen und dem Mohn darin. Der klare Himmel und die Heckenrosensträucher mit ihren noch grünen Früchten. Und dass später, als sie mit ihrem Kopf auf Ethans Brust in der Wiese gelegen hatte, die Dinge wieder an ihren Platz zurückgefunden hatten, und zwar, als sähe sie alles zum ersten Mal *wirklich*. In jenem Sommer in der Normandie hatte sie das Leben ganz neu erfahren. Garreth zu küssen hatte die Welt nicht verändert.

Aline drehte sich auf die Seite. Die kurze Zeit des Glücks mit Ethan gehörte endgültig der Vergangenheit an. Sie und Garreth waren sich aufrichtig zugetan. Er würde ihr ein guter Gatte sein. Was konnte sie mehr vom Leben verlangen? Außerdem gab es wahrhaftig wichtigere Dinge auf der Welt als ihre Sehnsüchte. Der morgige Tag mit dem Turnier würde anstrengend und aufregend werden. Sie musste versuchen, endlich einzuschlafen.

*

Am nächsten Morgen wölbte sich ein wolkenloser Sommerhimmel über der Burg. Vom Meer her wehte ein angenehm frischer Wind.

»Was für ein herrliches Wetter für ein Turnier«, bemerkte Matilda gut gelaunt.

Aline stellte das Geschirr aus Edelmetall mit den Resten von Matildas Mahlzeit auf ein Tablett. »Ja, Madam, es könnte nicht besser sein«, bestätigte sie.

»Ich hoffe doch sehr, dass meine Männer sich gehörig anstrengen und Stephens Leute schlagen werden.« Matilda reckte sich und gähnte. »Es wäre mir äußerst unangenehm, den Turnierpreis einem von seinen Leuten überreichen zu müssen.«

»Ganz bestimmt werden Eure Ritter sich nach Kräften bemühen«, antwortete Aline lächelnd. Ethan, dachte sie gleich darauf wehmütig, während sie ihrer Herrin die Haare bürstete, hätte das Turnier sicher genossen, und er hätte sein Letztes gegeben, um seinem Lager zum Sieg zu verhelfen.

Matilda war eben fertig angekleidet und betrachtete sich noch einmal in einem Bronzespiegel, um zu überprüfen, ob ihr goldener Stirnreif auch richtig saß, als ein Diener Robert of Gloucester meldete. Das Strahlen in ihren Augen erlosch, als sie sah, wie ernst der Earl wirkte.

»Robert, ist etwas geschehen?«, fragte sie besorgt.

»Stephen lässt dich bitten, die Verhandlungen sofort wieder aufzunehmen.«

»Warum das denn? Wir hatten doch vereinbart, unsere Gespräche für die Dauer des Turniers ruhen zu lassen.«

Robert seufzte. »Ich vermute, Stephen hat eine neue Geldquelle aufgetan und sieht deshalb seine Position gestärkt.« Alines Herz sank. Sie hatte so sehr gehofft, dass Matilda und Stephen Frieden miteinander schließen würden.

»Ich werde mich ganz gewiss nicht von meinem Vetter herumkommandieren lassen.« Unwillig klopfte Matilda mit dem Bronzespiegel auf den Tisch.

»Ich halte es für besser, wenn du ihm Entgegenkommen signalisierst und ihn aufsuchst.« Robert schüttelte den Kopf. »Manche von unseren Gefolgsleuten sympathisieren immer noch mit Stephen. Es würde keinen guten Eindruck bei ihnen hinterlassen, wenn du deinen Vetter brüskierst.«

»Nun gut …« Matilda runzelte gereizt die Stirn. »Hat Stephen eigentlich etwas über das Turnier verlauten lassen?«

»Bislang noch nicht.«

»Gut, dann bestimme ich, dass es trotzdem stattfinden soll.« Während Matilda kurz nachdachte, erschien ein grimmiges Lächeln auf ihrem Gesicht. »Lass verkünden, dass die Wettkämpfe geändert werden. Als ein Zeichen, dass Stephen und ich uns nichts sehnlicher als den Frieden wünschen, soll es keinerlei kriegerische Übungen geben. Stattdessen sollen die Ritter in einem Pferderennen miteinander wetteifern.« Sie nickte Aline zu. »Du kannst gern zu dem Turnier gehen und deinen Spaß daran haben. Während der Verhandlungen benötige ich deine Dienste nicht.«

*

Das Turnier sollte gegen Mittag beginnen. Der Wettkampfplatz lag vor den Stadtmauern, inmitten der weitläufigen, sanften Hügellandschaft der Downs. Für die Adeligen waren Holztribünen errichtet worden. Als Aline die Wiese erreichte, hatten Matildas Hofdamen bereits auf den Bänken Platz genommen. Sie fing Lady Eleanors finsteren Blick auf. *Wahrscheinlich hat es sich herumgesprochen, dass Garreth und ich gestern Hand in Hand durch den Burghof geschlendert sind,* dachte Aline.

Über den Tribünen wehten bunte Fahnen. Neben den Holzaufbauten hatten sich die Bediensteten versammelt. Sie schwatzten und freuten sich auf das Fest. Die Beklemmung, die Aline vorhin während des Gesprächs zwischen Matilda und Robert of Gloucester überfallen hatte, verschwand. Sie wollte sich einfach an dem schönen Tag freuen!

Suchend schaute sie sich nach Garreth um. Sie entdeckte ihn am anderen Ende der Wiese, bei den Männern, die ihre Pferde aufsattelten und noch einmal das Zaumzeug überprüften, und rannte zu ihm. Garreth zurrte seinen Sattelgurt fest. Er richtete sich auf, als er sie sah. »Du kommst spät. Ich hatte schon befürchtet, dass du es dir anders überlegt hast und ich doch starten müsste, ohne dein Seidenband tragen zu dürfen«, neckte er sie. »Und das hätte ich als ein ganz schlechtes Omen betrachtet.«

»Es tut mir leid. Ich wurde aufgehalten«, erwiderte Aline schuldbewusst. »Ein Koch hatte sich die Hand schlimm verbrüht.«

»Hauptsache, du bist jetzt hier«, sagte Garreth sanft, »und legst mir das Band um.«

Nachdem sie das Band, wie es Sitte war, an seinem rechten Oberarm befestigt hatte, küsste er sie zärtlich auf den Mund.

»Du darfst deinen Start nicht verpassen.« Behutsam machte sich Aline von ihm los und erstarrte gleich darauf. Ein Stück entfernt von ihnen stand Ethan neben seinem

Braunen und blickte zu ihnen herüber. Also war er doch wieder nach Bristol zurückgekehrt. Eine große Faust bohrte sich in Alines Magen. Sie hoffte inständig, dass er sie nicht ansprechen würde. Doch stattdessen bahnte er sich, den Braunen am Zügel haltend, einen Weg durch das Gewimmel aus Männern und Pferden direkt auf sie zu.

Nun hatte er Garreth und sie erreicht. »Ich sehe, dieser Ritter trägt dein Zeichen.« Ethan bedachte Aline mit einem kühlen Blick, den sie kampflustig erwiderte. »Allerdings, Sir Garreth reitet für mich in diesem Turnier.«

»Dann wünsche ich Euch viel Glück.« Mit eisiger Höflichkeit verneigte sich Ethan vor Garreth. Dieser sah unsicher von ihm zu Aline. »Ich danke Euch«, antwortete er schließlich ebenso kühl. »Auf dass der beste Reiter gewinne.«

»Ja, so sei es.« Ethan lächelte hochmütig. Zu Alines großer Erleichterung erscholl ein Trompetensignal, woraufhin sich Ethan in den Sattel schwang und zum Startplatz ritt.

Währenddessen hatte Sir Simon ein mit bunten Stoffgirlanden dekoriertes Podest erklommen. Seine runden Wangen waren vor Stolz und Aufregung gerötet. Schließlich bedeutete es eine große Ehre, ein Turnier leiten zu dürfen. »Die Ritter, die noch keine Lose gezogen haben, holen dies jetzt bitte umgehend bei meinen Helfern nach«, begann er gewichtig. »Je dreißig Mann starten nacheinander in sieben Rennen. Die drei besten jeder Gruppe werden dann den Turniersieg gegeneinander austragen.«

Kleine Fähnchen markierten die Rennbahn, die in einem etwa anderthalb Meilen langen Oval über die Wiesen führte. Niedrige Hecken bildeten natürliche Hindernisse. »Einige von Euch Rittern haben gemurrt, weil nun kein Kampf mit Schwert und Speer stattfindet.« Sir Simons Augen funkelten. »Aber ich rate Euch, die Gefährlichkeit des Rennens nicht zu unterschätzen.«

Nachdem Aline Garreth noch einmal umarmt hatte, hastete sie zu den Tribünen. Dort gesellte sie sich zu einigen Knechten, die für Matildas Pferde zuständig waren und sie freundlich aufnahmen.

Alle Lose waren inzwischen gezogen. Die erste Reitergruppe begab sich an den Start. Garreth und Ethan befanden sich nicht unter ihnen. Dafür jedoch Hugo de Thorigny. Ein durchdringender Trompetenstoß – und die Reiter preschten los. Widerwillig musste Aline zugeben, dass Hugo de Thorigny ein guter Reiter war, wenn er auch Konkurrenten rücksichtslos abdrängte und sein Pferd mit den Sporen und der Peitsche antrieb.

Doch gleich darauf vergaß Aline ihn. Sie war nur noch auf die Reiter konzentriert, die nun um die Kehre am anderen Ende der Wiese stürmten und sich einer der Hecken näherten. Sehnlich wünschte sie sich, auch ein Pferd zum schnellsten Galopp antreiben und die Schwerelosigkeit erleben zu können, wenn es vor einem Hindernis absprang.

Wie nicht anders zu erwarten, ging Hugo de Thorigny als Erster ins Ziel.

Während des nächsten Rennens stürzte ein Reiter an einer der Hecken. Vorsorglich hatte Aline ein Bündel mit Verbandszeug und entzündungshemmenden Tinkturen mit zu dem Turnier genommen. Der Reiter – ein junger Ritter aus Matildas Gefolge – hatte zum Glück keine schweren Blessuren davongetragen, sondern nur einige Schrammen.

Aline hatte eben die Wunde an seiner Stirn versorgt und den Verletzten in die Obhut zweier Helfer übergeben, als ein Trompetenstoß ein weiteres Rennen ankündigte. Neugierig blickte Aline zum Start. Inmitten der dort versammelten

Reiter befanden sich Ethan und Garreth. Warum nur hatten die Lose sie ausgerechnet derselben Gruppe zugeteilt? Selbst auf die Entfernung hin konnte Aline erkennen, wie finster und entschlossen Ethans Miene wirkte. Sie ballte die Hände zu Fäusten, während ihr zornige Tränen in die Augen schossen. Ethan hatte überhaupt kein Recht, gekränkt zu sein, weil sie sich für Garreth entschieden hatte. Schließlich hatte ja auch er sich von ihr abgewandt und sich entschieden, die Tochter des Earls of Warwick zu heiraten.

Das Startsignal ertönte. Sofort gingen Garreth und Ethan in Führung. Nachdem sie ein Viertel der Wiese umrundet hatten, lagen sie schon mehr als zwei Pferdelängen vor dem übrigen Feld. Ein ohrenbetäubender Lärm brandete auf.

»Ethan, Ethan!«, brüllten Stephens Gefolgsleute.

»Garreth schneller, zeig es ihm!«, wurde dieser von Matildas Lager angefeuert. Aline brachte keinen Laut über ihre Lippen. Vor dem letzten Hindernis waren Ethan und Garreth etwa gleichauf. Doch dann sprang Ethans Brauner etwas zu kurz und hatte für einige Momente Mühe, wieder in den Galopp zurückzufinden. Unter dem Jubelgeschrei von Matildas Leuten stürmte Garreth mit einer halben Pferdelänge Vorsprung ins Ziel.

Ethan tat den höfischen Regeln Genüge und gratulierte ihm, wenn auch sehr frostig. *Ach, warum nur ist er wieder nach Bristol gekommen?*, dachte Aline ein weiteres Mal unglücklich, während sie zum Ziel lief.

Nun hatte Garreth sie entdeckt und trieb sein Pferd zu ihr. »Ich bin sehr stolz darauf, dass ich das Rennen mit deinem Band am Arm gewonnen habe«, sagte er. Eine Frage schwang in seiner Stimme mit, und er blickte zu Ethan, der inzwischen abgesessen war und seinen Braunen mit Stroh trockenrieb.

»Ich bin auch sehr stolz auf deinen Sieg«, erwiderte Aline impulsiv. »Und ich werde noch stolzer sein, wenn du das Turnier für dich entscheidest. Trotzdem – versprich mir, dass du vorsichtig reiten wirst.«

Garreths Miene entspannte sich. Lächelnd sagte er: »Mach dir um mich keine Gedanken. Ich werde das Ziel schon heil erreichen.«

Aline ließ ihn allein, damit auch er sein Pferd in Ruhe versorgen konnte. In der Pause, nachdem alle Reiter die Rennen zur Vorentscheidung absolviert hatten, half Aline den Dienern, mit Wasser verdünnten Wein, süße Kuchen und kandierte Früchte an die adeligen Zuschauer zu verteilen. Lady Eleanor bedachte sie wieder mit bösen Blicken und kehrte ihr dann absichtlich den Rücken zu.

Schließlich verkündete Sir Simon das Ende der Pause und bat die ersten drei aller bisherigen Rennen an den Start. Aline hielt es nicht länger bei den Tribünen. Sie wollte näher am Geschehen sein. Deshalb rannte sie zu dem letzten Hindernis und setzte sich dort unter eine etwas erhöht stehende Buche ins Gras. Ethan ritt an den Start, dann Garreth und nun auch Hugo de Thorigny.

Überrascht bemerkte Aline, dass ein junger Ritter über die Wiese auf sie zuschlenderte. Ethans Freund Nicolas. »Erlaubt Ihr, dass ich Euch Gesellschaft leiste?«, fragte er freundlich. Aline mochte Nicolas gern, aber da er nun einmal Ethans Freund war, hätte sie sich lieber nicht mit ihm unterhalten. Unhöflich wollte sie jedoch auch nicht sein. »Natürlich.« Sie nickte. »Es tut mir leid, dass Ihr ausgeschieden seid.«

»Oh, reiten gehört nun wirklich nicht zu meinen hervorstechendsten Fähigkeiten.« Nicolas wehrte lachend ab. »Gottlob hat es bisher keine schlimmen Stürze gegeben.«

»Ich hoffe sehr, dass das auch so bleibt«, entgegnete Aline heftig. Ja, hoffentlich ritten sich Ethan und Garreth in ihrer dummen Eifersucht nicht um Kopf und Kragen.

Nicolas warf ihr einen raschen Blick von der Seite zu. »Ich hatte ja eigentlich damit gerechnet, dass *Ethan* einmal Euer Zeichen bei einem Turnier tragen würde.«

Seine Worte brannten wie Salz in einer offenen Wunde. »Ihr wisst so gut wie ich, weshalb wir uns getrennt haben«, fuhr Aline ihn an. »Außerdem wisst Ihr ebenfalls, dass Ethan Ruth of Warwick heiraten wird.«

»Ach, was Ethan und Ruth betrifft …«, meinte Nicolas gedehnt. Doch was er noch sagen wollte, ging in einem Trompetenstoß unter. Die Reiter galoppierten los. Gleich nach dem Start lenkte Hugo de Thorigny sein Pferd dicht an Ethans heran.

»Dieser Bastard wird bestimmt mit allen Mitteln versuchen, Ethan den Sieg streitig zu machen«, fluchte Nicolas. Ethan und Hugo lagen etwa gleich auf – Garreth war ihnen eine Pferdelänge voraus. Alines Hände verkrampften sich vor Anspannung. Ja, Hugo versuchte Ethan abzudrängen. Dessen Brauner biss wütend nach Hugos Hengst, und Hugo schlug mit der Reitpeitsche nach Ethans Pferd. Dieses scheute. Aline schrie entsetzt auf. Doch Ethan gelang es, den Braunen wieder unter Kontrolle zu bringen. Zornig ließ er seine Peitsche auf Hugos Arm niederfahren.

Einer von Sir Simons Helfern, der am Rand der Wiese eine umgeknickte Fahne neu steckte, schüttelte ungläubig den Kopf. »Die beiden gehören doch zu Stephens Leuten … Wie können sie sich nur gegenseitig um den Sieg bringen?«

Wieder schlug Ethan nach Hugo. Dieser versuchte auszuweichen. Sein Hengst geriet aus dem Tritt und fiel zurück. Zwei Reiter schoben sich an ihm vorbei, während Ethan, dessen Gesicht blass vor Wut war, seinen Vorsprung vor Hugo und dem übrigen Feld weiter ausbauen konnte. Mittlerweile war nur noch Garreth vor ihm. Ethan beugte sich noch weiter im Sattel vor, bis er fast waagerecht über dem Pferderücken lag. Unablässig bearbeiteten seine Fersen die Flanken des Braunen. Eine Hecke tauchte vor ihm auf. In einem weiten, eleganten Satz sprang das Pferd darüber und landete sicher auf der anderen Seite. Aline stöhnte erleichtert auf.

»Gut gemacht!« Nicolas stieß die Faust in die Luft.

Nun war Ethan dicht hinter Garreth. Näher und näher schob er sich an ihn heran, bis ihre Pferde nebeneinanderher preschten.

»Ja!«, schrie Nicolas, als Ethan sich jetzt an Garreth vorbeischob und sein Brauner mit dem Kopf vor Garreths Gescheckten lag. Das Ziel war nicht mehr weit.

O Gott!, dachte Aline und sprang auf die Füße. *Hoffentlich geht bei dem Sprung über die letzte Hecke alles gut.*

Sie war so auf Ethan und Garreth konzentriert gewesen, dass sie erst jetzt bemerkte, dass Hugo de Thorigny aufgeholt hatte. Dicht vor dem Hindernis lag er an dritter Stelle und war nur noch eine halbe Pferdelänge hinter Ethan. Dann ging alles so schnell, dass Aline kaum begriff, was geschah.

Alle drei Reiter erreichten das Hindernis fast gleichzeitig. Ethan, der einen kleinen Vorsprung hatte, ritt in der Mitte. Die Pferde setzten zum Sprung an, und wieder versuchte Hugo, Ethan wegzudrängen. Mitten im Sprung krachten Hugos Hengst und Ethans Brauner ineinander. Wie gelähmt verfolgte Aline, wie die Pferde sich überschlugen und Ethan aus dem Sattel geschleudert wurde. Nicolas fluchte gotteslästerlich. Entsetzt schrien die Menschen rund um die Wiese auf.

War Ethan verletzt? Die Zweige der Büsche versperrten Aline die Sicht. Sie stürzte in Richtung des Hindernisses. »Vorsicht!« Nicolas war ihr gefolgt und hielt sie gerade noch rechtzeitig fest. Garreth hatte mittlerweile sicher als Erster das Ziel erreicht, doch nun donnerte das übrige Feld heran und setzte über die Hecke. Wenn die Pferde Ethan, der möglicherweise schwer verwundet und bewusstlos am Boden lag, zertrampelten … Aline wurde übel vor Angst.

Als der Pulk weitergeritten war, tauchte Ethan hinter den Büschen auf. Allem Anschein nach hatte er den Sturz ohne Verletzungen überstanden. Auch sein Brauner kam wieder auf die Füße und schüttelte benommen den Kopf. Aline zitterte vor Erleichterung.

»Du verdammter Idiot!«, brüllte Ethan Hugo an. Dieser befreite sich mühsam von den Zügeln seines am Boden liegenden, mit den Beinen um sich schlagenden Hengstes.

»Ich bin doch nicht schuld an dem Sturz. Du hast mich geschnitten«, fauchte er dann.

»Ach, versuch bloß nicht, Ethan für deine Rücksichtslosigkeit verantwortlich zu machen«, schrie Nicolas außer sich. »Ich und alle anderen hier haben genau gesehen, wie du versucht hast, Ethan im Sprung abzudrängen.«

Sir Simon und einige seiner Helfer waren mittlerweile ebenfalls zu der Unglücksstelle geeilt, gefolgt von einer großen Schar von Rittern aus Matildas und Stephens Gefolge.

»Ich kann diesem Vorwurf nur zustimmen«, erklärte Sir Simon bestimmt, während er Hugo de Thorigny entrüstet musterte. »Euer Verhalten, Sir, war eines Ritters unwürdig. Außerdem habt Ihr auch noch Euren eigenen Mann benachteiligt. Wenn es nicht zu dem Sturz gekommen wäre, hätte Sir Ethan gute Chancen gehabt, das Rennen für sich zu entscheiden.«

»Das glaube ich auch«, versetzte Nicolas wütend.

Garreth war inzwischen ebenfalls zu dem Hindernis geritten. »Ja, Ethan lag an der Hecke vor mir«, sagte er ruhig. »Ich denke auch, dass er das Rennen ohne den Sturz wahrscheinlich gewonnen hätte, und verzichte deshalb zu seinen Gunsten auf den Sieg.«

Ethan fuhr zu ihm herum. »Ich lege nicht den geringsten Wert darauf, einen Sieg bloß Eurem Großmut zu verdanken«, versetzte er kalt. Seine Stimme klang so überheblich, dass Alines Erleichterung schlagartig verschwand und sie von dem Wunsch gepackt wurde, ihn zu ohrfeigen.

»Und ich lasse mich nicht von einem fetten Vasallen Matildas, der seine besten Tage schon lange hinter sich hat, maßregeln.« Hugo de Thorigny bedachte Sir Simon mit einem höhnischen Lächeln.

»Nehmt das sofort zurück!«, schrie Garreth und ballte die Hände zu Fäusten. Auch Matildas andere Ritter stellten sich kampfbereit auf. Ethan und Nicolas verständigten sich durch einen raschen Blick und traten zu ihnen. Währenddessen versammelten sich einige von Stephens Leuten hinter Hugo. Eine Prügelei schien unabwendbar.

Doch ein dumpfes Trompetensignal trieb die Männer auseinander. Über die Wiese näherten sich hoch zu Ross Reginald de Thorigny und Henry of Winchester, gefolgt von einigen Soldaten.

»Aber … aber …« Der Baron hob seine Augenbrauen und ließ den Blick über die aufgebrachten Männer schweifen. »Jetzt ist nicht der richtige Zeitpunkt, Euch zu schlagen. Ihr werdet bald eine andere, weitaus ernstere Gelegenheit dazu haben. Ich und der Bischof von Winchester haben den Auftrag, Euch mitzuteilen, dass die Verhandlungen zwischen Matilda und Stephen gescheitert sind. Der Waffenstillstand gilt nur noch für die Dauer des Abzugs aus Bristol.«

Nun hat uns der Zwist zwischen Matilda und Stephen endgültig zu Feinden gemacht, dachte Aline dumpf. Unwillkürlich schaute sie zu Ethan. Ihre Blicke trafen sich. Das erschrockene Stimmengewirr um sie herum versank. Ethans Miene wirkte gequält, und er machte eine Bewegung, als wollte er auf sie zugehen. Es war mehr, als Aline ertragen konnte. Brüsk wandte sie sich ab und stürzte zu Garreth.

»Bring mich von hier weg«, bat sie und klammerte sich an ihn.

»Dieser verwünschte Krieg …«, murmelte er gepresst, während er den Arm um sie legte. Schweigend folgten sie der aufgeregten Menge zur Burg.

Kapitel 6

Der Gestank von Blut und das Schreien und Wimmern von Verwundeten füllte die Luft. Erschöpft klammerte Aline die tiefe Fleischwunde in der Seite eines Walisers mit Dornen. Anfangs, als sie die Verletzung gereinigt hatte, hatte er noch lauthals geschrien und geflucht. Doch nun lag er halb besinnungslos auf dem groben Holztisch in der Scheune und stöhnte nur noch ab und zu. Am Morgen hatten Matilda und Stephen ihre erste Schlacht geschlagen. Seit dem frühen Nachmittag trafen die Verwundeten auf der Burg von Sherborne ein, wo Matilda Quartier bezogen hatte.

Aline dankte dem Himmel, dass Garreth nur eine oberflächliche Verletzung an seinem Schwertarm davongetragen hatte. Matilda, so hatte sie sagen hören, habe die Schlacht gewonnen. Doch im Grunde genommen war ihr dies gleichgültig.

Rasch blickte sie zu Gawain, der damit beschäftigt war, eine Pfeilspitze aus einer Schulter herauszuschneiden. Der Verwundete brüllte vor Schmerz. Vier Soldaten konnten ihn nur mit Mühe auf dem Tisch festhalten. *Immerhin ist es ein Segen, dass Gawain hier ist,* dachte Aline, während sie ihre Hände in einen Bottich mit Wasser tauchte und sie mit einer Seife aus Pottasche gründlich reinigte. Am Vortag war er in der Burg aufgetaucht und hatte Matilda seine Hilfe angeboten.

Ein flachshaariger Flame trat zu ihr. Unter seiner gebräunten Haut war er sehr blass. »Meinem Freund geht es sehr schlecht. Könntet Ihr einmal nach ihm sehen?« Aline folgte ihm zum hinteren Ende der Scheune. Unter einer Luke, durch die Sonnenlicht fiel, krümmte sich ein junger Soldat auf einer groben Decke. Der Verband um seinen Unterleib war blutgetränkt. »Wasser«, jammerte er, »bitte, ich verdurste.«

Aline wusste, dass er die Flüssigkeit wahrscheinlich nicht lange bei sich behalten würde. Dennoch berührte sie ihn am Arm und sagte in dem Versuch ihn zu trösten: »Ich bringe Euch gleich welches.«

In das Wasser, das sie aus einem Holzeimer schöpfte, gab sie einige Tropfen Mohnsaft. Dann hockte sie sich auf die Decke, bettete den Kopf des Soldaten ihn ihren Schoß und flößte ihm löffelweise den Trank ein. Er schluckte gierig. Doch wie Aline befürchtet hatte, würgte er kurz darauf und erbrach die Flüssigkeit. Schreiend und wimmernd lag er in ihren Armen. Mal döste er ein, dann kam er wieder zu sich. Endlich, der Farbton des Lichts, das durch die Luke drang, war intensiver geworden, durchlief ihn ein Zittern. Nachdem er noch einmal aufgestöhnt hatte, lag er reglos in ihren Armen.

»Er ist tot, nicht wahr?« Aline blickte auf. Erst jetzt registrierte sie, dass der Flachsblonde die ganze Zeit neben ihr und seinem Freund gekauert hatte. Sie nickte nur und hielt den Toten weiterhin fest in ihren Armen.

»Aline«, plötzlich stand Gawain neben ihr, »du kannst nichts mehr für den Jungen tun.« Da sie nicht reagierte, löste er ihre Arme von dem Leichnam und zog sie auf die Füße. »Ich komme hier alleine zurecht. Die meiste Arbeit ist ohnehin getan«, sagte er sanft. »Geh und ruh dich aus.«

Mühsam, als bewegte sie sich durch Wasser, tappte Aline durch die Scheune. Draußen empfing sie die Abenddämmerung. Sie lief direkt zu dem Nebengebäude, wo sich unter dem Dach ihre Kammer befand, denn Matilda konnte sie jetzt nicht gegenübertreten.

Als sie den Hof vor dem strohgedeckten Fachwerkgebäude erreicht hatte, hörte sie eine Frau in ihrem Rücken sagen: »Gut, dass ich dich treffe. Der Saum meines Gewandes ist eingerissen. Flick ihn mir.«

Benommen und ungläubig drehte Aline sich um. Lady Eleanor stand vor ihr und streckte ihr einen hellen Samtmantel entgegen. Aline war nicht nach höflichem Benehmen zu Mute: »Flickt ihn Euch selbst!«, bemerkte sie knapp. Sie wollte an der jungen Frau vorbeigehen, doch diese stellte sich ihr in den Weg. »Was fällt dir ein, du unverschämtes Ding!«, schrie sie entrüstet. »Ich werde mich bei unserer Herrin über dich beschweren.«

»Tut das, wenn Ihr unbedingt wollt.« Aline war am Ende ihrer Geduld. »Aber damit Ihr ein für alle Mal Bescheid wisst: Zum einen bin ich Matildas Dienerin und nicht die ihrer Hofdamen und zum anderen … Wie könnt Ihr an so etwas Albernes wie Euren Mantel denken, während in der Scheune Menschen sterben? Geht, und helft Gawain, anstatt Euch wie ein verzogenes Kind aufzuführen.«

Dann schob sie die junge Frau zur Seite und stürmte die Wendeltreppe zu ihrer Kammer hinauf. Als sie sich auf ihren Strohsack unter den kahlen Sparren warf, hatte sie die Begegnung schon wieder vergessen.

Der Soldat, der in ihren Armen gestorben war, war nicht viel älter als Ethan gewesen. Was, wenn er bei einem Gefecht zu Tode kam? Und sie hatte nichts unternommen, um sich mit ihm auszusöhnen. Aline rollte sich auf ihrem Strohsack zusammen und brach in ein verzweifeltes Schluchzen aus.

*

Eine blasse Wintersonne stand an dem dunstigen Himmel. Ethan stapfte einen tief verschneiten Waldweg entlang. Heute war der erste Weihnachtstag. Die Burg von Windsor, wo Stephen und sein Hof logierten, summte vor Geschäftigkeit, und er hatte es vorgezogen, dem Trubel bis zum Abend aus dem Weg zu gehen. Die Kämpfe der vergangenen Monate hatten sich wechselvoll gestaltet. Mal hatte Stephen eine Schlacht gewonnen, dann wieder hatte Matilda gesiegt. Doch so, wie es derzeit aussah, neigte sich das Kriegsglück zu Stephens Gunsten.

Ein Teil von ihm mochte die Anspannung, die ein Gefecht mit sich brachte, dieses völlige Aufgehen in der Gegenwart, wenn nur noch er und der Gegner zählten und alles um ihn herum versank. Er hatte sich über das Töten niemals irgendwelchen Illusionen hingegeben. Er fand es grausam, aber es war ein Teil seiner Welt. Drei junge Männer in seinem Alter, mit denen er seine Jugend verbracht und die er gern gemocht hatte, waren bei den Kämpfen umgekommen, und er trauerte immer noch um sie. Außerdem war Bernard, einer von Hugos Freunden, im November durch einen Pfeilschuss getötet worden. Dies war das einzige Mal in seinem Leben gewesen, dass Ethan für Hugo und Arnold, den dritten in ihrem Bunde, Mitleid empfunden hatte.

Ethan ließ den Wald hinter sich und trat auf ein Feld hinaus. In Gedanken versunken blieb er stehen. Wenigstens lief Aline keine Gefahr, bei einem der Gefechte getötet zu werden. Während der vergangenen Monate hatte er sich häufig dafür verwünscht, dass er ihr auf dem Weg nach Bristol nicht gleich offen gesagt hatte, wie viel sie ihm immer noch bedeutete. Wobei dies wahrscheinlich ohnehin nichts geändert hätte. Keiner von ihnen hätte sich dafür entschieden, in das Lager des anderen zu wechseln.

Und dann war da ja auch noch dieser blonde Ritter, der bei dem Turnier Alines Band getragen hatte. Wenn Ethan sich selbst gegenüber ehrlich war, musste er sich eingestehen, dass er ihn nicht einmal unsympathisch fand – dennoch hatte es ihn zutiefst verletzt, wie vertraut die beiden miteinander umgegangen waren.

Ethan bückte sich, formte einen Schneeball und schleuderte ihn mit aller Kraft, zu der er fähig war, gegen eine einsame Buche in der Feldmitte. Es verschaffte ihm eine kurze Befriedigung zu sehen, wie der Ball gegen den glatten Stamm prallte und zerstob. Einige Krähen, die in den Zweigen gehockt hatten, flatterten mit einem entrüsteten Keckern in die Luft. Ihr Krächzen erinnerte Ethan nur wieder an Aline. Häufig, wenn sie im Herbst ausgeritten waren, waren Krähenschwärme vor ihnen von den Wiesen und Feldern aufgestoben.

In immer noch düsterer Stimmung kehrte Ethan zur Burg zurück. Eine halbe Meile von den Mauern entfernt begegnete ihm ein Mädchen, das einen dunkelbraunen, mit Pelz besetzten Samtmantel trug. Er nickte ihr zu, ohne ihr zuerst weitere Beachtung zu schenken. Doch etwas in der Art, wie sie ihn unter dem Rand ihrer Kapuze hervor schüchtern und unschlüssig ansah, ließ ihn stehen bleiben und fragen: »Kann ich Euch irgendwie helfen?«

Das Mädchen schlug die Kapuze zurück. Schwere, kastanienbraune Zöpfe umrahmten ein zartes Gesicht, für das die blauen Augen fast zu groß zu sein schienen. Als sie ihn unsicher anlächelte, spielten Grübchen in ihren Wangen. Etwas an dem Mädchen kam Ethan bekannt vor.

»Ihr seid Sir Ethan, nicht wahr?«

Er nickte. Manchmal kam es ihm immer noch seltsam vor, mit »Sir« angeredet zu werden.

Von einem zwischen Büschen halb verborgenen Pfad trat nun eine ältliche Dienerin auf den Hauptweg. »Mein Täubchen«, schnaufend und vorwurfsvoll wandte sie sich an das Mädchen, »Ihr wisst doch, dass ich nicht mehr so schnell laufen kann wie Ihr. Und wie kommt Ihr dazu, einen fremden jungen Herrn anzusprechen?«

»Ach, so fremd ist er gar nicht.« Das Mädchen lachte. »Geh schon einmal voraus, Hesther, ich komme gleich nach.« Etwas in ihrer Stimme duldete keinen Widerspruch.

»Bleibt bloß nicht zu lange hier draußen. Sonst muss ich es Eurem Vater melden.« Die Dienerin bedachte Ethan mit einem misstrauischen Blick, ehe sie sich brummelnd weiter den Weg entlangmühte. Ethan hatte den Auftritt zwischen den beiden belustigt verfolgt. »Ich vermute, Eure Dienerin kennt Euch schon seit Eurer Kindheit«, sagte er lächelnd.

»Ja, sie will einfach nicht begreifen, dass ich allmählich erwachsen werde.« Das Mädchen seufzte. Gleich darauf erhellte sich seine Miene jedoch wieder. »Ich bin übrigens Ruth of Warwick«, beantwortete sie seine unausgesprochene Frage. »Ich weiß, wir sollten erst miteinander reden, nachdem wir einander offiziell vorgestellt wurden …«, sie zuckte die Schultern, und ihr Lächeln verlor den letzten Rest von Schüchternheit, »aber da wir uns nun einmal zufällig begegnet sind …«

»Ich habe Euch nicht erkannt.« Ethan schüttelte entschuldigend den Kopf. »Es muss mindestens drei Jahre her sein, seit wir uns das letzte Mal begegnet sind.

»Genau genommen sind es vier Jahre.« Ruth lachte. Ohne dass es ihnen wirklich bewusst war, hatten sie den Pfad eingeschlagen, den die Dienerin eben entlanggekommen war. Allmählich lichteten sich die Büsche. An einer Stelle, wo sie einen freien Ausblick auf die Themse-Ebene hatten, blieben sie stehen.

Zu Ethans Verwunderung runzelte Ruth ihre Stirn. Dann öffnete sie die Tasche aus feinem, hellem Kalbsleder, die sie umhängen hatte, und griff hinein. »Es ist Weihnachten, und ich habe ein Geschenk für Euch. Ich habe vorhin ganz vergessen, es in meiner Kammer zu lassen. Und da wir uns nun einmal über den Weg gelaufen sind, würde ich es Euch gern jetzt schon geben und nicht erst heute Abend.«

Sie reichte ihm ein kleines, aus Ebenholz geschnitztes Pferd. Verdutzt und gerührt betrachtete Ethan es. Es war ungefähr halb so groß wie sein Handteller und sehr fein und lebensecht gearbeitet.

»Ich habe mich daran erinnert, dass Ihr gerne reitet und es auf einem Markt in London bei einem arabischen Händler erworben. Aber Ihr könnt es mir gern offen sagen, wenn Ihr das Pferd nur für ein dummes Kinderspielzeug haltet«, fügte sie ängstlich hinzu.

»Ich habe noch nie eine so schöne Schnitzerei gesehen. Es ist wirklich etwas Besonderes, und ich freue mich sehr darüber«, entgegnete Ethan voller Wärme. Nur um gleich darauf zerknirscht zu sagen: »Aber leider habe ich kein Weihnachtsgeschenk für Euch. Ich wusste auch gar nicht, dass Ihr nach Windsor kommen würdet.«

»Das konntet Ihr auch gar nicht. Mein Vater hat dies erst vor kurzem entschieden.« Ruth brach wieder in ihr fröhliches Lachen aus. »Und was das Schenken betrifft: Wenn wir erst einmal verheiratet sind, werdet Ihr dazu noch genug Gelegenheit haben.«

Plötzlich wurde Ethan beschämt klar, dass nicht nur er von dieser arrangierten Vermählung gleichsam überrollt worden war. Er hatte sich nie gefragt, wie es Ruth damit wohl ergehen mochte. »Ich hoffe, es ist Euch nicht zuwider, mich zu heiraten«, sagte er verlegen, »und Euer Vater hat Euch nicht dazu gezwungen. Denn in diesem Fall würde ich auf die Vermählung verzichten.«

»Nein, mein Vater hat mich durchaus gefragt, ob ich seinem Plan zustimme.« Ruth schüttelte so energisch den Kopf, dass ihre Zöpfe hin und her flogen. »Er würde mich auch niemals zu etwas zwingen. Ich habe eingewilligt, da ich Euch mag.«

»Aber Ihr kennt mich doch gar nicht«, meinte Ethan ein wenig ratlos.

»Nun ja, immerhin vom Sehen. Was mehr ist, als man über viele Verbindungen in unseren Kreisen sagen kann.« Sie hörte sich sehr erwachsen an, was in eigentümlichem Kontrast zu ihrer Kindlichkeit stand. »Außerdem hat mir das, was ich bei unserem letzten Zusammentreffen von Euch sah, gefallen. Ihr wart anders als viele Eurer Kameraden. Ihr habt keine albernen Scherze mit uns Mädchen getrieben, und Ihr habt Euch nie aufgespielt, als ob Ihr, ein Junge, klüger und mutiger wärt. Und ich mochte es, dass Ihr viel Geduld mit widerspenstigen Pferden hattet, auf die manch ein anderer schon längst mit der Peitsche eingeprügelt hätte.«

»Oh, das ist mir nie aufgefallen«, murmelte Ethan.

»Aber mir!« Nach einer kurzen Pause musterte Ruth ihn fragend. »Wie steht es mit Euch – habt Ihr der Vermählung gern zugestimmt?«

Ethan registrierte, dass der Wind in den Schnee vor den Büschen ein wellenförmiges Muster gegraben hatte. »Anfangs nur zögernd«, sagte er dann, denn er glaubte, Ruth die Wahrheit zu schulden. »Es gab ein Mädchen, das mir sehr viel bedeutete. Aber das spielt jetzt keine Rolle mehr.«

Ruth nickte. Zu Ethans Erleichterung schien sie diese Eröffnung nicht zu enttäuschen. Inmitten der Sonnenstrahlen ging ein leichter Schneeschauer nieder. Die Flocken blieben in Ruths Haaren und auf ihrem Mantel hängen.

»Lasst uns zur Burg zurückgehen«, sagte Ethan. »Sonst holt Ihr Euch noch eine Erkältung, und Eure Dienerin muss Euch schelten.«

*

Die Deckenbalken der Halle waren mit Tannenreisern umwunden. Zu ihrem Grün bildeten rote Stechapfelbeeren und silbrige Misteldolden einen fröhlichen Kontrast. Mit Lebkuchen beladene Platten dufteten nach Zimt, Anis, Muskat und Koriander. Dazwischen standen Schalen voller Nüsse und rotbackiger Äpfel.

Ethan trank einen Schluck mit Honig gesüßten Weins. Dies war das erste Weihnachtsfest, konstatierte er ein wenig wehmütig und belustigt, bei dem er zusammen mit den Rittern unten in der Halle saß und nicht als Knappe bediente. Stephen thronte strahlend an seiner Tafel auf dem Podium und prostete seinen Ehrengästen zu. Zu denen zählte der bullige Earl of Warwick und – natürlich – sein Bruder Henry of Winchester. Selbst der Bischof hatte seine übliche griesgrämige Miene abgelegt und machte einen heiteren Eindruck.

Ja, das vergangene Jahr war alles in allem recht gut für Stephen verlaufen – besser zumindest, als im Frühjahr nach Matildas überraschender Landung in England zu erwarten gewesen wäre. Das hatte Stephen auch vorhin in seiner Rede zum Ausdruck gebracht. Seine Hoffnung, seine Rivalin im Laufe der kommenden Monate zu besiegen und seine Herrschaft endlich vollständig zu sichern, war mehr als berechtigt.

Matilda und ihr Hof verbrachten die Weihnachtstage in Oxford. Sehr wahrscheinlich, überlegte Ethan, saß Aline eben gerade auch in einer festlich geschmückten Halle, denn an Weihnachten war es allgemein üblich, dass die Diener und die Herrschaft miteinander feierten. Ob in Oxford nun auch Gaukler ihre bunten Bälle in die Luft schleuderten? Oder war die Hofgesellschaft schon zu den Scharaden übergegangen? Und ob Aline in diesem Augenblick auch an ihn dachte?

Er wollte doch nicht ständig über sie nachgrübeln! Ärgerlich über sich selbst ließ Ethan seinen Blick weiter über die Tafeln schweifen. Immerhin war es eine Art Weihnachtsgeschenk, dass Hugo de Thorigny ausnahmsweise einmal nicht an Stephens Hof weilte. Er verbrachte die Weihnachtstage mit seinem Vater und der übrigen Familie auf ihrem Stammsitz bei Canterbury.

Als Ethan sich vorbeugte, um einen Lebkuchen von einer Platte zu nehmen, spürte er, wie der kleine Lederbeutel, den er an seinem Gürtel trug, gegen seinen Oberschenkel drückte. Darin bewahrte er Ruth' Geschenk auf. Er hatte sich wirklich sehr über das geschnitzte Pferdchen gefreut und wollte es deshalb bei sich tragen.

Ruth saß zwei Tische entfernt neben ihrer Mutter. Die Fürstin war immer noch eine sehr schöne Frau – sie hatte die gleichen großen blauen Augen und zarten Gesichtszüge wie ihre Tochter –, und Ethan konnte gut verstehen, weshalb Stephen so schwärmerisch von ihr gesprochen hatte.

Nun wandte Ruth den Kopf und sagte etwas zu ihrer Mutter. Helle Lichtpunkte glitzerten in ihrem Haar wie vorhin die Schneeflocken..

Ja, ich werde mit ihr ein zufriedenes Leben führen können, dachte Ethan, als ihn ein kräftiger Stoß in die Rippen aufschreckte. »Was ist denn mit dir los? Hast du beschlossen, den Abend schweigend zu verbringen?« Kopfschüttelnd sah Nicolas ihn an. Dann bemerkte der Freund Ruth und lachte. »Deshalb bist du so in dich versunken. Die junge Warwick hat es dir ja anscheinend doch angetan.«

Zu Ethans Erleichterung sprangen nun einige ihrer Gefährten in den freien Raum zwischen dem Podium und den Tischen, wo eben noch die Gaukler ihr Spiel getrieben hatten, und verbeugten sich vor den Gästen. Die Scharaden hatten begonnen.

Die Männer zogen eine Bank herbei, setzten sich darauf und führten mit den Armen Bewegungen aus, als ob sie rudern würden.

»Das ist Lancelot auf dem Weg ins Heilige Land«, schrie Nicolas.

»Nein, Josef von Arimathäa bringt den Gral nach England«, brüllten andere.

»Unsinn, Herzog William überquert den Kanal«, dröhnten weitere Stimmen.

»Mit einer so mickrigen Schar hätte William uns aber nicht besiegt«, schrie ein rotblonder angelsächsischer Hüne. In das aufbrandende Gelächter verkündete Stephen, dass »Josef von Arimathäa und der Gral« richtig geraten sei. Unter Applaus und Buhrufen wurde die Bank weggeschafft. Vier andere Männer erschienen nun vor der Festgesellschaft. Einer von ihnen griff sich theatralisch an die Brust. Dann sank er langsam zu Boden und blieb ausgestreckt auf den

Kacheln liegen. Seine Mitspieler wedelten mit den Armen. Dann breiteten sie eine Decke über ihm aus.

»Hast du eine Ahnung, was das bedeuten soll?« Fragend blickte Nicolas Ethan an.

»Der am Boden Liegende mimt wohl einen Toten«, mutmaßte dieser.

»Aber was soll das komische Armgewedel bedeuten? Ach, ich hab's«, Nicolas fasste sich an die Stirn, »König Artus versinkt im See von Avalon.«

Doch es sollte sich niemals herausstellen, ob dies die passende Lösung gewesen war. Denn mitten in dem Lärm flog die Tür der Halle auf. Umweht von kalter Luft eilte ein halbes Dutzend Bewaffneter in den Saal. Ihr Erscheinen wirkte so unwirklich, dass sich Ethan einen Moment lang fragte, ob dies etwa eine weitere Scharade sei. Doch dann bemerkte er, wie schwerfällig und müde sich die Männer bewegten. Ihre Gesichter waren starr vor Erschöpfung.

»Was …?« Stephen war aufgesprungen. Die Festgäste taten es ihm gleich.

»Sir«, einer der Bewaffneten verbeugte sich vor Stephen, »wir kommen aus Lincoln. Die Chester-Brüder haben durch eine List die Festung besetzt und sind in Matildas Lager übergelaufen.«

Stephen stand wie versteinert hinter dem festlich gedeckten Tisch. Dann brüllte er einen wüsten Fluch und hieb so fest auf die Tafel, dass sein Kelch umstürzte und sich der Rotwein über das weiße Leinentuch ergoss.

Während Ethan neben Nicolas aus der Halle drängte, nahm er wahr, dass da und dort Stechapfelbeeren aus den Zweigen gefallen waren und nun zertreten am Boden lagen.

*

Wenn die Angelegenheit nicht so bitterernst gewesen wäre, hätte Henry of Winchester am liebsten lauthals losgelacht. In seinem Jähzornsanfall hatte Stephen bereits einen Lehnstuhl umgeschmettert. Nun trat er mit so großer Wucht gegen den schweren Eichentisch, dass dieser ein ganzes Stück über den Boden rutschte und einige Schriftstücke auf die Fliesen flatterten.

»Diese verdammten Bastarde, alle beide!«, brüllte Stephen wieder. In der letzten Stunde hatte er die Chester-Brüder schon mit allen möglichen Schimpfnamen bedacht, und »Bastard« gehörte zu den harmloseren.

»Vielleicht hättest du ihre Burg doch besser nicht besetzen sollen«, warf Henry milde ein, als Stephen neuen Atem sammelte und für einen Moment verstummte. »Behaupte nicht, ich hätte dich nicht gewarnt. Im Gegenteil – ich habe dir mehrmals gesagt, dass du ein brandgefährliches Spiel treibst, wenn du einfach die Burgen deiner Gefolgsleute annektierst.« *Wie zum Beispiel meine in Farnham*, fügte er in Gedanken hinzu.

Stephen grunzte nur übellaunig und durchmaß den Raum mit langen Schritten. Aber immerhin hatte er vorerst sein Geschrei eingestellt. Wobei Henry in gewisser Weise verstehen konnte, warum sein Bruder so getobt hatte. Die Chester-Brüder Ranulf und William hatten ihm nicht nur ihre Burg wieder weggenommen, sie hatten ihn darüber hinaus dem Gespött preisgegeben. Ihre Gattinnen waren mit einem kleinen Gefolge vor der Burg erschienen und hatten behauptet, dem von Stephen eingesetzten Verwalter ihre Aufwartung machen zu wollen.

Der gute Mann hatte sie höflich empfangen – woraus ihm kein Vorwurf zu machen war, denn noch hatten die beiden Chesters ja zu Stephens Verbündeten gezählt. Doch gleich darauf hatte er erleben müssen, wie das Gefolge der beiden Damen ihn und die Burgbesatzung überwältigte. Dann waren Ranulf und William mit ihrer Streitmacht in die Burg eingerückt und hatten verlautbaren lassen, dass sie fortan Matilda unterstützen würden. Diese hatte sicher ihren Spaß an dem gelungenen Streich gehabt und würde das Heer der Brüder umgehend mit ihren eigenen Leuten verstärken.

»Das werden mir Ranulf und William büßen!« Mit zu Fäusten geballten Händen blieb Stephen in der Zimmermitte stehen. Seine Augen blitzten mordlustig, und Henry war überzeugt, dass sein Bruder, wenn er die beiden jetzt vor sich hätte, kurzen Prozess mit ihnen machen würde.

Henry hob besänftigend die Hand. »Du wirst so bald wie möglich nach Lincoln ziehen.« Es war eine Feststellung, keine Frage.

»Allerdings«, knurrte Stephen. »Die zwei Halunken werden nicht lange Freude an ihrer Festung haben.«

Nun, das würde sich erst noch zeigen, dachte Henry of Winchester, während er sich für die Nacht von seinem Bruder verabschiedete. Vom Ausgang dieser Schlacht würde er endgültig seine Entscheidung abhängig machen, ob er ebenfalls zu Matilda überwechseln würde oder nicht. Falls sein Bruder das Gefecht verlor, würde dieser es noch sehr bereuen, dass er ihm die Burg von Farnham weggenommen hatte.

*

Ethan kniff geblendet die Augen zusammen. Es war noch früh am Morgen, und die Sonne stand tief am Himmel. Ihr Strahlen verwandelte die schneebedeckte Landschaft in eine funkelnde, glitzernde Fläche, in der kaum etwas zu erkennen war. Stephens Fahnen knatterten hinter ihm im

Wind. Ethan stand in der vordersten Reihe. Einige Pferde schnaubten oder wieherten. Manche scharrten unruhig mit den Hufen im Schnee, was ein knisterndes, nervenaufreibendes Geräusch verursachte.

Da – auf dem gegenüberliegenden Hügelkamm zeichnete sich jetzt eine dunkle Linie ab. Dumpfer Trommelklang wehte zu ihnen herüber. Die Linie wurde breiter, wuchs zu einem lang gezogenen Rechteck an, das sich den Hang hinabbewegte.

»Robert ist tatsächlich so dumm, vom Tal her anzugreifen«, hörte Ethan Stephen rufen. Der König hielt die Zügel scheinbar locker in den Händen, aber seiner starren Miene war deutlich anzusehen, wie angespannt er war, während er das Näherrücken des gegnerischen Heeres beobachtete. Matildas Armee durchquerte jetzt den breiten Talgrund und ritt über einen vereisten Bach.

Wann wird Stephen endlich den Befehl zum Angriff geben?, ging es Ethan durch den Kopf, während er das blaue Band an seinem Oberarm berührte, das Zeichen des königlichen Heeres. Das Warten schien ihm fast unerträglich. Die erste Reihe der Feinde hatte nun den Fuß des Hügels erreicht und strebte auf sie zu, eine riesige, schattenhafte Masse, in der da und dort einzelne Waffen oder anderes Metall aufblitzte. Der Schnee dämpfte den Hufschlag, der sonst vor einer Schlacht die Luft zum Vibrieren brachte. Aber das leise, klirrende Splittern der verharschten Flocken fand Ethan fast noch bedrohlicher.

Aus den Augenwinkeln sah er, wie Stephen nun den rechten Arm hochriss. Endlich! Das Hornsignal zum Angriff ertönte. Ethan wechselte noch einen raschen Blick mit Nicolas. Dem Pferd die Fersen in die Flanken zu rammen und loszugaloppieren war wie eine Befreiung. Während Ethan sein Schwert aus der Scheide riss, gab er sich einige Momente ganz der Bewegung des Tieres hin. Dann krachte er auch schon in die gegnerische Front.

Ethan erahnte mehr als dass er es sah, wie eine Waffe auf ihn niederfuhr. Es gelang ihm, dem Hieb auszuweichen und seinerseits einen Stich zu landen. Wie aus großer Ferne sah er den Angreifer im Sattel wanken und hörte einen Schmerzensschrei. Schon trug ihn sein Pferd weiter. Er verlor jedes Zeitgefühl, während er focht, Attacken ausführte und parierte. Pfeile sirrten um ihn herum wie gefährliche Insekten. Einer ritzte seine Wange. Ein Schwerthieb streifte seinen Schildarm, doch er nahm es kaum wahr.

»Zusammenrücken! Rückt zusammen!« Die Sonne hatte fast schon ihren Zenit erreicht, als dieser gebrüllte Befehl an sein Ohr drang. Ein Hornsignal ertönte drängend und warnend mehrmals kurz hintereinander. Ethan hielt inne, wie aus einem beklemmenden Rausch erwacht, und wischte sich den Schweiß aus den Augen. Die Reihen des eigenen Heeres hatten sich bedenklich gelichtet. Überall rings um ihn herum fochten seine eigenen Leute in der Minderzahl.

Ganz in seiner Nähe bewegte sich eine Gruppe zu Pferde Kämpfender zwischen einigen Büschen hin und her. Vier oder fünf Reiter mit dem roten Band des Gegners um den Oberarm bedrängten einen großen, blonden Mann, der wie ein Wilder um sich hieb. Blut rann ihm aus einer Stirnwunde über das Gesicht. Der Mann war Stephen! Ethan riss sein Pferd herum und trieb es zu den Fechtenden. Die Feinde durften seinen Herrn nicht gefangen nehmen oder gar töten.

Bei den Büschen ließ er den Braunen gegen einen der Angreifer anspringen. Der Mann wurde vom Aufprall aus dem Sattel geschleudert. Beim Aufkommen auf dem Boden strauchelte Ethans Pferd über einen leblosen Körper, doch er konnte es gerade noch rechtzeitig hochreißen.

»Gut gemacht!« Mit einem wilden Lachen wandte sich Stephen ihm zu, während er sich weiter seiner Angreifer erwehrte. Ein dunkelhaariger Ritter drang mit dem Schwert auf Ethan ein. Die Wut verlieh ihm neue Kräfte. Er parierte den Hieb mit seiner Waffe und unterlief die Deckung des anderen mit einem voller Wucht ausgeführten Stich, der durch das Kettenhemd des Gegners drang. Der Dunkelhaarige keuchte auf und ließ sein Schwert fallen. Ethan achtete nicht länger auf ihn. Stephen hatte sich mittlerweile eines weiteren Angreifers entledigt, aber noch immer bedrängten ihn zwei Männer.

Erschrocken registrierte Ethan, dass ein gutes Dutzend von Matildas Bewaffneten auf die Kämpfenden aufmerksam geworden war und nun über das von Leichen und Verwundeten bedeckte Schlachtfeld auf sie zurannte und -ritt. *Stephen muss sofort fliehen*, durchfuhr es ihn.

Der Kampf mit dem Dunkelhaarigen hatte Ethan ein Stück von seinem König weggeführt. Wieder riss er sein Pferd herum. Er hatte Stephen fast erreicht, als ihn eine gigantische Faust in den Rücken zu treffen schien. Er empfand keinen Schmerz, glaubte jedoch, nicht mehr atmen zu können. Zu spät bemerkte er, dass ein Reiter mit gezogener Lanze auf ihn zustürmte. Im letzten Augenblick gelang es ihm, seinen Schild hochzureißen, doch die Wucht des Zusammenpralls warf ihn aus dem Sattel. Er versuchte sich wieder aufzurichten, doch ein Pferd trampelte ihn nieder.

Aline!, dachte Ethan noch. Dann wurde alles um ihn herum schwarz.

*

Mit beiden Armen stützte sich Aline schwer auf den Rand des blutverschmierten Holztischs. Jetzt, am späten Nachmittag, ließ der Strom der Verwundeten allmählich nach. Sie fühlte sich zu Tode erschöpft. Gawain war damit beschäftigt, die klaffende Beinwunde eines Söldners zu klammern. Sein graues Gesicht zeigte, dass auch er am Ende seiner Kräfte war.

Immerhin halfen heute Matildas Hofdamen dabei, die Verwundeten zu versorgen. Manche stellten sich überraschend geschickt an, bei anderen hingegen fürchtete Aline, dass sie mehr schadeten als nutzten. Lady Eleanor, die im Hintergrund des Zeltes den Arm eines Söldners verband, zählte Aline zu den Letzteren. Aber auch wenn sie die Leinenstreifen nicht gerade stabil wickelte – dem jungen Mann schien es gutzutun, dass sich eine hübsche Frau um ihn kümmerte. So andächtig, wie er die Lady betrachtete.

Was, wie Aline bissig dachte, während sie einen Kübel Wasser über den Tisch kippte und versuchte, die Platte wenigstens notdürftig zu reinigen, wahrscheinlich auch einen gewissen Heilwert hatte. Als sie fertig war, wandte sie sich einem kraushaarigen Bretonen zu, der vornübergebeugt auf einem Schemel kauerte und darauf wartete, dass ihm geholfen wurde. Die Stofffetzen, die notdürftig um seine rechte Hand geschlungen waren, waren mit verkrustetem Blut getränkt und ließen nichts Gutes vermuten.

Aline weichte den improvisierten Verband mit Schnaps auf und nahm anschließend den Stoff so vorsichtig wie möglich ab, was der Mann, abgesehen von einem gelegentlichen Stöhnen, stoisch ertrug. Seine Finger waren bis auf den Daumen und den Zeigefinger durch eine scharfe Waffe dicht über der Handwurzel abgetrennt worden. »Werde ich die Hand verlieren?«, fragte der Mann ängstlich.

»Nein, vorausgesetzt, die Wunde entzündet sich nicht«, versuchte Aline, ihn zu beruhigen. »Die Schnitte sind glatt, und soviel ich sehe, ist nicht viel Schmutz in das offene Fleisch gelangt.« Während Aline die Verletzung sorgfältig mit Schnaps reinigte – etwas, das ihre Hände mittlerweile wie von selbst auszuführen schienen –, schweiften ihre Gedanken ab.

Vor einer Weile war Garreth in das Zelt unterhalb der Burg von Lincoln gekommen. Er hatte eine tiefe Fleischwunde am Kopf gehabt – Gottlob war der Knochen nicht beeinträchtigt –, und ein Pfeil hatte seinen Schwertarm gestreift. Von Garreth hatte Aline erstmals Einzelheiten über die Schlacht erfahren. Robert of Gloucesters riskante Taktik, Stephens Heer vom Tal aus anzugreifen, war aufgegangen. Er hatte den Sieg für Matilda errungen. Allerdings war dieser teuer erkauft, denn auf beiden Seiten hatte es zahlreiche Tote und Verwundete gegeben.

Aline war froh darüber gewesen, dass Garreth den Kampf ohne wirklich schlimme Blessuren überstanden hatte. Aber während sie sich um ihn gekümmert hatte, hatte sie die Furcht um Ethan schier verrückt gemacht. Auch jetzt, da sie letzte Hand an den Verband des Bretonen legte, peinigte sie diese Sorge. Sie betete, dass Ethan nicht schwer verwundet oder gar tot auf dem Schlachtfeld lag.

Laute Rufe vor dem Zelt ließen Aline aufblicken. Durch den offenen Eingang sah sie, dass einige von Matildas Reitern eine Gruppe von Gefangenen vor sich hertrieb. Ob einer von ihnen etwas über Ethan wusste? Rasch schlang sie noch einen Knoten in den Leinenstreifen und eilte nach draußen.

Der Anführer der Reiter, ein grobknochiger Schotte, dessen linke Wange eine Reihe alter Narben zeigte, war abgesessen. Grimmig musterte er Stephens Leute. »Wer von euch verwundet ist, kann sich meinetwegen versorgen lassen; unter Aufsicht, wohl gemerkt. Die anderen kommen mit mir zu Burg.«

Aline wollte auf den ersten besten Gefangenen zustürzen, als sie Nicolas unter den Männern entdeckte. Sein Umhang war völlig zerfetzt, und er hatte eine große Schramme an der Stirn, wirkte aber ansonsten unverletzt. Sie rannte zu ihm, um ihn mit Fragen nach Ethan zu bestürmen, besann sich aber gerade noch rechtzeitig. »Stützt Euch auf mich, und tut, als ob Ihr schwer verwundet wäret«, flüsterte sie ihm zu. Nicolas begriff. Er krümmte sich, fasste sich an den Bauch und ließ ein sehr realistisches Stöhnen hören. Rasch legte sich Aline seinen rechten Arm über die Schulter. Scheinbar mit letzten Kräften stolperte Nicolas neben ihr her in das Zelt.

Sie dirigierte ihn zu der Bank, wo gerade noch der Bretone gesessen hatte. Aus einer Eingebung heraus griff sie sich schnell ein blutgetränktes Tuch, das unter dem Tisch lag, und reichte es Nicolas. »Schlagt Euren Umhang auseinander, und presst das Tuch gegen Euren Bauch«, raunte sie ihm zu. Er nickte und tat, wie sie ihn geheißen hatte. Aline kniete sich vor ihn. »Wisst Ihr etwas von Ethan?«, fragte sie ängstlich.

Die Sorge, die sie nun in Nicolas' Augen wahrnahm, spiegelte ihre eigene wider und bestätigte ihre schlimmsten Befürchtungen. Sie biss sich auf die Lippen, um nicht aufzuschreien.

Nicolas beugte sich näher an ihr Ohr, während er den Schotten im Auge behielt, der nun die anderen Verwundeten in das Zelt scheuchte. »Ich war etwa dreihundert Schritt von ihm entfernt, als ich ihn gegen einige von Euren Leuten kämpfen sah. Das war um die Mittagszeit. Ich wäre ihm natürlich sofort zu Hilfe geeilt, aber ich musste mich selbst eines Gegners erwehren. Ich hatte den Mann gerade in die Flucht geschlagen, als ich beobachten musste, wie ein Ritter Ethan mit der Lanze aus dem Sattel stieß. Dann ging ein Pferd über ihn hinweg. Ich wollte sofort zu ihm, aber eine Gruppe von Euren Soldaten entdeckte mich. Sie überwältigten mich und schleppten mich vom Schlachtfeld.«

»Und Ihr seid Euch ganz sicher, dass es sich bei dem Mann, der aus dem Sattel stürzte, um Ethan handelte?« Aline klammerte sich an eine verzweifelte Hoffnung.

»Ich wünschte bei Gott, dass ich mich getäuscht haben könnte«, Nicolas lächelte freudlos. »Aber der Mann war ganz eindeutig Ethan. Ich weiß, wie er kämpft. Außerdem ist sein roter Haarschopf unverwechselbar.«

»Ja, natürlich …« Nicolas' Worte entsprachen nur zu sehr der Wahrheit. Alines Gedanken überschlugen sich. Sie musste Ethan finden. Vielleicht – sie verbot sich, sich etwas anderes vorzustellen – war er ja doch noch am Leben.

»Und ich fürchte, das ist noch nicht alles …« Unwillkürlich verkrampften sich Nicolas' Hände. »Kurz bevor ihn der Lanzenstoß traf, glaubte ich, einen Pfeil in seinem Rücken stecken zu sehen.«

Aline keuchte auf. Ihre Erschöpfung machte sich bemerkbar. Das Zelt begann sich um sie zu drehen. Sie klammerte sich an den Resten von Nicolas' Umhang fest, um nicht das Gleichgewicht zu verlieren. Dass der Schotte nun zu ihr und Nicolas trat, half ihr, ihre Fassung wiederzugewinnen.

»He, was ist denn auf einmal mit dem da?«, dröhnte der grobknochige Mann. »Vorhin hat er noch einen ganz gesunden Eindruck auf mich gemacht.«

»Er hat einen Stich in die Seite erhalten.« Aline deutete auf das blutgetränkte Tuch zwischen Nicolas' Fingern. Geistesgegenwärtig stieß dieser ein jammervolles Ächzen aus. »Allem Anschein nach ist die Wunde durch das Laufen vom Schlachtfeld bis hierher weiter aufgeplatzt. Wir werden ihn gleich auszuziehen und auf den Tisch legen. Dann könnt Ihr Euch selbst von der Verletzung überzeugen.«

»Nein, das ist nicht nötig. Ich glaube Euch auch so«, wehrte der Schotte hastig ab. »Ich komme dann später noch einmal zurück, um ihn zu holen.«

»Ich werde nach Ethan suchen«, flüsterte Aline Nicolas zu, während der Schotte wichtigtuerisch aus dem Zelt stapfte und seinen Leuten einen Befehl zubrüllte.

»Das hatte ich auch vor.« Nicolas nickte mit grimmiger Entschlossenheit.

»Wartet hier …« In einer Zeltecke lagen Kleidungsstücke von Verwundeten auf einem Haufen. Während Aline sich rasch vergewisserte, dass niemand auf sie achtete, suchte sie einen Mantel mit einer Kapuze heraus. Sie faltete ihn zusammen, sodass er wie eine Decke wirkte, und presste ihn an sich. Nachdem sie noch eines der roten Bänder, die ebenfalls auf dem Haufen lagen, zwischen den Stoff geschoben hatte, huschte sie zum Zelteingang. Der Schotte, seine Leute und die Gefangenen waren hinter einer Baumgruppe verschwunden.

Aline legte den zusammengefalteten Mantel neben Nicolas. Sie überlegte noch, wie sie ihn unauffällig aus dem Zelt schaffen konnte, als einer der Verletzten, dem Gawain vor einer Weile einen zerschmetterten Unterarm abgetrennt hatte, aus seiner Bewusstlosigkeit erwachte und zu schreien anfing. Die Hofdamen drehten sich zu ihm um. Der Medicus legte das Messer, mit dem er sich an dem Unterschenkel eines Normannen zu schaffen gemacht hatte, weg und wollte zu dem Schreienden eilen.

Doch Aline trat ihm schnell in den Weg. »Gawain«, sagte sie leise und drängend, »Ethan, der Mann, den ich liebe, liegt schwer verletzt oder tot auf dem Schlachtfeld. Ich muss ihn suchen.«

»Viel Glück!« Der Medicus legte ihr rasch die Hand auf die Schulter. »Ich werde versuchen, hier auf dich zu warten. Andernfalls findest du mich in der Burg.«

Nicolas hatte schon reagiert. Er war aus dem Zelt geschlüpft, hatte seinen zerrissenen Umhang mit dem Mantel vertauscht und das rote Band um seinen rechten Oberarm geschlungen. Die Sonne war vor kurzem untergegangen. Über den Hügeln im Westen stand nur noch ein blassrosa Lichtstreifen. *Wenigstens ist der Himmel klar, und bald wird der Mond aufgehen,* dachte Aline.

»Was werdet Ihr später dem Schotten erzählen, wenn er mich nicht mehr in dem Zelt findet?« Fragend sah Nicolas sie an, während sie zu den Pferden eilten, die in der Nähe bei einigen Sträuchern angebunden waren.

»Ich werde behaupten, jemand anders habe Euch zu der Burg gebracht. In dem ganzen Durcheinander wird Euer Fehlen dann bestimmt nicht weiter auffallen.«

*

Der Ritt über das Schlachtfeld sollte Aline für immer als ein einziger Albtraum in Erinnerung bleiben. In der zunehmenden Dämmerung mussten Nicolas und sie ständig Toten und Verwundeten ausweichen. Von überallher erklangen Jammern und Stöhnen. Sie verhärtete ihr Herz dagegen. Sie musste Ethan finden – und zwar bald. Nicht nur seine Verletzungen, auch die zunehmende Kälte konnte ihn töten.

Der Schnee reflektierte das Sternenlicht. Trotzdem hatten sie Mühe, sich zu orientieren. Einige schreckliche Momente lang war sich Nicolas unsicher, ob sie sich in der fahlgrauen Ödnis nicht verirrt hatten, und er hatte plötzlich Zweifel, ob er den Ort, wo er Ethan das letzte Mal gesehen hatte, wiederfinden konnte.

Gleich darauf jedoch erkannte er die Umrisse einer großen Buche, die einsam auf einer Wiese stand, und erinnerte sich, einen solchen Baum gesehen zu haben, kurz bevor Ethan vom Pferd gestoßen worden war. Während er sich noch suchend umschaute, ging endlich der fast volle Mond über den Hügeln auf

»Dort drüben«, Nicolas deutete auf eine Gruppe von Büschen, die lange Schatten über den Schnee warfen.

Die Vorstellung, dass dort möglicherweise Ethans Leichnam lag, ließ Aline verstummen. Statt einer Antwort trieb sie ihr Pferd so schnell wie möglich über die schneebedeckte Wiese. Nicolas folgte ihr. Bei dem Strauchwerk sprangen sie von ihren Tieren. Mehrere reglose Körper zeichneten sich auf dem Schnee ab. Aline eilte zu dem ihr am nächsten liegenden. Während sie versuchte, im Mondlicht die Gesichtszüge des Mannes zu erkennen, kauerte sie sich schon neben ihn und forschte nach seinem Herzschlag. Der Soldat lebte nicht mehr, aber – sie stieß einen leisen, erleichterten Seufzer aus – es war nicht Ethan.

Nicolas richtete sich nun neben einem weiteren menschlichen Umriss auf und schüttelte stumm den Kopf. Nicht weit entfernt lag noch ein Bewaffneter. Aus seiner Brust ragte etwas silbrig Schimmerndes. Das Heft einer Waffe. Aline presste die Hand gegen den Mund. Dieser Mann war bestimmt tot. Mit bleischweren Schritten schleppte sie sich zu ihm. Sie hatte ihn fast erreicht, als sie im Schatten eines großen Busches einen weiteren Körper entdeckte, der ihr vorher nicht aufgefallen war. Sie blieb stehen.

Ein warmer Schauder durchlief sie. Noch während sie zu dem Strauch rannte, wusste sie, dass der Mann dort Ethan war.

Während sie sich über ihn beugte, schrie sie seinen Namen, doch er reagierte nicht. Ethan lag, das erkannte sie jetzt, auf der Seite. Tatsächlich ragte ein Pfeil aus seinem Rücken, Nicolas hatte sich also nicht getäuscht. Sie tastete nach seinem Handgelenk, konnte jedoch sein Blut nicht mehr zirkulieren fühlen. Hilflos strich sie über seine Brust. Das metallene Kettenhemd war eisig kalt, und es war ohnehin unmöglich zu spüren, ob sein Herz darunter schlug.

»Ethan!«, schrie sie wieder. Er durfte nicht tot sein. Sie packte ihn, rüttelte an ihm. Nicolas' Schatten fiel über sie. »Was ist mit ihm?«, fragte er rau.

Aline weigerte sich, das Offensichtliche auszusprechen. Stattdessen zog sie Ethan auf ihren Schoß, äußerst vorsichtig, um den Pfeil nicht noch tiefer in seinen Rücken zu treiben. Sein Kopf sackte leblos gegen ihren Leib. Nicolas kniete sich neben sie. Ein verzweifelter Zorn erfasste Aline. Sie ließ Ethan in die Arme seines Freundes gleiten und schlug ihm ein-, zwei-, dreimal so fest sie konnte ins Gesicht. »Ich lasse dich nicht einfach gehen! Ich will, dass du lebst. Verdammt, streng dich an, und komm zu mir zurück!« Sie holte zu einem weiteren Schlag aus, als Nicolas ihren Arm packte. »Aline, hört doch!«

Verständnislos lauschte sie. Sie nahm das Rascheln eines Tiers im Schnee wahr und das ferne Klagen eines Verwundeten, das ihr den Magen zusammenzog. Doch dann vernahm auch sie das leise Stöhnen, das aus Ethans Mund drang. Alle

Wut und alle Kraft verließen sie. Sie spürte plötzlich, dass ihr Tränen über das Gesicht rannen.

»Kommt«, Nicolas strich ihr über den Arm. Seine Stimme klang gepresst, als ob ihn etwas in der Kehle würgte. »Wir müssen Ethan so schnell wie möglich von hier wegbringen.«

»Natürlich.« Stolpernd kam sie auf die Füße. Gemeinsam hoben sie Ethan auf Nicolas' Pferd.

Allmählich gewann Aline ihre Fassung wieder. »Wir müssen langsam reiten, damit seine Verletzungen nicht aufbrechen.« Sie versuchte nicht daran zu denken, wie schlimm sein Körper möglicherweise zugerichtet war.

*

Einmal auf ihrem Weg zum Burgberg sahen sie eine Gruppe von Reitern, die das Schlachtfeld mit Fackeln absuchten. Wahrscheinlich Männer, die gekommen waren, um die Toten und Verwundeten auszurauben, wie das oft nach einem Gefecht der Fall war. In einem weiten Borgen wichen sie ihnen aus. Während die Hufe der Pferde im Schnee knirschten, horchte Aline immer wieder nach einem Lebenszeichen von Ethan. Doch er gab keinen Laut von sich.

Aline erschien es wie eine Ewigkeit, bis sie schließlich das Zelt unterhalb der Burg erblickten, im dem Gawain und sie die Verwundeten versorgt hatten. Erleichtert sah sie, dass im Inneren eine Lampe brannte. Gawain hatte das Zelt noch nicht verlassen. Doch als Nicolas und sie Ethan kurz darauf nach drinnen trugen, erschrak sie. Denn in dem Licht wirkte Ethans Haut ganz wächsern.

Müde, aber mit einem Lächeln, erhob sich Gawain von einer Bank. »Ihr habt ihn also gefunden.« Geschickt half er ihnen, Ethan bäuchlings auf einen der Tische zu legen. Kurz legte er Ethan die flache Hand an den Hals und betrachtete dann mit gerunzelter Stirn den Holzschaft, der aus seinem Rücken ragte. »Er hat Glück gehabt. Der Pfeil dürfte die Lunge knapp verfehlt haben«, murmelte er.

»Aber er hat viel Blut verloren?«, sprach Nicolas aus, was Aline nicht zu fragen wagte.

»Sicher mehr, als gut für ihn ist.« Gawain nickte. »Durch die Kälte ist es höchstwahrscheinlich jedoch weniger stark geflossen und schneller versiegt, als das bei wärmerem Wetter der Fall gewesen wäre.« Nachdem Gawain den Pfeilschaft gekappt hatte, wies er Aline und Nicolas an, Ethan das Kettenhemd auszuziehen. Er selbst machte sich währenddessen an seinen Tinkturen und Operationswerkzeugen zu schaffen.

Es war ein hartes Stück Arbeit, Ethans steifen Leib von dem Kettenhemd zu befreien. Als sie ihn auch noch seines Hemdes und seiner Hose entkleidet hatten, erschrak Aline wieder. Zwei blau-lila verfärbte Hufabdrücke zeichneten sich auf seiner Brust ab. Auch sonst war sein Köper überall von Blutergüssen verunstaltet.

Schnell und kundig tastete Gawain Ethan ab. Normalerweise pflegte Aline, wenn sie ihm assistierte, ihre eigenen Beobachtungen zu machen. Doch nun war ihr Kopf wie leergefegt.

Schließlich richtete sich der Medicus auf und blickte von ihr zu Nicolas. »Zwei von Ethans Rippen sind gebrochen, und er hat einige üble Quetschungen erlitten. Die größten Sorgen bereiten mir die Pfeilwunde und der Blutverlust.«

»Wird er …?« Alines Stimme brach.

»Du weißt doch, dass diese Frage nie sicher zu beantworten ist«, Gawain seufzte, »aber mit Gottes Hilfe hoffe ich: ja. Du hilfst mir jetzt dabei, die Pfeilspitze zu entfernen, und Ihr«, er wandte sich an Nicolas, »haltet uns die Lampe, sodass wir die Verletzung gut sehen können.«

Aline fürchtete, dass ihre Hände zittern würden, während sie die Wundränder mit Haken auseinanderzog, damit Gawain mit seinem Messer gut an die Pfeilspitze herankam. Doch es gelang ihr, sie ruhig zu halten. Und auch beim anschließenden gründlichen Reinigen und Klammern der Wunde gehorchten ihr die Finger ganz wie von selbst. Während der ganzen Prozedur lag Ethan völlig reglos auf dem Tisch, als hätte sich das Leben ganz tief in sein Inneres zurückgezogen. Immer wieder beobachtete Aline voller Angst seinen Brustkorb und forschte nach Anzeichen, dass er noch atmete.

Als die Wunde schließlich verbunden und die gebrochenen Rippen bandagiert waren, lehnte sich Gawain an den Tisch und fragte: »Aline, willst du dich deiner Herrin anvertrauen?«

»Nein«, sie schüttelte den Kopf, »Matilda würde sich bestimmt darum kümmern, dass Ethan gut versorgt würde – davon bin ich überzeugt. Aber sie würde ihn auch gefangen nehmen lassen. Und dies würde mir Ethan niemals verzeihen.«

»Ich fürchte, da habt Ihr Recht.« Nicolas nickte.

»Ich würde es ja wahrhaftig vorziehen, irgendwo hinter Schloss und Riegel auf einem warmen Strohhaufen zu liegen, statt mich von Schwertern durchbohren und mit Pfeilen beschießen zu lassen.« Gawain seufzte resigniert. »Aber vielleicht ist das auch meine spezielle Sicht als Medicus.« Er wandte sich wieder Aline zu. »Hast du dir denn schon überlegt, wo du deinen Jungen verstecken willst?«

»Ja«, erwiderte Aline rasch. Während Gawain die Wunde versorgt hatte, war ihr dazu eine Idee gekommen. »Am hinteren Ende des Heubodens gibt es einen Alkoven. Ich habe ihn entdeckt, als wir uns vor einigen Tagen nach geeigneten Räumen für die Verletzten umgesehen haben. Dort wäre er gut versteckt, und ich könnte, ohne Aufsehen zu erregen, ein paarmal am Tag zu ihm gehen.«

»Gut.« Gawain stieß sich von dem Tisch ab. »Dann bringen wir ihn jetzt dorthin.«

*

Sie wickelten Ethan in Decken und legten ihn auf einen Schlitten, der zum Transport der Schwerverletzten benutzt worden war. Als sie das Burgtor erreichten, fürchtete Aline, die Wachen könnten entdecken, dass Ethan und Nicolas nicht zu Matildas Leuten gehörten. Doch die beiden Männer erkannten Gawain, und sie nahmen die rote Binde an Nicolas' Arm zur Kenntnis und ließen sie passieren.

Weitaus schwieriger gestaltete es sich, Ethan auf den Heuboden zu bringen. Sich ihn über die Schulter zu legen und so mit ihm die Leiter hinaufzusteigen, erschien Gawain wegen der gebrochenen Rippen und der frisch geklammerten Wunde zu riskant. Schließlich bandagierten sie Ethans Brustkorb dick mit Decken und schoben ein Seil unter seinen Schultern hindurch. Während Gawain ihn vom Rand des Heubodens aus so vorsichtig wie möglich nach oben zog, schoben Aline und Nicolas von unten.

Nachdem sie in dem Alkoven ein Bett aus Heu bereitet hatten, erklärte Gawain, dass er heiße Steine in der Küche holen wolle, denn Ethans ausgekühlter Körper benötige dringend Wärme, und hieß Aline und Nicolas bei dem Verwundeten zu warten.

Während sich Gawains Schritte entfernten, fasste Aline nach Ethans Hand und streichelte sie. Nicolas kauerte sich neben sie auf den Boden. Nach einer Weile fragte er: »Soll ich die nächsten Tage hier bleiben und mich um Ethan kümmern?«

»Das ist nicht nötig. Es wird wahrscheinlich ohnehin einige Zeit dauern, bis er aus der Bewusstlosigkeit erwacht.« Aline stockte kurz. *Er wird ganz bestimmt daraus erwachen,* betete sie. »Mit Gawains Hilfe werde ich es schaffen, Ethan zu versorgen. Am besten, Ihr verlasst gleich morgen früh die Burg.«

»Gut, ich würde ungern ein Gefangener Eurer Herrin sein«, antwortete Nicolas knapp. »Als freier Mann kann ich Stephen mehr nutzen.«

Ethans Hand fühlte sich unverändert kalt zwischen Alines Fingern an. Das Gebälk der Scheune knarrte leise unter dem Gewicht des Schnees. Schließlich räusperte sich Nicolas und sagte in die Dunkelheit: »Ethan hat natürlich niemals offen mit mir darüber gesprochen. Aber ich weiß, dass er Euch immer noch liebt.«

»Was denkt Ihr denn, was ich für ihn empfinde?«, flüsterte Aline. Damit war alles gesagt. Schweigend warteten sie darauf, dass Gawain zurückkehrte.

Er trug einen Korb auf dem Rücken und brachte eine Lampe mit. Sie wickelten die heißen Steine in Tücher und schoben sie dicht an Ethan heran. Als sie damit fertig waren, sagte Gawain sanft zu Aline: »Du gehst jetzt besser. Ich werde noch eine Weile bei Ethan bleiben und dann auch später noch einmal nach ihm sehen.«

»Aber …«, fuhr Aline auf. Sie wollte Ethan nicht verlassen.

»Matilda fragt sich bestimmt schon, wo du bleibst.«

»Ja, es ist besser, wenn Ihr Ethan jetzt verlasst«, unterstützte Gawain Nicolas.

Aline sah ein, dass die beiden Recht hatten und sie Ethan durch ihr Bleiben sogar gefährdete. Widerstrebend riss sie sich von ihm los. An der kleinen Tür des Alkovens drehte sie sich noch einmal um. Das Licht der Lampe ließ das Rot seines Haarschopfs aufflammen. Sein Gesicht mit den tief in den Höhlen liegenden Augen wirkte im Kontrast dazu immer noch wie eine wächserne Maske.

*

Nach den Ereignissen des vergangenen Tages erschien es Aline seltsam, Matildas Gemächer zu betreten. Nichts dort kündete von Tod und Schrecken. Im Gegenteil, die Atmosphäre war sehr friedlich. Kerzen, die auf hohen Leuchtern brannten, verströmten ein warmes, gelbes Licht, und im Kamin flackerte ein Feuer.

Matilda ruhte in einem tiefen Lehnstuhl. Trotz der für sie siegreichen Schlacht wirkte sie nicht triumphierend, sondern eher nachdenklich und in sich gekehrt. Sie sah auf, als sie Alines Schritte hörte, und sagte ruhig und gar nicht ärgerlich: »Du hast wahrscheinlich einen harten Tag hinter dir.«

»Das stimmt, Madam«, erwiderte Aline wahrheitsgemäß. »Auf dem Schlachtfeld liegen noch viele Verwundete. Sie werden sterben, wenn sie nicht bald ins Warme gebracht und versorgt werden.«

»Ich werde mich darum kümmern.« Matilda nickte. »Ich muss dich leider noch um etwas bitten, ehe du dich schlafen legen kannst. Ich hätte lieber Gawain als dich damit beauftragt, aber er ist nirgends zu finden.«

»Soviel ich weiß, wacht er bei einem Verletzten.« Aline schluckte.

Matilda richtete sich auf. Ihre Augen funkelten nun doch. »Während der Schlacht ist uns Stephen in die Hände gefallen. Er befindet sich jetzt als mein Gefangener in einem der Burgkeller. Zusammen mit einigen seiner Gefolgsleute. Wie etwa dem jungen Thorigny … Mein lieber Vetter hat einige Blessuren davongetragen, die behandelt werden müssen. Ich will mir nicht nachsagen lassen, dass ich mit einem Gegner – noch dazu einem Verwandten – nicht anständig umgehe.«

Stephen war gefangen … *Wenn Ethan das wüsste*, durchfuhr es Aline. Aber vielleicht fand ja dadurch dieser unselige Krieg bald ein Ende.

»Die Gefolgsleute meines Vetters werden sich trotzdem nicht so schnell geschlagen geben«, seufzte Matilda, als hätte sie Alines Gedanken erraten.

»Ich werde sofort zu ihm gehen, Herrin.« Aline verneigte sich.

Matilda schenkte ihr ein seltenes Lächeln. »Danke! Auch für alles andere, das du heute getan hast!«

*

Ein Soldat schob den Türriegel zurück und ließ Aline in Stephens Gefängnis ein. Unwillkürlich blieb sie dicht hinter der Schwelle stehen. Auf einer Truhe brannten Kerzen in einem versilberten Leuchter, und neben einem mit Kissen bestückten Lehnstuhl stand ein Bronzebecken voller glimmender Kohlen. Nein, dies war wirklich nicht der Kerker eines gewöhnlichen Gefangenen.

Stephen lag auf einem breiten Bett unter seidenen Decken. Er hatte die Augen geschlossen. Das Haar an seiner rechten Schläfe war von getrocknetem Blut verkrustet. Noch nie zuvor war Aline so nahe an ihn herangekommen. *Dies also ist der König*, dachte sie müde. *Matildas Gegner und außerdem der Mann, der mit daran schuld ist, dass Ethan und ich nicht zusammen sein können.* Sie war unschlüssig, ob sie Stephen wecken oder ob sie ihn besser schlafen lassen sollte.

Doch nun brummte er, ohne die Lider zu öffnen: »Was auch immer Ihr hier wollt – verschwindet, und lasst mich in Ruhe.«

Aline trat auf ihn zu und sagte fest: »Sir, meine Herrin – Eure Base – schickt mich. Sie wünscht, dass ich Eure Verletzungen behandle. Aber falls Ihr das nicht möchtet, gehe ich unverzüglich wieder.«

»Oh, eine Frau und keiner von diesen ungehobelten Soldatenschwachköpfen.« Stephen blinzelte und setzte sich auf. Ein intensiver Blick aus strahlend blauen Augen traf Aline. »Und eine sehr hübsche Frau noch dazu …« Er lächelte sie an.

Aline stellte ihren Korb mit den Heilmitteln neben dem Bett ab. »Sir, wenn Ihr mich nun bitte meine Arbeit verrichten lassen würdet.«

»Oh, bist du immer so kurz angebunden?« Er lachte. »Ich bin immerhin dein König.«

Aline war zu erschöpft, um höfische Regeln zu beachten. »Verzeiht, Sir, aber ich hatte in den letzten Stunden zu viele Verletzte zu versorgen, als dass ich einen Unterschied zwischen Euch und einem einfachen Soldaten machen könnte«, brach es aus ihr heraus. »Zudem ist meine Herrin für mich die rechtmäßige Königin.«

»Wir haben es also mit einer kleinen Kratzbürste zu tun.« Stephen schien nicht im Geringsten beleidigt zu sein, sondern eher amüsiert. »Nun, ich hoffe, dass deine Finger sanfter sind als dein Benehmen.«

Während Aline seine Kopfwunde säuberte und verband und danach noch einige oberflächliche Stich- und Schnittwunden an Stephens Armen behandelte, ruhten ständig Stephens Blicke auf ihr. Nachdem sie schließlich ihre Arbeit beendet hatte, verbeugte sie sich und sagte: »Sir, ich werde morgen wieder nach Euch sehen.«

»Deine Hände sind wirklich sehr sanft.« Er strich leicht über ihre Wange. »Dann freue ich mich auf morgen.«

＊

Früh am nächsten Morgen brachte Aline Nicolas zum Burgtor. Sie verabschiedeten sich, ohne viele Worte zu machen. Es war ohnehin klar, wie sehr ihnen beiden Ethan am Herzen lag, und dass sie es bedauerten, feindlichen Lagern anzugehören.

Als Aline anschließend Ethan aufsuchte, hatte sich sein Zustand verschlimmert. Er war immer noch ohne Besinnung, und zusätzlich fieberte er. Sooft sich Aline in den nächsten Tagen davonstehlen konnte, eilte sie zu ihm und versuchte, das Fieber zu senken. Auch Gawain unternahm alles in seiner Macht Stehende. Jedoch vergeblich.

An einem trüben Nachmittag, an dem es wieder einmal schneite, stieg Aline die Leiter in der Scheune hinauf und überquerte den Heuboden. Sie war müde, und zudem setzte ihr die Sorge um Ethan zu. Ob das Fieber endlich nachgelassen hatte? Sie wusste einfach nicht, was sie noch dagegen unternehmen konnte.

Als Aline sich dem Alkoven näherte, sah sie, dass ein Teil der leeren Körbe und geflochtenen Truhen, die Gawain und sie zum Schutz davorgestapelt hatten, umgestürzt waren. War Ethan etwa entdeckt und weggeschleppt worden? Sie stürzte zu der Tür und riss sie auf. Sein Lager war leer und zerwühlt, als ob die Decken hastig beiseitegeworfen worden wären. Ihr Herz raste. Wo mochte Ethan sein? Was sollte sie jetzt tun?

Ein Geräusch hinter ihr ließ sie herumwirbeln. Im ersten Moment glaubte sie, einer Sinnestäuschung zum Opfer zu fallen. Hinter einigen Körben kam Ethan hervor, eine Decke um sich geschlungen. Er hatte die Besinnung wieder erlangt! Doch Alines Erleichterung schwand, als sie erkannte, dass sein Gesicht totenbleich und schweißüberströmt war. Seine Augen glänzten unnatürlich.

»Ethan …« Sie streckte die Arme nach ihm aus.

»Wo bin ich? Etwa auf einer von Matildas Burgen?«, stieß er wild hervor.

»Ja, Nicolas und ich haben dich nach der Schlacht hierhergebracht.«

»Wie konntet ihr das tun!«

Alines Sorge schlug in Zorn um. »Was hätten wir denn sonst machen sollen?«, fuhr sie ihn an. »Dich in irgendeinem Feldschuppen unterbringen? Und wie, bitteschön, hätte ich dich dann pflegen können?«

Er starrte sie nur weiter mit diesem wilden Blick an. »Ist Nicolas noch hier?«

Aline schüttelte den Kopf. »Er hat die Burg vor vier Tagen verlassen.«

»Ich muss auch von hier weg!«

Wegen ihm hatte sie ihre Herrin hintergangen und war in manchen Stunden vor Angst und Sorge schier verrückt geworden. Und nun galten all seine Gedanken nur Stephens Sache. »Von mir aus! Versuch ruhig, wie weit du in deinem Zustand kommst!«, schrie sie ihn außer sich an.

Tastend lief er einige Schritte. Dann schwankte er.

»Oh, Ethan …« Aline stürzte zu ihm und hielt ihn fest. Gemeinsam sanken sie auf die Bretter. Ethan legte den Kopf an ihre Brust. Als er sie nach einer Weile ansah, waren seine Augen viel klarer geworden. »Fast immer, wenn wir uns treffen, scheine ich das Falsche zu sagen.« Er lächelte schief.

»Ja, allerdings, das tust du!« Aline blinzelte einige zornige und gleichzeitig erleichterte Tränen weg. »Komm jetzt, du musst dich wieder hinlegen.« Sie wollte ihm aufhelfen, doch Ethan umklammerte mit überraschender Kraft ihren Arm. »Aline, ich liebe dich«, stieß er hervor. »Das wollte ich dir schon während der Rast auf dem Weg nach Bristol sagen. Bevor ich auf dem Schlachtfeld die Besinnung verlor und glaubte zu sterben, habe ich an dich gedacht. Und danach … Ich hatte wirre und beängstigende Träume. Du hast mich sicher durch sie geleitet.«

Aline war zu durcheinander und zu erschöpft, um ihm sagen zu können, wie es um sie stand. »Komm jetzt«, wiederholte sie nur. Dieses Mal ließ sich Ethan von ihr auf die Füße helfen und in den Alkoven bringen. Nachdem sie ihn sorgfältig zugedeckt hatte, gab sie einige Tropfen Mohnsaft, die ihn schlafen lassen sollten, und einige Tropfen Königskerze gegen das Fieber in einen mit Wasser gefüllten Becher. Dann kniete sie sich neben ihn und stützte ihn.

Ethan schluckte gehorsam. Doch nachdem er den Becher geleert hatte, ergriff er ihre Hand und sah sie unverwandt fragend an. »Aline …«

»Was glaubst du denn?«, schluchzte sie. »Ich liebe dich natürlich überhaupt nicht mehr. Weshalb hätte ich mir denn sonst die Mühe gemacht, dich zusammen mit Nicolas auf dem Schlachtfeld zu suchen und hierherzubringen?«

Mit einem zufriedenen Lächeln schloss Ethan die Augen. Aline dachte schon, er wäre eingeschlafen, als er murmelte: »Stephen hat die Schlacht überlebt? Er befindet sich in Sicherheit?«

Aline strich durch Ethans Haar. Sie konnte ihm jetzt unmöglich sagen, dass Stephen Matildas Gefangener war. »Ja, es geht ihm gut, und er befindet sich in Sicherheit«, flüsterte sie.

*

»Aline, hast du denn nicht gehört, dass ich ein paarmal deinen Namen gerufen habe?« Aline blickte verwirrt auf. Vor ihr im Burghof stand Garreth, der ihr nun die Hände auf die Schultern legte. In Gedanken war sie bei Ethan gewesen. Obwohl es jetzt schon drei Tage her war, dass er aus der Bewusstlosigkeit erwacht war, wollte sein Fieber einfach nicht nachlassen.

»Nein, es tut mir leid, ich habe dich nicht gehört«, murmelte sie.

Auf Garreths sonst so freundlichem Gesicht lag ein Schatten. Er musterte sie besorgt. »Aline, ich kann mir nicht helfen. Aber seit einigen Tagen habe ich das Gefühl, dass du mir ausweichst.«

Aline sah auf den schmutzigen, mit Stroh und Sand durchmischten Schneematsch zu ihren Füßen. In einer Pfütze spiegelte sich der graue Himmel. »Nein, das ist nicht wahr. Die Verwundeten beanspruchen mich einfach zu sehr«, erwiderte sie schuldbewusst. Sie wünschte sich, Garreth die Wahrheit über Ethan sagen zu können. Er verdiente es nicht, von ihr angelogen zu werden. Aber er wäre nun einmal verpflichtet, Matilda mitzuteilen, dass sie – Aline – einen feindlichen Soldaten in der Burg versteckt hatte. Dieses Risiko konnte sie auf keinen Fall eingehen.

Garreths Blick wurde milder. »Natürlich … Ich habe mich zu entschuldigen. Es war sehr selbstsüchtig von mir, nicht daran zu denken, wie viel du zu tun hast.« Seine Stimme klang aufrichtig zerknirscht, was Alines Gewissensbisse noch verstärkte. »Es ist nur …« Er hob in einer hilflosen Geste die Hände. »Ich habe gestern die Nachricht erhalten, dass es meinem Vater sehr schlecht geht. Er ist unglücklich vom Pferd gestürzt und hat sich die Hüfte gebrochen …«

»O Garreth, wie schrecklich!«, sagte Aline bestürzt.

»Meine Familie braucht mich. Deshalb werde ich Matildas Hof wahrscheinlich verlassen. Vielleicht ist dieser Krieg ja bald zu Ende. Ich möchte dich fragen …«, Garreth holte tief Luft, »… ob du mit mir kommst. Als meine Frau.«

»O Garreth«, entgegnete Aline wieder. Noch vor wenigen Wochen hätte sie höchstwahrscheinlich mit »Ja« geantwortet. Aber nun war Ethan wieder in ihr Leben getreten. Sie hatte zwar immer noch nicht die geringste Ahnung, wie es mit ihnen weitergehen sollte. Aber durch all die Angst, die sie um ihn ausgestanden hatte, hatte sie endgültig begriffen, dass sie mit keinem anderen Mann würde leben können.

»Ich weiß, du benötigst Matildas Erlaubnis«, meinte Garreth, der ihr Zögern falsch deutete. »Aber ich hoffe sehr, dass unsere Herrin sie dir geben wird.«

Aus den Augenwinkeln sah Aline, dass Sir Simon aus einem der Gebäude trat. Zu ihrer Erleichterung eilte er direkt auf sie zu. »Aline, Stephen verlangt nach dir«, erklärte er gewichtig.

»Wir reden später noch einmal darüber«, sagte sie und verabschiedete sich hastig von Garreth.

*

»Sir, was kann ich für Euch tun?« In Gedanken immer noch bei Garreth und Ethan betrat Aline Stephens Zelle. Dieser ruhte, auf Kissen gestützt, auf seinem Lager.

Stephen seufzte. »Ich fühle mich heute gar nicht gut. Vorhin, als ich aufstand, wurde mir plötzlich schwindelig. Außerdem habe ich Kopfschmerzen.«

Soweit Aline in dem Kerzenlicht erkennen konnte – der hölzerne Laden vor dem vergitterten Fenster war der Kälte wegen geschlossen – wirkte Stephens Gesicht nicht blass, sondern durchaus gut durchblutet. Sie zog sich einen Schemel heran, setzte sich neben ihn und legte ihre Finger um sein Handgelenk. Auch sein Herzschlag war normal. Trotzdem beschloss sie, ihm ein leichtes Mittel aus Minze, Johanniskraut und Rosmarin gegen den Schwindel zu verabreichen.

Vorsichtig begann sie, seinen Kopfverband abzunehmen. Als sie den letzten Leinenstreifen entfernt hatte, sah sie, dass die Wunde gut heilte.

Würde Ethan wieder gesund werden? Und würde Garreth ihr verzeihen können, dass sie ihn belogen hatte? Er verdiente eine Frau, die ihn wirklich liebte.

»Hat dir schon einmal jemand gesagt, dass deine Haare die goldgelbe Farbe von reifem Weizen haben und dass deine Augen an einen tiefen, unergründlichen See erinnern? Ein See, in dem ein Mann versinken möchte«, hörte sie Stephen flüstern, ohne jedoch auf seine Worte wirklich zu achten.

»Sir …«, murmelte sie geistesabwesend.

Plötzlich spürte sie, wie Stephen über ihre Brüste strich. Einen Moment lang war sie zu verdutzt, um ihn wegzustoßen. Dann hatte er auch schon seine Arme um sie gelegt und sie auf das Bett gezogen. Sie wollte zornig und erschrocken aufschreien, doch seine Lippen verschlossen ihren Mund, und seine Zunge stieß tief in ihren Gaumen.

*

Hin und wieder erhielten die adeligen Gefangenen die Erlaubnis, vor den Zellen auf und ab zu gehen. So auch Hugo de Thorigny, der die Schlacht ohne größere Blessuren überstanden hatte.

Die blonde junge Frau, die vorhin mit einem Korb voller Verbände und Heilmittel Stephens Kerker betreten hatte, war ihm schon vor einigen Tagen aufgefallen. Sie war ihm irgendwie bekannt vorgekommen, und dann hatte er sich plötzlich erinnert, dass dies ohne Zweifel jene Frau war, die er während der Rast auf dem Weg nach Bristol in Ethans Armen gesehen hatte. Sie war wirklich sehr hübsch und entsprach mit ihren goldblonden Haaren und braunen Augen genau Stephens Geschmack. Und der König war dafür bekannt, dass er sich jede Frau nahm, die ihm gefiel.

Während Hugo den von Fackeln erhellten Flur entlangschlenderte, konnte er es sich nicht verkneifen, einen Blick durch das vergitterte Guckloch in Stephens Zelle zu werfen. Ein Grinsen huschte über sein Gesicht. Er hatte es doch gewusst! Stephen hatte sich über Ethans Mädchen hergemacht. Seine Hand glitt zwischen ihre Schenkel, was sich das Mädchen, ebenso wie seine Küsse, offensichtlich nur zu gern gefallen ließ.

Viele Männer hätten nichts dagegen, wenn die Geliebte oder gar die Gattin im Bett eines Königs landete. Schließlich ließ sich aus der Zuneigung eines Herrschers so mancher Vorteil für die eigene Familie schlagen. Aber Ethan, davon war Hugo überzeugt, würde da ganz anders reagieren. Zu erfahren, dass Stephen mit seinem Mädchen schlief, würde den ehrpusseligen Kerl in einen schweren Loyalitätskonflikt stürzen.

»He, geht sofort von der Tür weg!«, brüllte ihn nun ein Wächter an, der anscheinend befürchtete, Hugo würde Pläne schmieden, wie er Stephen zur Flucht verhelfen könnte.

»Schon gut, Mann, kein Grund, sich aufzuregen.« Ohne sich über das respektlose Betragen des einfachen Soldaten zu empören, trat Hugo einen Schritt zurück.

Irgendwann, dachte er zufrieden, während ihn der Wächter zu seiner Zelle schubste, *werde ich das gegen diesen verdammten Emporkömmling »Sir Ethan« verwenden können.*

*

Als Aline in die Scheune schlüpfte, hatte sie immer noch den Geschmack von Stephens Zunge im Mund. Es war ihr wie eine Ewigkeit vorgekommen, bis sie sich endlich von ihm hatte befreien können, und für einige schreckliche Momente war sie wieder die Zwölfjährige gewesen, die fast von Guy d'Esne vergewaltigt worden wäre.

Voller Panik war sie zur Kerkertür gestürzt, hatte darauf eingehämmert und nach den Wachen geschrien. Der bullige Mittdreißiger, der dann erschienen war, hatte schnell begriffen und sie verlegen in den Gang hinausgeschoben. Stephen hatte ihr noch nachgerufen, dass er ihr keine Angst habe einjagen wollen. Er habe geglaubt, sie sei ihm gern zu Willen.

Jetzt, da Aline an den Säcken voller Saatgut vorbei in Richtung der Leiter eilte, war sie bereit, ihm zu glauben. Sie war einfach viel zu geistesabwesend gewesen, um seine Annäherungsversuche richtig zu deuten.

Oben auf dem Heuboden kam ihr Gawain entgegen. »Wie geht es Ethan?«, fragte sie erschrocken.

»Sieh selbst!« Täuschte sie sich in dem dämmrigen Licht, oder lächelte er sie tatsächlich an? Sie stürzte zu dem Alkoven. Ethan schlief. Sein Atem ging ruhig und gleichmäßig. Vorsichtig, um ihn nicht zu wecken, berührte sie seine Stirn. Sie war warm, aber nicht mehr heiß wie während der letzten Tage.

»Ich bin davon überzeugt, Ethan hat das Schlimmste überstanden.« Gawain hatte sich neben sie gekauert. Ungläubig strich Aline noch einmal über Ethans Gesicht. Ja, das Fieber war tatsächlich zurückgegangen. Unfähig, die passenden Worte zu finden, sah sie Gawain an.

»Ich lasse Euch jetzt mit Eurem Jungen allein.« Er erhob sich geschmeidig.

»Aline ...«, murmelte Ethan im Schlaf.

»Ich bin bei dir«, flüsterte sie und griff nach seiner Hand.

*

Lady Eleanor hatte Aline von dem Augenblick an, als sie sie das erste Mal getroffen hatte, nicht ausstehen können. Garreth war der Held ihrer Kindheit gewesen. Obwohl seine Familie verarmt war, hatte sie es sich durchaus vorstellen können, ihn zum Gatten zu nehmen. Denn sie vertraute darauf, dass er Fähigkeiten besaß, durch die er es, trotz seiner finanziellen Schwierigkeiten, noch weit bringen würde in der Welt. Sie war auch deshalb gern Matildas Hofdame geworden, weil sie hoffte, ihm so näherkommen zu können. Doch stattdessen hatte sie erleben müssen, dass Garreth ihr eine Dienerin vorzog. Was erst recht ihre Eifersucht angestachelt hatte.

Auch das Dasein als Hofdame entsprach ganz und gar nicht Lady Eleanors Vorstellungen. Sie hatte prachtvolle Feste erwartet und beabsichtigt, die Freundschaft der Frau, die wahrscheinlich bald über England herrschen würde, für sich zu gewinnen, um ihrer Familie zu Glanz und Ansehen zu verhelfen. Stattdessen musste sie Verwundete pflegen und viel Zeit mit ältlichen Damen verbringen. Matilda bekam sie nur selten zu Gesicht, und wenn, dann war diese nicht im Mindestens an ihr interessiert. Ja, auch die Königstochter schien diese Aline, eine Dienerin, ihr – der Adeligen – vorzuziehen.

Schlecht gelaunt kehrte Lady Eleanor von einem Ausritt zurück, als sie Aline in die Scheune schlüpfen sah. Etwas daran, wie sich Aline verstohlen umsah, kam ihr verdächtig vor. Zudem erinnerte sie sich daran, Aline vor einigen Tagen schon einmal in die Scheune gehen gesehen zu haben. Soviel Lady Eleanor wusste, befanden sich dort keine Verwundeten. Traf sich dieses eingebildete Ding etwa heimlich mit einem Mann und betrog Garreth? Sie musste unbedingt herausfinden, was da vor sich ging.

Kurz entschlossen übergab Lady Eleanor die Zügel ihres Pferdes einem Stallknecht und eilte Aline hinterher. Sie hatte kaum die Scheune betreten, als sie Gawain die Leiter heruntersteigen sah. Hastig versteckte sie sich hinter einem Karren. Ihre Gedanken überschlugen sich. Hatte Aline etwa ein Stelldichein mit dem Medicus gehabt? Die beiden verstanden sich gut. Aber nein, das konnte nicht sein. Für ein geheimes Treffen mit ihm wäre die Zeit zu knapp bemessen gewesen.

Ungelenk erklomm Lady Eleanor die Leiter. Oben auf dem Boden konnte sie zuerst außer dem Heu, das einen großen Teil der Fläche bedeckte, nichts erkennen. Unschlüssig ging sie ein paar Schritte über die Bretter. War Aline doch nicht hier herauf gestiegen? Sie wollte schon umkehren, als sie vor der rückwärtigen Wand einige unordentlich gestapelte Körbe und Truhen entdeckte. Vielleicht versteckten sich Aline und ihr Liebhaber ja dahinter.

Darum bemüht, kein Geräusch zu verursachen, schlich sie näher. Hinter den Behältnissen aus Flechtwerk verbarg sich eine schmale Tür, die ein Stück offen stand. Mit angehaltenem Atem spähte Lady Eleanor durch den Spalt. Aline kniete neben einem Mann, der auf einem Heulager schlief und streichelte seine Hand. Bei dem Mann handelte es sich ganz offensichtlich um einen Verwundeten, und es konnte nur einen Grund geben, weshalb Aline einen Verletzten auf dem Dachboden pflegte. Dieser Mann musste zu Stephens Leuten gehören.

Leise zog sich Lady Eleanor zurück. Matilda würde ganz und gar nicht erfreut darüber sein, dass ihre ach so geschätzte Dienerin einen feindlichen Soldaten in der Burg versteckte.

*

»Schling nicht so. Dein Magen ist das nicht mehr gewohnt!«, meinte Aline besorgt. Ethan blickte rasch von seiner Schale mit Getreidebrei auf und grinste sie an, ehe er mit kaum verminderter Geschwindigkeit weiteraß. Nachdem das Fieber endlich zurückgegangen war, hatte er fast einen ganzen Tag lang geschlafen. Kurz bevor sie vorhin mit der in ihrem Korb versteckten Schüssel auf den Heuboden geklettert war, war er mit einem Bärenhunger erwacht. Was kein Wunder war, denn während seiner Krankheit hatte er nur hin und wieder etwas Hühnerbrühe zu sich genommen.

Ja, Ethan befand sich ganz eindeutig auf dem Weg der Besserung. Aline sog seinen Anblick in sich auf: die nach den Tagen der Krankheit hohlen Wangen, auf denen ein rotblonder Bartflaum spross. Die graublauen Augen unter den langen Wimpern, die endlich wieder einen gesunden Glanz hatten, und seinen sehnigen Körper. Die Decke, die um ihn hing, war ein wenig verrutscht, sodass sie seine nackte Brust sehen konnte. Der Gedanke, dass Ethan hätte sterben können, war einfach unvorstellbar für sie.

Nachdem er den letzten Rest Getreidebrei aus der Schale gekratzt hatte, blickte er Aline an. »Du hast nicht vielleicht noch einen Brotkanten für mich?«

»Nein«, erwiderte sie lachend. »Es würde dir auch überhaupt nicht guttun, so viel auf einmal zu essen. Du bekommst erst heute Abend wieder etwas.«

Ethan stöhnte übertrieben. »Du willst mich also verhungern lassen.«

»Wenn das der Fall wäre, hätte ich mir kaum so viel Mühe mit dir gemacht.« Aline versetzte ihm einen zärtlichen Klaps und schlüpfte zu ihm unter die Decke. Ethan stützte sich auf seinen Ellbogen und streichelte ihr Haar. Sie schmiegte sich an ihn. So lange hatte sie nicht mehr bei ihm gelegen. Durch die Ritzen in der Luke über ihnen fielen Sonnenstreifen. Unter halb geschlossenen Lidern beobachtete Aline, wie Staubkörnchen in dem Licht flirrten.

Es roch nach Heu und nach frisch gefallenem Schnee und ein wenig nach dem Rauch eines Holzfeuers, der von einem der Wohngebäude herüberwehte. Ethans Hand wanderte zu ihrem Nacken. Aus der nahen Schmiede ertönte Hämmern und Pferdewiehern, und in einem der Höfe redeten einige Männer miteinander. Aber all diese Geräusche zählten nicht. Wichtig waren nur Ethan und seine Berührung, ihrer beider Atem, das dämmrige Licht, das Rascheln des trockenen Grases und das Knacken des Gebälks. Sie wünschte sich, dass dieser Moment niemals enden würde.

Ethan ließ seine Hand auf ihrem Rücken ruhen. »Aline, ich möchte mit dir leben. Für immer … Wenn du mich schon gerettet hast – warum kannst du dich nicht überwinden, mich zu heiraten und mit mir an Stephens zu Hof kommen?«

Der Zauber war gebrochen. Die Gegenwart hatte Aline wieder. Ethan wusste immer noch nicht, dass Stephen Matildas Gefangener war. Sie konnte sich nicht überwinden, ihm ausgerechnet jetzt die Wahrheit zu sagen. Außerdem … Trotz Stephens Gefangenschaft war seine Sache noch nicht zu Ende. Er hatte immer noch Anhänger, die für ihn kämpfen würden. Einer der Einflussreichsten von ihnen war nun Reginald de Thorigny, kürzlich hatte Aline Matilda und Robert of Gloucester darüber sprechen hören. Vom Heuboden her war ein leises Knarren zu hören. Wahrscheinlich ein Brett, das sich in der Kälte verzogen hatte. Sie achtete nicht weiter darauf.

»Aline …«, drängte Ethan.

Sie öffnete die Augen und sah ihn müde an. »Wir haben doch schon so oft darüber geredet. Ich kann einfach nicht in Stephens Lager wechseln.«

Unwillig runzelte Ethan die Stirn. »Und ich kann immer noch nicht verstehen, warum du dich Matilda so sehr verpflichtet fühlst. Ich habe sie ja einige Male bei Festen erlebt. Auf mich hat sie einen herrschsüchtigen und selbstsüchtigen Eindruck gemacht. Auch einige von ihren Leuten haben sie auf dem Weg nach Bristol so genannt. Zudem soll sie launenhaft und jähzornig sein und ein überhebliches und schroffes Benehmen haben und …«

»Wer auch immer das gesagt hat, sollte sich schämen!«, unterbrach ihn Aline zornig.

»Dann sind diese Vorwürfe also gänzlich aus der Luft gegriffen? Das kann ich nicht glauben.«

»Teilweise treffen sie zu«, räumte Aline ein. »Aber Matilda besitzt auch ganz andere Seiten. Sie ist mutig und großzügig und treu. Menschen, an denen ihr liegt, lässt sie nicht im Stich.«

»Du bezeichnest sie als mutig ...« Ethan schnaubte verächtlich. »Sie hat sich mit den beiden Chester-Brüdern verbündet, die Stephen mit einer gemeinen List in den Rücken gefallen sind.«

»Ach, in Matildas Fall sind Listen also nicht erlaubt?«, schrie Aline ihn an. »Aber Stephen darf ganz selbstverständlich welche benutzen, um meine Herrin um ihre Krone zu bringen? Und was gibt dir eigentlich das Recht, so schlecht über Matilda zu reden, wo Stephen alles andere als ein Ausbund an Charakterstärke ist? Jähzornig und launenhaft ist er auch. Und außerdem ein windiger Schürzenjäger ...«

»Wie ein Mann zur ehelichen Treue steht, sagt nun wirklich nichts über seine Qualitäten als Herrscher aus«, versetzte Ethan hochmütig.

»Treue ist also nicht wichtig?«, fragte Aline gefährlich ruhig.

»Das habe ich nicht gesagt.« Ethan schüttelte den Kopf. »Ich habe nur bemerkt: Ein untreuer Gatte kann ein guter König sein. Außerdem bin ich tief davon überzeugt, dass Maude mit Stephen, trotz seiner Untreue, ein besseres Los gezogen hat als Geoffrey von Anjou mit diesem Drachen Matilda.«

Aline ballte die Hände zu Fäusten. Doch bevor sie Ethan wieder wütend anschreien konnte, ertönte von der Tür des Alkovens eine kühle, ihr nur zu vertraute Stimme: »Junger Mann, mich als Drachen zu bezeichnen, ist kein besonders origineller Einfall. Das haben außer Euch schon ganz andere getan. Ihr hättet Euch schon eine etwas phantasievollere Beschimpfung ausdenken können.«

»Herrin …« Aline sprang erschrocken auf die Füße.

Ethan starrte Matilda, die ein von Goldfäden durchwirktes burgunderfarbenes Samtgewand trug und sehr gelassen und königlich in dem Türrahmen stand, entsetzt an, wobei er abwechselnd blass und rot wurde. Dann sprang auch er auf, wobei er hastig die Decken um sich raffte und sich verbeugte. »Madam …«

Matilda blickte von ihm zu Aline. »Bei diesem Burschen mit den schlechten Manieren handelt es sich, vermute ich, um einen von Stephens Leuten, den du versteckt hast?« Ihre Stimme klang ausdruckslos, was Aline mehr erschreckte, als wenn ihre Herrin zornig gewesen wäre.

»Ja, Herrin«, antwortete sie mit trockenem Mund.

»Du hast mich also hintergangen.« Matilda spielte mit ihrem perlenbesetzten Gürtel.

»Madam, bitte, bestraft mich und nicht Aline!«, fuhr Ethan auf.

»Junger Mann, Ihr haltet den Mund. Und zwar auf der Stelle«, versetzte Matilda barsch. »Das ist eine Sache zwischen mir und Aline. Also Mädchen, warum hast du mir nichts von dem Jungen gesagt?«

»Ich … Ich habe Ethan auf dem Schlachtfeld gefunden«, stammelte Aline. »Er war ohne Besinnung. Ich war überzeugt, dass Ihr ihn gefangen nehmen lassen würdet, wenn ich Euch von ihm erzählte. Und das hätte Ethan mir nicht verziehen.«

»Ach, natürlich, die Männer und ihre Ehre, die unter allen Umständen gewahrt werden muss«, bemerkte Matilda sarkastisch. Der Blick, mit dem sie Ethan bedachte, wurde noch ungnädiger.

»Herrin …«, flehte Aline. »Ich wünschte, Ethan würde nicht zu Stephens Leuten gehören und Ihr und Euer Vetter würdet keinen Krieg gegeneinander führen. Aber ich liebe Ethan. Ich kann ihn nicht seinen Feinden ausliefern.«

»Und ich wünschte, Aline würde nicht zu Euren Leuten gehören«, mischte sich Ethan hitzig ein.

»Junger Mann, ich sagte Euch schon einmal, dass Ihr den Mund halten sollt.«

»Und ich bitte Euch noch einmal: Bestraft mich und nicht Aline.« Ethan warf den Kopf in den Nacken.

»Du hast dir wirklich einen sehr eigensinnigen und schlecht erzogenen jungen Mann als Gefährten ausgesucht.« Matilda wandte sich wieder Aline zu. »Nun, ich fürchte, von einem Ritter, der am Hof meines Vetters aufwuchs, ist auch kein besseres Benehmen zu erwarten.«

Aline griff nach Ethans Hand und presste sie so fest sie konnte, damit er endlich schwieg. »Herrin, kann man sich denn aussuchen, in wen man sich verliebt?«, fragte sie leise.

Matilda bedachte sie mit einem langen Blick. Ihre Miene wurde weicher. »Du hast Recht. Das kann man nicht«, erwiderte sie schließlich. Ein Lächeln glomm in ihren grünen Augen auf. »Pfleg deinen Jungen gesund. Sobald er wieder in der Lage ist, auf einem Pferd zu sitzen, darf er die Burg verlassen und sich den Gefolgsleuten meines Vetters anschließen.«

»Madam …«, stotterte Ethan und neigte den Kopf. »Ich danke Euch.«

»Falls Ihr mir wieder einmal unter die Augen treten solltet, erwarte ich ein besseres Benehmen und anständige Kleidung.« Matilda musterte die grobe, von Grashalmen übersäte Wolldecke, die um Ethans Schultern hing. Ihre Stimme klang trocken. »Und was dich betrifft«, sie schaute Aline an, »erwarte ich, dich rechtzeitig vor der Abendmahlzeit in meinen Räumen zu sehen.« Ohne ein weiteres Wort zu verlieren, drehte sie sich um und verließ den Alkoven.

»Das war also deine Herrin«, sagte Ethan langsam, nachdem Matildas Schritte auf dem Heuboden verklungen waren. Er wirkte widerwillig beeindruckt.

Erst jetzt begriff Aline wirklich. Matilda war nicht böse auf sie und sogar bereit, Ethan die Freiheit zu lassen. Sie atmete tief auf. »Ich habe dir doch gesagt: Sie ist ein großzügiger Mensch.«

»Aber herrschsüchtig ist sie schon.«

»Du hast es dir selbst zuzuschreiben, dass sie dich heruntergeputzt hat!«

»Das finde ich überhaupt nicht!« Ehe Aline empört etwas erwidern konnte, verschloss Ethan ihr mit einem Kuss den Mund. So lange hatte sie sich danach gesehnt. Sie umarmte ihn und schlüpfte mit ihm wieder unter die Decken. Nach einer Weile flüsterte sie: »Matilda hat mir einmal das Leben gerettet.«

»Das wusste ich nicht ...«

»Ich wollte es dir schon seit langem erzählen. Aber es kam immer etwas dazwischen. Nachdem meine Eltern starben, wurde ich Reginald de Thorignys Leibeigene.« Während Aline Ethan von jenem Märztag erzählte und wie Matilda Guy d'Esne und Fulk vertrieben hatte, starrte sie an die Scheunendecke. Das Licht, das durch die Ritzen der Luke fiel, war schwächer geworden. Die Schindeln bildeten eine graue Masse. Ethan hielt Aline fest. Als sie geendet hatte, knirschte er: »Diese Schweine ...« Er war sehr bleich geworden.

Aline strich über seine nackte Brust. »Verstehst du jetzt, warum ich mich Matilda so verpflichtet fühle?«

»Ja, natürlich«, erwiderte Ethan gepresst. »Ich vermute,

Reginald hat ihr niemals verziehen, dass sie sich für dich eingesetzt hat. Möglicherweise hat er sich auch deswegen auf Stephens Seite geschlagen.«

Immer dieser Krieg ..., dachte Aline, während sie Ethan wieder küsste und sich an ihn drängte. Er antwortete ihr mit seinem Körper. »Lieg einfach nur still«, murmelte sie nach einer Weile. Sie schlüpfte aus ihrem Gewand und glitt auf ihn. Als sie ihn in sich spürte, vergaß sie all ihre Sorge um die Zukunft. Nur noch die Gegenwart zählte.

*

Schon vor einer ganzen Weile hatte Aline den Tonkrug mit dem Holundersud in die Hand genommen. Doch statt die Flüssigkeit durch ein Sieb zu gießen, betrachtete sie versonnen den gelblichen Widerschein der Öllampe auf dem schmalen Holztisch. Ein Lächeln breitete sich auf ihrem Gesicht aus. Ja, das Leben war wunderschön. Auch wenn sie es immer noch nicht richtig fassen konnte, dass Matilda ihr verziehen und Ethan die Freiheit geschenkt hatte.

»Aline ...« Garreth' Stimme ließ sie herumfahren. Ohne dass sie es bemerkt hatte, war er in ihre Kammer gekommen. »Stimmen die Gerüchte, die überall in der Burg zu hören sind, und du hast wirklich einen von Stephens Rittern auf dem Heuboden versteckt?«, fragte er gepresst. Er wirkte nicht so sehr zornig als vielmehr traurig und enttäuscht.

»Ja, Garreth, die Gerüchte treffen zu«, erwiderte Aline leise. »Dieser Ritter ist Ethan.«

»Das dachte ich mir schon.« Er nickte. »Aber was ich wirklich nicht verstehe ist: Warum hast du mir nichts davon gesagt, sondern mich belogen und mich glauben lassen, zwischen mir und dir hätte sich nichts geändert?«

»Glaub mir, ich hätte dir gern die Wahrheit gesagt.« Bittend streckte Aline die Hand nach Garreth aus. Doch er ignorierte die Geste. »Aber du gehörst nun einmal zu Matildas Leuten. Und Ethan ist Stephens Ritter.«

»Hast du wirklich eine so geringe Meinung von mir, dass du denkst, ich hätte Ethan und dich verraten?«

»Nein, ganz und gar nicht. Ich wollte dich nur nicht in Schwierigkeiten bringen.«

Als Garreth darauf nicht antwortete, sondern sie nur schweigend ansah, sagte Aline impulsiv: »Du musst mir glauben … Ich war in Bristol wirklich davon überzeugt, zwischen mir und Ethan sei alles aus.«

»Mir hätte schon während des Turniers klar sein müssen, dass das ganz und gar nicht der Fall war.« Die Bitterkeit in Garreth' Stimme war unüberhörbar.

»Ich habe mir damals selbst etwas vorgemacht, und das bereue ich sehr. Ich habe erst wirklich begriffen, dass ich Ethan immer noch liebe, als ich fürchtete, er sei während der Schlacht getötet worden.« Flehend blickte Aline Garreth an. »Trotzdem war und bin ich dir aufrichtig zugetan. Was das angeht, habe ich dich niemals belogen.«

»Aber du liebst mich nicht.«

»Ich dachte, ich würde es tun.« Sie ergriff Garreth' Hände. Erst wollte er sie ihr entziehen. Dann ließ er es aber doch zu, dass Aline sie festhielt. »Du bedeutest mir sehr viel. Ich weiß, ich habe kein Recht dazu. Trotzdem möchte ich dich bitten, mein Freund zu sein. Ich kann gut verstehen, wenn dir das jetzt nicht möglich ist. Aber vielleicht änderst du deine Meinung ja später einmal.«

Garreth schwieg und blickte an ihr vorbei. Schließlich seufzte er. »In den nächsten Tagen werde ich nach Hause zurückkehren. Ich würde ungern im Unfrieden von dir scheiden.«

»Das heißt …?«, fragte Aline zaghaft.

Endlich sah Garreth sie an, und obwohl der Schmerz in seinen Augen noch deutlich sichtbar war, erschien doch die Andeutung eines Lächelns um seinen Mund. »Ja, wir können Freunde sein.«

Kapitel 7

Gleißendes Licht ergoss sich in die Kathedrale von Winchester. Nur um im nächsten Moment einem tiefen Schatten zu weichen, während ein Regenschauer gegen die Fenster prasselte. Der Maitag, an dem Matilda die Huldigung ihrer Gefolgsleute entgegennahm, war äußerst stürmisch. Als ihre Dienerin hatte Aline einen Platz im Seitenschiff in der Nähe der Apsis zugewiesen bekommen. Wieder einmal stellte sie sich aufgeregt auf die Zehenspitzen und spähte zwischen den Köpfen und Rücken der vor ihr Stehenden hindurch.

Matilda saß mit hoheitsvoll gesammelter Miene auf einem thronartigen Stuhl vor den Stufen des Altars. Ein schwerer, golddurchwirkter Mantel aus dunkelrotem Samt hing um ihre Schultern. Henry of Winchester schritt würdevoll auf sie zu. Nachdem er die Knie vor ihr gebeugt hatte, überreichte er ihr ein blaues Samtkissen mit der Krone von England darauf. »Gott schütze unsere zukünftige Königin!«, rief er mit getragener Stimme. Jubel brandete auf. Auch Aline rief aus vollem Herzen: »Gott schütze die zukünftige Königin!«

Für einen Moment glaubte sie, ein Aufblitzen in Matildas Augen wahrzunehmen und dass sie ganz leicht den Kopf wandte. Wahrscheinlich, vermutete Aline, suchte sie den Blick Roberts of Gloucester, der sich mit den anderen mächtigen Adeligen vor der Apsis versammelt hatte. Den Mann, den Matilda liebte und dem sie den heutigen Tag mit zu verdanken hatte. Im Laufe des Sommers würde Matilda in London zur Königin gekrönt werden. Nichts stand diesem Triumph mehr im Wege.

Unter den Adeligen befanden sich viele, die Matilda damals in Oxford im Beisein ihres Vaters die Gefolgschaft geschworen und sie als seine Nachfolgerin anerkannt hatten. Aline erinnerte sich noch gut an jenen Abend; Bess hatte noch gelebt, und sie war ganz neu am Hof ihrer Herrin gewesen. Die Männer, die danach eilig in Stephens Lager geschwenkt waren, hatten nun, da sein Stern sank, wieder Matilda die Treue gelobt. Allen voran Stephens Bruder, der Bischof of Winchester. Aline wusste, dass ihre Herrin ihm nicht traute, und konnte Matildas Vorbehalte nur zu gut verstehen.

Reginald de Thorigny stand dagegen weiterhin treu zu Stephen. Genauso wie Ethan. Sie empfand eine resignierte Zärtlichkeit, als sie an ihn dachte. Schon vor einigen Wochen hatte er sie wieder verlassen, um an den Hof von Stephens Gattin Maude zu reisen, die den Kampf für ihren gefangenen Gatten organisierte.

Neben einer Säule entdeckte Aline nun Gawain, der in einen dunklen Mantel gehüllt war und die Zeremonie mit vor der Brust verschränkten Armen auf seine übliche distanzierte Weise beobachtete. Da seine Dienste, wie er sagte »nun hoffentlich bald nicht mehr benötigt« würden, plante er, auf das Festland und bis nach Italien zu reisen, um seine medizinischen Kenntnisse zu vertiefen. Er würde Aline sehr fehlen.

Glocken füllten nun die Kathedrale mit ihrem hellen Geläute. Unter erneuten Jubelrufen erhob sich Matilda. Die

Menge im Schiff teilte sich, Robert of Gloucester trat auf Matilda zu und reichte ihr seinen Arm. Zusammen mit ihm schritt sie durch die Gasse zwischen den Menschen. Er war ihr Halbbruder, von königlichem Geblüt wie sie, und zudem ihr treuester und fähigster Helfer. Niemand konnte sich etwas Böses dabei denken, dass Matilda mit strahlendem Lächeln neben ihm her ging. Aber Aline war davon überzeugt, dass ihre Herrin einfach nur glücklich war, diesen Augenblick mit Robert teilen zu können.

Wo mag Ethan sich jetzt aufhalten?, dachte Aline, während die Menge sich durch das Kirchenportal schob. Schon lange hatte sie keine Nachricht mehr von ihm erhalten.

Draußen ging erneut ein Regenschauer nieder, während gleichzeitig die Sonne durch die Wolken fiel und sie blendete. »Aline …« Arme legten sich um sie und hielten sie fest. Ihr Herz machte einen Sprung.

»Ethan …« Sie schob ihn ein Stück von sich weg. Er war es wirklich – immer noch sehr mager nach der schweren Verwundung – und lächelte sie an. Hand in Hand liefen sie durch den Regen über den grasbewachsenen Platz vor der Kathedrale und zu einem der Bäume, die an seinem Rand wuchsen. Dort suchten sie Schutz unter den Zweigen.

Atemlos fragte Aline: »Was bringt dich denn hierher?«

Ethan grinste schief. »Ich wusste natürlich, dass Matilda heute in Winchester von diesem Bastard Henry Stephens Krone überreicht bekommen würde.«

»Du meinst wohl ›ihre Krone‹«, murmelte Aline, während sie ihren Kopf an seiner Schulter barg.

»Schhh …« Er legte ihr den Finger an die Lippen, dann küsste er sie. »Ich musste dich einfach sehen.«

»Im Sommer, nach Matildas Krönung, *muss* Stephen mit Matilda Frieden schließen«, stieß Aline hervor.

»Das hoffe ich auch.« Ethan seufzte.

Vor der Kathedrale schwangen sich nun Matilda, Robert of Gloucester und Henry of Winchester in einem silbrigen Nieselregen auf ihre Pferde.

»Meine Herrin braucht mich.« Aline küsste Ethan noch einmal, ehe sie sich schließlich widerstrebend von ihm losriss. *Nur noch wenige Monate ... dann werden Ethan und ich zusammen sein können*, hämmerte ihr Herz, während sie zu Matilda eilte.

*

Reginald de Thorigny ritt auf ein großes, zweistöckiges Fachwerkhaus im Londoner Stadtteil St. Giles zu. Die Befestigungsanlagen am Ende der schmalen Straße versperrten den Blick auf die Themse. Aber er konnte riechen, dass Ebbe herrschte. Die Schwüle des Maitags intensivierte den Gestank nach Unrat, Schlick und Fäulnis, der dem Flussbett entstieg.

Seit Matilda als erwachsene Frau aus dem deutschen Reich nach England zurückgekehrt war, hatte Reginald de Thorigny sie verabscheut. Er hätte es kaum einem Mann verziehen, der ihn spüren ließ, dass er von niedrigerer Geburt war, und erst recht nicht einer Frau. Wie hochmütig sie sich bei jenem ersten Fest am Hofe ihres Vaters verhalten hatte! Als sie dann bald darauf seinen Bevollmächtigten Guy d'Esne gedemütigt und geschlagen und ihm eine Leibeigene weggenommen hatte, ohne sich dafür auch nur im Mindesten zu entschuldigen, hatte sich seine Abneigung in Hass verwandelt. Und nun war auch noch sein ältester Sohn und Erbe ihr Gefangener. Nein, Matilda durfte auf keinen Fall triumphieren, schwor er sich.

Wenig später betrat Reginald einen holzgetäfelten Saal im

Obergeschoss des Anwesens. An einem langen Eichentisch saßen ein gutes Dutzend Männer. Sie blickten ihm teils abwartend, teils offen ablehnend entgegen. Die meisten hatten eine helle Haut und blonde Haare, was ihre angelsächsische Abstammung verriet. Sie waren wohlhabende Kaufleute und Handwerker und von der Londoner Bürgerschaft als Unterhändler bestimmt worden. Reginald war sich im Klaren, dass sie für ihn, den normannischen Adeligen, keine großen Sympathien hegten. Alles hing davon ab, ob es ihm gelang, die wenigen guten Karten, die er besaß, geschickt auszuspielen.

»Setzt Euch.« Ein großer, behäbiger Mann Anfang vierzig, der strohblondes Haar, einen breiten Mund und auffallend gesunde, kräftige Zähne hatte, deutete auf einen Stuhl am Kopfende der Tafel. Sein Name war Thomas Farley, und er besaß einen gut gehenden Wein- und Getreidehandel. Reginald hatte über ihn wie auch über alle anderen Männer im Vorfeld Erkundigungen angestellt.

»Ich bin Euch sehr dankbar, dass Ihr bereit seid, mich, den Unterhändler von Stephens Gattin Maude, zu empfangen.« Höflich neigte Reginald den Kopf und blickte in die Runde.

»Ich habe Euch schon vor unserem Treffen darauf hingewiesen, dass Ihr wahrscheinlich umsonst gekommen seid.« Ruhig erwiderte Farley seinen Blick. »Wir Londoner sind mit König Henry gut gefahren, und es gibt keinen Grund, warum wir uns jetzt – da Stephen gefangen ist – gegen seine Tochter Matilda stellen sollten. Das ist jedenfalls meine Meinung und die der meisten Anwesenden.«

»Ja, so ist es!«

»Thomas hat Recht.«

»Ein Herrscher ist doch so gut oder so schlecht wie der andere.« Zustimmendes Gemurmel wurde laut.

»Ich gebe mich nicht so schnell zufrieden!« Ein Mann in den Dreißigern, der ein scharf geschnittenes Gesicht hatte, sprang auf. Eine sichelförmige, wulstige Narbe verunstaltete seine rechte Wange. »Sagt mir, Sir Reginald, was hätte Maude uns zu bieten, wenn wir weiterhin Stephen unterstützen und Matilda die Krönung verweigern würden?« Dies musste Herbert Pargenter sein. Als Kind war er ein bettelarmer Waisenjunge gewesen und nun in seinen mittleren Jahren ein Tuchhändler von einigem Reichtum, der sogar lesen und schreiben konnte.

»Es kann keine Rede davon sein, dass wir Matilda nicht als Königin akzeptieren werden«, fuhr Farley ihn an. Wieder pflichteten ihm die meisten Männer lautstark bei.

»Benehmt Euch doch nicht wie eine Herde dummer Rindviecher!«, überbrüllte Pargenter sie. »Wir Bürger sollten in erster Linie an uns selbst denken und uns für den Herrscher entscheiden, der uns die meisten Vergünstigungen verbrieft.«

»Wie Ihr ja sicher wisst, besitzt Stephen große Ländereien um die Stadt Boulogne.« Reginald de Thorigny beugte sich vor. »Eine Stadt, mit der London vielfältige Handelsbeziehungen unterhält. Wenn Ihr Bürger weiterhin treu zu Stephen steht, wird dieser die Abgaben verringern, die Ihr bislang für den Transport der Waren durch seine Gebiete entrichten musstet ...«

»... und falls wir nicht zu ihm stehen, wird er uns die Handelswege versperren«, schrie ein kahlköpfiger, übergewichtiger Mann in den Vierzigern. »Wollt Ihr uns etwa drohen?«

»Ich möchte dies höchstens als eine Warnung verstanden wissen«, erwiderte Reginald höflich. Er sah, dass einige der Männer, die auf diese Wege angewiesen waren, nachdenklich wurden. Herbert Pargenter musterte ihn aufmerksam.

»Außerdem«, fuhr er fort, »verspricht Maude, dass Stephen Eure Steuern reduzieren wird.«

Einige Männer lachten höhnisch auf. »Das verspricht doch jeder Herrscher!«

»Und kaum einer hält sich daran, sobald er an der Macht ist«, schrien andere.

»Maude und Stephen werden zu ihrem Wort stehen«, versicherte Reginald gelassen. Es war ihm zwar wichtig gewesen, diesen Vorschlag in den Ring zu werfen, er hatte jedoch nicht damit gerechnet, dass die Vertreter der Bürgerschaft ihn sofort dankbar akzeptieren würden. Er schwieg ein paar Momente, während er wieder in die Runde blickte und jeden einzelnen Mann ansah. »Vielleicht überzeugt Euch ja dieses Argument von Stephen und seiner Sache: Er«, Reginald betonte das Wort, »beabsichtigt jedenfalls nicht, die Rechte von Euch Bürgern einzuschränken.«

»Ach, und Matilda plant dies?«, rief Thomas Farley spöttisch.

»Ja, allerdings, genau das tut sie.« Reginald griff in eine Tasche seines Umhangs. Mit einer weit ausholenden Geste warf er einen Brief auf den Tisch, dessen rotes Wachssiegel aufgebrochen war. »In diesem Schreiben bietet Geoffrey de Mandleville, der Kastellan des Towers, Matilda die Gefolgschaft an. Und zwar unter der Bedingung, dass sie ihm wichtige Stadtrechte überträgt.« Es war ein unverschämtes Glück gewesen, dass Maudes Leuten der Bote, der diesen Brief hätte überbringen sollen, in die Hände gefallen war.

Herbert Pargenter riss das Schreiben an sich. Nachdem er das Siegel studiert hatte, schlug er das Pergament auseinander und vertiefte sich in den Inhalt des Briefes. »Ja, das ist de Mandlevilles Siegel«, schrie er nach einer kurzen Pause. »Und auch, was der Baron sagt, stimmt: De Mandleville will quasi über die Stadt herrschen.«

»Matilda wird, sobald sie an der Macht ist, seine Forderungen erfüllen. Das weiß ich von einem Informanten an ihrem Hof«, rief Reginald de Thorigny mit erhobener Stimme. Das war eine glatte Lüge. Aber was zählte das schon?

Wie er erwartet hatte, brach ein Tumult los. »Dieser Schweinehund de Mandleville versucht doch schon die ganze Zeit, uns unsere Rechte zu nehmen!«

»Ja, er will sogar eigene Steuern erheben.«

»Und seine eigene Gerichtsbarkeit will er einführen«, erregten sich die Männer.

Thomas Farley hatte schon einige Male versucht, sich Gehör zu verschaffen. Nun hieb er mit der Faust auf den Tisch.

»Ruhig! Haltet doch endlich einmal alle Eure Mäuler!«, brüllte er, während er sich Reginald de Thorigny zuwandte. »Verzeiht, aber dafür, dass Matilda de Mandlevilles Forderungen erfüllen wird, haben wir nur Euer Wort, Sir. Könnt Ihr diese Anschuldigungen denn auch beweisen?«

Reginald de Thorigny unterdrückte ein Lächeln. Nun hatte er die Männer genau da, wo er sie hatte haben wollen. »Ich kann meine Worte beschwören, wenn Ihr dies wünscht«, sagte er ruhig – und er wäre zu jedem Meineid bereit gewesen. »Aber ich bin überzeugt, den eigentlichen Beweis dafür, dass ich die Wahrheit gesagt habe, wird Euch Matilda selbst erbringen.«

*

Einige Tage später, an einem warmen, regnerischen Abend in seinem Landhaus vor den Toren Londons, sah Reginald de Thorigny gespannt Herbert Pargenter an. Eben hatte ein Diener den Tuchhändler in das Schreibkabinett geführt. »Nun, haben Euch die Londoner zu einem von ihren Unterhändlern für die Verhandlungen mit Matilda bestimmt?«

»Ja, das haben sie.« Der hagere Mann nickte. »Der andere Unterhändler ist allerdings Thomas Farley.«

Reginald de Thorigny trank einen Schluck Wein und füllte auch für den Tuchhändler einen Becher. Dann hatten seine diskret verteilten Bestechungsgelder also doch nicht ganz ihren Zweck erfüllt. Aber Pargenter stellte immerhin einen Trumpf dar. »Das ist für Euch«, er schob ihm ein mit Goldstücken gefülltes Säckchen zu. »Und Ihr erhaltet noch einmal die gleiche Summe, wenn Ihr Euch Matilda gegenüber so verhaltet, wie wir es besprochen haben.«

Herbert Pargenter wog das Säckchen in der Hand, ignorierte allerdings den mit Wein gefüllten Becher. »Ich werde unsere Abmachung befolgen«, erwiderte er spröde. »Jedoch nicht, weil mir an Stephen besonders viel liegen würde oder ich etwas gegen Matilda hätte, sondern weil in dieser Welt nun einmal jeder darauf achten muss, wo sein eigener Vorteil liegt.«

»Ich kann Euren Standpunkt voll und ganz verstehen«, bestätigte Reginald freundlich.

Nachdem der Tuchhändler ihn verlassen hatte, sann er noch kurz vor sich hin. Mit Pargenter besaß er einen wichtigen Verbündeten. Nun war es an der Zeit, sein eigentliches Spiel zu beginnen. Reginald de Thorigny griff nach Feder und Tinte und begann einen Brief an Stephens Gattin Maude zu schreiben. Darin bat er sie, ihm umgehend eine Hundertschaft Söldner zu schicken.

*

Rasch schlüpfte Aline in den Kapitelsaal des Benediktinerklosters von Reading. Die meisten von Matildas Edelleuten befanden sich bereits dort und nahmen die vorderen Bänke ein. Eine Gruppe von Londoner Bürgern drängte sich in den hinteren Teil – sie waren an ihren einfacheren Gewändern in gedeckten Farben zu erkennen. Zwei Männer saßen auf niedrigen Stühlen in der Saalmitte. Der eine wirkte mit seinem dichten Schopf flachsblonder Haare und dem runden Bauchansatz recht gutmütig. Der andere jedoch, ein hagerer Mann, dessen rechte Wange von einer schlecht verheilten Narbe verunstaltet wurde, vermittelte den Eindruck, dass mit ihm nicht zu spaßen sei. Wahrscheinlich jemand, der sich seine jetzige Position gegen viele Widerstände erkämpft hatte, vermutete sie.

Aline war sich im Klaren darüber, dass sie in diesem Saal eigentlich nichts verloren hatte. Aber sie musste einfach mit dabei sein, wenn Matilda mit den Londonern über die Bedingungen für ihre Krönung verhandelte. So viel hing für Ethan und sie davon ab. Sie hatte reden hören, dass die Verhandlungen wohl eine reine Formalität darstellen würden, und hoffte sehr, dass dies tatsächlich zutraf.

Die breiten Türflügel am Ende des Saals schwangen nun auf, und Trompetenstöße kündigten Matildas Kommen an. Alle erhoben sich von ihren Sitzen. Gleich darauf schritt Matilda, gefolgt von Robert of Gloucester und einigen Rittern – unter ihnen Sir Simon –, durch die Tür. Gegenüber von den beiden Unterhändlern nahm sie auf einem erhöht stehenden Stuhl Platz. Ihr mit Perlen bestickter Schleier schimmerte silbrig im Licht, das durch die hohen Fenster fiel. Ihre Herrin wirkte sehr schön und sehr unnahbar.

In Matildas Namen begrüßte Sir Simon die beiden Unterhändler und stellte die Männer vor. Dann beugten diese vor

Matilda die Knie. Die üblichen Höflichkeitsbekundungen wurden ausgetauscht. Ganz, wie es das Zeremoniell erforderte. Doch plötzlich verspürte Aline, ohne sich erklären zu können, warum, eine nagende Unruhe. Sir Simon erteilte den beiden Londonern das Wort und zog sich unauffällig neben Robert of Gloucester zurück, der hinter Matilda stand.

»Madam …« Der Blonde, Thomas Farley, verbeugte sich. Doch Herbert Pargenter unterbrach ihn sofort. »Ich denke, es ist nicht nötig, dass wir weiter um den heißen Brei herumreden«, sagte er mit lauter, klarer Stimme. »Der Krieg zwischen Euch und Eurem Vetter, Madam, hat uns Londoner Händler viel Geld gekostet. Was werdet Ihr uns also an Steuererleichterungen bieten, wenn wir Euch zur Krönung in die Stadt ziehen lassen?«

Aline starrte Pargenter entsetzt an. Auch die meisten anderen Anwesenden waren völlig konsterniert. Eine zornige Falte erschien zwischen Matildas Brauen. Im nächsten Moment fuhr sie den Tuchhändler schon an: »Was fällt Euch ein, so mit mir zu reden? Bedenkt gefälligst, dass Ihr vor einer früheren Kaiserin und der Tochter eines Königs steht! Ihr habt mir gegenüber keine Forderungen zu stellen.«

Thomas Farley war, während Pargenter gesprochen hatte, ebenfalls erschrocken zusammengezuckt. Er führte eine begütigende Geste aus. »Madam, verzeiht, ich stimme mit Euch überein, dass sich mein Begleiter leider im Ton vergriffen hat. Aber die letzten beiden Jahre waren wirklich hart für die Londoner Bürger; besonders für uns Kaufleute. Durch den Krieg wurden Handelsplätze zerstört und Wege unpassierbar. Statt Getreide im Süden des Landes zu erwerben, wo, wie Ihr wisst, viele Kämpfe stattfanden, mussten wir es von weither beziehen. Teilweise sogar aus französischen Landstrichen zu völlig überteuerten Preisen.«

»Meint Ihr vielleicht, der Krieg hätte mich nichts gekostet?«, versetzte Matilda ungeduldig. »Für die nächsten zwei, drei Jahre kann ich Euch keine Steuervergünstigungen gewähren.« Sie schwieg einige Augenblicke. Als sie weiterredete, klang ihre Stimme sanfter. »Nach dieser Frist werde ich sehen, was ich für Euch tun kann. Das sage ich Euch fest zu. Aber für die Gegenwart kann ich Euch nichts versprechen. Alles andere wäre eine Lüge.«

Aline sah Robert of Gloucester an, dass er sich eine diplomatischere Antwort erhofft hätte, und auch sie selbst wünschte sich, ihre Herrin wäre weniger ehrlich gewesen.

»Gewiss, Madam …« Thomas Farley nickte reserviert.

»Nun, Madam, immerhin habt Ihr uns nichts vorgemacht, was nun nicht für alle Mächtigen selbstverständlich gewesen wäre.« Herbert Pargenters Lippen kräuselten sich spöttisch. »Ich wäre Euch dankbar, wenn Ihr uns Londonern gegenüber auch in einer anderen Angelegenheit so offen wäret. Wir haben aus einer sicheren Quelle erfahren, dass Geoffrey de Mandleville Euch seine Unterstützung angeboten hat. Für den Preis, dass Ihr ihn zum Herrscher über die Stadt einsetzt.«

»Ja, es stimmt, de Mandleville hat mir seine Gefolgschaft angetragen.« Wieder glomm Zorn in Matildas Augen auf. »Was wollt Ihr noch von mir wissen?«

»Wie Ihr zu de Mandlevilles Angebot steht!«

»Ich respektiere die Rechte meiner Bürger«, erwiderte Matilda kühl. »Ich hoffe, das ist Euch Antwort genug.«

»Könntet Ihr Euch bitte klar ausdrücken – heißt das, dass Ihr seine Unterstützung ablehnt?«

»Zu dem von ihm geforderten Preis? Ja. Außerdem gebe

ich Euch mein Wort, dass Eure Bürgerrechte unter meiner Herrschaft nicht angetastet werden.«

»Madam …«, begann Thomas Farley. Doch Herbert Pargenter unterbrach ihn erneut. »Mit Verlaub, Madam, aber ein Wort ist schnell gebrochen.«

Die Zornesfalte in Matildas Stirn vertiefte sich. »Ihr zweifelt also mein Wort an?«

Robert of Gloucester trat neben sie und sagte ruhig, aber mit einem gefährlich kalten Unterton zu dem Tuchhändler: »Mann, überlegt Euch Eure Antwort gut.«

Doch dieser ließ sich nicht einschüchtern. »Madam, ich bin durchaus bereit, Eurem Wort zu vertrauen. Allerdings nur, wenn Ihr es hier, unter Zeugen, schriftlich niederlegt.«

Zu schnell, als dass Robert sie hätte aufhalten können, war Matilda aufgesprungen und auf Herbert Pargenter zugetreten. Ungläubig und entsetzt verfolgte Aline, wie Matilda ausholte und dem Tuchhändler eine schallende Ohrfeige versetzte.

»So nehmt das denn als mein Wort!«, schrie sie ihn an, ehe sie aus dem Saal stürmte.

*

In einen groben Wollumhang gehüllt, verbarg sich Reginald de Thorigny unter den Londoner Bürgern. Schon vor einer ganzen Weile hätten die beiden Unterhändler in der Guildhall im Zentrum der Stadt erscheinen sollen. Er hoffte, es war ein gutes Omen, dass sie sich verspätet hatten. Nun war auf der Straße ein lautes Stimmengewirr zu hören. Inmitten einer großen Menschenmenge drängten Herbert Pargenter und Thomas Farley in den Saal und stiegen auf ein Podium.

Von allen Seiten riefen und schrien die Leute: »Wie sind die Verhandlungen verlaufen?«

»Wird Matilda mit Geoffrey de Mandleville paktieren?«

»Was habt Ihr erreicht?«

»Konntet Ihr unsere Forderungen durchsetzen?«

Herbert Pargenter wartete, bis der Lärm etwas verebbt war, dann breitete er die Arme aus und brüllte: »Als ich Matilda gefragt habe, ob sie de Mandlevilles Unterstützung akzeptieren wird, hat sie mir eine Ohrfeige verpasst und die Verhandlungen beendet.«

Die Menge heulte zornig auf. In seinem Winkel verkniff sich Reginald de Thorigny nur mit Mühe ein Lächeln. Er hatte Matildas jähzorniges Temperament also richtig eingeschätzt. Ja, ihre Reaktion hatte seine Erwartungen übertroffen. Nun packte Thomas Farley Herbert Pargenter am Kragen seines Kittels. Er schüttelte ihn und schrie auf ihn ein. Das Lärmen der Menschen wurde leiser. »Dieser Mann hier verdreht die Wahrheit!«, rief Farley. »Ja, Matilda hat ihn geschlagen und ist dann aus dem Saal gestürmt. Aber sie hat dies nur getan, weil Pargenter sich ihr gegenüber völlig unverschämt und provozierend verhalten hat. Außerdem hat sie versprochen, de Mandlevilles Forderungen nicht zu erfüllen.«

»Wir waren in Reading dabei und können dies bezeugen!«, riefen einige Männer aus dem Hintergrund der Halle. »Der Tuchhändler hat Matilda provoziert.«

»Und sie hat wirklich zugesichert, auf die Forderungen des Kastellans nicht einzugehen. Robert of Gloucester hat dies in ihrem Namen noch einmal bestätigt.«

»Ja, denn nachdem Matilda die Halle verlassen hat, hat der Earl die Verhandlungen in ihrem Namen weitergeführt«, übertönte Thomas Farley den Tumult. »Wir wissen alle, dass er Matildas rechte Hand ist und sie ihm bedingungslos vertraut.«

»Und wenn schon!« Herbert Pargenter riss sich von Thomas Farley los und stieß ihn zurück. »Dann spricht Robert of Gloucester eben mit genauso falscher Zunge wie Matilda. Glaubt mir, sie ist ein hochmütiges, kaltes und herzloses Weib. So hat sie es einfach rundheraus abgelehnt, unsere Steuern zu reduzieren.«

»Nur für die nächsten zwei, drei Jahre«, schrie Thomas Farley. »Was immerhin ehrlich war.«

Erneut brach ein tumultartiger Lärm aus. Stimmen für und wider Matilda wurden laut. Reginald de Thorigny wurde nun doch unruhig. Was, wenn seine Rechnung wider Erwarten nicht aufging? Ein Gedränge und Geschiebe am Eingang der Halle ließ ihn aufmerken. Einige Männer kämpften sich zu dem Podium vor und stürmten die Stufen hinauf. Das Geschrei verstummte. Die Männer sahen ziemlich mitgenommen aus. Allem Anschein nach waren sie in einen Kampf geraten, denn ihre Kleidung war zerrissen und blutverspritzt. Einer von ihnen trug einen schmutzigen Kopfverband, andere Verbände um die Gliedmaßen.

»Was, um Himmels willen, ist Euch zugestoßen?«, fragte Thomas Farley erschrocken.

»Das kann ich Euch sagen.« Der Mann mit dem Kopfverband lachte bitter auf. »Wir alle wohnen am südlichen Themseufer, außerhalb der Stadtmauern. Matildas Söldner haben unsere Häuser und unsere Felder verwüstet.«

Noch bevor die Menge entsetzt und wuterfüllt zu toben begann, wusste Reginald de Thorigny, dass er gewonnen hatte. Die gekauften Bewaffneten, die Maude ihm geschickt hatte, hatten gute Arbeit geleistet. Er ließ den groben Wollmantel von seinen Schultern gleiten, sodass sein seidenes Gewand sichtbar wurde, und bahnte sich ebenfalls einen Weg durch die Menschen. Während er auf das Podium stieg, starrte Thomas Farley ihn überrascht an, Herbert Pargenters Mund dagegen verzog sich zu einem leichten Lächeln.

Die Leute verstummten, als sie den Adeligen erblickten. »Matilda hat Euch beleidigt und belogen und gebraucht nun Gewalt, um Euch einzuschüchtern«, schrie der Baron. »Deshalb solltet Ihr es ihr mit gleicher Münze heimzahlen.« Gebannt hingen die Menschen an seinen Lippen, während er ihnen seinen Plan darlegte.

*

Zufrieden schlenderte Ethan den Stallgang entlang. Er war gerade eben in die Burg von Colchester zurückgekehrt, wo Stephens Gattin Hof hielt. Die letzten Tage hatte er auf einem kleinen Anwesen verbracht, das etwa zwanzig Meilen entfernt war. Maude beabsichtigte, es ihm in Stephens Namen zum Lehen zu geben, denn der bisherige Lehnsherr, Sir Roderick Talbot, war ohne einen Erben gestorben.

Ethan hatte sich in das Gut sofort verliebt. Der älteste Teil des aus Fachwerk errichteten Wohnhauses stammte noch aus angelsächsischer Zeit. Es besaß eine niedrige Halle, deren Strohdach von bunt bemalten Deckenbalken getragen wurde. Nach Süden hin war ein kleiner Erker darangebaut. Efeu und struppige Rosen wucherten über die Außenmauern. Er war überzeugt, dass Aline das Gut ebenso sehr mögen würde wie er.

Aline … Sein kurzes Treffen mit ihr in Winchester hatte seine Sehnsucht nach ihr nur noch verstärkt. Bevor Ethan zu dem Gut aufgebrochen war, war in Colchester die Nachricht eingetroffen, dass Matilda sich in Reading aufhielt. Er lehnte sie zwar immer noch als Herrscherin ab, wünschte sich aber inständig, dass sie und Stephen endlich Frieden miteinander schließen würden.

Auf dem in der Mittagshitze flirrenden Hof kam ihm Nicolas entgegen. Die beiden Freunde umarmten sich und hockten sich dann auf einen leeren Karren, der im Schatten vor dem Stall stand.

»Einer der Knappen hat mir gesagt, dass du wieder hier bist«, Nicolas grinste ihn freundlich an. »Wie gefällt dir dein zukünftiges Gut?«

»Ach, es ist wunderbar«, schwärmte Ethan. »Es ist zwar nicht sehr groß, und durch die lange Krankheit von Sir Roderick liegt manches im Argen. Aber die Felder und Wiesen haben einen wirklich guten Boden, und die Bediensteten scheinen mir willig, ihr Bestes zu geben.«

»Ich hoffe ja auch, dass dieser Krieg bald zu Ende sein wird.« Nicolas seufzte. »Denn allmählich sehne ich mich ebenfalls danach, auf meinen Gütern zu leben. Vor ein paar Tagen allerdings ist Reginald de Thorigny in Maudes Auftrag nach London geritten.«

»Ich bin froh, dass ich ihm eine Weile nicht mehr begegnen muss«, erwiderte Ethan gedehnt. Was Aline ihm von dem Baron erzählt hatte, hatte seine Abneigung gegen die Thorignys noch verstärkt. »Glaubst du denn, dass Reginald den Auftrag hat, Matildas Krönung doch noch zu verhindern?«

»Seit dieser Verräter Henry of Winchester in Matildas Lager gewechselt ist, hat Maude ja Reginald zu ihrem Unterhändler ernannt.« Nicolas zuckte die Schultern. »Für gerissen genug halte ich ihn jedenfalls.« Er wollte noch etwas hinzufügen, stockte jedoch. Als Ethan seinem Blick folgte, sah er, dass Ruth of Warwick über den Hof lief. Ihr Gesicht leuchtete auf, als sie nun auch ihn entdeckte und auf ihn zurannte. Er empfand Schuldbewusstsein.

»Ich muss dringend mit ihr reden«, sagte Ethan leise zu Nicolas. »Das schätze ich auch«, murmelte dieser und erhob sich eilig.

»Ethan, kaum dass ich in der Burg ankomme, treffe ich Euch. So wie an Weihnachten in Windsor.« Ihr Lächeln vertiefte sich noch, während sie ihm beide Hände entgegenstreckte. »Das betrachte ich als ein gutes Omen.«

»Ruth«, vorsichtig zog Ethan seine Hände zurück, »ich muss Euch etwas mitteilen.«

Sie musterte ihn aufmerksam. Das Strahlen verschwand von ihrem Gesicht, und sie schluckte. »Keine guten Nachrichten, fürchte ich?«

»Leider nein.« Er schüttelte leicht den Kopf. »Würdet Ihr bitte mit mir in die Halle kommen?«

Der schattige Raum, in dem sich der Geruch von längst erkaltetem Rauch in dem Gebälk und in den Wänden festgesetzt hatte, war um diese Tageszeit menschenleer. Ethan nahm neben Ruth auf einer der langen Bänke Platz. »Ich hätte Euch geschrieben«, begann er unsicher. »Aber ich wusste nicht, auf welchen von Euren Familiengütern Ihr Euch aufhieltet. Und trotz des Waffenstillstandes sind viele Straßen immer noch unsicher.«

»Dann sagt es mir jetzt«, entgegnete sie ruhig.

Ethan holte tief Atem. »Ich hatte Euch an Weihnachten erzählt, dass es in meinem Leben einmal ein Mädchen gab, das mir sehr viel bedeutete, dass aber das, was zwischen uns war, vorbei sei. Ich hatte mich getäuscht. In der Schlacht von Lincoln wurde ich schwer verwundet. Jenes Mädchen, sie heißt Aline, hat mir das Leben gerettet. Als ich wieder zu mir kam und sie sah, habe ich begriffen, dass ich sie immer noch liebe und sie die Frau ist, mit der ich leben will.«

»Aline ... Sie gehört zu Matildas Leuten?« Ruth blickte auf ihre Hände.

»Ja.« Ethan nickte. »Sie ist ihre Dienerin.«

»Jedenfalls bin ich froh, dass sie Euch das Leben gerettet hat.« Ruth hob den Kopf und bemühte sich um ein tapferes Lächeln. *Manch ein anderes Mädchen*, ging es Ethan durch den Kopf, *hätte sich darüber empört, dass ich ihr, der Tochter eines Earls, eine Dienerin vorziehe.* Aber dieser Gedanke schien Ruth nicht einmal zu streifen.

»Ich wünsche Euch alles Glück auf der Welt«, sagte er impulsiv. »Ihr verdient einen besseren Gatten als mich.«

»Oh, ich wäre mit Euch ganz zufrieden gewesen.« Für einen Moment verschatteten sich ihre Augen nun doch. »Habt Ihr Euren Entschluss schon meinem Vater mitgeteilt?«

»Nein, ich wollte zuerst mit Euch reden.«

Sie seufzte. »Er wird über Eure Entscheidung nicht sehr glücklich sein.«

Ethan konnte sich gut vorstellen, dass sich der Earl brüskiert fühlen würde. Aber viel mehr Sorge bereitete ihm, ob tatsächlich ein Friedensschluss zwischen Stephen und Matilda zustande kommen würde.

*

Aline bückte sich und hob Matildas schwere, mit Perlen und Juwelen besetzte und von feinem Pelz eingefasste Schleppe aus purpurroter Seide hoch. Danach reichte Robert of Gloucester seiner Halbschwester den Arm. Gefolgt von den Hofdamen verließen sie die Gemächer in dem Palast von Richmond. Nach dem Eklat während des Treffens mit den beiden Unterhändlern hatte Aline dies kaum noch für möglich gehalten – doch nun war tatsächlich der Morgen des Krönungstages angebrochen. Dem Earl of Gloucester war es gelungen, den Londonern die Zusage abzuringen, dass sie Matilda in die Stadt ziehen lassen und ihr als Königin huldigen würden.

Schon lange vor Sonnenaufgang hatte Aline ihrer Herrin geholfen, sich zu baden. Dabei und auch später während des Anlegens der von all den eingewebten Goldfäden und kostbaren Steinen ganz steifen Gewändern hatte Matilda kaum ein Wort gesagt, und Aline hatte es auch nicht gewagt, sie von sich aus anzusprechen.

So ernst und in sich gekehrt hatte ihre Herrin gewirkt, dass Aline sich gefragt hatte, ob sie wohl an jene lange zurückliegende Krönung zur deutschen Kaiserin in Rom dachte, von der Bess ihr einmal erzählt hatte. Oder vielleicht auch an ihren Bruder William, der beim Untergang des »Weißen Schiffes« ertrunken war und der sie durch seinen Tod zur Thronerbin gemacht hatte. Oder an ihren Vater, den sie gehasst und auf ihre spröde Art doch auch geliebt hatte. Aber möglicherweise hatte sich Matilda auch ganz einfach gesorgt, ob die Krönung problemlos verlaufen und Stephen sie danach endlich als Herrscherin anerkennen würde.

Vor der Halle wartete schon Matildas Gefolge. Die Sonne war noch nicht über die Mauern gewandert, und in dem schattigen Hof lag noch ein wenig Kühle. Aber der dunstige Himmel kündigte einen weiteren heißen Tag an. Nachdem Robert of Gloucester seiner Halbschwester in den Sattel ihres Schimmels geholfen und Aline zusammen mit einer Hofdame die Schleppe über den Pferderücken drapiert hatte, näherte sich Henry of Winchester Matilda. Er verbeugte sich vor ihr und sagte salbungsvoll: »Madam, lange haben wir alle auf den heutigen Tag warten müssen. Doch nun ist es endlich wahr geworden: Ihr, die Tochter König Henrys, meines geliebten Onkels, werdet in Westminster zur Königin über England gekrönt werden. Ich bin überaus froh und glücklich, Euch dorthin begleiten und Zeuge Eures Triumphes werden zu dürfen.«

Spott funkelte in Matildas Augen auf, und für einen Moment zerbrach die Starre ihrer Züge. Aline war überzeugt, dass es ihr auf der Zunge lag zu bemerken, dass sie schon Jahre vorher zur Königin hätte gekrönt werden können, wenn Henry und ein Großteil der anwesenden Adeligen sie nicht hintergangen hätten. Doch sie bezwang sich und sagte nur eine Spur zu liebenswürdig: »Ich danke Euch sehr für Eure Worte, Bischof. Es ist mir eine Ehre, Euch unter meinen Begleitern zu wissen.« In dem Jubel, der nun ausbrach, hob Matilda ihre Hand, und alle, auch Aline, schwangen sich auf ihre Pferde.

Die letzten beiden Wochen waren sehr heiß und trocken gewesen. In vielen Dörfern und Weilern, durch die der Tross zog, hatten die Leute während der Nacht Wasser über die Wege gegossen, damit sie nicht zu staubig waren. Aber häufig war die Feuchtigkeit schon wieder verdunstet, oder es stieg eine feuchte Hitze von den Straßen auf, in der Mücken herumschwärmten. Die Blumen, die die Häuser und Wege schmückten, ließen oft schon die Köpfe hängen, und das Laub der zu Girlanden geflochtenen Zweige war welk. Auch der Applaus und der Jubel der Menschen, die sich an den Straßenrändern versammelt hatten, erschien Aline irgendwie matt. Nicht mehr fröhlich und von Herzen kommend wie an jenen Tagen, als Matilda mit ihrem Gefolge nach Bristol geritten war.

Dem festlichen Anlass entsprechend trug Aline ein Kleid

aus hellroter Seide und einen dazu passenden Umhang. Dies waren die kostbarsten Gewänder, die sie jemals besessen hatte. Doch sie schwitzte und fühlte sich unwohl darin.

Während Aline in der Ferne die Themse sah, deren Bett sich mit der auflaufenden Flut füllte, dachte sie an Ethan. Wo er sich wohl gerade aufhalten mochte? Und ob er es wirklich verwinden konnte, dass Stephen die Krone verlieren würde? Es durfte einfach nicht sein, dass der Konflikt zwischen Matilda und ihrem Vetter ihr ganzes weiteres Leben bestimmte. Doch dann rief sich Aline ins Gedächtnis, dass Ethan sogar nach Winchester gekommen war, um sie zu sehen, und dass er sich damals genauso wie sie nach Frieden gesehnt hatte. Noch hatte sie Matilda nicht gebeten, sie aus ihrem Dienst zu entlassen. Aber sobald der Frieden beschlossen war, das schwor sich Aline, würde sie dies tun.

Plötzlich roch Aline den Gestank von verkohltem Holz. Sie war so in ihre Träumereien versunken gewesen, dass sie gar nicht bemerkt hatte, dass der Weiler, auf den sie zuritten, verwüstet war. Einige Gebäude waren bis auf die Grundmauern niedergebrannt. Bei anderen standen nur noch rußgeschwärzte Fachwerkreste, oder es ragten einzelne Dachsparren in den glasigen Himmel. Das Getreide auf den Feldern war in breiten Schneisen niedergetrampelt, als ob Pferde mutwillig dort hindurchgetrieben worden wären, und viele Obstbäume lagen umgestürzt, mit ausgerissenen Wurzeln, zwischen den Ähren und auf den Wiesen.

Matilda beugte sich zu Robert, der neben ihr ritt, und wechselte einige leise Worte mit ihm. Sie wirkte besorgt. Robert schüttelte ratlos den Kopf.

Nein, dachte Aline, *das darf kein schlechtes Omen sein!* Doch auch auf den nächsten Meilen, kamen sie immer wieder durch verlassene, gebrandschatzte Dörfer. Endlich wur-

den jenseits einer Reihe von Wiesen und Feldern die Stadtmauern von London sichtbar. Hier stand das Getreide un-
verwüstet und voll auf den Äckern, und auch die Obstbäume und die Häuser eines nahen Ortes hatten keinen Schaden
genommen.

Wahrscheinlich hatten Adelige einen Nachbarschafts-
streit miteinander ausgetragen, versuchte Aline sich zu sagen. Und wie immer in solchen Fällen hatte die einfache Be-
völkerung darunter zu leiden. Sie hoffte, dass es mit dieser
Willkür vorbei sein würde, wenn Matilda erst einmal Königin war.

Die Straße, die auf das südliche Stadttor zuführte, erstreckte sich nun schnurgerade vor ihnen. Auf den Türmen
zu beiden Seiten des Tors bauschten sich träge Fahnen und
bunte Bänder. Nun begannen in der Stadt die Kirchenglo-
cken zu läuten. Der warme Wind trug die Töne über die
Felder. Etwas ist seltsam, ging es Aline durch den Kopf. Sie
konnte nicht benennen was, aber ihr Herz begann aufgeregt
zu hämmern. Dann begriff sie. Die Straßen hätten von ju-
belnden Stadtbewohnern gesäumt sein müssen, die Matilda
als ihre Königin begrüßten. Doch kein Mensch hielt sich
vor dem Tor auf. Und die Glocken … Ihr Schall war nicht
friedlich, sondern dumpf. Sie läuteten Sturm.

Plötzlich, wie aus dem Nichts, erschienen Menschen auf
der Mauerkrone. Gleich darauf hörte Aline ein vielfaches
Sirren, als würden wütende Insekten in großen Haufen aus-
schwärmen. Dann sah sie, dass einer der Edelleute, der vor
Matilda ritt, den Kopf in den Nacken warf, während er sich
gleichzeitig an die Brust fasste. Seine Hände umklammerten
einen Pfeilschaft. Ungläubig verfolgte Aline, wie der Mann
schwankte und aus dem Sattel stürzte.

Matilda schrie auf – mehr zornig und überrascht als erschrocken. Im nächsten Augenblick hatte Robert of Gloucester sein Pferd herumgerissen, sodass er sich zwischen Matilda und der Stadtmauer befand und sie mit seinem Leib schützte.

»Wir müssen fliehen!«, brüllte er. »Schart Euch um Eure Herrin.«

Pferde wieherten schrill, und Menschen schrien durcheinander. Sir Simon tauchte neben Aline auf. Während sie ihr Pferd zu der Gruppe lenkte, in deren Mitte sich Matilda befand, ging ein neuer Pfeilregen nieder. Sir Simons Hengst und andere Pferde brachen zusammen. Entsetzt verfolgte Aline, wie der Ritter in einem Knäuel aus Menschen und um sich schlagenden Pferdebeinen verschwand.

»Sir Simon!«, schrie sie voller Angst. Doch nun bäumte sich ihre eigene Stute auf. Aline warf sich instinktiv nach vorn und klammerte sich in der Mähne fest. Sie fürchtete schon, das Tier sei ebenfalls getroffen. Doch es galoppierte in wilden Sprüngen über das Feld.

*

Zusammen mit Nicolas betrat Ethan die Halle der Burg von Colchester. Ein langer, arbeitsreicher Tag lag hinter ihm. Am Morgen hatte er ein junges Pferd zugeritten, danach eine Gruppe von Knappen im Schwertkampf unterrichtet. Theobald, der Ritter, dessen Aufgabe dies sonst gewesen war, war ebenfalls in der Schlacht von Lincoln gefangen genommen worden, und Maude hatte Ethan gebeten, in seine Fußstapfen zu treten; zu seiner eigenen Überraschung machte ihm das Unterrichten Spaß, und er war gar kein so schlechter Lehrer. Den ganzen Nachmittag lang hatte er dann mitgeholfen, die Befestigungsmauern zu verstärken.

Früher hätte ihn all das mehr als ausgefüllt. Doch inzwischen sehnte er sich immer mehr danach, Stephens Hof verlassen und mit Aline auf dem Lehensgut leben zu können.

Nachdem Ethan und Nicolas zur Stirnseite der Halle gegangen waren, ließen sie sich dort an einer der Tafeln unterhalb des Podiums nieder. Die Kerzen in den hohen Bronzeleuchtern brannten bereits, obwohl das Tageslicht in dem Saal mit den farbenfroh bemalten Wänden noch recht hell war.

Wenig später betrat Maude mit ihrem engsten Gefolge und den vornehmsten Gästen die Halle. Wie alle anderen Anwesenden erhob sich auch Ethan. Zu den Gästen der Königin zählte, wie schon an den Abenden zuvor, der Earl of Warwick. Seine Gattin und Ruth waren vor kurzem abgereist. Ethan erschien es, als ob der Herzog einen finsteren Blick in seine Richtung sandte.

Ruth hatte richtig vermutet: Ihr Vater hatte es äußerst ungnädig aufgenommen, dass Ethan das Verlöbnis löste, und hatte ihn einen Idioten gescholten, der wohl nicht wisse, wo sein Platz in der Welt sei. Auf seine – des Earls – Hilfe könne er in Zukunft jedenfalls nicht mehr rechnen. Ethan hatte den Wutanfall des Alten geduldig über sich ergehen lassen. Es geschah ihm ja Recht. Er hätte niemals in die Verlobung mit Ruth einwilligen dürfen.

Oben auf dem Podium zog nun ein Diener den Stuhl der Königin zurück. Sie setzte sich jedoch nicht, sondern sah sich einige Momente in der Halle um. Sie war eine zierliche Frau in den Dreißigern. Ihre markanten Gesichtszüge waren wirklich nicht besonders hübsch, aber Ethan schätzte ihre Energie und ihre Entschlusskraft. Und wie Nicolas und auch viele andere in dem großen Raum war er davon überzeugt, dass Stephens Sache höchstwahrscheinlich schon längst verloren gewesen wäre, wenn nicht seine Gattin so unermüdlich für ihn gekämpft hätte.

»Ich habe gerade Nachricht aus London erhalten«, sagte sie mit ihrer tiefen Stimme, die wie immer in eigentümlichem Gegensatz zur ihrem schmalen, kleinen Körper stand. »Ich bin sicher, Ihr alle werdet Euch darüber genauso freuen wie ich: Die Londoner haben sich bewaffnet und sind gegen Matilda ausgeschwärmt, als diese in die Stadt ziehen wollte. Zwar konnten Matilda und ein großer Teil ihres Gefolges entkommen. Aber Matilda ist nun nicht gekrönt worden, und wenn es nach mir und meinem gefangenen Gatten geht, wird sie es auch niemals werden!«

»Stephen ist unser König!«

»Ein Hoch auf Stephen und seine Königin!«

»Nieder mit Matilda!«

Wie durch einen Schleier nahm Ethan den Jubel und die strahlenden und erleichterten Gesichter ringsum wahr. War Aline bei diesem Kampf etwas geschehen? Er sprang auf, wobei er einen mit Wein gefüllten Krug umstieß, und rief Nicolas durch den Lärm zu: »Ich muss mit dem Boten reden.« Ohne sich um die Leute zu kümmern, die sich verwundert nach ihm umdrehten, stürmte er aus der Halle.

*

Nicolas fand Ethan nach der Abendmahlzeit im Burggarten. Er hockte auf der Mauer und starrte in die Ebene hinaus. Nicolas lehnte sich neben ihm gegen die Steine. »Hast du etwas über Aline erfahren?«, fragte er vorsichtig.

»Der Bote wusste nur, dass unter den Toten aus Matildas Gefolge keine Frau war«, erwiderte Ethan rau. »Und einer der Späher war sich sicher, Aline am Tag darauf bei Matilda in Richmond gesehen zu haben.«

Nicolas seufzte erleichtert auf. »Dem Himmel sei Dank, dass ihr nichts zugestoßen ist!«

»Du hattest übrigens Recht«, Ethan vollführte eine müde Handbewegung, »Reginald de Thorigny hat in Maudes Auftrag ein Komplott gegen Matilda ausgeheckt. Maudes Söldner haben das südliche Themseufer verwüstet, aber Reginald konnte die Londoner glauben machen, dies seien Matildas Leute gewesen. Bei Gott, wie ich diesen Mann hasse.«

»Das ist natürlich alles sehr unschön«, antwortete Nicolas nach einer Weile leise. »Aber im Krieg sind Listen erlaubt. Und du hast es ja selbst gesagt – de Thorigny hat in Maudes Auftrag gehandelt.«

»Ja, darüber bin ich mir im Klaren.« Ethan sprang von der Mauer. Seine Stimme klang bitter. »Ich hätte niemals gedacht, dass ich es einmal bereuen könnte, auf Stephens Seite zu stehen.«

»Willst du ihm etwa die Gefolgschaft aufkündigen?«

Ethan stieß ein hartes, verzweifeltes Lachen aus. »Du weißt doch, dass ich das nicht kann.«

Kapitel 8

Von der Fensterbank aus beobachtete Aline Matilda unsicher. Diese stand vor ihrem Stickrahmen. Sehr sorgfältig und konzentriert – ganz anders als sonst – zog sie die Nadel durch den Stoff. Der Stickrahmen hatte sich auf einem von den Gepäckwagen befunden, die vor den angreifenden Londonern hatten gerettet werden können. In dem anschließenden Durcheinander und auf dem Weg zur Burg von Oxford, wo sie sich jetzt befanden, hatte sich Matilda sehr resolut und gefasst verhalten. *Vielleicht zu gefasst*, überlegte Aline. Vor allem in Anbetracht der Tatsache, dass Matildas Ziel, auf das sie während der letzten Jahre mit so viel Energie hingearbeitet hatte und dem sie so nahe gewesen war, nun auf einmal wieder in weite Ferne gerückt war.

Aline nahm ihren eigenen Stickrahmen in die Hand. Doch sie konnte sich nicht überwinden, an dem bunten Seidenband weiterzuarbeiten. Wieder einmal fragte sie sich, ob Ethan etwas von der Intrige gewusst hatte, die Reginald de Thorigny gegen Matilda geschmiedet hatte. De Thorginy … Erneut war er die Ursache dafür, dass ihr Leben eine negative Wendung genommen hatte, denn auch einen Friedensschluss würde es wahrscheinlich in absehbarer Zeit nicht geben.

Aber falls Ethan etwas von dem Komplott gewusst hatte, grübelte sie weiter, dann hätte er sie doch hoffentlich dieses Mal gewarnt. Nachdem Matilda ihm gegenüber so großzügig gewesen war, konnte er sie doch nicht einfach in ihr Verderben laufen lassen. Oder hatte seine Treue zu Stephen wirklich immer noch absoluten Vorrang vor allem anderen? Der Earl of Gloucester, der nun den Raum betrat, riss sie aus ihrem Brüten.

»Robert!« Matilda wirbelte zu ihm herum und streckte unwillkürlich die Arme nach ihm aus. Sie ließ sie wieder sinken, als sie sah, wie bedrückt er wirkte.

»Leider muss ich dir eine schlechte Nachricht überbringen«, sagte er gepresst.

»Noch schlimmer als das, was während der letzten Tage geschehen ist, wird sie ja wohl kaum sein«, erwiderte Matilda sarkastisch.

»Henry of Winchester hat deinen Hof verlassen und sich in seinen Palast bei Wexham zurückgezogen. Laut unseren Spähern verhandelt er mit Maude darüber, wieder in Stephens Lager zurückzukehren.«

Damit hat meine Herrin einen mächtigen, einflussreichen Verbündeten verloren, durchfuhr es Aline. Der Bischof war zwar in etwa so zuverlässig gewesen wie ein schwankendes Rohr im Wind. Aber er hatte viele von Stephens Gefolgsleuten dazu gebracht, nach der Schlacht von Lincoln Matilda zu unterstützen. Wahrscheinlich würden die meisten von diesen Männern nun wieder mit ihm die Seiten wechseln.

Matilda ließ sich auf einen Stuhl sinken und verbarg ihr Gesicht in den Händen. Robert zögerte kurz, dann trat er zu ihr und nahm sie in seine Arme. »Deine Sache ist nicht verloren«, sagte er sanft. »Mit Stephen als deinem Gefangenen besitzt du immer noch einen wichtigen Trumpf. Allerdings wirst du wahrscheinlich nicht umhinkommen, Geoffrey um Hilfe zu bitten.«

»Geoffrey ...« Matilda stöhnte gequält. »Ich hatte gehofft, dass ich nie mehr auf ihn angewiesen sein würde.«

»Ihr beide habt drei Söhne miteinander.« Robert streichelte ihr Haar. »Ich bin überzeugt, Geoffrey wird dir um eures Erben und auch um seiner selbst willen die Hilfe nicht verweigern.«

»Nein, vermutlich nicht.« Matildas Stimme klang dumpf. Sie löste sich von Robert und starrte einige Momente vor sich hin. Dann sprang sie auf und stieß den Stickrahmen mit einem Wutschrei um, sodass die Seidengarnstränge, die auf dem unteren Rahmen gelegen hatten, in alle Richtungen kullerten. »Henry, diese verdammte Ratte! Ich hätte mich niemals mit ihm einlassen sollen. Lass uns nach Wexham ziehen und ihn dort in seinem Palast belagern. Das soll ihm und den anderen eine Lehre sein, dass man mir die Gefolgschaft nicht ungestraft aufkündigt.«

Robert nickte und erklärte ruhig: »Ich wollte dir ohnehin vorschlagen, gegen Henry vorzugehen.« Die beiden tauschten einen langen Blick stummen Einverständnisses.

Dann fuhr Matilda zu Aline herum. »Jetzt fang schon an, meine Sachen zu packen.«

*

Aline hustete. Beißender Rauch drang in ihre Nase und machte ihr das Atmen schwer. Sie hörte ein Zischen und duckte sich gerade noch rechtzeitig. Ein brennender Pfeil flog über sie hinweg und bohrte sich in den eichenen Fachwerkbalken des Wohngebäudes. Rasch ergriff sie einen mit Wasser gefüllten Eimer und hetzte damit quer über den Burghof. Dort reichte sie den Eimer einem Knecht, der bereits auf eine Leiter gestiegen war und das Wasser über die an dem Balken emporlodernden Flammen kippte.

Durch den dichten Qualm konnte Aline Matilda nur schemenhaft erkennen. Zusammen mit ihren Hofdamen stand sie in einer Reihe und reichte Eimer an Knechte weiter, die versuchten, ein brennendes Strohdach zu löschen.

Matilda hatte ihr in Oxford gefasstes Vorhaben wahrgemacht: Sie war mit ihren Truppen nach Winchester gezogen. Dort hatte sie sich in der Burg einquartiert, während Robert of Gloucester Henry in seinem Bischofspalast im nahen Wexham angegriffen hatte. Allerdings hatte sich Henry in dem gut befestigten Gebäude halten können, weshalb der Earl ihn seit mehreren Tagen belagerte. Inzwischen war Stephens Gattin Maude nicht untätig geblieben. Sie hatte überraschend schnell Truppen nach Winchester geschickt, die nun versuchten Matildas Burg zu erstürmen.

Von dem Wehrgang hallten Befehle über den Hof. Matildas Männer versuchten ihrerseits, die anstürmenden gegnerischen Soldaten mit einem Pfeilhagel zurückzuwerfen.

Aline wollte sich in die Eimerkette einreihen. Doch aus dem Rauch hastete Sir Simon auf sie zu. Ruß bedeckte sein rundes Gesicht. Dennoch war zu erkennen, wie erschöpft er war. »Aline, es gibt einen neuen Verwundeten«, keuchte er.

Sie eilte zu der Halle, wo die Verletzten versorgt wurden. Obwohl die Fensterläden geschlossen waren, drang der Qualm in den Raum und waberte in dünnen Schwaden um die brennenden Lampen. Einige Soldaten hatten den Verwundeten bereits auf einen der Tische gelegt. Ein Pfeilschaft ragte aus der rechten Schulter des Mannes.

»Haltet ihn fest!«, befahl sie.

Während sie dem brüllenden und sich unter den Händen seiner Kameraden windenden Verwundeten die Pfeilspitze aus dem Fleisch schnitt, versuchte sie nicht daran zu denken, wie Gawain vor mehreren Monaten Ethan operiert hatte. Höchstwahrscheinlich befand sich Ethan unter den Soldaten, die gegen die Burg anstürmten. Ihm durfte nichts zustoßen!

Die nächsten Stunden vergingen damit, dass Aline mit Wasser gefüllte Eimer weiterreichte, dabei half, Brände zu löschen, und Verletzte versorgte. Endlich – ihre Augen tränten, ihre Lungen brannten, und die Müdigkeit machte ihre Glieder immer schwerer – ertönte das Signal, dass die feindlichen Soldaten abrückten.

Aline stellte den Eimer, den sie gerade in den Händen hielt, abrupt ab. Sie wusste, dass sie sich unsinnig verhielt, dass sie Ethan in dem Gewimmel des sich zurückziehenden Heeres bestimmt nicht entdecken konnte. Dennoch schleppte sie sich die schmale Treppe zu dem Wehrgang hinauf. Ohne sich um den unwirschen Warnruf eines Soldaten zu kümmern, spähte sie aus der nächstgelegenen Schießscharte.

Auch von außerhalb der Burg schlug ihr dichter Qualm entgegen – Winchester lag unter dicken Rauchwolken, aus denen da und dort Flammenzungen und Funken emporstoben. Aline benötigte einige Momente, ehe sie begriff: Einige der brennenden Pfeile mussten vom Wind abgetrieben worden und über der Stadt niedergegangen sein. So heiß und trocken wie die letzten Wochen gewesen waren, brannten die Stroh- und Schindeldächer wie Zunder, und das Feuer hatte sich rasend schnell ausgebreitet.

Inmitten der Rauchschwaden sah Aline nun, wie sich eine Schlange aus Menschen, Tieren und Karren aus dem Stadttor wälzte. Die Bewohner von Winchester konnten froh sein, wenn sie mit ihrem Leben und einem kleinen Teil ihrer Habe entkamen. Alles andere würde ein Raub der Flammen werden.

Plötzlich spürte Aline, dass ihr die Tränen über die Wangen rannen. Sie hasste diesen Krieg und das Leid, das er über die einfachen, unschuldigen Leute brachte. Sie hasste Matilda und Stephen dafür, dass sie nicht bereit waren, dem ein Ende zu machen und Frieden zu schließen. Und sie hasste sich und Ethan, weil sie – jeder auf seine Weise – an diesen Kämpfen beteiligt waren.

*

»Warum sind Sir Simon und William of Ypres noch nicht hier?« Anklagend fuhr Matilda Aline an, als sei diese für die beiden Männer verantwortlich.

Aline legte den Pinsel, mit dem sie die schwere, mit grünen Edelsteinen besetzte Goldkette reinigte, auf dem Tisch ab und rang um Geduld. Eine knappe Woche war nun seit der Schlacht um die Burg verstrichen. Das Wetter war immer noch heiß und verstärkte den Gestank, den die niedergebrannten Häuser verströmten. Dabei war all das Leid, das über die Bewohner der Stadt hereingebrochen war, vergebens gewesen. Der Kampf hatte unentschieden geendet. Stephens Truppen hatten sich zwar in Richtung Salisbury zurückgezogen. Aber nur um, wie die Späher berichtet hatten, auf Verstärkung zu warten.

Seit der Schlacht war Matilda selbst für ihre Verhältnisse ungewöhnlich reizbar und launisch. Zudem litt sie an einem leichten Fieber, weigerte sich jedoch, das Bett zu hüten.

Nein, dachte Aline, *es ist sinnlos, darauf hinzuweisen, dass Matilda den Knecht erst vor kurzem losgeschickt hat und der Mann das Heerlager vor der Burg noch kaum erreicht haben dürfte.* Stattdessen sagte sie: »Vielleicht müssen Sir Simon und William of Ypres ja gesucht werden. Oder sie halten sich gar nicht in dem Lager auf.«

»Wenn ich sie zu sprechen wünsche, haben sie zur Stelle zu sein«, fauchte Matilda.

Aline enthielt sich einer Antwort und widmete sich wieder dem Schmuckstück. Dabei handelte es sich – wie ihr jetzt auffiel – um die Kette, die Matilda am Abend jenes Tages getragen hatte, an dem ihr die Fürsten und Lords im Beisein ihres Vaters die Treue geschworen und sie als zukünftige Königin anerkannt hatten. Wie glücklich und heiter ihre Herrin damals gewesen war!

Nachdem Matilda einige Schritte auf und ab gewandert war, wandte sie sich wieder Aline zu und sagte brüsk: »Meine Kopfschmerzen werden schlimmer. Kämm mein Haar!«

»Soll ich Euch nicht lieber einen Tee zubereiten?«, wandte Aline vorsichtig ein.

»Wenn ich eine Arznei gewollt hätte, hätte ich das deutlich kundgetan«, herrschte Matilda sie an. »Los, tu schon, was ich dir aufgetragen habe.«

Aline unterdrückte den Unwillen, der in ihr aufzusteigen begann, und nahm die Bürste aus Schildpatt zur Hand. Während sie behutsam die ersten Striche ausführte, konnte sie Matildas Gereiztheit förmlich spüren. Allmählich entspannte sich ihre Herrin, und auch Aline fühlte sich etwas besänftigt. Matildas Haar war immer noch voll und schwer, aber in das Rotblond mischten sich nun die ersten grauen Strähnen. Über sieben Jahre waren jetzt vergangen, seit sie es zum ersten Mal mit einer Bürste bearbeitet hatte.

Zu spät bemerkte Aline den Knoten im Haar, sodass die weichen Borsten sich darin verfingen.

»Du ungeschicktes Ding! Kannst du nicht aufpassen?«, schrie Matilda, während sie sich wütend zu Aline umdrehte und die Hand hob.

Aline starrte sie an. Wenn sie mich jetzt schlägt, gehe ich, schoss es ihr durch den Kopf. Gleichgültig, wie viel Matilda auch für mich getan hat. Sie erwartete den Hieb, wünschte sich ihn fast herbei. Schließlich ließ ihre Herrin die Hand wieder sinken und kehrte ihr den Rücken zu.

»Nun mach schon weiter«, bemerkte sie barsch. Ein wenig zittrig schickte sich Aline an, den Knoten auszukämmen. Doch ein Klopfen an der Tür hinderte sie daran. Der Knecht war aus dem Heerlager zurückgekommen und kündigte Sir Simon und William of Ypres an. Nachdem Aline Matilda rasch geholfen hatte, ihren Schleier anzulegen, bat sie die beiden Männer herein.

Matilda musterte sie ungnädig. »Wie schön, dass ich Euch endlich zu Gesicht bekomme«, begann sie sarkastisch. »Wann kann ich endlich gegen Stephens Heer vorrücken? Und, William, versucht nicht wieder, mich zu vertrösten.«

»Madam«, der Söldnerführer verneigte sich. »So leid es mir auch tut: Ich kann Euch derzeit keinen anderen Bescheid geben. Wir sind nicht stark genug, um es mit der Armee unseres Gegners aufnehmen zu können. Außerdem müsst Ihr bedenken, dass ein Teil Eures Heeres nach wie vor in Wexham gebunden ist. Und da ist noch eine andere schwerwiegende Sache: Die Soldaten laufen Euch davon.«

»Was redet Ihr da?«, schrie Matilda ihn an.

»Madam, ich habe Euch bereits vor ein paar Tagen darauf hingewiesen, dass die Männer unzufrieden sind«, erwiderte William of Ypres gelassen. »Schon seit Wochen haben sie keinen Sold mehr bekommen.«

»Ihr wisst so gut wie ich, dass ich kein Geld mehr habe, um die Männer zu bezahlen«, erklärte Matilda ungeduldig. »Einen Großteil meines Schmucks habe ich schon verkauft. Ich warte täglich darauf, dass mir mein Gatte endlich neue

Mittel schickt. Bei Gott, vertröstet die Männer. Schließlich ist dies nicht das erste Mal, dass Soldaten eine Weile keinen Sold erhalten. Sagt ihnen, für jeden Tag, den sie noch warten müssen, werden sie eine zusätzliche Summe bekommen.«

»Hoheit, verzeiht, aber so einfach geht das nicht …«, hob Sir Simon unglücklich an. Aber William of Ypres unterbrach ihn. »Madam«, sagte er mit harter Stimme, »es ist ein Unterschied, ob eine Armee siegt, oder ob sie verliert. Wenn eine Armee siegt, verhalten sich die Soldaten normalerweise langmütig. Aber sobald ein Heer keine Schlachten mehr gewinnt …« Er vollführte eine vielsagende Handbewegung.

»Ihr wagt es, mir ins Gesicht zu sagen, dass ich im Begriff bin, diesen Krieg zu verlieren?« Matildas Augen funkelten gefährlich. »Ihr, der Ihr einer meiner Heerführer seid?«

William of Ypres hielt ihrem Blick stand. »Ja, das ist die Wahrheit: Ihr werdet diesen Krieg verlieren, wenn Ihr nicht schleunigst Eure Soldaten angemessen entlohnt.«

»Ihr …« Matilda richtete sich auf. Aline fürchtete, dass sie auf den Söldnerführer losgehen würde, und machte sich bereit, notfalls einzugreifen.

Laute Schritte draußen auf dem Gang ließen Matilda jedoch innehalten. Im nächsten Moment wurde die Tür aufgerissen. Matilda fuhr herum. »Was soll das?«, schrie sie zornig, nur um gleich darauf erschrocken zu verstummen, denn der Earl of Gloucester stürmte in den Raum. Sein Gewand war staubig, und sein Gesicht glänzte von Schweiß, als ob er einen anstrengenden Ritt hinter sich hätte.

»Robert …«, stammelte Matilda und eilte auf ihn zu. Auf ein kaum merkliches Kopfschütteln von ihm hin blieb sie stehen.

»Stephens Truppen rücken gegen Winchester vor. In einer sehr großen Zahl … Maude muss neue Soldaten angeworben haben. Ich fürchte, wir werden die Burg nicht halten können. Meine Schwester, Ihr müsst sofort fliehen, ehe sie uns eingekreist haben.«

William of Ypres fluchte laut.

»Versucht, mit unseren Leuten Stephens Armee so lange wie möglich aufzuhalten.« Robert of Gloucester wandte sich ihm zu.

Aber bevor dieser etwas erwidern konnte, rief Matilda empört: »Ich denke nicht daran, feige zu fliehen. Warum soll es nicht möglich sein, die Burg zu halten? Einen Angriff haben wir schließlich schon überstanden.«

»Diese Truppen sind uns weit überlegen.« Robert of Gloucester sah sie an. »Ich bitte Euch, vertraut mir, meine Geliebte …«

Aline hielt den Atem an. Es kam ihr vor, als ob sich die Zeit dehnte. Sie nahm wahr, dass ein roter Faden von dem Bild in dem Stickrahmen herabhing und dass ein wenig Farbe von einer Rose auf dem Wandgemälde dahinter abgeplatzt war. Sollte das Geheimnis der beiden jetzt verloren sein?

Matilda wirkte wie erstarrt und schien Roberts Worten nachzulauschen. Aber nun fügte der Earl mit einem leichten, wehmütigen Lächeln »… Schwester« hinzu.

Aline entspannte sich. Nein, weder Sir Simon noch William of Ypres hatten etwas bemerkt. Sie warteten nur ungeduldig darauf, dass Matilda eine Entscheidung fällte.

Matildas Zorn war verschwunden. »Ja, ich vertraue Euch, mein Geliebter … Bruder«, sagte sie weich.

»Gut. Ich werde Euch nach Oxford begleiten.« Robert nickte erleichtert. »Aline, hilf deiner Herrin Männerkleider anzulegen, damit sie unerkannt bleibt. Und dann lasst uns aufbrechen.«

*

Aline duckte sich über den Pferderücken, während sie in wildem Galopp vorwärtspreschte. Im Süden stand eine riesige Staubwolke über den Feldern. Dort rückte Stephens Heer heran. Wahrscheinlich hatten sie die Burg keinen Augenblick zu früh verlassen. Eine Pferdelänge vor ihr ritten Robert of Gloucester und Matilda, die sich in rasender Eile umgekleidet hatte und nun ein einfaches braunes Männergewand trug. Ihr langes Haar hatte sie unter einer Kappe verborgen. Hinter Aline donnerten die Hufe von etwa zwei Dutzend Pferden über den ausgedörrten Boden – die kleine Eskorte des Earls, die ihre Flucht zusätzlich sichern sollte. Unter den Männern befand sich auch Sir Simon.

Auf der anderen Seite der ausgedehnten, stoppeligen Wiese markierten Weiden und Büsche den Fluss Itchen. Zwischen dem Strauchwerk konnte Aline schon die schmale Holzbrücke erkennen, die darüberführte, als Robert of Gloucester einen Warnruf ausstieß. Nun sah auch Aline es: Ein Trupp Reiter war aus dem nahen Wald hervorgebrochen und näherte sich ihnen mit großer Geschwindigkeit. Ganz sicher gehörten sie zu Stephens Leuten.

»Reite mit Aline und Sir Simon weiter«, rief der Earl Matilda über das Hämmern der Hufe zu. »Ich werde versuchen, mit meinen Männer die Verfolger an der Brücke so lange wie möglich aufzuhalten.«

»Nein, auf keinen Fall!«, schrie Matilda auf.

»Bitte, tu was ich dir sage!«

Nun hatten sie die Brücke erreicht. Doch statt ihr Pferd darüberzutreiben, brachte Matilda es zum Stehen. Ihre grünen Augen wirkten riesengroß in ihrem blassen, staubbedeckten Gesicht. »Ich fliehe nicht ohne dich«, hörte Aline sie flüstern. »Lieber werde ich zusammen mit dir Maudes Gefangene und gebe meine Sache ein für alle Mal verloren.«

»Du darfst nicht aufgeben«, widersprach Robert heftig. »Was macht es schon, wenn ich gefangen werde? Mir ist nur wichtig, dass du frei bist.«

»Madam …«, flehte Sir Simon. Matilda ignorierte ihn und auch die gegnerischen Reiter, die mittlerweile die Wiese zur Hälfte überquert hatten. Einer von ihnen, bemerkte Aline jetzt, war Reginald de Thorigny. Entsetzen erfasste sie. Nein, ihre Herrin durfte nicht ausgerechnet ihm in die Hände fallen!

»Ich will, dass du fliehst. Bitte, tu es für mich«, sagte Robert leise, aber fest. »Ich könnte es mir nie verzeihen, wenn du um meinetwillen unglücklich würdest.« Zwischen ihm und Matilda entspann sich ein kurzes, stummes Zwiegespräch. Schließlich nickte Matilda und lenkte ihr Pferd auf die Brücke. Aline und Sir Simon folgten ihr schnell.

Sie hatten kaum die andere Flussseite erreicht und waren den steilen Hang ein Stück hinaufgeritten, als in ihrem Rücken Schreie und Waffengeklirr erschallten.

Aline hoffte inständig, dass Matilda den Kampflärm nicht beachten würde. Aber auf der Hügelkuppe riss Matilda ihr Pferd herum. Angstvoll starrte sie in das Tal hinunter. Vor der Brücke hatte sich ein dichtes Knäuel aus Kämpfenden gebildet. Zwischen ihnen ragte Robert of Gloucester hervor, der wie ein Wilder mit dem Schwert um sich hieb. Trotzdem war es unverkennbar, dass er und seine Leute weit in der Minderzahl waren und sie die Brücke nicht lange würden halten können.

»Madam, wir müssen weiter!«, drängte Sir Simon. Doch Matilda rührte sich nicht von der Stelle. Aline verschloss sich gegen die Vorstellung, wie es wäre, wenn sie Ethan dort unten kämpfen sehen müsste.

»Herrin, bitte!«, schrie sie. Noch immer reagierte Matilda nicht, murmelte nur: »Robert ...« Ihre Augen glänzten fiebrig.

Sie durften nicht länger zögern! »Herrin, verzeiht, aber Ihr lasst mir keine andere Wahl.«

Kurz entschlossen zerrte Aline Matilda die Zügel aus der Hand. Ehe diese protestieren konnte, hatte sie schon ihrem eigenen Pferd die Fersen in die Flanken gerammt. Es galoppierte los, und Matildas Stute folgte ihm – die andere Seite des Hügels hinunter, weg von dem Kampf.

*

Aline schreckte hoch. Langsam realisierte sie: Sie lag mit den Unterarmen auf einem Tisch und hatte geschlafen. Sie fühlte sich wie gerädert. In der weiß gekalkten Wand ihr gegenüber befand sich ein geöffnetes Fenster. Darin konnte sie einen viereckigen, aus grob behauenen Steinen erbauten Turm sehen, der vor einem bewölkten Himmel stand. Ein Stöhnen veranlasste sie, den Kopf zu wenden. Matilda lag auf einem breiten Bett. Mit geschlossenen Augen bewegte sie sich unruhig.

Nun war Aline all das, was seit ihrer Flucht aus Winchester geschehen war, wieder gegenwärtig. Drei Tage hatten sie für den Weg nach Oxford benötigt, denn sie hatten immer wieder große Umwege einschlagen müssen, um Teilen von Stephens Heer auszuweichen. Abgesehen von kurzen Pausen hatten sie während der ersten beiden Tage ununterbrochen im Sattel gesessen. Doch am letzten Tag war Matilda, die durch das Fieber ohnehin geschwächt war, so entkräftet gewesen, dass sie auf einer Trage zwischen Alines und Sir Simons Pferd hatte transportiert werden müssen.

Als hätte Matilda Alines Blick gespürt, blinzelte sie und richtete sich mühsam auf. »Gibt es Nachrichten von Robert?«, flüsterte sie mit heiserer Stimme.

»Nein, Herrin, leider noch nicht. Aber ihm wird sicher nichts geschehen sein«, antwortete Aline begütigend. Sie war sich im Klaren, dass sie sich mit diesen Worten ebenso zu trösten versuchte wie Matilda, denn sie bangte um Ethan. »Bitte, legt Euch wieder hin«, fügte sie sanft hinzu. »Ich hole Euch schnell etwas zu essen.« Zu ihrer Erleichterung ließ sich Matilda widerspruchslos in die Kissen sinken.

Rasch vergegenwärtigte sich Aline den Weg zur Küche. Am Vorabend, nach ihrer Ankunft in der Burg, hatte sie dort heißes Wasser und eine leichte Mahlzeit für ihre Herrin geholt. Auf einer der Feuerstellen siedeten Hühner in einem großen Bronzetopf. Aline bat den ältlichen Koch, ihr von der Brühe und außerdem einige Scheiben helles Brot zu geben, und stellte alles auf ein Tablett.

Sie hatte eben wieder den Raum vor Matildas Schlafzimmer betreten und wollte die Tür zum Flur mit ihrem Ellbogen zustoßen, als Sir Simon hinter ihr herkam. »Aline«, seufzte er, »ich habe schlechte Neuigkeiten …«

»Bitte seid leise«, mahnte sie, während sie angespannt zu dem Samtvorhang blickte, der den Durchgang zwischen den beiden Zimmern verschloss. Doch es war schon zu spät. Aus dem Nebenraum erklang ein Rascheln, und nackte Füße tappten über die Steinfliesen.

Gleich darauf stand Matilda vor ihnen. Mit brennenden Augen sah sie den Ritter an. »Ihr habt Nachrichten von Robert?«

»Ja, Madam.« Sir Simon seufzte wieder.

»Was ist mit ihm?« Matildas Stimme klang unnatürlich ruhig.

»Er lebt«, sagte Sir Simon hastig, »und soviel ich weiß, hat er kaum eine Verletzung in dem Kampf davongetragen.«

Matilda schaute ihn nur weiter mit diesem Blick an, der zum Fürchten war.

Der Ritter senkte den Kopf. »Aber Stephens Leute haben ihn gefangen genommen«, fügte er gepresst hinzu.

Zu Alines Überraschung schrie Matilda nicht auf. Stattdessen murmelte sie nur »gefangengenommen«. Dann wandte sie sich ab und lief mit unsicheren Schritten zurück in das Schlafzimmer.

»Bitte, geht!«, flüsterte Aline Sir Simon zu. Dieser nickte hastig.

Als sie den Nachbarraum betrat, kauerte Matilda auf dem Boden und stieß ein hohes Wimmern aus – wie ein tödlich verwundetes Tier –, das Aline den Magen umdrehte.

»Herrin«, sie kniete sich neben Matilda, »Ihr seid krank, bitte, geht zu Bett.«

Matilda reagierte nicht, sondern begann sich vor und zurück zu wiegen, ohne mit dem furchtbaren Wimmern aufzuhören. Entsetzt begriff Aline, dass sie sich wieder in genau dem gleichen Zustand befand wie damals, nachdem ihr Vater sie mit Robert ertappt hatte. Nur hatte sie in jener Nacht nicht an einem Fieber gelitten und war auch nicht völlig entkräftet gewesen.

Aline zögerte nur kurz. Sie war nicht mehr die junge, schüchterne Dienerin von damals. Energisch fasste sie Matilda, die schlaff wie eine Strohpuppe war, unter den Armen. »Los, kommt schon, versucht aufzustehen«, fuhr sie ihre Herrin an, »ich lasse Euch nicht hier sitzen; los, macht schon«, bis diese schwankend auf die Beine kam. Dann schob und zerrte sie Matilda zu dem Bett.

Als ihre Herrin auf den Kissen lag, zog sie sich einen Schemel heran und setzte sich neben das Lager. Sie ergriff Matildas Hand, streichelte sie und begann, leise vor sich hin zu singen. Doch was sie befürchtet hatte, trat nur zu bald ein: Matildas Fieber stieg rasch.

Gegen Abend erschien Sir Simon wieder und teilte Aline mit, dass William of Ypres in der Burg eingetroffen sei. Auch er hatte sich nur unter großen Schwierigkeiten zusammen mit einigen hundert Soldaten retten können. Denn die Schlacht um Winchester hatte mit einer verheerenden Niederlage für Matildas Truppen geendet.

Die Nacht verbrachte Aline damit, wie schon während der vorherigen Stunden, gegen das Fieber anzukämpfen. Sie umwickelte Matildas Schenkel mit feuchten, kalten Tüchern und flößte ihr Tees und andere Heilmittel ein. Manchmal schlief ihre Herrin. Dann wieder wälzte sie sich im Bett herum und redete mit sich selbst oder mit Menschen, die einmal ein Teil ihres Lebens gewesen waren: mit Bess, ihrem Vater oder auch mit ihrem lange verstorbenen ersten Gatten Heinrich. Gelegentlich verfiel sie in eine hohe, jammernde Kinderstimme, die Aline eine Gänsehaut verursachte. In diesen Zuständen schien sie vor jemandem große Angst zu haben und rollte sich zusammen, als müsste sie sich schützen. Und immer wieder schrie sie nach Robert.

Schließlich dämmerte der Morgen herauf, und ein heißer Sommertag brach an. Matildas Befinden blieb unverändert. Irgendwann war Aline so erschöpft, dass sie selbst immer wieder eindöste. Sie träumte von dem Bauernhof ihrer Kindheit, saß mit ihren Eltern und ihrem kleinen Bruder Haimo am Tisch oder lief mit ihnen durch den Garten. Dann wieder war sie die Leibeigene, die Guy d'Esne und Fulk durch den Wald hetzten.

In manchen Träumen lag sie neben Ethan auf einer Sommerwiese. Sie hielten sich bei der Hand, und Aline fühlte sich völlig lebendig vor Glück. Plötzlich verwandelte sich die Wiese in eine Schneelandschaft. Ethans Leib war ganz kalt und starr. Aline warf sich auf ihn. Aber sosehr sie auch seinen Namen schrie und sosehr sie an ihm rüttelte, er rührte sich nicht.

»Mädchen, nun komm schon zu dir!« Benommen riss Aline die Augen auf. Die Kerzen auf dem Tisch in der Zimmermitte waren weit heruntergebrannt. Sie musste geträumt haben, dass Matilda mit ihr gesprochen hatte. Doch als sie nun den Kopf hob und zu dem Bett schaute, hatte sich Matilda aufgerichtet. Ihr Gesicht war noch rot und fleckig vom Fieber. Trotzdem blickten ihre Augen erstaunlich klar.

»Du scheinst einen Albtraum gehabt zu haben«, bemerkte sie sachlich.

»Herrin«, stammelte Aline, während sie sich rasch erhob und ihre Hand auf Matildas Stirn legte. Ja, das Fieber hatte tatsächlich nachgelassen. »Ihr wart sehr krank, ich habe mir große Sorgen um Euch gemacht.«

»Dass Robert gefangen ist, habe ich nicht geträumt, oder?« Matilda sah sie fest an.

»Nein, Herrin«, erwiderte Aline leise. »Es ist leider wahr.« Sie empfand wieder das Grauen aus ihren Träumen, als sie geglaubt hatte, Ethan sei tot. Deshalb fügte sie heftig hinzu: »Dennoch könnt Ihr, finde ich, froh sein. Immerhin ist der Earl noch am Leben.«

Matilda entgegnete nichts, starrte nur stumm vor sich hin. Schließlich ging Aline zu einer Truhe und nahm eines der Hemden heraus, die sie von der Gattin des Burgverwalters für Matilda geliehen hatte. »Herrin, Euer Nachthemd ist ganz durchgeschwitzt. Bitte, lasst mich Euch helfen, ein frisches anzulegen.«

Aber Matilda ergriff ihre Hand und zog sie neben sich auf das Bett. »Außer Bess – und sie ist tot –, seid Robert und du die einzigen beiden Menschen, denen ich wirklich vertraue«, sagte sie mit einem wehmütigen Lächeln. »Auch wenn es oft nicht den Anschein hat – ich bin nun einmal, wie ich bin –, kannst du mir glauben, dass ich deine Treue und deine Fürsorge für mich wirklich zu schätzen weiß.«

»Herrin ...«, stotterte Aline verlegen.

»Im Traum hast du nach deinem Jungen, Ethan, gerufen. Wenn du wegen ihm in Stephens Lager wechseln willst, werde ich dir nicht böse sein.«

Aline schüttelte den Kopf. »Solange dieser Krieg andauert und Ethan zusammen mit Reginald de Thorigny für Euren Vetter kämpft, kann ich nicht mit ihm zusammen sein.«

»De Thorigny scheint sich auf unser beider Leben sehr negativ auszuwirken«, bemerkte Matilda sarkastisch. Nach einer kurzen Pause fragte sie sanft: »Hast du Ethan eigentlich jemals erzählt, dass du ein Kind von ihm erwartet hast; das heißt, ich gehe doch davon aus, dass er der Vater war?«

»Nein, ich meine, ja, er war der Vater.« Aline blickte zu Boden. »Aber ich habe ihm nichts davon erzählt. Erst glaubte ich, es sei ohnehin alles aus zwischen uns. Und dann, später, nach der Schlacht von Lincoln, war Ethan zu krank. Ich wollte ihn nicht damit belasten.«

»Irgendwann solltest du es ihm erzählen.«

»Vielleicht ...« Noch während Aline dies sagte, wusste sie, dass Matildas Rat gut war. Jene Fehlgeburt war ein wichtiger Teil ihres Lebens, und Ethan hatte ein Recht darauf, davon zu erfahren.

Einige der Kerzen waren nun endgültig niedergebrannt und verloschen. Doch durch die wegen der warmen Nacht nur halb geschlossenen Fensterläden drang bereits das Morgenlicht.

»In der letzten Zeit warst du häufig ärgerlich auf mich und hättest mich am liebsten zum Teufel gewünscht«, hörte Aline Matilda nun sagen.

»Herrin …«, stieß Aline überrascht und entsetzt hervor.

»Oh, versuch gar nicht erst, es abzustreiten.« Matildas Augen funkelten. »Ich kenne dich inzwischen lange genug, um deine Gedanken und Stimmungen richtig einschätzen zu können. Außerdem sind wir uns in manchem recht ähnlich. So sind wir beide eigensinnig und dickköpfig, und mit uns beiden ist nicht immer gut Kirschen essen. Allerdings bin ich diejenige, die sich in der Position befindet, ihre Gefühle offen zeigen zu können. Wobei ich nicht abstreiten will, dass ich sie vielleicht manchmal zu offen zeige.« Matilda lächelte.

Aline holte tief Atem. »Ja, es stimmt. Ich war böse auf Euch. Aber auch auf mich und auf Ethan. Und ich war und bin zornig wegen dieses Krieges. Ich wünschte, Ihr und Euer Vetter würdet endlich Frieden schließen. So viele unschuldige Menschen haben unter Eurem Zwist zu leiden.«

Matilda betrachtete den dünnen Rauch, der noch von den niedergebrannten Kerzen aufstieg. Als sie zu reden begann, war ihre Stimme ernst und nachdenklich, nicht aufbrausend. »Wenn ich jetzt Frieden schließen würde, würde ich zur Beute machtgieriger Männer. Als Kind wurde ich um der Machtinteressen meines Vaters willen mit einem Mann verheiratet, an dem mir nicht das Geringste lag. Oh, ich weiß, das ist in meinen Kreisen gang und gäbe. Aber ich habe es schon damals verabscheut, eine Schachfigur in einem Spiel zu sein. Und außerdem …«

Für einige Momente schien sie ganz in der Vergangenheit versunken zu sein. Ihr Gesicht hatte einen gehetzten und gequälten Ausdruck, sodass Aline unwillkürlich an die beängstigende Kinderstimme denken musste, mit der ihre Herrin vorhin im Schlaf geschrien hatte, und sie fragte sich, ob ihr nicht etwas noch viel Schlimmeres zugestoßen war, als eine ungewollte Heirat. Doch schließlich machte Matilda eine Handbewegung, als wollte sie die alten Schatten – und was auch immer sich in ihnen verbergen mochte – wegwischen.

»Dann zwang mich mein Vater, diesen Dummkopf Geoffrey von Anjou zu heiraten und benutzte mich als Ersatz für meinen toten Bruder. Nein, ich will niemals wieder den Interessen irgendwelcher Männer dienen. Und glaub mir: Wenn nicht ich Stephen die Herrschaft streitig machen und ihn bekriegen würde, dann würde es ganz sicher früher oder später einer der englischen Fürsten tun.«

»Aber nicht Ihr würdet dann diesen Krieg führen«, erwiderte Aline heftig.

»Ich will mich damit nicht aus der Verantwortung stehlen.« Matilda schüttelte den Kopf. »Ich weiß, dass ich Schuld auf mich lade und dass ich irgendwann, spätestens nach meinem Tod, dafür geradestehen muss.« Sie musterte Aline eindringlich. »Ich sagte es eben schon: Wir beide ähneln uns in manchem. Ich bezweifle, dass du, wenn du in einer vergleichbaren Situation wärst, anders handeln würdest.«

»Das hoffe ich doch!«, fuhr Aline auf.

»Stell dir vor, du wärest noch einmal von der Leibeigenschaft bedroht, und es gäbe eine Möglichkeit, wie du dem entkommen könntest ...« Matilda drückte Alines Hand. Ihre Stimme klang plötzlich erschöpft.

»Herrin, Ihr müsst wieder schlafen«, sagte Aline besorgt.

»Ja«, murmelte Matilda. »Aber vorher hätte ich nun doch gern ein frisches Hemd.«

*

Seit dem Vortag war Matilda wieder imstande, für eine Weile das Bett zu verlassen. Sie saß in einem Lehnstuhl am Fenster, und Aline stopfte Socken, als Sir Simon die Nachricht überbrachte, dass zwei Unterhändler Königin Maudes in der Burg eingetroffen seien. Er schluckte nervös, ehe er die Namen nannte: Reginald de Thorigny und Henry of Winchester.

Matilda nahm diese Neuigkeit scheinbar ungerührt hin, doch Aline war überzeugt, dass es in ihr brodelte.

»Madam«, Sir Simon blinzelte unsicher, »Ihr seid noch nicht ganz gesund. Soll nicht vielleicht lieber ich mit den beiden verhandeln?«

»Ihr?!« Matilda richtete sich auf und schnaubte verächtlich. »Ich will Euch ja nicht zu nahe treten, mein Guter. Aber ich bezweifle sehr, dass Ihr es mit dem Bischof und dem Baron aufnehmen könnt. Denn dazu seid Ihr viel zu gutmütig. Nein, sie sollen es schon mit mir zu tun bekommen. Aber Ihr und William könnt während der Verhandlung anwesend sein. Allerdings möchte ich, dass Ihr beide dann den Mund haltet. Aline«, sie winkte ihr, zu ihr zu kommen, »hilf mir beim Ankleiden. Ich will mich den beiden als eine Königin präsentieren.«

Aline war durchaus einer Meinung mit ihrer Herrin, dass

es ein Fehler wäre, Sir Simon mit den Verhandlungen zu betrauen. Sie hatte allerdings auch ihre Zweifel, ob Matilda dafür die geeignete Person sei und ob nicht besser William of Ypres damit beauftragt werden sollte. Denn ganz sicher würde es bei diesen Verhandlungen um Robert of Gloucester gehen, und sie fürchtete, ihre Herrin könnte sich eine Blöße geben.

Doch sie wusste, dass Matilda niemals das Schicksal ihres Geliebten in die Hände eines anderen Menschen legen würde. Deshalb schwieg sie und holte ein hellrotes Seidengewand, das zusammen mit anderen kostbaren Gewändern und Gerätschaften vor kurzem aus Wallingford nach Oxford gebracht worden war. Nachdem ihre Herrin das Kleid angezogen und den schweren Goldschmuck mit den grünen Steinen umgelegt hatte – Aline hatte ihn bei der Flucht aus Winchester in einer Satteltasche gerettet –, forderte sie Aline auf, ihre Wangenknochen und Lippen mit einem roten Puder zu betupfen.

Während sie sich dann prüfend in einem Bronzespiegel betrachtete, nickte sie. »Schön, jetzt sehe ich einigermaßen passabel aus und nicht mehr wie ein Gespenst.« Unvermittelt wandte sie ihre Aufmerksamkeit Aline zu. »Du kannst Sir Simon mitteilen, dass er die beiden Boten jetzt zu mir bringen kann. Und wenn du Reginald de Thorigny lieber nicht begegnen möchtest – du kannst dich gerne zurückziehen, ich komme auch ohne dich zurecht.«

»Nein, Herrin«, erwiderte Aline mit trockenem Mund, während ihr Herz zu hämmern begann, »ich bleibe bei Euch.«

»Gut.« Matilda nickte und nahm in einem Lehnstuhl in der Zimmermitte Platz. Nachdem Aline die Falten ihres Gewandes geordnet hatte, zog sie sich in einen Winkel zurück. Ihre Herrin saß stolz und reglos da. Nur ihre Hände, die sich um die Armlehnen krampften, verrieten ihre Anspannung.

Ja, ich hasse Reginald de Thorigny, dachte Aline. Ihr Gespräch mit Matilda hatte sie in den letzten Tagen öfter beschäftigt. Wieder einmal trieb sie die Frage um, ob diese nicht Recht gehabt hatte. Ob sie, sollte ihr noch einmal die Leibeigenschaft drohen, nicht auch zu jedem Mittel greifen würde, um frei zu sein. Sie hoffte nicht. Aber wenn sie ehrlich sich selbst gegenüber war, war sie sich ihrer Entscheidung nicht ganz sicher.

Sie zuckte zusammen, als sich die Tür öffnete und Reginald de Thorigny und Henry of Winchester in Begleitung von Sir Simon und William of Ypres den Raum betraten. Der Ritter und der Söldnerführer stellten sich neben Matilda. Während Reginald de Thorigny und Henry of Winchester auf Matilda zuschritten und vor ihr die Knie beugten, fragte sich Aline unwillkürlich, wie die beiden Männer wohl damit zurechtkamen, nun plötzlich wieder auf einer Seite zu stehen und gemeinsam Verhandlungen zu führen. Der Baron hatte ja immer treu zu Stephen gehalten. Sie vermutete, dass er den Bischof insgeheim verachtete.

»Madam«, begann Henry of Winchester mit seidenweicher Stimme, »ich bin überaus froh, Euch wiederzusehen.«

»Oh, Euer Vergnügen ist einseitig. Denn ich hätte auf ein Treffen mit einem opportunistischen Verräter sehr gut verzichten können«, entgegnete Matilda kalt und deutete dann mit ausgestrecktem Zeigefinger auf Reginald de Thorigny. »Das Gleiche gilt auch für Euch: Einen heimtückischen Intriganten, der nicht einmal davor zurückschreckt, die Felder und Gehöfte unschuldiger Menschen zerstören und niederbrennen zu lassen, um seine Ziele zu erreichen. Fast bedaure ich die Gattin meines Vetters, dass sie gezwungen ist, Leute wie Euch um sich zu haben.«

Sir Simon trat nervös von einem Fuß auf den anderen. William of Ypres dagegen wirkte gleichmütig.

»Madam«, Reginald de Thorigny gab sich keine Mühe, seinen Zorn und seine Abneigung zu verbergen. »Ich denke, wir sollten unsere Zeit nicht mit Beleidigungen vergeuden, sondern zum Wesentlichen kommen: Euer Halbbruder Robert ist unser Gefangener.«

»Und wenn ich Euch daran erinnern darf: Stephen – und auch Euer Sohn Hugo sowie andere Ritter meines Vetters – sitzen immer noch in Lincoln hinter Schloss und Riegel.« Matildas Stimme klang kühl und selbstsicher.

»Dessen ist sich unsere Herrin, Königin Maude, sehr wohl bewusst.« Reginald de Thorigny lächelte arrogant. »Königin Maude bietet Euch Robert an – im Austausch gegen Stephen, meinen Sohn und die anderen gefangenen Ritter. Außerdem fordert Maude, dass Ihr unverzüglich Frieden schließt und die Burgen von Wallingford, Taunton, Oxford, Ludgershall, Lincoln und Devizes an Stephen übergebt.«

»Tatsächlich?« Matilda lachte höhnisch auf. »Ihr erwartet doch aber nicht ernsthaft, dass ich auf diese Frechheit eingehe? Schert Euch alle beide hinaus!«

»Madam«, hob Henry of Winchester begütigend an. Doch Matilda ließ ihn nicht zu Wort kommen. »Hinaus – auf der Stelle!«, herrschte sie ihn an.

Nachdem die beiden wütend aus dem Raum gestürmt waren, nickte William of Ypres Matilda anerkennend zu. »Es war sehr klug von Euch, dass Ihr einen Austausch Roberts ausgeschlagen habt. Ich bin überzeugt, Ihr handelt damit ganz im Sinne des Earls.«

Matilda sprang auf. Unter der Schminke war sie sehr blass geworden. »Ihr habt mich falsch verstanden. Es ist ganz und gar nicht meine Absicht, auf den Austausch meines Halbbruders zu verzichten.«

»Aber …«, stammelte Sir Simon und wechselte einen verblüfften Blick mit dem Söldnerführer.

»Ich werde Maude Stephen gegen Robert anbieten. Etwas anderes wird sie von mir nicht bekommen«, versetzte Matilda barsch.

Sir Simon wiegte besorgt den Kopf. »Wagt Ihr damit nicht ein zu riskantes Spiel?«

»Unsinn, Maude ist Realistin. Sie hat nur geblufft. Im Grunde weiß sie, dass sie von mir nichts anderes zu erwarten hat, und sie wird froh sein, Stephen zurückzuhaben. Auch wenn der wahrscheinlich nichts Besseres zu tun hat, als sofort wieder irgendwelchen Frauenröcken hinterherzusteigen.«

»Madam, verzeiht«, mischte sich nun William of Ypres energisch ein, »aber ich bin mir nicht sicher, ob ich Euch wirklich richtig verstanden habe: Ihr wollt also tatsächlich Stephen, Euer wichtigstes Pfand in diesem Krieg, laufen lassen? Seine Gefangenschaft ist der einzige Vorteil, den Ihr noch gegenüber Euren Gegnern besitzt.«

»Selbstverständlich habt Ihr mich richtig verstanden«, fuhr Matilda ihn an. »Auf gar keinen Fall lasse ich Robert im Stich.«

»Aber mit diesem Austausch handelt Ihr nicht in seinem Sinne. Außerdem müsst Ihr Euch um den Earl nun wirklich keine Sorgen machen. Er ist ein Fürst und wird von Maude gut behandelt werden.«

»Meine Entscheidung steht fest!«

»Dann, Madam, muss ich Euch sagen, dass Ihr keine realistische Möglichkeit mehr besitzt, diesen Krieg zu gewinnen«, gab William of Ypres, von dem der übliche Gleichmut abgefallen war, erregt zurück.

»Bei Eurer Tirade lasst Ihr außer Acht, dass mir mein Gatte Geld geschickt hat.« Matildas Stimme klang schneidend. »Ich bin nicht mehr mittellos.«

»Aber wie lange wird diese Summe reichen? Mit der Burg von Winchester habt Ihr einen weiteren wichtigen Stützpunkt verloren. Nein, werbt mit dem Geld des Grafen neue Soldaten an, und gewinnt eine wichtige Schlacht gegen Maudes Leute. Und dann erst rückt Ihr Stephen heraus. Und zwar nicht nur gegen Robert, sondern im Austausch gegen einen Friedensschluss und die englische Krone.«

In ihrem Winkel musste Aline dem Söldnerführer im Stillen Recht geben. Doch sie verstand nur zu gut, dass Matilda alles daransetzen würde, Robert wieder bei sich zu haben.

Diese beachtete William of Ypres nicht weiter, sondern wandte sich Aline zu. »Bring mir mein Schreibzeug«, befahl sie. »Ich werde Maude in einem Brief meine Bedingungen darlegen. Ihr, Sir Simon, werdet diesen Brief überbringen und Maude auffordern, mir das nächste Mal gefälligst einen integeren Unterhändler zu schicken und nicht wieder einen solchen Abschaum.«

⁎

Müde ließ sich Ethan neben Nicolas auf die Bank fallen. »Du kommst spät.« Der Freund nickte ihm zu. »Gab es irgendwelche Probleme mit den Knappen?«

»Nein, mit den Jungen ist alles in Ordnung, und die meisten reiten wirklich gut.« Am Nachmittag hatte Ethan mit den Knappen einen weiten Ausritt unternommen. Dabei hatte er sie verschiedene Gangarten und Sprünge üben lassen. »Aber auf dem Rückweg hat ausgerechnet mein Pferd vor einem plötzlich auffliegenden Vogel gescheut und sich beim Sprung über eine Hecke am rechten Hinterlauf verletzt. Deshalb bin ich noch eine Weile im Stall geblieben und habe das Bein versorgt.«

Ethan lehnte sich zurück. Erst jetzt nahm er richtig wahr, wie festlich die Halle der Burg von Colchester geschmückt war. Girlanden aus den letzten Sommerblumen waren um die dunklen Deckenbalken geschlungen und verzierten auch die lange Tafel auf dem Podium. Eine Vielzahl von mit Bienenwachskerzen bestückten Leuchtern brannten auf den Tischen, und das Geschirr – selbst auf den Tafeln unten in der Halle – bestand aus Edelmetall und nicht aus Zinn oder Ton wie an gewöhnlichen Tagen.

»Stephen ist also heute aus der Gefangenschaft zurückgekehrt«, sagte er mit einem Lächeln.

»Ja, vor zwei oder drei Stunden erst.«

»Du hast ihn gesehen? Wie geht es ihm?«

»Oh, ich würde meinen, außer dass er etwas schmäler geworden ist, hat ihm die Gefangenschaft nicht weiter zugesetzt. Er ist ganz der Alte.« Nicolas grinste. »Er war sehr angetan von den beiden neuen, jungen Hofdamen der Königin. Wie du weißt, sind die beiden sehr hübsch.«

Während Nicolas weitererzählte, wanderten Ethans Gedanken zu Aline. Er dankte dem Himmel, dass sie sich in Sicherheit befand. Er hatte in der Schlacht von Winchester gekämpft und bei jedem neuen Ansturm auf die Burg um sie gebangt. Ein Teil von ihm war enttäuscht und zornig darüber gewesen, dass Matilda die Flucht gelungen war – sie waren so nahe daran gewesen, sie gefangen zu nehmen. Aber um Alines willen war er auch froh darüber gewesen.

Mit einem Fanfarenstoß öffnete sich die Flügeltür am Ende der Halle. Zusammen mit all den anderen Menschen des königlichen Gefolges sprang Ethan auf, als Stephen nun neben seiner Gattin Maude durch die hohe Tür schritt. *Nein*, dachte Ethan, *Stephen hat sich wirklich nicht verändert.* Strahlend blickte dieser sich um und riss die Arme zu einer triumphierenden Geste hoch, während ihn die Ritter, die Knappen und die Bediensteten mit lautem Jubel begrüßten. Auch Ethan stimmte aus vollem Herzen in das fröhliche Lärmen ein.

Nicolas verpasste ihm einen Rippenstoß und wies mit dem Kopf auf Hugo de Thorigny. Zusammen mit den anderen aus Matildas Gefangenschaft entlassenen Rittern, seinem Vater und Henry of Winchester begleitete der junge Adelige Stephen auf das Podium. »Ihn hätte Matilda gerne noch eine Weile behalten können«, bemerkte er trocken.

»Leider ist kein Glück vollkommen.« Ethan seufzte. »Und Henry of Winchester hätte sie gern zu ihm in die Zelle sperren können.«

Oben auf dem Podium breitete Stephen jetzt die Arme aus, und der Jubel wurde leiser. »Ich kann Euch gar nicht sagen, wie froh ich bin, die Gastfreundschaft meiner teuren Base nicht länger in Anspruch nehmen zu müssen und endlich wieder Eure frohen Gesichter zu sehen statt die sauren ihrer Kerkermeister«, rief er mit lauter Stimme. »Dass ich wieder bei Euch sein kann, verdanke ich vor allem meiner geliebten Gattin Maude, die unermüdlich für meine Sache und für meine Freilassung gekämpft hat.«

Stephen verbeugte sich galant vor Maude. Dann ergriff er ihre Hand, führte sie zu seinem Mund und küsste sie unter dem Applaus aller Anwesenden. Mit einem teils abwehrenden, teils amüsierten Kopfschütteln entzog ihm seine

Gemahlin ihre Hand gleich wieder. Trotzdem röteten sich ihre Wangen wie die eines jungen Mädchens.

Stephen schafft es doch immer wieder, den Frauen den Kopf zu verdrehen, dachte Ethan und tauschte einen belustigten Blick mit Nicolas. Wahrscheinlich war Matilda die einzige Frau, die gegen seinen Charme völlig immun war.

»Außer meiner Gattin bin ich auch Reginald de Thorigny zu besonderem Dank verpflichtet. Wäre er nicht gewesen, würde meine Base jetzt höchstwahrscheinlich die englische Krone tragen, und meine Sache wäre verloren.« Stephen hob seinen Weinkelch und prostete dem Baron zu, der, wie Ethan fand, vor selbstgefälligem Stolz fast zu platzen schien. Wieder fühlte er eine heftige Abneigung gegen den Mann. Nicolas verzog nur spöttisch das Gesicht.

»Zu Dank verpflichtet bin ich auch meinem Bruder Henry.« Um Stephens Mund zuckte es. »Zum einen dafür, dass er wieder in mein Lager zurückgekehrt ist …« Einige Leute in der Halle lachten auf, verstummten jedoch sofort wieder. »… zum anderen, weil auch er sich zusammen mit Reginald bei Matilda um meine Freilassung bemüht hat.«

Der Bischof verbeugte sich lächelnd vor seinem Bruder. Er schien weder dessen Ironie registriert zu haben noch zu bemerken, dass der Beifall in der Halle sehr verhalten blieb.

»Was für ein guter Schauspieler«, hörte Ethan Nicolas murmeln.

»Ich weiß, die letzten Jahre waren manchmal hart, und viele von Euch haben Opfer für mich gebracht«, redete Stephen weiter, »nicht nur die, die meine Gefangenschaft teilten. Aber ich bin überzeugt, es wird nicht mehr lange dauern, bis meine Base endgültig besiegt ist. Eine gute Nachricht kann ich Euch heute jedenfalls schon mitteilen: William of Ypres und seine Soldaten haben beschlossen, Matilda die Gefolgschaft aufzukündigen. Sie wollen sich stattdessen mir anschließen. Ich finde, darauf sollten wir gemeinsam trinken.« Wieder hob Stephen den Kelch und prostete allen Menschen in der Halle zu.

Auch Ethan nahm seinen Becher in die Hand. Aber er stimmte nicht in den Jubel ein und konnte sich zudem nicht überwinden, von dem Wein zu trinken.

Was mag Aline gefühlt haben, als sie von Williams Verrat erfahren hat?, schoss es ihm durch den Kopf.

*

Nach der Abendmahlzeit sah Ethan noch einmal nach seinem Pferd. Zu seiner Erleichterung hatte sich die Wunde nicht entzündet. Während er dem Braunen einen Apfel zu fressen gab, musste er wieder an Stephens Rede denken. Sicher, er wünschte sich nach wie vor, dass dieser Krieg endlich zu einem Ende käme und Stephen als Sieger daraus hervorginge. Aber diesem möglichen Sieg haftete durch Reginald de Thorignys Intrige unter den Londoner Bürgern und William of Ypres' Verrat ein schaler Beigeschmack an.

Ethan wartete, bis der Hengst den letzten Bissen von dem Apfel vertilgt hatte, dann machte er sich auf den Weg zur Halle, wo er seinen Schlafplatz hatte. Er hatte den Stall eben verlassen, als ihm Hugo de Thorigny über den Weg lief. Ethan grüßte ihn nur mit einem Kopfnicken, denn zu der Bemerkung, er sei froh, dass Hugo endlich wieder frei sei, konnte er sich beim besten Willen nicht durchringen.

Hugo rang sich seinerseits nicht einmal zu einem Nicken durch, was Ethan nicht weiter störte. Er war schon einige Schritte an ihm vorbeigegangen, als er ihn plötzlich rufen hörte: »Ach, Ethan, du bist doch in dieses blonde Mädchen verliebt, die Dienerin Matildas.«

Gegen seinen Willen blieb Ethan stehen und drehte sich um. »Was geht dich das an?«, erwiderte er schroff.

»Oh, eigentlich nichts. Wenn man einmal von der Tatsache absieht, dass es nicht gerade ein gutes Licht auf dich wirft, dass du dir ausgerechnet die Dienerin von Stephens Feindin zum Liebchen auserkoren hast. Aber nun ja, ich will großzügig sein. Die Liebe fragt nun einmal nicht nach Freundschaft oder Feindschaft.« Hugo seufzte gespielt.

»Wie schön, dass ich deine Zustimmung gefunden habe«, erwiderte Ethan sarkastisch. »Königin Maude weiß übrigens darüber Bescheid, dass ich Aline heiraten werde, wenn der Krieg vorbei ist.«

»Aline, richtig, das ist der Name des Mädchens.« Hugo schnippte mit den Fingern. Als er einen Schritt auf Ethan zuging, fiel der Schein einer Fackel auf sein Gesicht. Es hatte einen gehässigen Ausdruck. »Es war sehr aufrichtig von dir, Königin Maude zu informieren. Aber du bist – wenn ich es mir recht überlege – ja ohnehin entschuldigt. Schließlich hat Stephen selbst ein Auge auf das Mädchen geworfen.«

»Wie immer redest du nichts als Unsinn«, gab Ethan kühl zurück. Doch ein flaues Gefühl breitete sich in seinem Magen aus.

»Glaub mir, ich sage die reine Wahrheit.« In einer übertriebenen Geste der Unschuld hob Hugo die Hände. »Wie du ja wahrscheinlich weißt, wurde Stephen in der Schlacht von Lincoln verletzt. Aline versorgte seine Wunden und pflegte ihn. Nun ja, hübsch ist sie ja …« Er grinste anzüglich. »Jedenfalls habe ich mit eigenen Augen gesehen, wie Stephen sie auf seinem Lager küsste und seine Hand zwischen ihre Schenkel wandern ließ. Ich kann dir beschwören, dass deine Aline sich ihm nur zu gern hingab. Womit sie – finde ich – Geschmack bewies. Denn an ihrer Stelle hätte ich Stephen auch auf jeden Fall dir vorgezogen.«

Ethan bezwang den Impuls, auf Hugo loszustürmen, denn er wusste, dass dieser es genau darauf angelegt hatte. Stattdessen sagte er nur: »Ich glaube dir kein Wort« und ging weiter.

Trotzdem nagte der Zweifel an ihm und raubte ihm, als er später in seine Decke gewickelt in der Halle lag, den Schlaf. Er sagte sich, dass Hugo ein Lügner war und Aline ihn niemals mit Stephen betrogen hatte. Dennoch … War es nicht allgemein bekannt, dass keine hübsche Frau vor Stephen sicher war? Warum hätte er sich also ausgerechnet gegenüber Aline zurückhalten sollen?

Während Ethan in die Schatten unter den Deckenbalken starrte, erinnerte er sich daran, dass Aline ihm erst sehr spät mitgeteilt hatte, dass Stephen in der Burg von Lincoln gefangen war. Vorgeblich, weil sie ihn wegen seiner Krankheit nicht aufregen wollte. Aber wenn es für dieses Schweigen doch einen anderen Grund gab? Die Frauen mochten Stephen. Außerdem war er der König. Welche Frau würde sich nicht von der Aufmerksamkeit des Herrschers geschmeichelt fühlen? Er – Ethan – war dagegen ein mittelloser Bastard, den selbst der eigene Vater ablehnte.

Zornig über sich selbst sagte sich Ethan, dass Aline ihn liebte. Sie hatte ihn nach der Schlacht von Lincoln vor dem Tod gerettet, und er schuldete ihr Vertrauen. Aber es gelang ihm nicht, sich wirklich von seiner Eifersucht und seinen Selbstzweifeln zu befreien. Erst gegen Morgen fiel er schließlich in einen unruhigen Schlaf.

*

Einige Tage vorher war Aline in den Wohnraum ihrer Herrin geschlüpft. Rasch schloss sie die Fenster. Die Nachtluft war kühl und roch herbstlich. Matildas Verhandlungen mit Maude hatten sich hingezogen. So war der Earl of Gloucester erst an diesem Tag in die Burg von Ludgershall zurückgekehrt, wo sich ihre Herrin derzeit aufhielt. Vorhin war Aline kurz in der Halle gewesen, wo Matilda zu Ehren ihres Halbbruders und Geliebten ein großes Mahl veranstaltete. Doch die festliche Atmosphäre hatte nicht darüber hinwegtäuschen können, dass die Stimmung gedrückt war.

Nein, dachte Aline müde, während sie die Kerzen entzündete, *jetzt, da auch William of Ypres zu Stephen übergelaufen ist, ist ein Sieg in noch weitere Ferne gerückt.*

Auch in dem angrenzenden Schlafraum entzündete sie eine kleine Lampe. Sie legte neue Kohlen in die Glut des Bronzebeckens und richtete das Bett für ihre Herrin. Danach nahm sie ein Buch – eine Abhandlung über Heilpflanzen – zur Hand und setzte sich in den Lichtkreis der Lampe, um auf ihre Herrin zu warten.

Langsam arbeitete sie sich durch einen Traktat über die Wirkung von Eibisch und Bilsenkraut. Im letzten Jahr hatte sie kaum Zeit zum Lesen gehabt und war aus der Übung gekommen. Sie hatte den Text eben beendet, als sich die Tür des vorderen Zimmers öffnete. Hastig legte sie das Buch weg und erhob sich, um ihrer Herrin entgegenzugehen. Doch als sie die Stimme Roberts of Gloucester erkannte, zog sie sich in die Schatten zurück.

»… du hättest mich niemals gegen Stephen austauschen dürfen«, sagte der Earl erregt. »Warum hast du dich nicht so verhalten, wie ich dich in meinen Briefen beschworen habe? Ich kann es William noch nicht einmal wirklich verdenken, dass er die Seiten gewechselt hat.«

»Wie kannst du diesen Verräter verteidigen?«, schrie Matilda ihn an. »Du hast dein Leben für mich riskiert. Wie hätte ich dich da in Maudes Gefangenschaft lassen können?« Durch die geöffnete Tür konnte Aline die Schatten sehen, die die beiden an die Wand warfen.

»Trotzdem … So wie du gehandelt hast, das war Wahnsinn.« Roberts Tonfall war etwas sanfter geworden. »Ich fürchte, damit hast du all das zunichte gemacht, wofür du die letzten Jahre gekämpft hast.«

»Ich habe dir schon einmal gesagt, dass ich auf meine Krone verzichten würde, wenn ich nur mit dir zusammen sein könnte.« Matildas Stimme klang brüchig. »Robert, du bist mein Leben. Wenn du nicht in meiner Nähe bist, habe ich das Gefühl, tot zu sein.«

Nach einem kurzen Schweigen seufzte der Earl: »Ach, Matilda, meine Geliebte …« Die beiden Schatten bewegten sich aufeinander zu und verschmolzen miteinander. Gleich darauf war das Rascheln von Kleidern zu hören.

»Robert, nicht«, stöhnte Matilda auf. »Ich habe dir geschworen, dass ich dich niemals mehr bitten würde, mit mir zu schlafen …«

»Heute Nacht bitte *ich* dich darum.«

Halb nackt und eng umschlungen taumelten die beiden in das Schlafzimmer. Aline huschte an ihnen vorbei und nach draußen.

Auf dem von Fackeln erhellten Hof wehte ihr der Wind einige trockene Blätter vor die Füße. Traurig fragte sie sich, ob sie noch jahrelang mit Matilda von einer Schlacht und von einer Burg zu anderen ziehen würde, während Ethan fern von ihr war. Sie empfand eine jähe Eifersucht auf ihre Herrin, die wenigstens für kurze Zeit mit ihrem Geliebten glücklich sein konnte.

Kapitel 9

Tatsächlich beschloss Matilda schon eine gute Woche später, nach Oxford aufzubrechen. Robert of Gloucester hatte sie bereits einen Tag nach seiner Rückkehr aus der Gefangenschaft wieder verlassen, um ihr Heer zu befehligen. Da sich ein Großteil von Stephens Armee in Ostengland befand, zog er mit Matildas Truppen dorthin. Den spärlichen Nachrichten, die Matilda erreichten, war zu entnehmen, dass sich die beiden Heere belauerten. Zwar fanden gelegentlich Scharmützel statt, doch es wurde keine entscheidende Schlacht geschlagen.

Ein nasser, kalter Herbst begann. Matilda war häufig gereizter und deprimierter Stimmung. Aline spürte, dass ihre Herrin versuchte, sich ihr gegenüber wenigstens etwas zusammenzunehmen. Aber auch wenn dies Matilda nicht immer gelang, hatte Aline Verständnis dafür. Denn auch ihre eigene Laune war niedergedrückt. Sie sorgte sich um Ethan, und zu wissen, dass früher oder später wieder eine große Schlacht stattfinden würde, und ohnmächtig darauf warten zu müssen, zerrte an ihren Nerven.

Kurz nachdem sie Oxford erreicht hatten, hatte Aline Gawains Haus aufgesucht. Mit ihm zu reden und ihm bei der Herstellung von Heilmitteln helfen zu können, hätte sie ein wenig getröstet. Aber das Haus war verschlossen und von einer Nachbarin erfuhr sie, dass es völlig ungewiss sei, wann der Medicus wieder aus dem Süden heimkehren würde.

Der November brachte noch kälteres Wetter und außerdem Regen und Nebel. Aline kam es vor, als ob die feuchte Kälte durch jede Tür- und Fensterritze dringe und sich auch von keinem noch so großen Feuer wirklich vertreiben ließe. Dann, als sie eines Morgens früh erwachte, füllte ein seltsames Zwielicht den Raum. Leise, um Matilda nicht zu wecken, lief sie zu einem Fenster und öffnete den Laden einen Spalt – der erste Schnee war gefallen.

Auch während der nächsten Tage schneite es heftig, und bald war der ganze Landstrich in eine dicke weiße Decke gehüllt. Sonst war Aline immer froh gewesen, wenn die weiße Pracht den tristen, grauen Novembertagen ein Ende bereitete. Doch in diesem Jahr empfand sie die dicken, mit Schnee gefüllten Wolken als bedrückend, und bei der weißen Weite ringsum fiel es ihr schwer, nicht an ein großes Leichentuch zu denken.

An einem Dezembermorgen nähte Aline mit klammen Fingern ein Stück abgerissene Borte an eines von Matildas Kleidern, während ihre Herrin wie ein gefangenes Tier in seinem Käfig vor ihrem Stickrahmen auf und ab lief. Der Rahmen gehörte zu den Dingen, die Matilda bei der Flucht in Winchester gelassen und später von Maude zurückerstattet bekommen hatte.

Wobei es, dachte Aline, wohl kein wirklicher Verlust gewesen wäre, wenn dieses Ding ein für alle Mal verloren gegangen wäre. Matilda murmelte etwas vor sich hin, das wie ein Fluch klang. Aline war davon überzeugt, dass sie jeden Moment losschreien oder den Stickrahmen umwerfen würde, und auch sie selbst konnte die Spannung in dem Raum kaum noch aushalten.

Im Kamin zerbarst ein Holzscheit mit einem lauten Knacken, und ein Windstoß ließ Funken hochstieben, die zischend auf den Fliesen verglühten.

»Ach, zur Hölle!« Matilda fuhr zu Aline herum. »Warum könnt du oder die Knechte das Holz nicht einmal so aufschichten, dass die Funken nicht gleich das ganze Haus in Brand zu setzen drohen. Und …« Ein lautes Alarmsignal, das auf dem Burgturm geblasen wurde, ließ sie abbrechen.

Aline und sie blickten sich einige Momente mit aufgerissenen Augen an und lauschten dem Ton nach, als müssten sie sich seines Klanges noch vergewissern. Dann stürzten sie aus dem Raum. Sie überquerten den vorderen Hof und rannten die Treppe zum Wehrgang hinauf. Dort stand schon Sir Simon zusammen mit einigen Soldaten und starrte durch eine der Schießscharten.

»Und?«, fragte Matilda mit rauer Stimme.

Der Ritter hob hilflos die Hände. »Ich schätze, die Armee, die nun auf uns zurückt, ist mindestens ebenso groß wie die, die uns in Winchester angegriffen hat.«

Aline drängte sich an zwei Soldaten vorbei und lugte durch eine Scharte. Eine riesige schwarze Linie bewegte sich über die verschneiten Felder auf die Stadt und die Burg zu. Kein Laut war zu hören – es war windstill, und der Schnee dämpfte alle Geräusche –, was das Näherrücken der Armee noch unheimlicher machte und ihr eine Gänsehaut verursachte.

»Wir konnten die Burg von Winchester nicht halten, und ich fürchte, wir werden auch diese hier nicht lange genug verteidigen können, bis der Earl mit seinem Heer heranrückt«, versuchte Sir Simon noch einmal, sich Matilda begreiflich zu machen. »Madam, Ihr solltet unbedingt fliehen, ehe es zu spät ist.«

Matilda trat neben Aline und beobachtete Stephens Armee schweigend. Als sie sich wieder umdrehte, war ihre Miene hart und entschlossen. »Ich bleibe«, sagte sie schroff. »Diese Burg darf nicht fallen.« Ohne ein weiteres Wort zu verlieren, wandte sie sich ab und stieg die Treppe hinunter.

Resigniert zog Sir Simon die Schultern hoch. »Wenn nicht ein Wunder geschieht, wird dies ebenso schlimm enden wie in Winchester«, seufzte er.

Aline nickte wütend und traurig. »Das glaube ich auch.« Aber sie wusste, Matilda würde sich nicht umstimmen lassen.

✳

Der Kampf um die Burg tobte nun schon den zweiten Tag. Aline kauerte in sich zusammengesunken in einem Stuhl. Vergebens versuchte sie, den Lärm, der unaufhörlich von draußen hereindrang, zu ignorieren. Das Geschrei der Männer, das Klirren der Waffen und das Donnern der Rammböcke gegen das Burgtor und die Mauern hämmerte in ihren Ohren. Ständig musste sie daran denken, dass sich Ethan wahrscheinlich unter den Männern befand, die gegen die Burg anstürmten.

Am Vortag, als sie den Hof überquert hatte, um nach den Verwundeten zu sehen, war ein feindlicher Soldat vor ihren Augen von einer Leiter auf den Wehrgang gesprungen. Einer von Matildas Bewaffneten hatte ihn mit seinem Schwert erstochen und ihn über die Brüstung des Ganges gestoßen. Dicht vor Aline war der Tote auf dem Boden aufgeschlagen. Er hatte rötliches Haar gehabt und einen schrecklichen Moment lang hatte Aline geglaubt, er sei Ethan.

Wenigstens hatten Stephens Leute bisher kaum Brandpfeile benutzt, dachte sie. Wegen des Schnees auf den Dächern wären sie allerdings ohnehin weitgehend nutzlos gewesen. Um sich abzulenken, griff Aline nach einer Näharbeit. Einige von Matildas Strümpfen mussten gestopft werden. Doch nachdem sie einige schiefe Stiche ausgeführt und aus Versehen den Faden abgerissen hatte, legte sie den Strumpf wieder zurück in den Korb.

Matilda hatte gar nicht erst den Versuch unternommen, sich mit etwas zu beschäftigen. Seit Stunden – so schien es Aline – saß sie reglos in einem Lehnstuhl vor dem Kamin und starrte in die Flammen.

Ein hilfloser Zorn auf ihre stolze, starrsinnige Herrin erfasste Aline. Warum nur hatte sie nicht nachgegeben und war geflohen, als noch Zeit dazu war? Vielleicht hätte Stephen, wenn er erfahren hätte, dass sich Matilda nicht mehr in der Burg befand, den Kampf nicht mit einer solchen Härte geführt?

Plötzlich ertrug sie Matildas Gegenwart nicht mehr und sprang auf. »Herrin, ich gehe und sehe nach den Verletzten«, sagte sie rasch.

Matilda blickte auf. »Nicht während des Angriffs«, erwiderte sie knapp.

»Aber ich habe mich doch auch während des Kampfs um die Burg von Winchester um die Verwundeten gekümmert«, protestierte Aline.

»Du tust, was ich dir sage!« Ärger vertrieb die Starre aus Matildas Gesicht. »Falls deine Hilfe nötig werden sollte, wird dich schon jemand rufen.«

Aline setzte zu einer wütenden Antwort an. Doch sie bemerkte, dass Matildas Gesichtsausdruck unvermittelt von Zorn zu Erschrecken wechselte, und hielt inne. »Bei Gott …«, keuchte diese.

Nun nahm auch Aline den Rauch wahr, der durch die Ritzen der Fensterläden und ins Zimmer drang.

»Ich versuche herauszufinden, was geschehen ist«, rief sie und eilte, ohne sich um Matildas aufgebrachtes »Nein!« zu kümmern, zur Tür. Sie war kaum hindurchgeschlüpft, als ein Soldat auf sie zugerannt kam. »Ein Brandpfeil ist in den Heuboden gefallen!«, brüllte er. »Die Scheune steht in Flammen.«

Benommen bemerkte Aline, dass Matilda auf einmal neben ihr stand und ein weiterer Mann durch den Gang hetzte. Dieser – nun erst erkannte sie, dass es sich um Sir Simon handelte – packte Matilda und sie kurzerhand bei den Schultern und schob sie in das Zimmer zurück.

»Madam«, keuchte er, »Stephens Soldaten ist es gelungen, eine Bresche in die Mauer zu schlagen. Sie dringen in die Burg ein. Wir sind verloren.«

Aline fühlte sich wie gelähmt. Ihre Gedanken rasten durcheinander, ohne dass sie einen Ausweg gefunden hätte.

Matilda griff sich an die Brust. Doch gleich darauf straffte sie sich. »Es gibt einen Geheimgang, der etwa eine Meile hinter der Stadt endet. Jenseits von Stephens Angriffslinie. Wenn wir ihn erreichen, haben wir noch eine realistische Möglichkeit zu entkommen.«

»Dann begleite ich Euch!«, stieß Sir Simon hervor.

»Nein, ich benötige Euch hier in der Burg.« Matilda schüttelte den Kopf. »Ihr müsst versuchen, Stephens Leute noch eine Weile aufzuhalten.«

Sir Simon verneigte sich. »Madam, ich tue für Euch, was auch immer Ihr wollt.«

»Ich danke Euch.« Matilda ergriff seine Hand und lächelte schwach. »Auch für alles andere, was Ihr für mich getan habt und dafür, dass Ihr meine Launen so geduldig ertragen habt.« Während Sir Simon aus dem Raum eilte, wandte sie sich zu Aline um. »Schnell, wir brauchen weiße Tücher, damit wir in dem Schnee nicht zu sehen sind.«

»Ja, Madam.« Aline stürzte zu einer Truhe und zerrte einen Packen Leinentücher heraus. Matilda nahm ihr einen Teil davon ab.

Draußen auf dem Gang trieben bereits dichte Rauchschwaden durch die Luft. Alines Augen tränten, und sie rang nach Atem. Matilda hastete ihr einige Schritte voraus und bog um eine Ecke, als Aline sie überrascht und erschrocken aufschreien hörte.

»Madam!«, rief sie entsetzt und rannte zu ihr. Nun sah auch sie den Soldaten, der durch den Rauch vom anderen Ende des Flurs mit erhobenem Schwert auf sie zukam.

»Herrin, wir müssen umkehren!«, schrie sie und packte Matilda am Arm, um sie zurück zu dem Zimmer zu ziehen.

*

Ethan stand neben Nicolas inmitten einer Gruppe von Stephens Männern. Angespannt beobachtete er, wie der Rammbock gegen die Burgmauer donnerte. Aus den eigenen Reihen zischten Pfeile über ihn hinweg und in Richtung des Wehrgangs. Doch auch von dort stiegen nun Pfeile auf. Spärlicher zwar, als während der vergangenen Tage, aber immer noch gefährlich. Ethan stöhnte zornig auf, als einer der Männer, die den Rammbock bewegten, von einem Pfeil tödlich in den Hals getroffen zu Boden sank. Sofort nahm ein anderer dessen Platz ein.

Die Mauer erzitterte und knirschte unter einem neuen Stoß. Risse taten sich zwischen den Steinen auf, und Mörtel rieselte herab.

»Lange wird es nicht mehr dauern, bis sie fällt!«, brüllte Nicolas über den Kampflärm.

»Nein.« Ethan umklammerte seinen Schwertgriff fester. Es war ihm nicht gelungen, sich von Hugo de Thorignys giftigen Worten zu befreien. Er verachtete sich dafür. Aber das Bild von Aline, die Stephen leidenschaftlich küsste – oder sogar mit ihm schlief –, verfolgte und peinigte ihn. Doch trotz allem liebte er sie, und er wusste, dass er sie finden und ihr zur Flucht verhelfen musste.

Wieder krachte der Rammbock gegen die Mauer. Die Risse darin vertieften sich, und die ersten Steine brachen heraus. Nach einigen weiteren Stößen stürzte der obere Teil der Mauer in sich zusammen. Die Lücke war groß genug, dass einige Männer nebeneinander hindurchpassten.

Ein Trompetensignal ertönte. Ethan riss seinen Schild hoch, um sich vor den Pfeilen zu schützen und rannte zusammen mit Nicolas und den anderen los. Hinter der Bresche erwartete sie ein Trupp von Matildas Bewaffneten mit gezückten Waffen. Ethan verlor Nicolas aus den Augen. Wie ein Wilder hieb er mit dem Schwert um sich, bis er sich endlich durch den Pulk gekämpft hatte.

Auch an einer Stelle des Wehrgangs war es seinen Leuten gelungen, die Befestigung zu überwinden. Auf dem Wehrgang sowie unten im Hof hatten sich Gruppen von Kämpfenden gebildet. Er musste sich beeilen und Aline rechtzeitig finden! Hastig blickte er sich in dem raucherfüllten Geviert um. Gewiss würde sich Aline bei ihrer Herrin aufhalten. Ob diese sich dafür entschieden hatte, in dem Wohngebäude zu bleiben, oder ob sie den massiveren Burgturm aufgesucht hatte? Sein Instinkt trieb ihn zu dem Wohngebäude.

Ethan wich einigen Kämpfenden aus. Ein junger Ritter versuchte, ihn zu stellen. »Geht mir aus dem Weg!«, brüllte Ethan ihn an und schwang mit funkelndem Blick sein Schwert. Der Ritter ergriff die Flucht.

Vor dem Eingang des Wohngebäudes fochten ein Dutzend von Matildas Soldaten, die sich um einen dicken Ritter geschart hatten, verbissen gegen Stephens Leute. Die Fenster waren zu hoch über dem Boden angebracht und zu schmal, als dass er sich hätte hindurchzwängen können.

Ethan überlegte noch, wie er in das Haus gelangen könnte, als der dicke Ritter zusammenbrach. Matildas Bewaffnete stießen einen Wutschrei aus und scharten sich enger um ihn. Zwischen den hin und her wogenden Kämpfenden und dem Eingang tat sich eine Lücke auf. Ohne zu überlegen rannte Ethan vorwärts und schnellte an zweien seiner Kameraden vorbei. Er verlor das Gleichgewicht und krachte gegen die Tür. Der Flügel gab nach und öffnete sich. Ethan landete auf den Steinfliesen einer kleinen Halle. Dicht vor ihm tat sich eine breite Treppe auf.

Hustend stürzte er darauf zu und setzte die Stufen hinauf. Der erste Gang, in den er blickte, war menschenleer. Er folgte der Treppe weiter bis zu deren Ende. Aus einem weiteren Gang kam ihm, von Rauch umweht, eine große Frau entgegen. Sie schrie auf, als sie ihn sah. Eine kleinere Frau drängte sich neben sie und versuchte, sie zurückzuziehen, während sie ebenfalls etwas schrie.

Ethan erkannte ihre Stimme sofort. Ihm wurde fast übel vor Erleichterung. »Aline!«, rief er.

*

Aline fuhr herum, als sie Ethan ihren Namen rufen hörte. Sie konnte es nicht glauben und doch – er war es, der durch den Rauch auf sie zukam, das Gesicht von Ruß und Schweiß verschmiert und mit einer blutigen Schramme auf der Wange.

»Ethan!« Sie rannte auf ihn zu, wollte sich in seine Arme werfen, ihn überall abtasten, um sich davon zu überzeugen, ob er auch heil und gesund war.

»Nicht!« Er wehrte sie ab und lauschte. Auf der Treppe hinter ihm erklangen Schritte und aufgeregtes Geschrei.

»Schnell!«, stieß er hervor. »Das sind vermutlich meine Leute. Könnt ihr euch irgendwo verstecken?«

Aline nickte. »Für kurze Zeit, ja.« Zusammen mit Matilda hastete sie zurück in den Raum, aus dem sie eben gekommen waren. Angespannt horchte sie, was draußen in dem Flur geschah. Vom Hof klang Waffenlärm herauf. Matilda hatte die Arme vor der Brust verschränkt und stand so still wie eine Statue. Unwillkürlich fragte sich Aline, ob sie wohl begriff, dass sich die Kämpfe in das Herz der Burg verlagert hatten.

»Timothy, hier oben ist niemand«, hörte sie nun Ethan rufen. »Ich habe in allen Räumen nachgesehen.«

»Verdammt, Matilda darf uns nicht noch einmal entkommen«, knurrte eine heisere Männerstimme.

»Seht in den unteren Gängen nach«, erwiderte Ethan. »Vielleicht hält sie sich ja dort irgendwo verborgen.«

Ein gereiztes Gebrumm ertönte. Dann entfernten sich die Stimmen und Schritte wieder. Gleich darauf stürmte Ethan in das Zimmer. »Bald werden auch andere von meinen Leuten hier oben nach euch suchen«, keuchte er atemlos. »Und die werde ich wahrscheinlich nicht so leicht wegschicken können. Schnell … Gibt es irgendwo in der Burg ein Versteck, wo ihr euch verbergen könnt, bis die Kämpfe vorbei sind und ich euch an einen sicheren Ort bringen kann?«

»Wir waren auf dem Weg zu einem alten Geheimgang, als Ihr uns begegnet seid«, kam Matilda Aline mit der Antwort zuvor, während sie sich hastig eines der Leinentücher umband. »Der Eingang befindet sich in einem der Keller. Allerdings müssen wir dazu einen Hof überqueren. Von der Stelle, wo der Gang endet, sind es noch etwa zehn Meilen bis zu einem Gehöft, auf dem Verbündete von mir leben. Dort können wir Pferde bekommen.«

»Gut.« Ethan nickte. »Ich bringe Aline und Euch zu dem Gang und dann zu dem Gehöft.«

Matilda musterte ihn mit hochgezogenen Augenbrauen. »Es ist sehr großzügig von Euch, der Feindin Eures Herrn, die Ihr noch dazu für einen alten Drachen haltet, zur Flucht zu verhelfen.«

»Ich tue dies nur, weil ich Euch Dank schuldig bin«, knurrte Ethan. »Und nicht weil ich Euch als Königin anerkennen würde.«

»Ach, und Ihr tut es nicht für Aline?«, fragte Matilda sanft. Irritiert und erschrocken bemerkte Aline, dass Ethan sie mit einem beinahe finsteren Blick bedachte. Wie konnte sie sich seinen Unwillen zugezogen haben?

»Rasch, wir müssen hier weg!«, erwiderte er nur. »Die Treppe zur Halle können wir nicht benutzen. Gibt es noch einen anderen Ausgang?«

»Die Wendeltreppe für die Dienstboten.« Matilda nickte. »Und … Nehmt das schon einmal.« Sie warf Ethan ein Leinentuch zu. Er begriff und band es sich um, wie auch Aline dies mittlerweile getan hatte. Dann eilten sie nach draußen.

Auf der Wendeltreppe begegneten sie nur einem jungen Diener, der in einer Wandnische kauerte und sie mit schreckgeweiteten Augen anstierte.

Am Fuß der Treppe stieß Ethan die schmale Tür einen Spaltbreit auf. Er fluchte. Wie Aline erwartet hatte, war der Hof voller kämpfender Soldaten. Verzweifelt fragte sie sich, wie es ihnen nur gelingen sollte, auf die andere Seite zu den

Wirtschaftsgebäuden zu gelangen, wo sich die Keller befanden. Zu ihrem Entsetzen ertönten nun Schritte am oberen Ende der Wendeltreppe. Ethan zog sein Schwert aus der Scheide.

Matilda schüttelte den Kopf. »Steckt es wieder zurück«, sagte sie ruhig. »Ich will nicht, dass Ihr für mich Euer Leben riskiert oder einen von Euren eigenen Leuten tötet.«

Aline starrte sie an. Sie hasste diesen Krieg und wünschte sich nichts sehnlicher, als dass er aufhörte. Trotzdem konnte sie es nicht glauben, dass Matildas Kampf hier, in diesem engen, weiß gekalkten Raum am Fuße der Dienstbotentreppe enden würde.

»Herrin …«, stammelte sie. Ethan schwieg mit bleichem Gesicht. Matilda sah ihn an. »Ich wäre Euch dankbar, wenn *Ihr* mich vor Stephen bringen würdet – und nicht irgendwer von seinen tumben Gesellen.«

Vom Hof her erscholl ein lautes Krachen und gleichzeitig ein Schreckensschrei aus vielen Kehlen. Rauch drang durch die Türritzen. Matilda hatte sich als Erste wieder gefasst. »Kommt!«, rief sie und stieß die Tür auf. Eine dichte Qualmwolke schlug ihnen entgegen. Die Scheune war eingestürzt. Flammen loderten hoch in den Himmel.

Sie fassten sich bei den Händen und bahnten sich hustend und keuchend einen Weg durch die brennenden Balken und die Verletzten, die überall auf dem gepflasterten Boden lagen. Ein hünenhafter Mann sprang von der Seite mit gezücktem Dolch auf sie zu. Aline schrie auf. Ethan wirbelte herum und trat ihm in den Bauch. Mit einem Grunzen sackte der Angreifer in sich zusammen.

Nach wenigen weiteren Schritten erschien in dem Rauch eine weiße Wand vor ihnen. An den mit Sandstein ummauerten Fensterluken erkannte Aline, dass dies das Wirtschaftsgebäude war. Sie tasteten sich daran entlang, bis sie zu einer Tür kamen. Ethan zerrte sie auf. Er wartete, bis Aline und Matilda hindurchgeschlüpft waren. Dann folgte er ihnen und legte von innen den Riegel vor.

»Dorthin.« Matilda deutete auf eine Treppe auf der anderen Seite. Aline und Ethan rannten hinter ihr her und die aus Felsen gehauenen Stufen hinunter. Als sie unten angelangt waren, fiel Feuerschein durch die Belüftungsschächte. Aline erkannte, dass sie erst durch einen großen Wein-, dann durch einen Vorratskeller liefen, bis Matilda schließlich in einem kleinen stickigen Raum an einem Regal zu zerren begann, auf dem Vorratsgefäße aus Ton standen. Einige davon fielen klirrend zu Boden und zerbrachen.

»Nun helft mir schon!«, rief Matilda ungeduldig. Aline und Ethan packten mit an. In der Wand hinter dem Regal wurde eine niedrige Öffnung sichtbar. Ethan bückte sich und beäugte das dunkle Loch in der Wand skeptisch. Trotz ihrer Anspannung hätte Aline beinahe gelacht.

»Wann wurde dieser Gang eigentlich das letzte Mal benutzt?«, murmelte er.

»Ich glaube, zu Zeiten meines Großvaters.« Matildas Stimme klang grimmig. »Aber, bei Gott, ich werde das andere Ende erreichen, und wenn ich mich mit bloßen Händen hindurchgraben muss.«

*

Aline blinzelte. Sie blickte auf einen grob behauenen Deckenbalken, von dem Töpfe und Pfannen herabhingen. Als sie ihren Kopf auf dem Strohsack drehte, sah sie Ethan, der schlafend, mit auf die Brust gesunkenem Kinn in einem Lehnstuhl kauerte. Hinter ihm befand sich eine große, ummauerte Feuerstelle. Helles Mittagslicht füllte den Raum.

Sie begriff. Sie hielten sich in der Küche der Familie de Lacy auf, die zu Matildas Gefolgsleuten gehörte, und waren in Sicherheit.

Für einige Momente glaubte Aline, wieder von dem engen Geheimgang umschlossen zu sein, und sie vermeinte, die modrige Luft darin zu riechen. Meistens war der Gang so niedrig gewesen, dass sie nur gebückt hatten gehen können. An einer Stelle war ein Stück Decke heruntergebrochen, und sie hatten die Erde und die Steine tatsächlich mit ihren bloßen Händen beiseiteräumen müssen. Immer wieder hatte sie gegen die Angst ankämpfen müssen, in dem Gang lebendig begraben zu werden. Als sie schließlich sein Ende erreicht hatten, war es bereits Nacht gewesen.

Eine klare Nacht, in der ein halb voller Mond am Himmel gestanden hatte. Der Schnee hatte zusätzlich Helligkeit gespendet. Was einerseits gut gewesen war, denn so hatten sie sich ohne große Schwierigkeiten orientieren können. Andererseits waren auch sie leicht zu erkennen gewesen. Einmal, als sie ein freies, mondbeschienenes Feld überquert hatten, war eine Gruppe von Reitern aus einem nahen Wald geprescht. Wenn sie nicht die weißen Tücher über ihren Gewändern getragen hätten, wären sie vermutlich entdeckt worden.

Die ganze Nacht hatten sie für den Weg zu dem Gehöft benötigt. Als sie es schließlich nach Morgenanbruch erreichten, waren sie alle von dem stundenlangen Marsch durch den kniehohen Schnee völlig erschöpft gewesen.

Unter ihren Wimpern hervor betrachtete Aline Ethan. Es waren ein Glück und ein Trost gewesen, ihn an ihrer Seite zu haben. Dennoch konnte sie sich nicht des Gefühls erwehren, dass irgendetwas zwischen ihnen stand. Auch wenn sie sich nicht erklären konnte, was dies sein mochte.

Nun hob Ethan den Kopf und zwinkerte, als müsste auch er sich erst darauf besinnen, wo er sich befand. Sein Blick fiel auf Aline. Seine Miene wurde weich, und eine Welle von Zärtlichkeit durchflutete sie. Doch als sie nun die Augen aufschlug und ihn anlächelte, verschloss sich sein Gesicht und wirkte auf einmal fast abweisend.

Irritiert und verletzt setzte sich Aline auf. »Weißt du, wo meine Herrin hingegangen ist?«, fragte sie, um die seltsame Spannung zwischen sich und Ethan zu überbrücken. Sie erinnerte sich, dass Matilda sich neben sie auf das Bett aus Strohsäcken gelegt hatte. Sie war zu müde gewesen, um sich zu dem Gastraum zu begeben, den die de Lacys ihr angeboten hatten.

»Sie ist vor einer Weile aufgestanden und mit Gerard de Lacy in den Stall gegangen, um Pferde für euren Weiterritt auszusuchen.« Ethan ging zu der Feuerstelle. Dort schöpfte er Suppe aus dem großen Bronzetopf in zwei Holzschalen, die er dann zu dem Eichentisch in der Küchenmitte trug. Aline setzte sich zu ihm. Obwohl sie hungrig war, wollte ihr die Getreidesuppe nicht recht schmecken. Was hatte Ethan denn nur?

Nachdem sie eine Weile schweigend gegessen hatten, schob Ethan seine Schale weg und blickte Aline unschlüssig an. Auch sie ließ ihren Löffel sinken. »Ich merke doch, dass dich irgendetwas beschäftigt. Jetzt sag schon, was es ist«, bat sie.

»In Lincoln hast du Stephen gepflegt, nicht wahr?«, meinte er zu ihrer Verblüffung.

»Natürlich, das weißt du doch.« Sie nickte.

»Hat er …«, Ethan starrte vor sich auf die Tischplatte, »… dich geküsst?«

Aline spürte, dass sie errötete. »Ja, das hat er.«

»Warum hast du mir nichts davon gesagt?«

»Weil es nicht wichtig war.« Sie zuckte die Schultern.

»Nicht wichtig?«, fuhr Ethan sie aufgebracht an. »Da bin ich aber ganz anderer Meinung. Ein Kuss ist immerhin ein Kuss.«

»Bei Gott, Ethan, mach nicht so ein Gewese darum. Es ist doch allgemein bekannt, dass Stephen sich an jede Frau heranmacht.« Allmählich verlor Aline die Geduld.

»Bei einem Kuss soll es aber nicht geblieben sein.« Seine Stimme klang hart.

Aline benötigte einige Momente, bis sie wirklich begriff. Zornig sprang sie auf. »Wie kannst du es wagen, mir das zu unterstellen? Und von wem weißt du überhaupt, dass Stephen mich geküsst hat?«

Ethan wich ihrem Blick aus.

»Ich will eine Antwort!«, verlangte sie außer sich.

»Hugo de Thorigny hat dich und Stephen beobachtet«, erwiderte er schließlich gepresst.

»Und du glaubst ihm?«

»Herr im Himmel, Aline«, Ethan flüchtete sich aus seiner Verlegenheit in den Zorn, »Stephen ist immerhin der König. Welche Frau würde sich nicht von seiner Aufmerksamkeit geschmeichelt fühlen und gern tun, was er von ihr wünscht?«

»Und weil er der König ist, denkst du, ich steige bereitwillig zu ihm ins Bett?« Aline schüttelte benommen den Kopf. »Was für eine geringe Meinung hast du eigentlich von mir? Und wie kannst du ausgerechnet diesem Widerling Hugo de Thorigny mehr glauben als mir?«

Ein Räuspern ließ sie herumfahren. Ein junger Knecht stand in der geöffneten Küchentür und blickte verlegen von ihr zu Ethan. »Eure Herrin schickt mich«, sagte er schüchtern. »Die Pferde sind schon gesattelt. Sie möchte aufbrechen.«

Aline wirbelte wieder zu Ethan herum. »Ich habe geglaubt, dass du mich liebst und mir vertraust!« Voller Verachtung sah sie ihn an. »Wie konnte ich mich nur so in dir täuschen.«

»Aline, bitte …« Ethan sprang auf.

»Lass mich in Ruhe! Komm mir ja nicht nach«, schrie sie ihn an. Dann rannte sie nach draußen.

*

Hugo de Thorigny schlenderte im Flur vor Matildas ehemaligen Gemächern auf und ab. Nach der siegreichen Schlacht hatte Stephen ihre Räume bezogen. Auch in dem Wohngebäude stank es, wie überall in der Burg, durchdringend nach kaltem Rauch und verbranntem Holz. Doch dies störte Hugo de Thorigny nicht weiter. Es war einfach – so fand er – ein erhebendes Gefühl, sich in der erbeuteten Besitzung ihrer Feindin zu bewegen.

Er war fest davon überzeugt, dass Stephen bald endgültig über Matilda triumphieren würde. Damit standen er und sein Vater auf der Seite des Siegers. Stephen war großzügig; vor allem auch mit Titeln, die zu vergeben ihn nicht viel kostete. Gewiss würde er seinen Vater in den Rang eines Earls erheben und ihm zusätzlich einen stattlichen Landbesitz aus Matildas Eigentum als Lehen geben. Dies würde seiner Familie Reichtum und Macht bescheren.

Endlich öffnete sich die Tür von Matildas früheren Räumen. Zu Hugos Erleichterung trat sein Vater heraus. Dieser stutzte, als er seinen Sohn sah. »Hast du auf mich gewartet?«, fragte er überrascht.

»Ja, Vater.« Hugo nickte. »Matilda wurde immer noch

nicht aufgespürt?« Es war mehr eine Feststellung als eine Frage.

»Nein, sie ist immer noch spurlos verschwunden.« Reginald de Thorigny seufzte gereizt. »Es ist uns allen ein Rätsel, wie sie aus der Burg entkommen konnte.« Sie hatten mittlerweile den obersten Treppenabsatz erreicht, wo sie nun stehen blieben. Schmutzige Wasserpfützen überzogen die Steinfliesen unten in der Halle.

»Ich habe mir wegen Matildas Verschwinden so meine Gedanken gemacht und mich ein bisschen umgehört«, sagte Hugo de Thorigny langsam. »Aline, ihre Dienerin, ist doch ebenfalls nirgends aufzufinden. Nun, Ethan hat eine Liebschaft mit dem Mädchen.«

»Willst du darauf hinaus, dass Ethan Matilda und dieser Aline zur Flucht verholfen hat?« Reginald de Thorigny runzelte die Stirn. »Das ist eine schwere Anschuldigung.«

»Wie gesagt ... Ich habe mich umgehört«, erklärte sein Sohn eifrig. »Ethan stürmte zusammen mit einem Trupp von unseren Rittern durch die Bresche in der Mauer. Danach hat ihn niemand mehr gesehen. Und zwar über einen Tag lang nicht. Erst gestern Abend sind ihm dann wieder einige von unseren Leuten hier in der Burg begegnet.«

»Das ist interessant. Aber in dem Durcheinander, das nach einer Schlacht oft herrscht, beweist das allein noch nicht viel«, erwiderte der Baron nachdenklich.

»Nein, aber ich hätte gern Eure Erlaubnis, der Sache weiter nachzugehen.«

»Natürlich hast du die.« Reginald de Thorigny lächelte. »Aber sei vorsichtig, und erhebe – bevor du keine wirklichen Beweise hast – keine Anschuldigungen gegenüber Ethan. Du weißt, Stephen schätzt ihn, und auch bei den anderen Rittern ist er beliebt.«

»Macht Euch keine Sorgen. Ich werde behutsam vorgehen«, versicherte Hugo de Thorigny. »Ich denke, als Erstes
werde ich die Gefangenen befragen.«

*

Zusammen mit seinem Freund Arnold suchte Hugo de
Thorigny den Kerker der Burg auf. Die ersten fünf Bediensteten und Ritter, die sie befragten, erklärten, nichts zu wissen – und Hugo hatte auch nicht den Eindruck, dass sie etwas verschwiegen. Doch bei einem älteren Knecht hatte er
dann das deutliche Gefühl, dass dieser ihm auswich. Kurzerhand brachten er und Arnold den Mann in einen abgelegenen Kerker, wo sie ihn auspeitschten. Hugo war dankbar,
dass es sich bei diesem Gefangenen nicht um einen Ritter
handelte, denn mit einem Adeligen hätte er – ohne Stephens
Erlaubnis – natürlich nicht so umspringen können.

Sie mussten ihm viermal die Peitsche über den nackten
Rücken ziehen, bis der Mann zusammenbrach und ihnen
wimmernd versicherte, er selbst habe nichts beobachtet.
Aber ein Knecht mit Namen Alfried wolle gesehen haben,
wie Matilda während der Erstürmung der Burg die Dienstbotentreppe hinuntergehastet sei.

Alfried bereitete ihnen weniger Umstände. Bei ihm
reichte schon die Androhung, ihn auszupeitschen, damit
er alles hervorsprudelte, was er wusste. Ja, bestätigte er, er
habe Matilda und ihre Dienerin Aline auf der Wendeltreppe
gesehen. Die beiden seien in weiße Tücher gehüllt gewesen.
Im ersten Moment habe er sie deshalb fast für Gespenster
gehalten. Ein rothaariger Mann habe sie begleitet – Hugo
wechselte einen viel sagenden Blick mit Arnold –, der ebenfalls ein weißes Tuch um sich geschlungen hatte.

Zuerst war Hugo geneigt, die weißen Tücher für eine

Ausgeburt von Alfrieds überdrehter Fantasie zu halten. Doch dann besann er sich und besprach sich mit seinem Freund. Wahrscheinlich, so kamen sie überein, sollten die Tücher als Tarnung vor dem Schnee dienen. Was wiederum den Schluss nahelegte, dass Matilda, Aline und Ethan – ganz sicher war er der Rothaarige gewesen – überzeugt gewesen waren, schnell aus der Burg entkommen zu können.

Daraufhin begab sich Hugo in den Kerker, in dem der Kastellan der Burg gefangen war. Als er dem rundlichen Mann eine Belohnung und die baldige Freilassung in Aussicht stellte, unterrichtete ihn dieser ohne zu zögern von dem Geheimgang.

Hugo und Arnold holten ihre Jagdhunde. Der Beschreibung des Kastellans folgend, schlugen sie einen Halbbogen um die Burg und ritten dann ein Stück an der vereisten Themse entlang. Während der letzten beiden Tage hatte es nicht mehr geschneit. Als sie den Ausgang des Geheimgangs erreichten, der hinter Gestrüpp verborgen war, konnten sie deutlich Fußspuren erkennen. Sie ließen die Hunde los und folgten den Abdrücken. An manchen Stellen hatte der Wind die Spuren verweht. Trotzdem hatten die Hunde keine Mühe, die Fährte wieder aufzunehmen.

Endlich, nach mehr als fünf Stunden, erreichten sie ein Gehöft, das einen wohlhabenden Eindruck machte und in einer breiten Senke gelegen war. Dort strebten die Hunde auf das Tor zu. Sie schnüffelten davor im Schnee herum, kläfften, liefen ein Stück parallel zu der hölzernen Palisade nach Westen und dann wieder genau in die Richtung, aus der Hugo und Arnold eben gekommen waren.

»Ethan wird denselben Weg zurück genommen haben.« Nachdenklich sah Hugo seinen Begleiter an. »Dass die Hunde auch nach Westen gelaufen sind, bedeutet wahrscheinlich, dass Matilda und Aline dorthin geritten sind.«

»Gut möglich«, knurrte Arnold. »Und was schlägst du vor, sollen wir jetzt tun?«

»Warte hier mit den Hunden auf mich«, antwortete Hugo. »Ich höre mich inzwischen einmal in dem Anwesen um.«

Während er sich gleich darauf suchend in dem Hof umsah und seinen Blick über das schmucke Wohngebäude und die frisch gekalkten Ställe wandern ließ, kam ihm ein blonder, dünner Knecht entgegen. Hastig sagte Hugo: »Ich gehöre zu Matildas Leuten und habe eine wichtige Nachricht für meine Herrin. Bitte, führ mich sofort zu ihr.«

»Da kommt Ihr leider zu spät«, sagte der Mann bedauernd, was Hugo auch nicht anders erwartet hatte. »Matilda und ihre Dienerin haben das Gut schon gestern Morgen verlassen. So viel ich weiß, ist die Burg Roberts of Gloucester bei Monmouth ihr Ziel.«

»Dann werde ich mich unverzüglich auf den Weg dorthin machen. Hab Dank für deine Hilfe.« Hugo schenkte dem Knecht ein huldvolles Lächeln.

Es ist zu spät, Matilda noch einzuholen, dachte er, während er sein Pferd wendete und wieder zu Arnold ritt. Aber dass er sich nun endlich an Ethan rächen konnte, war fast ebenso befriedigend, wie Matilda gefangen zu nehmen.

*

Ethan hatte sich einem Trupp von Knechten angeschlossen. Ihn verlangte nach harter körperlicher Arbeit. Gemeinsam mit ihnen fällte er Bäume, mit denen das Loch in der Burgmauer provisorisch verschlossen werden sollte. Voller Zorn auf sich selbst, trieb er die Axt in die Stämme. Wie hatte er nur Hugo de Thorignys Lügen für wahr halten können? Er verstand jetzt, wie sehr es Aline verletzt haben musste, dass er ausgerechnet dessen Worten geglaubt hatte.

Natürlich war er ihr auf dem Gut der de Lacys nachgelaufen und hatte versucht, mit ihr zu reden und seinen Fehler wiedergutzumachen. Aber sie war viel zu sehr außer sich gewesen, um ihn anzuhören. Da für Aline und Matilda die Zeit drängte, hatte er sie schließlich, ohne sich mit ihr versöhnt zu haben, aufbrechen lassen müssen.

Gegen Nachmittag ging ein leichter Schneeschauer nieder. Ethan half den Knechten gerade, einen Eichenstamm zu verladen, als er Nicolas den Waldweg entlangreiten sah. Ein letzter Ruck, und der Stamm lag auf dem Schlitten. Ethan ließ die Kette los und schritt dem Freund entgegen. »Ist dir auch nach harter körperlicher Arbeit zumute?«, fragte er mit einem schiefen Grinsen.

Nicolas erwiderte sein Lächeln nicht. Im Gegenteil – er wirkte besorgt. »Dem Himmel sei Dank, dass ich dich gefunden habe. Stephen will dich unbedingt sehen«, sprudelte es aus ihm heraus. »Er hat sogar schon Soldaten losgeschickt, die dich suchen sollen. Hast du irgendeine Ahnung, was das zu bedeuten hat? Angeblich, so habe ich sagen hören, sollen die Thorignys auf irgendeine Weise dahinterstecken. Was jedenfalls nichts Gutes vermuten lässt.«

Flocken wehten Ethan ins Gesicht. Sie fühlten sich kalt auf seiner Haut an. Die Knechte trieben ihre Äxte in einen weiteren Eichenstamm. Ihre Stimmen und das dumpfe Krachen, mit dem die Axtblätter in das Holz fuhren, kamen ihm sehr weit entfernt vor.

»Ich habe Matilda und Aline geholfen zu fliehen«, sagte er schließlich. »Ich nehme an, Stephen hat es herausgefunden und lässt mich deshalb suchen.«

»Bist du wahnsinnig geworden?«, stieß Nicolas entsetzt hervor. »Wie konntest du nur so handeln?«

»Stephen hat sich in Lincoln an Aline herangemacht. Außerdem war sie einmal die Leibeigene der Thorignys. Deshalb konnte ich sie unmöglich in Gefangenschaft geraten lassen«, entgegnete Ethan finster.

»Das verstehe ich ja noch …«, stöhnte Nicolas, »… aber Matilda entkommen zu lassen …«

»Aline hätte ihre Herrin niemals verlassen. Zudem war ich Matilda noch etwas schuldig.«

»Aus dieser Sache wirst du nicht mit heiler Haut herauskommen. Stephen wird dir diesen Verrat niemals verzeihen.«

»Darüber bin ich mir im Klaren.«

»Am besten, du verschwindest auf der Stelle.« Nicolas seufzte unglücklich. »Du kannst dich auf einem von meinen Gütern verstecken.«

»Nein, ich verkrieche mich nicht.« Ethan schüttelte energisch den Kopf. »Was ich angerichtet habe, löffele ich auch aus. Außerdem habe ich wegen Aline ohnehin noch ein Wort mit Stephen zu reden.«

»Du weißt hoffentlich, dass du ein hoffnungsloser Dummkopf bist?« Nicolas seufzte wieder. »Gut, wenn du unbedingt für diese Dummheit geradestehen willst, begleite ich dich zurück zur Burg.«

*

Mit einem flauen Gefühl im Magen betrat Ethan neben Nicolas die Halle. Ihm war nicht entgangen, dass ihnen, seit sie das Burgtor passiert hatten, einige Soldaten folgten. Diese postierten sich nun am Eingang. Auf den Deckenleuchtern brannten die Kerzen. Wegen der Kälte und der fortgeschrittenen Tageszeit waren bereits viele Ritter in dem hohen Raum mit den ausgetretenen Steinfliesen und den grün und rot bemalten Deckenbalken versammelt.

Stephen saß, in einen pelzbesetzten Mantel gehüllt, vor dem mächtigen Kamin, in dem ein Feuer prasselte. Ethans Unbehagen verstärkte sich noch, als er sah, dass sich Hugo und Reginald de Thorigny dicht neben Stephen platziert hatten. Auch Henry of Winchester hatte offensichtlich die Nähe seines Bruders gesucht und saß bei ihm vor dem Feuer.

Während Ethan auf Stephen zuging, kam es ihm vor, als ob sich die Augen aller Anwesenden auf ihn richteten und die Gespräche leiser wurden. Er verbeugte sich vor dem König. »Sir, Ihr habt mich rufen lassen«, sagte er mit trockenem Mund.

»Ja, allerdings, das habe ich, Sir Ethan. Denn gegen Euch wurde eine schwere Anschuldigung erhoben.« Stephen musterte ihn kühl. Dass er statt des »Du«, das er trotz des Ritterschlags noch oft gegenüber Ethan verwendete, nun die förmliche Anrede gebrauchte, verhieß nichts Gutes. »Ihr sollt Matilda zur Flucht verholfen haben. Soll Hugo de Thorginy all das vortragen, was gegen Euch spricht? Oder seid Ihr auch, ohne dass er dies ausführt, bereit, zu dem Vorwurf Stellung zu nehmen?«

Ethan ignorierte die Thorignys und blickte Stephen fest an. »Sir, die Anschuldigung ist wahr.« Seine eigene Stimme schien ihm plötzlich fremd zu sein. »Ich habe Matilda und ihrer Dienerin Aline geholfen, aus der Burg zu entkommen.«

Ein schockiertes Gemurmel erklang, in das sich einzelne entrüstete und verständnislose Rufe mischten. Aus den Augenwinkeln bemerkte Ethan, dass Hugo de Thorigny höhnisch lächelte und Henry of Winchester fassungslos den Kopf schüttelte. Doch sofort richtete er seine Aufmerksamkeit wieder auf Stephen, dessen Miene völlig steinern geworden war. Nur seine Augen funkelten bedrohlich.

Ethan musste daran denken, dass Stephen ihm gegenüber immer großzügig gewesen war. »Sir, ich kann nicht erwarten, dass Ihr mir verzeiht«, sagte er leise, »aber bitte, lasst mich wenigstens versuchen, es Euch zu erklären …«

»Ihr, ein Mann, der jahrelang als Knappe an meinem Hof gelebt hat und den ich selbst zum Ritter geschlagen habe, hintergeht und verratet mich auf die gemeinste Weise.« Die Verachtung in Stephens Stimme traf Ethan wie ein Schlag ins Gesicht. »Was hat Euch Matilda für Eure Hilfe versprochen? Hat sie Euch Geld angeboten?«

»Sehr wahrscheinlich, Sir«, bemerkte Hugo de Thorigny mit gespieltem Bedauern. »Es ist ja allgemein bekannt, dass Ethan alles andere als reich ist.«

Zorn flammte in Ethan auf. »Was ich getan habe, habe ich bestimmt nicht für Geld getan«, erwiderte er hitzig.

»Jemandem, der so ehrvergessen handelt wie Ihr, glaube ich kein Wort.« Stephen verzog angewidert den Mund. »Übergebt jetzt Euer Schwert. Ihr verdient es nicht länger, die Waffe eines Ritters zu tragen.«

Mit flammenden Wangen schnallte Ethan seinen Schwertgurt ab. Stephen bedeutete Hugo de Thorigny, dass er ihm die Waffe abnehmen sollte. Dies raubte Ethan seine letzte Beherrschung. Er ignorierte Nicolas, der eine besänftigende Gebärde ausführte.

»Da Ihr von Ehre sprecht …« Ethan stieß Hugo grob zur Seite und schmetterte Stephen seinen Schwertgurt vor die Füße, »wie steht es denn mit Eurer eigenen Ehre? Ihr, der Ihr hinter jedem Frauenrock herlauft? Meint Ihr, ich hätte die Frau, die ich liebe – Aline, Matildas Dienerin –, wirklich in Eure Gefangenschaft geraten lassen, obwohl ich fürchten musste, dass Ihr sie in Euer Bett holen würdet?«

»Was fällt Euch ein?« Stephen war so abrupt aufgesprungen, dass sein Stuhl polternd umstürzte.

»Und außerdem, was die Ehre betrifft …« Verächtlich deutete Ethan zuerst auf Reginald und Hugo de Thorigny, dann auf Henry of Winchester. »Ich habe Euch all die Jahre gern und treu gedient, und ich habe mehr als einmal mein Leben für Euch riskiert, da ich Euch für einen guten und gerechten König gehalten habe. Das tue ich inzwischen nicht mehr. Denn wie – sagt mir – könnt Ihr es mit Eurer so genannten Ehre vereinbaren, Eure Macht auf Intriganten und Verräter zu stützen?«

»Schweigt auf der Stelle!« Stephens Stimme klang gefährlich ruhig. Doch Ethan konnte und wollte sich nicht mehr zurückhalten. »Meiner Ansicht nach habt Ihr Eure Ehre schon längst verloren, und ich bin froh, nicht mehr Euer Ritter zu sein«, brach aus ihm heraus, was sich all die letzten Monate in ihm angestaut hatte.

Er registrierte noch, dass es in der Halle völlig still geworden war. Alle Gesichter verschwammen wie in einem Nebel, nur das von Nicolas nahm er noch wahr. Es war weiß und entsetzt. Dann stand Stephen plötzlich vor ihm. Seine Faust krachte gegen Ethans Kinn. Für einen Moment wurde ihm schwarz vor Augen. Als er wieder zu sich kam, lag er auf dem Rücken. Stephen ragte über ihm auf. »Schafft den Verräter weg, und sperrt ihn ein«, brüllte er. »Morgen soll er gehängt werden.«

Ethans Schädel dröhnte. Benommen hörte er, wie Reginald de Thorigny sagte: »Das ist wirklich die einzige angemessene Strafe, Sir.« Nicolas versuchte, sich zu ihm durchzudrängen, wurde jedoch von zwei Bewaffneten zurückgehalten.

Andere Soldaten packten Ethan nun, zerrten ihn auf die Füße und schleppten ihn durch die Halle. Er war zu stolz, um sich zu wehren.

Erfüllt von dumpfer Gleichgültigkeit kauerte Ethan in seiner Zelle. Sein Zorn war verraucht. Er fühlte sich nur noch zu Tode erschöpft. Als der Riegel der Kerkertür zurückgeschoben wurde, hob er müde den Kopf. Waren sie etwa schon gekommen, um ihn zum Galgen zu bringen? Eine jähe Angst erfasste ihn. Der Morgen war doch noch nicht einmal angebrochen? Aber keine Soldaten drangen in sein Gefängnis. Stattdessen schlüpfte zu seiner Überraschung Nicolas herein.

»Hat Stephen dir erlaubt, mich noch einmal zu sehen, bevor …?«, fragte Ethan beklommen.

»Er hat keine Ahnung, dass ich hier bin.« Nicolas grinste schwach. »Im Übrigen bin ich gekommen, um dich aus diesem verdammten Loch herauszuholen.«

»Aber …« Ethan blickte ihn verständnislos an.

Nicolas seufzte ungeduldig. »Ich und ein paar andere von unseren Leuten sind der Ansicht, dass du es wirklich nicht verdient hast zu sterben. Hugo und Reginald de Thorigny besitzen nicht viele Freunde. Und dass du dein Mädchen entkommen lassen wolltest, konnten ebenfalls viele verstehen.« Er zuckte die Schultern. »Nun ja, deshalb haben wir uns zusammengetan und die Wachen außer Gefecht gesetzt.«

»Stephen wird meine Flucht bestimmt untersuchen lassen. Ich will nicht, dass ihr wegen mir seinen Zorn auf euch ladet.«

»Mach dir deswegen keine Sorgen.« Nicolas lachte leise. »Du kennst Stephen doch ebenso gut wie ich. Meistens ist seine Wut nur ein Strohfeuer. Rasch entflammt, hoch auflodernd, aber schnell wieder in sich zusammengesunken. Ich bin überzeugt, in zwei oder drei Tagen wird er heilfroh darüber sein, dass du am Leben und entkommen bist und er nicht deinen Tod auf sich geladen hat, und die ganze Sache wird im Sande verlaufen.«

»Ich hoffe, du behältst Recht«, erwiderte Ethan zögernd.

»Nun komm schon«, drängte Nicolas, »die Wachen werden nicht ewig von dem Schlaftrunk betäubt sein.«

Von außen schob Nicolas den Riegel wieder vor die Kerkertür. Sie eilten durch die Kellergänge und durch einen menschenleeren Hof bis zu einer Seitentür in der Burgmauer, die nur angelehnt war. Ethan konnte es kaum glauben, dass, nachdem sie hindurchgetreten waren, weites, freies Feld vor ihm lag. Dem Stand der Sterne nach zu schließen, musste es zwei, drei Stunden nach Mitternacht sein. Er begriff plötzlich, wie knapp er dem Tode entronnen war und konnte nur mit Mühe ein Zittern unterdrücken.

Als hätte Nicolas seine Gefühle gespürt, legte er ihm die Hand fest auf die Schulter und deutete dann auf den nahen Waldrand. »Dort ist ein Pferd für dich versteckt. Ich begleite dich noch bis zu ihm.« Sie achteten darauf, sich in den Schatten der Büsche und niedrigen Bäume am Feldrand zu halten und möglichst keine Geräusche zu machen. Es schien Ethan sehr lange zu dauern, bis sie den schützenden Waldrand erreicht hatten.

Nicolas fand das Pferd ohne Mühe. Es begrüßte sie mit einem leisen Schnauben. »Hier«, er reichte Ethan etwas, das dieser in dem vom Schnee erhellten Zwielicht unter den

Bäumen als einen Mantel und ein Bündel erkannte. »Da drin befindet sich ein Dolch, etwas zu essen und zu trinken und Geld«, erläuterte Nicolas. »Ich nehme an, du hast nicht vor, jetzt zu Matilda überzulaufen?«

»Natürlich nicht!«, erklärte Ethan entschieden.

»Ich sagte dir ja bereits, dass du ein Dummkopf bist. Und was ist mit Aline? Glaubst du nicht, es wäre an der Zeit, dass ihr beiden endlich einmal zusammenkommt?«

»Sie will mich nicht mehr sehen.«

»Obwohl du sie und Matilda aus der Burg gerettet hast?«

»Ja ...«

Nicolas seufzte, fragte aber zu Ethans Erleichterung nicht weiter nach. »Dann versteck dich wenigstens, wie ich es dir ja schon einmal geraten habe, auf einem meiner Güter«, sagte er schließlich. »Am besten auf dem bei Shrewsbury. Das ist weit genug entfernt, und dort müsstest du sicher sein. Versprich mir, dass du eine Weile dort bleiben wirst.«

»Das werde ich.«

Die beiden Freunde umarmten sich. »Danke für alles, was du für mich getan hast«, sagte Ethan gepresst.

»Ich bin überzeugt, du hättest im umgekehrten Fall genauso gehandelt.« Nicolas lächelte. »Und jetzt reite schon endlich los!«

*

Aline ging eine schmale Straße zwischen niedrigen Fachwerkhäusern entlang. Der Wind peitschte ihr nasse Flocken ins Gesicht. Eine gute Woche war mittlerweile vergangen, seit sie und Matilda Robert of Gloucesters Burg bei Monmouth nach einem mehrere Tage dauernden, strapazenreichen Ritt sicher erreicht hatten. Seit gestern weilte auch der Earl auf der Burg. Seine Anwesenheit schien Matilda über die Katastrophen der letzten Wochen hinwegzuhelfen und ihr Zuversicht zu geben.

Worum Aline sie beneidete. Sie selbst hatte sich mittlerweile schon oft dafür verwünscht, dass sie sich im Streit von Ethan getrennt hatte. Sie hatte ihm vorgeworfen, dass er sie nicht liebte und ihr nicht vertraute. Aber hatte sie sich ihm gegenüber denn anders verhalten? Er hatte versucht, seinen Fehler wiedergutzumachen, und sie hatte ihn einfach abgewiesen.

In düsterer Stimmung betrat Aline einen dämmrigen Laden, in dem – neben parfümierten Ölen, Kerzen und Talglichtern – auch Kräuter verkauft wurden. Sie wählte Kalmus und Galgant und verstaute die exotischen Pflanzen, nachdem der Händler sie in ein Wachstuch eingeschlagen hatte, in ihrem Korb.

Wieder draußen auf der Straße war sie noch nicht weit gekommen, als aus einem Hauseingang plötzlich eine in einen Umhang vermummte Gestalt auf sie zutrat und sie am Arm fasste. Aline schrie auf. Instinktiv versuchte sie, den Fremden mit dem Ellbogen wegzustoßen, während sie gleichzeitig nach dem Messer griff, das sie an ihrem Gürtel trug. Der Krieg zwischen Matilda und Stephen hatte viele Menschen in Armut und Verzweiflung gestürzt und zu Dieben gemacht.

Die Kapuze des Angreifers verrutschte ein wenig, und Aline sah mausbraunes Haar darunter hervorlugen. Nicolas' graue Augen blickten sie an.

»Nicolas, was macht Ihr denn hier?«, rief sie verdutzt. *O Gott,* durchfuhr es sie im nächsten Moment. War Nicolas etwa gekommen, um ihr mitzuteilen, dass Ethan etwas zugestoßen war? Ihr wurde schwindelig.

»Ethan …?«, stammelte sie voller Angst. Nicolas hielt sie fest. »Er lebt und befindet sich in Sicherheit«, raunte er ihr zu, während er alarmiert die Straße entlangblickte. An einer Ecke war ein Mann, der einen mit Säcken beladenen Schlitten hinter sich herzog, auf sie aufmerksam geworden und blickte neugierig zu ihnen.

»Ich möchte lieber nicht von Matildas Leuten entdeckt werden«, flüsterte Nicolas weiter. »Können wir irgendwo ungestört miteinander reden?«

»Nicht weit von hier gibt es eine Kirche.« Aline nickte.

Zu ihrer Erleichterung war das kleine, schlichte Gotteshaus menschenleer. In einem der Seitenschiffe, wo wegen des Schneetreibens kaum Licht durch die schmalen Fenster fiel, setzten sie sich auf eine der hinteren Bänke. »Ihr habt gesagt, Ethan ist in Sicherheit?«, fragte Aline hastig. »Also muss etwas vorgefallen sein. Was ist geschehen? Hat Stephen etwa herausgefunden, dass Ethan Matilda und mir zur Flucht verholfen hat?«

»Ja, und er wollte Ethan hängen lassen.«

Aline verschlug es die Sprache. Sie konnte Nicolas nur entsetzt anstarren.

»Beruhigt Euch.« Nicolas berührte ihre Hand. »Ethan konnte fliehen.« Er berichtete ihr rasch, was sich in der Halle der Burg und in der anschließenden Nacht zugetragen hatte.

»Wie konnte ich mich nur im Streit von ihm trennen«, sagte Aline mit dumpfer Stimme, nachdem er geendet hatte. »Wahrscheinlich hat das Ethans Zorn auf Stephen nur noch geschürt.«

»Ethan hat angedeutet, dass Ihr zerstritten seid«, meinte Nicolas behutsam.

»Ich war so wütend auf ihn, weil er Hugo de Thorigny

geglaubt hatte, dass ich eine Liebschaft mit Stephen hätte. Ausgerechnet Hugo, den ich fast ebenso sehr hasse wie seinen Vater.« Aline starrte auf ihre Hände. »Mir war einfach unbegreiflich, dass Ethan so etwas von mir annehmen konnte.«

»In Wahrheit hat Ethan nicht an Euch gezweifelt, sondern an sich selbst.« Nicolas seufzte. »Er hat es nie verwunden, dass ihn sein Vater ablehnt und für den Tod seines Halbbruders verantwortlich macht. Nebenbei bemerkt, ist diese Anschuldigung ein völliger Unsinn. Ethan hat sogar noch versucht, den Jungen aus dem Fluss zu ziehen. Aber er schätzt sich einfach oft als wertlos ein.«

»Ich hätte Ethan gut genug kennen müssen, um zu wissen, was hinter seinen Vorwürfen gegen mich steckte.« Aline schüttelte, immer noch von Selbstvorwürfen gepeinigt, den Kopf. »Ach, ich wünschte, er wäre nach seiner Flucht zu mir gekommen.«

Nicolas grinste schief. »Dazu ist Ethan viel zu dickköpfig und zu stolz.«

»Ja, so gut kenne ich ihn nun doch.« Aline lächelte reuevoll. »Wo hat er sich versteckt? Ich muss unbedingt zu ihm.«

»Ich hatte gehofft, dass Ihr das sagen würdet.« Nicolas seufzte erleichtert. Während er ihr den Weg zu seinem Gut nahe der walisischen Grenze beschrieb, schwor sich Aline, dass sie ihre Liebe zu Ethan auf keinen Fall noch einmal aufs Spiel setzen würde. Dazu war das Leben viel zu zerbrechlich.

*

Matilda drehte sich um, als Aline in ihre Gemächer eilte. Sie wirkte gereizt und war allem Anschein nach eine Weile rastlos in dem Zimmer hin und her gewandert. »Ich hätte nicht gedacht, dass ich diesen Stickrahmen jemals vermissen würde«, sagte sie. »Aber irgendwie hat er mich doch beruhigt. Und sei es nur, dass ich darauf gestarrt und mich über das dumme Bild geärgert habe.« Dann bemerkte sie, wie aufgewühlt Aline war. Sie fasste sie bei der Hand und zog sie neben sich auf eine Fensterbank.

»Ist etwas mit deinem Jungen geschehen?«, fragte sie besorgt.

»Allerdings, das ist es …« Alines Anspannung löste sich, und sie brach in Tränen aus. Nach und nach entlockte ihr Matilda die ganze Geschichte. »Das sieht meinem Vetter ähnlich, dass er einen fähigen Mann zum Tode verurteilt«, bemerkte sie schließlich grimmig. »Ich nehme an, du willst Ethan so bald wie möglich aufsuchen?«

»Ja.« Aline wischte sich die Tränen von den Wangen. »Ich möchte Euch bitten, mich aus Eurem Dienst zu entlassen.«

Matilda schüttelte den Kopf. »Das gewähre ich dir nicht.«

»Aber, Ihr habt mir doch versprochen …«, begann Aline enttäuscht und verzweifelt. Konnte sie sich so sehr in ihrer Herrin getäuscht haben? Doch nun bemerkte sie, dass Matilda sie amüsiert betrachtete.

»Du musst nicht zornig auf mich werden. Dass ich dich nicht aus meinem Dienst entlasse, bedeutet nicht, dass ich dich nicht gehen ließe. Natürlich sollst du deinen Jungen finden.« Matildas Gesicht wurde einen Moment lang weich. Als sie weiterredete, klang ihre Stimme wieder nüchtern. »Das Gebiet, in dem sich Ethan versteckt hält, liegt, hast du eben gesagt, in der Nähe der walisischen Grenze?«

»Ja, bei Shrewsbury. So hat es mir Ethans Freund Nicolas beschrieben.«

»Walisische Clans führen öfter einmal Überfälle auf diese Gegend aus. Vor kurzem sollen sie eine Abtei, die Stephen unterstützt, zerstört haben. Nicht, dass ich darüber traurig wäre …« Die alte Angriffslust funkelte in Matildas Augen auf. »Aber diese Gegend ist wirklich nicht ungefährlich. Deshalb werde ich dir einige Bewaffnete zu deinem Schutz mitgeben. Und ich möchte keinen Widerspruch von dir hören.« Matilda hob abwehrend die Hand. »Du tust, was ich dir sage. Und wenn du deinen Jungen gefunden hast, möchte ich, dass du mich noch einmal aufsuchst. Erst dann werde ich dich aus meinem Dienst entlassen.«

Kapitel 10

Aline schob die Schale mit dem letzten Rest des ange-
brannt schmeckenden Haferbreis beiseite. Ihre Begleiter hatten vor kurzem die schmutzige Küche verlassen, um
die Pferde zu satteln.

Neben der Feuerstelle saß die Bäuerin, eine junge Frau,
die ein breites, sommersprossiges Gesicht hatte. Sie pulte
Erbsen in eine Holzschüssel. Seit Aline mit den sechs Soldaten in die Küche gekommen war, hatte die Bäuerin kaum
ein Wort gesprochen. Wie auch schon am Vorabend nicht,
als sie das Gehöft erreicht hatten. Sie hatten in dem herun-
tergekommenen Anwesen ohnehin nur übernachtet, da am
späten Nachmittag des vergangenen Tags ein Schneesturm
über das Land gezogen war, der das Weiterreiten unmöglich
gemacht hatte.

*Gegen Abend müssten wir endlich Nicolas' Anwesen er-
reichen,* dachte Aline, während sie nach ihrem Bündel griff.
Fünf Tage waren sie bisher unterwegs gewesen. Einige Male
waren ihnen kleine Gruppen von abgerissenen, finster wirkenden Kerlen begegnet. Doch die hatten es vorgezogen,
sich nicht mit den Soldaten anzulegen. Aline hoffte sehr, dass
der Rest ihrer Reise ebenso reibungslos verlaufen würde.

Aus den Augenwinkeln sah Aline, wie die Bäuerin die
Holzschüssel nun auf dem Boden abstellte und dabei ihren
rechten Arm merkwürdig steif bewegte.

Unwillkürlich fragte sie: »Schmerzt Euch der Arm?«

Die junge Frau stierte sie einige Momente ausdruckslos an, als habe sie die Frage nicht begriffen, ehe sie schließlich sagte: »Ja, seit einigen Tagen.«

»Lasst mich einmal sehen.« Aline kniete sich neben sie und schob den Ärmel ihres schmutzigen Kittels zurück. Der Unterarm war geschwollen und fühlte sich, als sie ihn berührte, heiß an. »Ihr habt eine Sehnenentzündung«, sagte sie, während sie in ihr Bündel griff. »Hier, nehmt diese Salbe, und reibt den Unterarm damit zweimal am Tag ein. Außerdem solltet Ihr Arnikablüten überbrühen. Sobald sie abgekühlt sind, seiht Ihr die Blüten ab, und schlagt sie dann in ein Tuch ein, das Ihr an Eurem Unterarm befestigt.«

Die junge Frau nickte schwerfällig. Als keine weitere Bemerkung von ihr kam, wandte sich Aline zum Gehen. *Ein Wort des Dankes hätte sie schon sagen können,* dachte sie etwas verstimmt.

»Ihr und Eure Begleiter … Was ist Euer Ziel?« Verdutzt registrierte Aline, dass die Bäuerin zum ersten Mal von sich aus eine Frage gestellt hatte.

»Wir wollen ein Anwesen in der Nähe von Shrewsbury aufsuchen«, antwortete sie.

»Zwischen Ludlow und Shrewsbury soll sich eine große Zahl Soldaten befinden«, sagte die Frau mit ihrer eintönigen Stimme. »Mein Mann hat es gestern im Dorf gehört.«

Erschrocken begriff Aline, dass dies genau das Gebiet war, durch das sie reiten mussten.

»Aline …« Matthew, der schlaksige junge Mann, der die Soldaten befehligte, war in die Küche getreten. Der Singsang in seiner Sprache verriet, dass er aus dem Grenzgebiet stammte. »Wir können aufbrechen.« Besorgt wiederholte Aline, was die Frau ihr mitgeteilt hatte, und fügte hinzu:

»Vielleicht handelt es sich dabei ja um ein Heer Stephens, das eine Strafexpedition gegen die Waliser durchführt.«

»Wisst Ihr, wo genau sich die Soldaten befinden und wie viele es sind?« Matthew drehte sich zu der Bäuerin um. Diese war aufgestanden und hatte die Schüssel mit den Erbsen auf ein Regal geschoben.

»Nein …«, lautete ihre Antwort, und es war klar, dass sie nichts weiter von ihr erfahren würden.

Matthew nagte an seiner Unterlippe. »Das Gebiet zwischen Ludlow und Shrewsbury ist groß. Unsere einzige Ausweichmöglichkeit besteht in einem Ritt über die Berge. Was ich bei diesem Wetter lieber vermeiden würde.« Es schneite wieder heftig. »Und wer weiß, was diese Leute unter ›vielen Soldaten‹ verstehen. Möglicherweise sind es ja gerade einmal ein paar Dutzend.«

»Könnten wir uns nicht sicherheitshalber in dem Ort erkundigen?«, schlug Aline vor. »Vielleicht weiß dort ja jemand etwas Genaueres.«

»He, von wem haben die Dorfbewohner eigentlich überhaupt von den Soldaten erfahren?«, fuhr Matthew die Bäuerin ungeduldig an.

»Von einem fahrenden Händler …«

»Der wird inzwischen bestimmt weitergezogen sein.« Matthew seufzte. »Und um zu dem Dorf zu gelangen, müssten wir fünf Meilen zurückreiten. Nein, wir bleiben bei unserer ursprünglichen Route. Ich kenne ein paar abgelegene Wege, auf denen uns Stephens Leute – falls es sich bei den Soldaten überhaupt um sie handelt – kaum begegnen dürften.«

»Wie Ihr meint …«, entgegnete Aline zögernd. Doch sie hatte ein ungutes Gefühl.

*

Die Wege, auf die Matthew sie führte, waren tatsächlich wenig begangen. In dem hohen Schnee sahen sie kaum einmal eine Spur. Zwei Bauern, denen sie im Abstand von einer guten Stunde begegneten, waren die einzigen Menschen, auf die sie stießen. Aline entspannte sich ein wenig. Sie sehnte sich nach Ethan und fürchtete sich – je näher das Wiedersehen rückte – auch davor. Ob er ihr den Streit noch nachtrug? All die Jahre über hatte er Stephen sehr verehrt. Der Bruch zwischen ihnen musste ihn tief verletzt haben. Und sie traf die Hauptschuld an dem Zerwürfnis.

Gegen Mittag ließ der Schneefall nach, und sie kamen schneller voran. Der Wald, durch den sie eine lange Zeit geritten waren, lichtete sich und ging schließlich in eine hügelige, von Feldern und Wiesen geprägte Landschaft über. Sie hatten ein enges Tal, durch das ein zugefrorener Bach verlief, etwa zur Hälfte durchquert, als Aline auf dem Hügelkamm eine Bewegung wahrnahm. Einen Moment lang hoffte sie noch, ihre Einbildung hätte sie genarrt und sie hätte keine Reiter gesehen, sondern nur Bäume, deren Zweige im Wind schwankten. Doch nein, sie hatte sich nicht getäuscht – eine Gruppe von Berittenen preschte zwischen den Stämmen hervor.

Auch Matthew hatte die Reiter bemerkt und brüllte: »Los, mir nach! Vielleicht können wir ihnen noch entkommen!« Vergebens spornten sie ihre Pferde zu einem verzweifelten Galopp an. Noch ehe sie das Ende des Tals erreicht hatten, waren die Berittenen schon die Hügelflanke hinuntergestürmt und hatten sie eingekreist. Sie waren, wie Aline schnell begriff, in der völligen Überzahl, mehr als zwei Dutzend Soldaten.

Ein dunkelhaariger Mann, der ein gut aussehendes, arrogantes Gesicht hatte, löste sich aus der Gruppe und ritt auf sie und ihre Begleiter zu. Aline wurde übel vor Angst, als sie Hugo de Thorigny erkannte. Sein Freund Arnold folgte ihm.

»Nun, wenn das nicht Matildas Leute sind?« Mit einem triumphierenden Grinsen ließ Hugo seinen Blick über sie schweifen und nickte dann Matthew spöttisch zu. »Wir beide sind uns, wenn ich mich recht erinnere, ein paarmal in der Festung von Lincoln begegnet.«

»Das ist wahr«, erwiderte Matthew gepresst.

»Oh, und eine Frau habt Ihr auch bei Euch …« Hugo de Thorigny trieb sein Pferd neben Alines. »Sieh an, das ist doch Matildas Dienerin.« Er beugte sich vor und schlug ihre Kapuze zurück. Nachdem er Aline einige Augenblicke gemustert hatte, wandte er sich wieder Matthew zu. »Wenn Ihr Euch ergebt, bringen wir Euch zu Stephen, und Ihr könnt auf eine ehrenvolle Gefangenschaft zählen. Wenn nicht …« Viel sagend wies er auf seine Soldaten, die ihre Schwerter zogen.

Aline wusste, dass es Wahnsinn wäre, sich gegen diese Übermacht zu stellen. Trotzdem wünschte sich ein Teil von ihr, Matthew würde das Angebot ablehnen. Doch dieser antwortete rau: »Wir ergeben uns« und überreichte Hugo sein Schwert.

»Ihr habt klug gehandelt.« Dumpf verfolgte sie, wie Hugo lächelnd die Waffe entgegennahm. Danach sagte er leise etwas zu Arnold und wies seine Soldaten an, auch Alines andere Begleiter zu entwaffnen und sie wegzubringen. Je zwei von seinen Leuten nahmen einen von Matildas Männern zwischen sich und setzten sich mit ihnen in Bewegung. Arnold ritt neben seinen Freund. Plötzlich begriff Aline. Hugo de Thorigny wollte mit ihr und Arnold allein zurückbleiben.

Die Erstarrung wich von ihr. Sie riss ihr Pferd herum, schlug ihm die Fersen in die Flanken und galoppierte in Richtung des Hügelkamms. Hugo de Thorigny und Arnold waren so überrascht, dass sie tatsächlich einen kleinen Vorsprung vor ihnen gewann. Doch noch ehe sie den Hang ganz hinaufgeprescht war, hatten sie schon zu ihr aufgeholt und nahmen sie von zwei Seiten in die Zange.

Sie ritten durch eine Baumreihe, als sich Hugo de Thorigny zu Aline hinüberbeugte, und versuchte, ihre Zügel zu fassen zu bekommen. Es gelang ihr, einen Haken zu schlagen und ihr Messer aus dem Gürtel zu ziehen, dann war er schon wieder neben ihr. Mit einem wütenden Schrei stieß sie die Waffe nach ihm und traf ihn am Arm. Es erfüllte sie mit wilder Befriedigung, dass Hugo de Thorigny aufbrüllte. Verängstigt scheute ihr Pferd. Verzweifelt kämpfte Aline darum, die Gewalt über das Tier zurückzugewinnen.

»Sie darf nicht entkommen!«, schrie Hugo de Thorigny Arnold zu. Dieser holte sie ein und tauchte seitlich von ihr auf. Ehe sie die Waffe auch gegen ihn richten konnte, hatte er sie an der Kapuze ihres Mantels gepackt und aus dem Sattel gezerrt. Sie fiel in den Schnee. Es gelang ihr noch, sich auf die Knie zu erheben, doch dann war Arnold schon über ihr und wand ihr das Messer aus der Hand. »Verdammtes Miststück!«, keuchte er. Sie schrie und wehrte sich, kam aber gegen ihn nicht an.

»Recht so! Gib es ihr.« Hugo de Thorigny war von seinem Pferd gesprungen und zu ihnen gerannt. Er hieb Aline so hart ins Gesicht, dass Blut aus ihrer Nase schoss. Benommen hörte sie, wie er zu Arnold sagte: »Dort drüben bei den Tannen ist ein guter Platz.«

»Nein!« Noch einmal bäumte sie sich mit aller Kraft auf.

Hugo de Thorignys erneuter Faustschlag in ihr Gesicht raubte ihr fast die Besinnung. Sie spürte, dass die Männer sie unter den Achseln fassten. *Ethan ...*, dachte sie voller Trauer, während sie über das Feld geschleppt wurde. *Was haben wir alles versäumt.* Für einige Momente driftete sie weg. Sie lag dicht an Ethan geschmiegt in einer Sommerwiese, fühlte seinen Atem leicht und warm in ihrem Nacken. Über ihnen wiegten sich die Gräser im Wind.

Schnee klatschte ihr ins Gesicht und brachte sie wieder zu sich. Ein vereister Tannenzweig und ein Felsen ragten über ihr auf. Ihre Arme waren über ihren Kopf gezogen. Jemand hielt sie mit eisernem Griff gepackt. Sie wimmerte, als sie begriff.

»Sie wacht wieder auf«, sagte Arnold.

»Dann halte die verdammte Katze gut fest.« Hugo de Thorigny beugte sich über sie. »Es ist gut, dass du wieder bei dir bist«, sagte er mit einem Grinsen. »Schließlich sollst du es ja genießen, wenn ich es dir besorge. Vertrau mir. Ich bin viel besser als Ethan.«

Aline hob den Kopf und spuckte ihn an.

Sein Tritt in ihren Bauch raubte ihr fast den Atem. Sie konnte nur hilflos zappeln, als er ihr Kleid zerriss und ihre Oberschenkel auseinanderzwang. Dann lag er auf ihr. Sie schloss die Augen und biss die Zähne zusammen. Wappnete sich gegen den schneidenden Schmerz, wenn er in sie eindringen würde.

Wie aus weiter Ferne glaubte Aline plötzlich zu hören, dass Arnold einen Warnruf ausstieß. Dann drang eine andere, sehr vertraute Stimme an ihr Ohr, die sich vor Wut überschlug. Sie war wieder ohnmächtig geworden, bildete sich nur ein, Ethans Stimme zu vernehmen ... Hugo wälzte sich von ihr. Als sie mühsam die Augen öffnete, sah sie, dass

Ethan mit wutverzerrtem Gesicht und gezücktem Dolch zwischen den Tannen hindurchstürzte.

*

Am Morgen, als Ethan sich am Brunnen von Nicolas' Gehöft gewaschen hatte, war einer der Knechte zu ihm getreten. »Herr«, sagte der rotwangige Mann, »unser Verwalter ist gestern Abend spät von einer Reise zurückgekehrt. Er hat berichtet, dass Stephens Heer in der Gegend von Shrewsbury liegt, bei dem Ort Church Stretton. Das ist nur etwa zwölf Meilen von hier entfernt. Deshalb meint der Verwalter, Ihr solltet das Anwesen in den nächsten Tagen lieber nicht verlassen.«

Ethan stimmte dem zu und dankte dem Knecht. Nachdem er in der Küche des lang gestreckten, mit Holzschindeln gedeckten Wohnhauses eine Getreidesuppe gegessen hatte, ging er in den Stall. Denn dort gab es mehr als genug Zaumzeug, das geflickt werden musste. Er begann damit, den Riemen eines Geschirrs auszubessern. Nach einer Weile ertappte er sich jedoch dabei, dass er mit dem Lederstück in der Hand dasaß und vor sich hinstarrte. Seine Gedanken weilten bei Stephens Heer. Nicolas würde sich wohl nicht bei den Soldaten befinden, denn sonst hätte ihm der Freund bestimmt eine Nachricht zukommen lassen.

Energisch machte sich Ethan wieder an die Arbeit. Nur um kurz darauf festzustellen, dass er den Riemen versehentlich zerschnitten hatte. Fluchend gab er auf. Es war sinnlos. Er konnte sich einfach nicht konzentrieren.

Also tat er das, was ihm schon vorgeschwebt hatte, als er die Neuigkeit erfahren hatte: Er sattelte sein Pferd. Sobald er das Hoftor hinter sich gelassen hatte, ritt er nach Süden, wo Stephens Heer lagerte.

Ethan rechnete damit, dass Spähtrupps unterwegs waren. Er ritt langsam und war immer darauf bedacht, ihnen notfalls ausweichen zu können. Eine Stunde lang bot ihm der Schneefall Schutz. Nachdem es aufgeklart hatte, sah er in der Ferne einige kleinere Reitergruppen. Es gelang ihm jedoch, sich rechtzeitig hinter Strauchwerk oder in einem Waldstück zu verbergen.

Gegen Mittag erreichte er eine Anhöhe, unterhalb derer sich Stephens Heerlager befand. Ethan achtete darauf, im Schutz einiger Bäume zu bleiben. Eine blasse Wintersonne stand am Himmel und beschien die mehr als zwei Dutzend Zelte, die bunten Standarten und die Fahnen mit Stephens Wappen, dem bewaffneten Ritter.

Ethan fühlte ein schmerzliches Ziehen in der Magengrube, als er die zwischen den Zelten hin und her eilenden Männer sah, das Wiehern der Pferde und das Hämmern aus der Lagerschmiede hörte. Für viele Jahre war dies seine Welt gewesen, in der er ganz aufgegangen war. Und nun war er davon ausgeschlossen. Allmählich legten sich seine Bitterkeit und sein Kummer jedoch, und zu seiner eigenen Überraschung empfand er eine zaghafte Zuversicht. Wenn Aline bereit war, ihm zu verzeihen, würde er ein neues Leben mit ihr beginnen. Und dieses Leben, so schwor er sich, würde nicht mehr vom Krieg und vom Töten bestimmt sein.

Von dieser Hoffnung erfüllt machte er sich auf den Rückweg. Er war seit einer guten Stunde unterwegs und ritt gerade aus einem Waldstück hervor, als er in dem engen Talgrund unter sich eine recht große Gruppe Soldaten sah. Hastig wich er zurück und beobachtete, wie die Soldaten einige Männer entwaffneten. *Wahrscheinlich Stephens Leute, die walisische Späher entdeckt haben*, überlegte er.

Die Soldaten setzten sich mit ihren Gefangenen in Bewegung. Ethan zog sich langsam wieder in den Wald zurück, wobei er das Tal nicht aus den Augen ließ. Eine Frau und zwei Männer lösten sich jetzt von der Gruppe und galoppierten den gegenüberliegenden Hang hinauf. Etwas an der Frau kam ihm bekannt vor. Ihr Haar leuchtete goldblond in der Sonne auf, und auch ihre Art zu reiten – so als sei sie ganz eins mit dem Pferd – war ihm vertraut. Noch ehe ihr angstvoller und wütender Schrei durch das Tal gellte, begriff er, dass die Frau Aline war.

Ohne nachzudenken, stürmte Ethan den Hügel hinunter. Aline und ihre Verfolger verschwanden hinter der jenseitigen Hügelkuppe. Wieder hörte er sie voller Panik schreien. Verzweifelt spornte er sein Pferd an. Als er endlich den Kamm erreichte, lag die verschneite Landschaft menschenleer vor ihm, und er fürchtete schon, die beiden Männer seien mit Aline entkommen. Voller Angst ritt er ein Stück die Kuppe entlang, bis er schließlich drei herrenlose Pferde erblickte und gleich darauf die Spuren im Schnee entdeckte, die zu der Tannenschonung führten.

*

»Du verdammtes Stück Dreck!« Ethans Stimme klang heiser vor Wut.

Blitzschnell war Hugo aufgesprungen und hatte sein Schwert gezogen. »Halt sie gut fest«, rief er Arnold über die Schulter zu, ohne Ethan aus den Augen zu lassen, »sie soll sehen, wie ich ihren erbärmlichen Ritter töte.«

Arnold zerrte Aline auf die Füße und hielt ihr ein Messer an die Kehle. »Wenn du dich wehrst, bringe ich dich um«, zischte er. Ethan warf ihr einen gequälten Blick zu, der seine ganze Angst um sie offenbarte. Sofort richtete er seine

Aufmerksamkeit jedoch wieder auf Hugo, der ihn lauernd umkreiste.

O Ethan ..., dachte Aline. Sie war so froh, dass er bei ihr war – und gleichzeitig wünschte sie ihn weit weg. Nur mit einem Dolch bewaffnet war er Hugo gegenüber eindeutig im Nachteil.

»Eine Leibeigene und ein Ritter, der arm wie eine Kirchenmaus ist ... In gewisser Weise hättet ihr ja ein gutes Paar abgegeben«, höhnte Hugo. Sein Schwert schwingend ging er rasch einige Schritte auf Ethan zu. Dieser wich ihm aus, geriet aber in dem hohen Schnee ins Stolpern. Entsetzt schloss Aline die Augen. Als sie die Lider wieder öffnete, hatte Ethan das Gleichgewicht zurückgewonnen.

Plötzlich glaubte Aline, knirschende Huftritte zwischen den Bäumen in seinem Rücken wahrzunehmen. Und ja, jetzt bewegten sich die Tannenzweige, und Pferdeleiber wurden inmitten des Grüns sichtbar.

»Ethan, Vorsicht, hinter dir«, schrie sie.

»Halts Maul!« Arnold versetzte ihr einen derben Stoß.

Ethan sprang herum, achtete jedoch darauf, sich gegen Hugo keine Blöße zu geben.

Ein mächtiger grauer Hengst schritt zwischen den Stämmen hervor. Sein Reiter war ein großer blonder Mann – Stephen, wie Aline mit dumpfem Entsetzen registrierte. Fünf weitere Reiter drängten sich hinter ihm auf die Lichtung. Unter ihnen befand sich Henry of Winchester.

»Sieh an, der wundersam aus der Gefangenschaft entflohene Verräter.« Stephen musterte Ethan ausdruckslos.

»Sir«, Ethan warf den Kopf in den Nacken, »macht mit mir, was Ihr wollt. Aber lasst mich zuerst die Frau, die ich liebe, rächen.«

Stephens Blick wanderte zu Aline. Ebenso ausdruckslos

betrachtete er ihr zerschlagenes Gesicht und ihr zerfetztes Kleid.

»Hoheit«, Hugo verbeugte sich vor Stephen, »das Mädchen gehört mir. Sie war eine Leibeigene auf einem unserer Güter, bevor Matilda sie meiner Familie weggenommen hat.«

»Das ist nicht wahr«, schrie Aline auf, »ich bin frei geboren. Die Thorignys haben den Hof, den ich von meinen Eltern geerbt hätte, unrechtmäßig an sich gebracht und mich zu ihrem Besitz erklärt.«

»Das Mädchen lügt.« Hugo verzog spöttisch den Mund. »König Henry hat meiner Familie diesen Hof übergeben.« Ethan bewegte sich entschlossen auf Aline zu, und ihm war deutlich anzumerken, dass er sie notfalls auch gegen Stephen und seine Begleiter verteidigen würde.

Stephen blickte von ihm zu Hugo. »Ob das Mädchen eine Leibeigene ist oder nicht, ist mir gleichgültig«, sagte er schließlich. »Jede Frau sollte anständig behandelt werden. Lasst sie los«, befahl er Arnold und nickte dann dem dunkelhaarigen Ritter zu, der Aline am nächsten stand. »Gebt ihr Euren Mantel.« Der Ritter legte ihr das Gewand um die Schultern. Zitternd zog sie den Stoff über ihre nackten Brüste.

»Sir«, fuhr Hugo auf, »bei allem Respekt …«

»Und es sollte auch jeder Mann das Recht haben, die Ehre seiner Dame zu schützen und zu verteidigen«, sprach Stephen ruhig weiter.

Henry of Winchester beugte sich zu seinem Bruder. »Ich bezweifle, ob das klug ist«, sagte er leise. Stephen beachtete ihn nicht. »Komm«, winkte er Ethan zu sich. Dieser trat mit störrischer Miene auf ihn zu. »Gib mir deine Waffe.«

Ethan zögerte, doch Stephen zog sein eigenes Schwert

aus der Scheide und reichte es ihm. »Ich will einen ausgewogenen Kampf.

»Sir«, Hugos Augen blitzten zornig, »erlaubt, dass dies ein Kampf auf Leben und Tod wird.«

Nach einem Moment des Schweigens nickte Stephen. »So sei es. Und nun stellt Euch einander gegenüber auf.«

Ethan und Hugo befolgten den Befehl. Einige Augenblicke standen sie reglos da. Dann bewegte sich Hugo als Erster, und sie begannen, sich wieder wachsam zu umkreisen. Aline war übel vor Sorge um Ethan.

Ethan sprang vor und führte einen Schwerthieb gegen Hugo aus. Dieser wich geschickt zur Seite aus, während er gleichzeitig nach Ethan stach. Seine Schwertspitze ritzte den Stoff über Ethans Brust auf. Aline presste ihre Hände gegen den Mund, um nicht aufzuschreien.

Eine Weile war nur das Klirren der Schwerter und der keuchende Atem der beiden Männer zu hören. Sie kämpften unerbittlich, ohne dass einer einen entscheidenden Vorteil gegenüber dem anderen hätte erlangen können.

Nun machte Ethan wieder einen schnellen Schritt auf Hugo zu und versuchte, dessen Deckung zu durchstoßen. Mit einem dumpfen Geräusch krachten die Waffen gegeneinander. Noch ehe Ethan das Schwert im hohen Bogen aus der Hand geschleudert wurde und in den Schnee fiel, begriff Aline, dass er einer Finte aufgesessen war. Ethan verlor das Gleichgewicht und stürzte. Sofort sprang Hugo auf ihn zu und hob sein Schwert.

»Nein, nicht …« Aline stürzte auf Ethan zu. Auf einen Wink Stephens ergriff sie einer der Ritter und hielt sie fest. »De Thorigny, nehmt mich, aber lasst Ethan am Leben!«, schrie sie, während sie vergebens gegen den Mann ankämpfte.

Hugos Schwert fuhr nieder. Aline brach in den Armen des Ritters zusammen. Alles um sie herum verschwamm in einem dunklen Nebel, und sie wünschte sich, tot zu sein.

Doch Hugos überraschter, wütender Aufschrei ließ sie den Kopf heben. Ethan war es gelungen, sich zur Seite zu rollen und sein Schwert zu packen, während Hugo nun seinerseits durch die Wucht des verfehlten Stichs ins Taumeln geriet. Er fing sich jedoch schnell wieder und setzte erneut auf Ethan zu, der noch nicht wieder ganz auf die Füße gekommen war.

Aus der Bewegung heraus schnellte sich Ethan vor und unterlief Hugos Deckung. Beide stürzten ineinander verkeilt zu Boden. Aline hörte Hugo röchelnd aufkeuchen und sah, wie er sich krümmte, während sich eine Blutlache um ihn herum ausbreitete. Ein kurzes Zucken durchlief noch seinen Körper, dann blieb er reglos liegen. Doch erst als sich Ethan schwankend erhob und das Schwert in den Schnee stieß, um es von dem Blut zu reinigen, begriff sie wirklich, dass er lebte und Hugo tot war.

»Verdammter Bastard …« Arnold brach in ein trockenes, zorniges Schluchzen aus. Zwei Ritter traten zwischen ihn und Ethan.

»Sir …« Mit schweren Schritten ging Ethan zu Stephen und überreichte ihm das Schwert mit einer Verbeugung. Dieser nahm es gelassen entgegen. Danach betrachtete er einige Momente schweigend Hugo. »Hebt ihn auf eines der Pferde, und bringt auch Arnold von hier weg«, wandte er sich schließlich an seine Begleiter. »Und du, Ethan, kannst jetzt zu deinem Mädchen gehen.«

Aline und Ethan fassten sich an den Händen, während Henry of Winchester seinen Bruder verständnislos ansah. »Stephen, du hast doch nicht etwa vor, Ethan ungeschoren davonkommen zu lassen?«, fragte er entrüstet. »Er hat eben den Sohn eines deiner treuesten Verbündeten getötet. Einem Mann, dem du viel Dank schuldig bist.«

»Wie ich bereits sagte«, entgegnete Stephen ungerührt, »jeder Ritter hat das Recht, seine Dame zu verteidigen.«

»Und dass Ethan Matilda zur Flucht verholfen hat? Ist das gar nicht mehr von Belang für dich?«

Stephens Augen funkelten sarkastisch. »Mich haben auch schon andere Männer hintergangen, und ich bin ihnen gegenüber großzügig gewesen.« Er nickte Ethan kurz grüßend zu. »Sir Ethan …«

»Hoheit …«, stammelte Ethan. Er und Aline verneigten sich, während Stephen sein Pferd wendete und seinen Begleitern bedeutete, ihm zu folgen. Arnold ging mit gesenktem Kopf neben dem Pferd her, auf dem Hugos Leichnam lag.

Als alle die Lichtung verlassen hatten, klammerten sich Aline und Ethan aneinander. Sie waren zu erschöpft, um Glück zu empfinden oder viele Worte zu wechseln. Nach einer Weile flüsterte Aline: »Lass uns von hier weggehen.« Ihr Blick streifte die Blutlache im Schnee, und sie schauderte.

»Ich bringe dich zu Nicolas' Gehöft.« Ethans Stimme war rau vor Zärtlichkeit.

Er trug Aline zu seinem Pferd, das er am Rand der Tannenschonung zurückgelassen hatte, und hob sie auf den Rücken des Tiers. Nachdem er sich in den Sattel geschwungen hatte, schmiegte sich Aline an ihn. Wohin auch immer sie mit Ethan reiten würde, dachte sie schläfrig und zufrieden, es würde ein Nachhausekommen sein.

*

Zwei Wochen später, in der Burg von Monmouth, folgte Aline einer Hofdame durch einen langen Flur. Die junge Frau machte einen angespannten Eindruck. Es war seltsam, ging es Aline durch den Kopf, nach all den Jahren nicht mehr zu Matildas Hof zu gehören. Aber sie musste nur an Ethan denken, der in einem Gehöft vor den Toren der Stadt auf sie wartete, und alle Wehmut verschwand.

Als sie Matildas Gemächer erreicht hatten, pochte die Hofdame an die Tür und huschte nach drinnen. »Aline ist hier und wünscht Euch zu sprechen, Madam«, meldete sie.

»Ach, macht doch nicht so einen Umstand. Lasst sie herein«, erklang Matildas ungeduldige Stimme. Errötend gab die junge Frau Aline den Weg frei.

Matilda ruhte in einem Lehnstuhl vor dem Feuer und hielt ein Buch in der Hand. Hinter ihr saß ein etwa zwölf Jahre altes Mädchen auf einer Fensterbank. Eine Strähne seines dunklen Kraushaars hatte sich aus seinem Zopf gelöst und kringelte sich in seine Stirn. Sein Gesicht mit den runden braunen Augen wirkte offen und warmherzig.

Das Mädchen hatte seine Stickarbeit in den Schoß sinken lassen und blickte schüchtern zu seiner Herrin. Aline musste daran denken, wie oft sie selbst so bei Matilda gesessen hatte, und ihr wurde nun doch die Kehle eng.

»Herrin ...«, sagte sie bewegt, während sie sich vor Matilda verneigte. Diese kam ihr mit ausgestreckten Händen entgegen und zog sie zu einem Stuhl neben dem ihren, während sie das Mädchen in der Fensternische mit einem unwilligen Stirnrunzeln bedachte. »Nun, worauf wartest du noch?«

Hastig erhob es sich. »Madam ...«, flüsterte es und verbeugte sich dann auch ungelenk vor Aline, ehe es aus dem Zimmer stürzte.

Matilda sah Aline an und seufzte. »Du fehlst mir. Dir und Bess konnte ich wirklich vertrauen. Aber dieses junge Ding – Lucy ist ihr Name, und sie ist die Tochter von einem von Roberts Gutsverwaltern ...« Sie zuckte vielsagend mit den Schultern.

»Ich bin überzeugt, Lucy wird eine gute Dienerin werden, und Ihr werdet sie im Laufe der Zeit liebgewinnen.« Aline lächelte. »Wenn ich Euch daran erinnern darf: Von mir wart Ihr am Anfang auch nicht sehr angetan.«

»Tatsächlich? Das ist mir völlig entfallen.« Matilda erwiderte ihr Lächeln, wurde dann aber wieder ernst und sagte warm: »Du hast deinen Jungen also gefunden.«

»Ja, das habe ich.« Aline nickte.

»Stephens Kampagne gegen die Waliser soll – so lauten die Nachrichten, die ich kürzlich empfangen habe – nicht besonders erfolgreich verlaufen.« Matildas Stimme klang nachdenklich. »Zudem soll Reginald de Thorigny von ihm abgefallen sein, da Stephen einen gewissen rothaarigen Ritter, der Hugo in einem Zweikampf tötete, nicht zur Rechenschaft zog. Bei diesem Kampf soll es um die Ehre einer Frau gegangen sein.« Matilda blickte Aline durchdringend an.

Aline schluckte. Sie wollte an die Geschehnisse auf der Waldlichtung nicht mehr denken. Das, was dort vorgefallen war, war zu furchtbar gewesen. »Ja, Ethan tötete Hugo«, sagte sie schließlich leise. Zu ihrer Erleichterung stellte Matilda keine weiteren Fragen. Was, wie sich Aline erinnerte, eine ihrer guten Eigenschaften war. Sie konnte es akzeptieren, wenn jemand über eine Sache nicht sprechen wollte.

Einige Augenblicke herrschte Stille zwischen ihnen. Vor einem der Fenster flog laut zwitschernd ein Vogel auf. Während der letzten Tage war es wärmer geworden. Auf den

Feldern und Wiesen lugten Erdschollen und Gras zwischen dem Schnee hervor, und Aline musste daran denken, dass bald die Zeit sein würde, um die Felder zu pflügen und die Saat auszubringen.

»Du und Ethan – was habt ihr jetzt vor?«, brach Matilda das Schweigen.

»Wir beabsichtigen, einen Bauernhof zu pachten. Nicolas hat uns angeboten, dass wir erst einmal eines seiner Güter bewirtschaften können. So lange, bis wir etwas Geld für Saatgut und Werkzeuge beisammenhaben.«

»Unsinn«, Matilda winkte ab, »ihr bekommt von mir ein Gut in der Normandie. Was würdest du von der Gegend bei Argentan halten?«

Nach einem Überraschungsmoment stotterte Aline: »Das ist sehr großzügig von Euch, Madam, aber …«

»Ich würde euch auch einen Hof in England anbieten. Wie du jedoch weißt, sind meine Besitzungen hierzulande zurzeit alles andere als gesichert«, meinte Matilda trocken. »Ich möchte euch kein Gut geben, das ihr möglicherweise in ein, zwei Jahren wieder verlieren würdet.«

Wie sollte sie sich Matilda nur begreiflich machen, ohne sie zu kränken? Dieses Angebot war mehr, als Ethan und sie sich je erhofft hatten. Unsicher sagte Aline: »Verzeiht, ich habe nicht wegen der Normandie gezögert. Ich und Ethan würden gern dort leben. Es ist nur … Ich fürchte, Ethan wird sich nach wie vor weigern, Euer Gefolgsmann zu werden. In gewisser Weise fühlt er sich Stephen immer noch verbunden. Und daran wird sich wohl auch nie etwas ändern.« Nun war es heraus.

»Dein Junge ist und bleibt ein unverbesserlicher Sturkopf.« Zu Alines Erleichterung wirkte Matilda nicht im Geringsten verletzt. »Du kannst ihm ausrichten, dass ich sehr gut auf seine Gefolgschaft verzichten kann. Nein, das Gehöft ist ein Geschenk von mir an dich und kein Lehen. Es sind keinerlei Bedingungen daran geknüpft.«

»Madam …«, stammelte Aline. »Ich …«

Matilda unterbrach sie. »Bevor du jetzt vielleicht auf die Idee kommst zu sagen, dass du mein Angebot nicht annehmen kannst, da es zu großzügig sei … Du hast mich all die Jahre ertragen. Dafür hast du dir dieses Geschenk wirklich verdient. Aber glaubst du denn, dass Ethan so ganz ohne Krieg und Kampf zufrieden sein wird?«

»Manchmal wird er sein Leben als Ritter eines großen Herrn wahrscheinlich vermissen. Genauso wie ich mein Dasein als Dienerin einer großen Dame vermissen werde«, antwortete Aline nachdenklich, während sich ein Lächeln auf ihrem Gesicht ausbreitete. »Dennoch bin ich überzeugt, einen Bauernhof zu bewirtschaften ist das, was wir uns wirklich wünschen, und wir werden damit glücklich werden.«

*

Aline fand Ethan vor dem Gehöft, in dem sie untergekommen waren, in der Nähe eines Baches. Er saß auf einem umgestürzten Baumstamm, an einer Stelle, wo die Sonne den Schnee weggeschmolzen hatte, und schnitzte an einem Holzstück. *Ja, er arbeitet gern mit seinen Händen*, dachte sie zärtlich.

Ethan blickte auf und lächelte sie an. »Dein Besuch bei Matilda scheint ja gut verlaufen zu sein. Du strahlst über das ganze Gesicht.«

»Es war schön, meine Herrin wieder zu sehen. Und …« Ein wenig atemlos setzte sich Aline neben ihn, »… sie schenkt uns ein Gut in der Normandie.«

Wie sie nicht anders erwartet hatte, fuhr Ethan auf: »Ich kann nicht Matildas Gefolgsmann werden!«

»Das verlangt auch niemand von dir.« Aline seufzte, teils ärgerlich, teils belustigt. »Hör mir einfach einmal zu.« Nachdem sie ihm die Zusammenhänge erklärt hatte, schwieg Ethan eine Weile. »Matilda ist sehr großzügig«, sagte er dann.

»Ja, das ist sie in der Tat«, stimmte Aline ihm energisch zu. »Und sie ist auch klug. Sie hat mir einmal einen wichtigen Rat gegeben.« In den Tagen, nachdem Ethan sie vor Hugo de Thorigny gerettet hatte, war sie – trotz des Glücks, endlich wieder mit ihm zusammen zu sein – zu mitgenommen gewesen, um ihm von ihrer Fehlgeburt zu erzählen. Doch jetzt, das spürte sie, war der richtige Zeitpunkt gekommen. Sie fasste nach Ethans Hand und schlang ihre Finger in seine.

»Damals in der Normandie … Nachdem wir miteinander geschlafen hatten, wurde ich schwanger«, begann sie stockend. »Aber einige Monate später habe ich das Kind verloren.« Tränen stiegen ihr in die Augen.

»Warum hast du mir nie etwas davon erzählt?«, fragte Ethan bestürzt und nahm sie in seine Arme.

»Ich glaubte, ich könnte das allein mit mir ausmachen«, schluchzte Aline.

»Wir hatten ein Kind miteinander …«, flüsterte Ethan. Sie spürte seine Trauer, und dies linderte ihren eigenen Schmerz. Lange hielten sie sich einfach nur fest.

Die tanzenden Schatten einer Saalweide am Bachufer ließen Aline aufsehen. Die Baumkrone war sturmzerzaust, manche Zweige waren sogar herausgebrochen, aber an anderen Ästen hatten sich schon die ersten Blattknospen gebildet. Die Weide erschien ihr plötzlich wie ein Sinnbild ihres eigenen Lebens. Ethan fing ihren Blick auf und begriff. »In der Normandie werden wir noch einmal neu beginnen«, sagte er leise.

Aline lehnte ihren Kopf an seine Schulter, und ein tiefes Glücksgefühl durchströmte sie. »Ja, das werden wir«, murmelte sie.

EPILOG

Schh, es wird ja gleich wieder gut.« Vorsichtig tupfte Aline eine Kamilletinktur auf die entzündete Stelle im Gaumen ihrer acht Monate alten Tochter. Adela war ihr jüngstes Kind und zahnte gerade. Das Mädchen schluchzte noch ein paarmal, dann entspannte sich sein runder, kräftiger Körper, und seine Augen folgten interessiert einer Biene, die laut summend über ihnen ihre Kreise zog. Als Aline sein Gewicht verlagerte, stieß es einen durchdringenden Unmutslaut aus. Zärtlich betrachtete sie das Kind. Adela hatte Ethans rotes Haar geerbt, und obwohl sie noch so klein war, war jetzt schon erkennbar, dass sie auch ähnlich eigenwillig war wie er.

Hinter einer Reihe von Beerensträuchern ertönte das Platschen von Wasser und das Kreischen und Lachen ihrer vier anderen Kinder: Nicolas, Patrick, Gwen und Ann. Sie waren zwischen dreizehn und fünf Jahre alt und hatten die Erlaubnis erhalten, an dem heißen Sommernachmittag eine Weile in dem Teich zu planschen, ehe sie ihrer Mutter wieder im Garten helfen mussten.

Nicolas, der Älteste, der Ethans Freund zum Paten hatte, war schon auf dem Gut geboren worden. Die vergangenen Jahre, überlegte Aline, waren gute Jahre gewesen. Zweimal hatte ein verregneter Sommer die Ernte mager ausfallen lassen, und einige Male war eines der Kinder schwer erkrankt.

Aber sie und Ethan hatten diese Krisen gemeistert und waren immer noch glücklich miteinander. Was nicht hieß, dass sie sich nicht manchmal heftig stritten. Wahrscheinlich gehörte es einfach zu ihnen, sich ab und zu aneinander zu reiben. *Auf diese Weise,* dachte Aline, während sie träge und zufrieden über den sonnigen Garten blickte und ihre Tochter wiegte, der allmählich die Augen zufielen, *wird uns das Leben auf jeden Fall nicht langweilig.*

Matilda hatte ihren Kampf mit Stephen noch acht Jahre lang, nachdem Aline ihren Hof verlassen hatte, weitergeführt. Doch mit Robert of Gloucesters überraschendem Fiebertod war ihre Energie erloschen, und sie hatte sich auf ihre normannischen Güter zurückgezogen. Sie lebte in ihrem eigenen Haushalt und trat, wenn überhaupt, nur an hohen Festtagen in der Öffentlichkeit auf. Wenn Matilda sich auf ihrer Burg bei Argentan aufhielt, hatte Aline sie gelegentlich besucht. Wie eh und je tyrannisierte sie ihre Umgebung. Aber zu Alines Erleichterung hatte Matilda Lucy als Dienerin akzeptiert und zu schätzen gelernt, und diese wusste gut mit ihr umzugehen.

Vor zwei Jahren war Eustache, Stephens einziger überlebender legitimer Sohn und Erbe, gestorben. Immer wieder einmal waren Gerüchte zu hören gewesen, Stephen beabsichtige, Henry, Matildas Ältesten, zu seinem Erben zu erklären. Aber Aline hatte stets bezweifelt, dass sich die beiden alten Rivalen jemals aussöhnen und auf eine Nachfolge Henrys einigen würden.

Drei Wochen war es jetzt her, dass sie und Ethan die Nachricht erreicht hatte, auch Stephen sei nicht mehr am Leben. *Hoffentlich entbrennt nicht wieder ein Krieg um den englischen Thron*, dachte Aline. Denn Henry stand seiner Mutter in Willensstärke und Kampfeslust in nichts nach.

Auf dem Weg, der zu dem Gehöft führte, erklang nun das Klappern von Pferdehufen. Gleich darauf ritt Ethan durch das Tor in der hohen Hecke. Lächelnd winkte er Aline zu und brachte den Hengst auf die Weide. Als er wenig später zu ihr kam, trug er ein Päckchen bei sich. »Von deiner früheren Herrin«, sagte er, während er sich zu ihr auf die Bank auf der schattigen Vorderseite des strohgedeckten Hauses setzte.

»Ein Päckchen von Matilda?« Verwundert betrachtete Aline das vertraute Siegel, das eine Frau in herrscherlicher Pose mit Krone und Zepter zeigte. Behutsam ließ sie die schlafende Adela in Ethans Arme gleiten, ehe sie das Wachs zerbrach. Als sie die Schnur gelöst und die lederne Umhüllung aufgeschlagen hatte, kamen ein großes Stück Stoff und ein Brief zum Vorschein.

»Das ist ja Matildas Stickbild«, sagte Aline verblüfft, nachdem sie das Tuch auseinandergefaltet hatte.

»Sehr ordentlich sieht es ja nicht gerade aus.« Ethan betrachtete die in schrägen, unregelmäßigen Stichen ausgeführten Blumen und grinste.

»Matilda hat nie gern gestickt«, meinte Aline geistesabwesend, während sie rasch den Brief öffnete und die ersten Zeilen las.

»Was schreibt sie denn?« Ethan beugte sich zu ihr.

»… dass sie den Stickrahmen und das Bild vor einigen Jahren von Stephen zurückerhalten habe und dass sie mir das Bild, nachdem es nun endlich fertig sei, schenken wolle. Schließlich hätte ich die Arbeit daran ja oft genug sehen müssen.« Aline lächelte.

»Aber das ist doch wohl nicht der einzige Grund ihres Briefes?«

»Nein, natürlich nicht, ich bin ja erst am Anfang.« Aline

winkte ungeduldig ab. »Weiter schreibt sie … oh, dass ihr Sohn Henry in Westminster in ihrer Gegenwart zum König gekrönt wurde.«

»Nun hat sie ihr Ziel in gewisser Weise also doch noch erreicht und über Stephen triumphiert.« Ethan schüttelte in widerwilliger Anerkennung den Kopf.

»Ja, allerdings, das hat sie.« Aline gab sich keine Mühe den Stolz, den sie in diesem Moment für Matilda empfand, zu verbergen. »Der Brief ist aber noch nicht zu Ende. Hier steht … Henry hat Reginalds Besitzanspruch auf meinen Hof für ungültig erklärt. Das geschah ganz bestimmt auf Matildas Veranlassung und …« Alines Stimme brach. »… ich erhalte das Anwesen zurück.«

Ethan griff nach ihrer Hand und streichelte sie. »Dann sollten wir bald nach England reisen«, sagte er ruhig. Aline verschränkte ihre Finger mit seinen und lehnte sich an ihn. Ohne aus ihrem Schlaf zu erwachen bewegte sich Adela in Ethans Armbeuge. Hinter den Beerensträuchern tauchten vier drahtige, braun gebrannte Kinderkörper auf. Wassertropfen spritzten funkelnd durch die Luft. Endlich war ein altes Unrecht wiedergutgemacht worden.

Voller Wärme und Dankbarkeit dachte Aline an die oft launische und schwierige, aber auch großherzige und mutige Frau, die dies ermöglicht hatte. »Robert of Gloucester hatte Recht«, lächelnd wandte sie sich Ethan zu, »Matilda hat das Herz einer Löwin.«

Nachwort

Ein historischer Roman ist kein Sachbuch. Deshalb habe ich mir wie immer in meinen Büchern gewisse Freiheiten erlaubt. Die Situation, in der sich meine Heldin Aline in »Am Hofe der Löwin« unversehens durch eine Volte des Schicksals wiederfindet, entspricht den historischen Tatsachen. Seit Matildas Großvater, der Normanne William, England unterworfen hatte, wurde das frühere angelsächsische Recht durch das Recht der Eroberer ersetzt. Dies bedeutete, dass ehemalige Besitzverhältnisse – wie die von Alines alteingesessener Familie – nun nicht mehr anerkannt wurden oder zumindest der Willkür oder dem guten Willen des normannischen Adels überlassen waren. Hugo und Reginald de Thorigny sind jedoch meine Erfindung.

Matildas Ehe mit dem deutschen Kaiser Heinrich V. war ohne männlichen Erben geblieben. Als Heinrich 1125 starb, kehrte sie nach England an den Hof ihres Vaters Henry I. zurück. Dessen einziger legitimer Sohn William – Matildas jüngerer Bruder – war 1120 beim Untergang des »Weißen Schiffes« ums Leben gekommen. Deshalb bestimmte Henry seine Tochter als Nachfolgerin und veranlasste seine Adeligen, ihr die Treue zu schwören.

Historisch verbürgt ist auch, dass Matildas Ehe mit ihrem zweiten Gatten Geoffrey von Anjou unglücklich war und sie ihn nach einem Jahr verließ; ebenfalls, dass sie sich schließlich dazu bewegen ließ, zu ihm zurückzukehren, und drei Söhnen das Leben schenkte. Allerdings war Geoffrey wohl ein gut aussehender Mann, und er hat Matilda bei der Zeremonie in Northampton auch nicht öffentlich um Verzeihung gebeten.

In meinem Buch rettet Aline ihrer Herrin bei der Geburt des ersten Sohnes das Leben. Tatsächlich gestaltete sich die Geburt des Zweitältesten, Geoffrey, sehr schwierig, und Matilda starb fast im Kindbett. Dass sich Matilda, dem Tode nahe, mit ihrem Vater darüber stritt, wo sie begraben werden wollte, ist verbürgt. Für mich ist dies ein Beleg für ihren eigenwilligen und häufig schwierigen Charakter, unter dem Aline so oft zu leiden hat.

Eine Tochter Matildas aus der Ehe mit Heinrich V. ist in den Quellen nicht belegt. Dennoch spricht einiges für diese Annahme: Ein Mädchen, das die Geburt nicht lange überlebte, wäre für die damaligen Schreiber nicht erwähnenswert gewesen. Außerdem hätte Henry Matilda – wenn er nicht um ihre Gebärfähigkeit gewusst hätte – wohl kaum als Nachfolgerin bestimmt. Zu groß wäre die Gefahr gewesen, dass seine Dynastie mit Matilda aussterben würde.

Im Jahr 1135 hielt sich Henry I. in der Normandie auf, über die er, durch seinen Vater William, als Herzog herrschte. Historisch verbürgt ist, dass auch Stephen zum Zeitpunkt von Henrys Tod dort weilte. Stephen war, laut den Quellen, in seinen Entschlüssen oft wankelmütig. In diesem Fall handelte er jedoch sehr schnell. Er schiffte sich nach England ein und ließ sich in Winchester zum König krönen. Wodurch er Matilda erst einmal ausmanövriert hatte. Seine List, er leide an einem Fieber, sowie dass er Matildas Schiffe im Hafen von Barfleur zerstören ließ, habe ich aus dramaturgischen Gründen hinzugefügt.

In Wirklichkeit benötigte Matilda vier Jahre, um ihre Macht in der Normandie so weit zu konsolidieren, dass sie nach England zurückkehren und den Kampf mit Stephen aufnehmen konnte. In meinem Buch habe ich diese Zeitspanne aus dramaturgischen Gründen um etwa zwei Jahre verkürzt. Bernhard von Clairvaux' Brief an Geoffrey ist meine Erfindung, ebenso der Earl of Warwick.

Anfangs neigte sich das Kriegsglück Matilda zu, und mächtige Adelige wie die Chester-Brüder, die zuvor Stephen unterstützt hatten, liefen zu ihr über. Auch dass Stephen während der Schlacht von Lincoln von Matildas Leuten gefangen genommen wurde, ist historisch belegt. Sein Bruder Henry of Winchester, der tatsächlich ein großer Opportunist war, lief nach der Niederlage zu ihr über. Etwas Gutes lässt sich über ihn sagen: Er war ein sehr kunstsinniger Mann. In meinem Buch kommt es zwischen ihm und seinem Bruder zum Streit, da Stephen Henrys Burg bei Farnham besetzt. Stephen okkupierte tatsächlich Burgen seiner Gefolgsleute – wie die der Chesters –, Henrys ließ er jedoch unbehelligt.

Matilda stand kurz davor, in Westminster zur Königin gekrönt zu werden. Laut den Quellen brachte sie jedoch die Londoner durch die arrogante Art, wie sie deren Forderungen nach Steuersenkungen abwies, gegen sich auf – ein weiterer Beleg für ihr sicher nicht immer einfaches Wesen. Die Londoner ließen Matilda daraufhin nicht in die Stadt ein, was zum entscheidenden Wendepunkt in ihrem Kampf gegen Stephen wurde. Denn nach diesem Ereignis verließ sie das Kriegsglück.

Während Stephens Gefangenschaft hatte seine Gattin Maude seinen Kampf tatkräftig fortgesetzt. Als Matildas Stern sank, schlug sich Henry of Winchester wieder auf die

Seite seines Bruders. Ein schwerer Schlag für Matilda war es, als ihr Halbbruder Robert of Gloucester in der Schlacht von Winchester von Stephens Leuten gefangen genommen wurde. Wie in meinem Roman beschrieben, deckte er ihre Flucht. Historisch verbürgt ist das enge Verhältnis zwischen ihm und Matilda. So tauschte Matilda Robert gegen Stephen aus und verlor dadurch den letzten entscheidenden Vorteil, den sie bislang noch gegenüber dem Lager ihres Rivalen besessen hatte. Bald nach Roberts Tod im Jahr 1147 gab sie ihren Kampf mit Stephen auf und zog sich in die Normandie zurück.

Das inzestuöse Verhältnis der beiden ist jedoch meine Erfindung. Ich habe Matilda, wie bereits angeführt, als einen sehr eigenwilligen, bisweilen schwierigen Charakter verstanden und als einen Menschen, der dazu neigte, sich das Leben selbst schwerzumachen. Da Aline und nicht sie meine Hauptfigur ist, habe ich mir die Freiheit genommen, Matilda mit dieser »unmöglichen« Liebe zu schlagen und ihr die Stärke zu geben, sich über die Konventionen hinwegzusetzen. Diese Liebe lässt Aline auch erstmals Matilda wirklich verstehen und bringt sie dazu, in ihr mehr als nur ihre Herrin zu sehen.

Des Weiteren lässt sich über Matilda sagen, dass sie tatsächlich – so wie Aline sie ja auch erlebt – sehr belesen und gebildet gewesen sein muss. Deutsche Quellen aus der Zeit ihrer Ehe mit Heinrich V. sprechen von ihr als der »guten Kaiserin« und rühmen sie für ihre Mildtätigkeit. Was für mich einen weiteren Hinweis auf ihren sehr komplexen Charakter darstellt. Mutig war sie vermutlich auch, denn ihre Flucht in weißen Leinentüchern aus dem verschneiten Oxford ist ebenfalls in den Quellen beschrieben.

In ihrem Kampf um die englische Krone agierte Matilda nicht immer geschickt. Stephen tat dies allerdings ebenso wenig. Natürlich ist dies hypothetisch: Aber ich finde das Gedankenspiel trotzdem interessant, ob Matilda, falls sie keine Frau gewesen wäre und somit mehr Unterstützung unter den Adeligen besessen hätte, diesen Kampf nicht doch für sich hätte entscheiden können.

Jedenfalls gelang es ihr, ihrem ältesten Sohn Henry – dem späteren König Henry II. – den Thron zu sichern. Und so triumphierte sie, wie ja auch Aline gegenüber Ethan feststellt, letztlich doch über Stephen. Auch wenn ich Stephens Tod und Henrys Krönung vom Herbst und Winter 1154 in den Sommer verlegt habe.

Ansonsten noch ein Letztes: Wie immer in meinen Romanen habe ich mir, was die Architektur von Gebäuden und die Reisewege und Aufenthaltsorte meiner historischen Protagonisten anbelangt, Freiheiten genommen.

Bei der Schreibweise der Personennamen folge ich weitgehend Marjorie Chibnalls lesenswertem Buch »The Empress Matilda, Queen Consort, Queen Mother and Lady of the English«, Oxford 1993.

Bonn, im Frühjahr 2011
Beate Sauer

Die ganze Welt des Taschenbuchs
unter
www.goldmann-verlag.de

Literatur deutschsprachiger und
internationaler Autoren,
Unterhaltung, Kriminalromane, Thriller,
Historische Romane und Fantasy-Literatur

Aktuelle **Sachbücher** und **Ratgeber**

Bücher zu **Politik**, **Gesellschaft**,
Naturwissenschaft und **Umwelt**

Alles aus den Bereichen **Body**, **Mind + Spirit**
und **Psychologie**